A marca FSC® é a garantia de que a madeira utilizada na fabricação do papel deste livro provém de florestas que foram gerenciadas de maneira ambientalmente correta, socialmente justa e economicamente viável, além de outras fontes de origem controlada.

gabriela, cravo e canela

COLEÇÃO JORGE AMADO

Conselho editorial
Alberto da Costa e Silva
Lilia Moritz Schwarcz

Coordenação editorial
Thyago Nogueira

O país do Carnaval, 1931
Cacau, 1933
Suor, 1934
Jubiabá, 1935
Mar morto, 1936
Capitães da Areia, 1937
ABC de Castro Alves, 1941
O cavaleiro da esperança, 1942
Terras do sem-fim, 1943
São Jorge dos Ilhéus, 1944
Bahia de Todos-os-Santos, 1945
Seara vermelha, 1946
O amor do soldado, 1947
Os subterrâneos da liberdade
    Os ásperos tempos, 1954
    Agonia da noite, 1954
    A luz no túnel, 1954
Gabriela, cravo e canela, 1958
De como o mulato Porciúncula descarregou seu defunto, 1959
Os velhos marinheiros ou O capitão-de-longo-curso, 1961
A morte e a morte de Quincas Berro Dágua, 1961
As mortes e o triunfo de Rosalinda, 1963
Os pastores da noite, 1964
O compadre de Ogum, 1964
Dona Flor e seus dois maridos, 1966
Tenda dos Milagres, 1969
Tereza Batista cansada de guerra, 1972
O gato malhado e a andorinha Sinhá, 1976
Tieta do Agreste, 1977
Farda, fardão, camisola de dormir, 1979
O milagre dos pássaros, 1979
O menino grapiúna, 1981
A bola e o goleiro, 1984
Tocaia Grande, 1984
O sumiço da santa, 1988
Navegação de cabotagem, 1992
A descoberta da América pelos turcos, 1992
Hora da Guerra, 2008
Toda a Saudade do Mundo, 2012

gabriela, cravo e canela

JORGE AMADO

CRÔNICA DE UMA
CIDADE DO INTERIOR

Posfácio de José Paulo Paes

8ª reimpressão

Copyright © 2008 by Grapiúna Produções Artísticas Ltda.
1ª edição, Livraria Martins Editora, São Paulo, 1958

Grafia atualizada segundo o Acordo Ortográfico da Língua Portuguesa de 1990, que entrou em vigor no Brasil em 2009.

Consultoria da coleção Ilana Seltzer Goldstein

Projeto gráfico Kiko Farkas e Elisa Cardoso/ Máquina Estúdio

Pesquisa iconográfica do encarte Silvana Jeha

Imagens Gabriela © 1984 Metro-Goldwyn-Mayer Studios Inc. All rights reserved/ Courtesy of MGM CLIP+STILL (foto da capa); © Luiza Chiodi/ Companhia Fabril Mascarenhas (chita); © Zélia Gattai Amado/ Acervo Fundação Casa de Jorge Amado e (foto da orelha). Outras imagens cedidas pela família Amado e pela Fundação Casa de Jorge Amado. Todos os esforços foram feitos para determinar a origem das imagens deste livro. Nem sempre isso foi possível. Teremos prazer em creditar as fontes, caso se manifestem.

Cronologia Ilana Seltzer Goldstein e Carla Delgado de Souza

Preparação Denise Pessoa

Revisão Valquíria Della Pozza e Ana Maria Barbosa

Atualização ortográfica Página Viva

Texto estabelecido a partir dos originais revistos pelo autor. Os personagens e as situações desta obra são reais apenas no universo da ficção; não se referem a pessoas e fatos concretos, e não emitem opinião sobre eles.

Dados Internacionais de Catalogação na Publicação (CIP)
(Câmara Brasileira do Livro, SP, Brasil)

Amado, Jorge, 1912-2001.
 Gabriela, cravo e canela : crônica de uma cidade do interior / Jorge Amado ; posfácio de José Paulo Paes. — São Paulo : Companhia das Letras, 2008.

ISBN 978-85-359-1238-8

1. Romance brasileiro I. Paes, José Paulo. II. Título.

08-03875   CDD-869.93

Índice para catálogo sistemático:
1. Romances : Literatura brasileira 869.93

Diagramação Spress

Papel Pólen, Suzano S.A.

Impressão Lis Gráfica

[2024]
Todos os direitos desta edição reservados à
EDITORA SCHWARCZ S.A.
Rua Bandeira Paulista 702 cj. 32
04532-002 — São Paulo — SP
Telefone: (11) 3707 3500
www.companhiadasletras.com.br
www.blogdacompanhia.com.br
facebook.com/companhiadasletras
instagram.com/companhiadasletras
twitter.com/cialetras

Para Zélia seus ciúmes
seus cantares suas penas
o luar de Gabriela
e a cruz do meu amor.

Para Alberto Cavalcanti
a imagem de Gabriela
dançando rindo sonhando.
Para o mestre Antônio Bulhões
com toda consideração
o seu perfume de cravo.
Para Moacir Werneck de Castro
moço bem-apessoado
em testamento deixou
seus suspiros Gabriela
ai.
E para os três reunidos
a amizade do autor.

(do "Testamento de Gabriela")

✺

O cheiro de cravo,
a cor de canela,
eu vim de longe
vim ver Gabriela.
(moda da zona do cacau)

ESSA HISTÓRIA DE AMOR — POR CURIOSA COINCIDÊNCIA, COMO DIRIA dona Arminda — começou no mesmo dia claro, de sol primaveril, em que o fazendeiro Jesuíno Mendonça matou, a tiros de revólver, dona Sinhazinha Guedes Mendonça, sua esposa, expoente da sociedade local, morena mais para gorda, muito dada às festas de igreja, e o dr. Osmundo Pimentel, cirurgião-dentista chegado a Ilhéus há poucos meses, moço elegante, tirado a poeta. Pois, naquela manhã, antes da tragédia abalar a cidade, finalmente a velha Filomena cumprira sua antiga ameaça, abandonara a cozinha do árabe Nacib e partira, pelo trem das oito, para Água Preta, onde prosperava seu filho.

Como opinara depois João Fulgêncio, homem de muito saber, dono da Papelaria Modelo, centro da vida intelectual de Ilhéus, fora mal escolhido o dia, assim formoso, o primeiro de sol após a longa estação das chuvas, sol como uma carícia sobre a pele. Não era dia próprio para sangue derramado. Como, porém, o coronel Jesuíno Mendonça era homem de honra e determinação, pouco afeito a leituras e a razões estéticas, tais considerações não lhe passaram sequer pela cabeça dolorida de chifres. Apenas os relógios soavam as duas horas da sesta e ele — surgindo inesperadamente, pois todos o julgavam na fazenda — despachara a bela Sinhazinha e o sedutor Osmundo, dois tiros certeiros em cada um. Fazendo com que a cidade esquecesse os demais assuntos a comentar: o encalhe do navio da Costeira pela manhã na entrada da barra, o estabelecimento da primeira linha de ônibus ligando Ilhéus a Itabuna, o grande baile recente do Clube Progresso e, mesmo, a apaixonante questão levantada por Mundinho Falcão das dragas para a barra. Quanto ao pequeno drama pessoal de Nacib subitamente sem cozinheira, dele apenas seus amigos mais íntimos tomaram conhecimento imediato, sem lhe dar, aliás, maior importância. Voltavam-se todos para a tragédia a emocioná-los, a história da mulher do fazendeiro e do dentista, seja pela alta classe dos três personagens nela envolvidos, seja pela riqueza de detalhes, alguns picantes e saborosos. Porque, apesar do propalado e envaidecedor progresso da cidade ("Ilhéus civiliza-se em ritmo impetuoso", escrevera o dr. Ezequiel Prado, grande advogado, no *Diário de Ilhéus*), ainda se glosava, acima de tudo, naquela terra, uma história assim violenta de amor, ciúmes e sangue. Ia-se perdendo, no passar dos tempos, o eco dos últimos tiros trocados nas lutas pela conquista da terra, mas daqueles anos heroicos ficara um gosto de sangue derramado no sangue dos ilheenses. E certos costumes: o de arrotar valentia, de carregar revólveres dia e noite, de beber e jogar. Certas leis também, a regularem suas vidas. Uma delas, das mais indiscutidas, novamente cumprira-se naquele dia: honra de marido enganado só com a morte dos culpados podia ser lavada. Vinha dos tempos antigos, não estava escrita em nenhum código, estava apenas na consciência dos homens, deixada pelos senhores de antanho, os primeiros a derrubar matas e a plantar cacau. Assim era em Ilhéus, naqueles idos de 1925, quando floresciam as roças nas terras adubadas com cadáveres e sangue e multiplicavam-se as fortunas, quando o progresso se estabelecia e transformava-se a fisionomia da cidade.

Tão profundo aquele gosto de sangue que o próprio árabe Nacib, afetado bruscamente em seus interesses com a partida de Filomena, esquecia tais preocupações, voltando-se por inteiro para os comentários do duplo assassinato. Modificava-se a fisionomia da cidade, abriam-se ruas, importavam-se automóveis, construíam-se palacetes, rasgavam-se estradas, publicavam-se jornais, fundavam-se clubes, transformava-se Ilhéus. Mais lentamente porém evoluíam os costumes, os hábitos dos homens. Assim acontece sempre, em todas as sociedades.

PRIMEIRA PARTE

AVENTURAS & DESVENTURAS DE UM BOM BRASILEIRO (NASCIDO NA SÍRIA) NA CIDADE DE ILHÉUS, EM 1925, QUANDO FLORESCIA O CACAU & IMPERAVA O PROGRESSO

COM

AMORES, ASSASSINATOS, BANQUETES, PRESÉPIOS,

HISTÓRIAS VARIADAS PARA TODOS OS GOSTOS,

UM REMOTO PASSADO GLORIOSO

DE NOBRES SOBERBOS & SALAFRÁRIOS,

UM RECENTE PASSADO

DE FAZENDEIROS RICOS & AFAMADOS JAGUNÇOS,

COM

SOLIDÃO & SUSPIROS, DESEJO, VINGANÇA, ÓDIO,

COM

CHUVAS E SOL

&

COM

LUAR, LEIS INFLEXÍVEIS, MANOBRAS POLÍTICAS,

O APAIXONANTE CASO DA BARRA,

COM

PRESTIDIGITADOR, DANÇARINA, MILAGRE

&

OUTRAS MÁGICAS

OU

UM BRASILEIRO DAS ARÁBIAS

CAPÍTULO PRIMEIRO

O LANGOR DE OFENÍSIA
(que muito pouco aparece mas nem por isso é menos importante)

Neste ano de impetuoso progresso...
(de um jornal de Ilhéus, em 1925)

RONDÓ DE OFENÍSIA

Escutai, ó meu irmão,
Luiz Antônio, meu irmão:

Ofenísia na varanda
na rede a se balançar.
O calor e o leque,
a brisa doce do mar,
mucama no cafuné.
Já ia fechar os olhos
o monarca apareceu:
barbas de tinta negra,
ó resplendor!

O verso de Teodoro,
a rima para Ofenísia,
o vestido vindo do Rio,
o espartilho, o colar,
mantilha de seda negra,
o sagui que tu me deste,
tudo isso de que serve
Luiz Antônio, meu irmão?

São brasas seus olhos negros,
(— São olhos do imperador!)
incendiaram meus olhos.
Lençol de sonho suas barbas
(— São barbas imperiais!)
para o meu corpo envolver.
Com ele quero casar
(— Com o rei não podeis casar!)
com ele quero deitar
em suas barbas sonhar.
(— Ai, irmã, nos desonrais!)
Luiz Antônio, meu irmão,
que esperais pra me matar?

Não quero o conde, o barão,
senhor de engenho não quero,
nem os versos de Teodoro,
não quero rosas nem cravos
nem brincos de diamante.
Tudo que quero são as barbas,
tão negras do imperador!
Meu irmão, Luiz Antônio,
da casa ilustre dos Ávilas,
escutai, ó meu irmão:
se concubina não for
do Senhor imperador
nessa rede vou morrer
de langor.

DO SOL & DA CHUVA
COM PEQUENO MILAGRE

NAQUELE ANO DE 1925, QUANDO FLORESCEU O IDÍLIO DA MULATA GABRIELA e do árabe Nacib, a estação das chuvas tanto se prolongara além do normal e necessário que os fazendeiros, como um bando assustado, cruzavam-se nas ruas a perguntar uns aos outros, o medo nos olhos e na voz:

— Será que não vai parar?

Referiam-se às chuvas, nunca se vira tanta água descendo dos céus, dia e noite, quase sem intervalos.

— Mais uma semana e estará tudo em perigo.

— A safra inteira...

— Meu Deus!

Falavam da safra anunciando-se excepcional, a superar de longe todas as anteriores. Com os preços do cacau em constante alta, significava ainda maior riqueza, prosperidade, fartura, dinheiro a rodo. Os filhos dos coronéis indo cursar os colégios mais caros das grandes cidades, novas residências para as famílias nas novas ruas recém-abertas, móveis de luxo mandados vir do Rio, pianos de cauda para compor as salas, as lojas sortidas, multiplicando-se, o comércio crescendo, bebida correndo nos cabarés, mulheres desembarcando dos navios, o jogo campeando nos bares e nos hotéis, o progresso enfim, a tão falada civilização.

E dizer-se que essas chuvas agora demasiado copiosas, ameaçadoras, diluviais, tinham demorado a chegar, tinham-se feito esperar e rogar! Meses antes, os coronéis levantavam os olhos para o céu límpido em busca de nuvens, de sinais de chuva próxima. Cresciam as roças de cacau, estendendo-se por todo o sul da Bahia, esperavam as chuvas indispensáveis ao desenvolvimento dos frutos acabados de nascer, substituindo as flores nos cacauais. A procissão de São Jorge, naquele ano, tomara o aspecto de uma ansiosa promessa coletiva ao santo padroeiro da cidade.

O seu rico andor bordado de ouro, levavam-no sobre os ombros orgulhosos os cidadãos mais notáveis, os maiores fazendeiros, vestidos com a bata vermelha da confraria, e não é pouco dizer, pois os coronéis do cacau não primavam pela religiosidade, não frequentavam igrejas, rebeldes à missa e à confissão, deixando essas fraquezas para as fêmeas da família:

— Isso de igreja é coisa para mulheres.

Contentavam-se com atender os pedidos de dinheiro do bispo e dos padres para obras e folguedos: o colégio das freiras no alto da Vitória, o palácio diocesano, escolas de catecismo, novenas, mês de Maria, quermesses, festas de Santo Antônio e São João.

Naquele ano, em vez de ficarem nos bares bebericando, estavam todos eles na procissão, de vela em punho, contritos, prometendo mundos e fundos a são Jorge em troca das chuvas preciosas. A multidão, atrás dos andores, acompanhava pelas ruas a reza dos padres. Paramentado, as mãos unidas para a oração, o rosto compungido, o padre Basílio elevava a voz sonora puxando as preces. Escolhido para a importante função por suas eminentes virtudes, por todos consideradas e estimadas, o fora também por ser o santo homem proprietário de terras e roças, diretamente interessado na intervenção celestial. Rezava assim com redobrado vigor.

As solteironas, numerosas, em torno à imagem de santa Maria Madalena, retirada na véspera da igreja de São Sebastião, para acompanhar o andor do santo padroeiro em sua ronda pela cidade, sentiam-se transportar em êxtase ante a exaltação do padre habitualmente apressado e bonachão, despachando sua missa num abrir e fechar de olhos, confessor pouco atento ao muito que elas tinham a lhe contar, tão diferente do padre Cecílio, por exemplo.

Elevava-se a voz vigorosa e interessada do padre na prece ardente, elevava-se a voz fanhosa das solteironas, o coro unânime dos coronéis, suas esposas, filhas e filhos, dos comerciantes, exportadores, trabalhadores vindos do interior para a festa, carregadores, homens do mar, mulheres da vida, empregados no comércio, jogadores profissionais e malandros diversos, dos meninos do catecismo e das moças da Congregação Mariana. Subia a prece para um diáfano céu sem nuvens, onde, assassina bola de fogo, queimava um sol impiedoso — capaz de destruir os recém--nascidos brotos dos cocos de cacau.

Certas senhoras de sociedade, numa promessa combinada durante o último baile do Clube Progresso, acompanhavam a procissão de pés descalços, oferecendo o sacrifício de sua elegância ao santo, pedindo-lhe chuva. Murmuravam-se promessas diversas, apressava-se o santo, nenhuma demora se lhe podia admitir, ele bem via a aflição de seus protegidos, era milagre urgente o que lhe pediam.

São Jorge não ficaria indiferente às preces, à repentina e comovente religiosidade dos coronéis e ao dinheiro por eles prometido para a igreja matriz, aos pés nus das senhoras castigados pelos paralelepípedos das ruas, tocado sem dúvida mais que tudo pela agonia do padre Basílio. Tão receoso estava o padre pelo destino dos seus frutos de cacau que, nos intervalos do rogo vigoroso, quando o coro clamava, jurava ao santo abster-se um mês inteiro dos doces favores de sua comadre e ama Otália. Cinco vezes comadre pois já cinco robustos rebentos — tão vigorosos e promissores quanto os cacauais do padre — levara ela, envoltos em cambraia e renda, à pia batismal. Não os podendo perfilhar, era o padre Basílio padrinho de todos cinco — três meninas e dois meninos — e, exercendo a caridade cristã, lhes emprestava o uso do seu próprio nome de família: Cerqueira, um belo e honrado nome.

Como poderia são Jorge ficar indiferente a tanta aflição? Vinha ele dirigindo, bem ou mal, os destinos dessa terra, hoje do cacau, desde os tempos imemoriais da capitania. O donatário, Jorge de Figueiredo Correia, a quem o rei de Portugal dera, em sinal de amizade, essas dezenas de léguas povoadas de silvícolas e de pau-brasil, não quisera deixar pela floresta bravia os prazeres da corte lisboeta, mandara seu cunhado espanhol morrer nas mãos dos índios. Mas lhe recomendara pôr sob a proteção do santo vencedor dos dragões aquele feudo que o rei seu senhor houvera por bem lhe regalar. Não iria ele a essa distante terra primitiva mas lhe daria seu nome consagrando-a a seu xará são Jorge. Do seu cavalo na lua, seguia assim o santo o destino movimentado desse São Jorge dos Ilhéus desde cerca de quatrocentos anos. Vira os índios trucidarem os primeiros colonizadores e serem por sua vez trucidados e escravizados, vira erguerem-se os engenhos de açúcar, as plantações de café, pequenos uns, medíocres as outras. Vira essa terra vegetar, sem maior futuro, durante séculos. Assistira depois à chegada das primeiras mudas de cacau e ordenara aos macacos juparás que se encarregassem de multiplicar os cacaueiros. Talvez sem objeto preciso, apenas para mudar um pouco a paisagem da qual já devia estar cansado após tantos anos. Não imaginando que, com o cacau, chegava a riqueza, um tempo novo para a terra sob sua proteção. Viu então coisas terríveis: os homens matando-se traiçoeira e cruelmente pela posse de vales e colinas, de rios e serras, queimando as matas, plantando febrilmente roças e roças de cacau. Vira a região de súbito crescer, nascerem vilas e povoados, vira o progresso chegar a Ilhéus trazendo um bispo com ele, novos municípios serem instalados — Itabuna, Itapira —, elevar-se o colégio das freiras, vira os navios desembarcando gente, tanta coisa vira que pensava nada poder mais impressioná-lo. Ainda assim impressionou-se com aquela inesperada e profunda devoção dos coronéis, homens rudes, pouco afeitos a leis e rezas, com aquela louca promessa do padre Basílio Cerqueira, de natural incontinente e fogoso, tão fogoso e incontinente que o santo duvidava pudesse ele cumpri-la até o fim.

Quando a procissão desembocou na praça São Sebastião, parando ante a pequena igreja branca, quando Glória persignou-se sorridente em sua janela amaldiçoada, quando o árabe Nacib avançou do seu bar deserto para melhor apreciar o espetáculo, então aconteceu o falado milagre. Não, não se encheu de nuvens negras o céu azul, não começou a cair a chuva. Sem dúvida para não estragar a procissão. Mas uma esmaecida lua diurna surgiu no céu, tão perfeitamente visível apesar da claridade ofuscante do sol. O negrinho Tuísca foi o primeiro a enxergá-la e chamou a atenção das irmãs Dos Reis, suas patroas, no grupo todo em negro das solteironas. Um clamor de milagre sucedeu, partindo das solteironas excitadas, propagando-se pela multidão, logo espalhando-se pela cidade toda. Durante dois dias não se falara noutra coisa. São Jorge viera para ouvir as preces, as chuvas não tardariam.

Realmente, alguns dias após a procissão, nuvens de chuva se acumularam no céu e as águas começaram a cair no começo da noite. Só que são Jorge, naturalmente impressionado pelo volume de orações e promessas, pelos pés descalços das senhoras e pelo espantoso voto de castidade do padre Basílio, fez milagre demais e agora as chuvas não queriam parar, a estação das águas se prolongava já por mais de duas semanas além do tempo habitual.

Aqueles brotos apenas nascidos dos cocos de cacau, cujo desenvolvimento o sol ameaçara, haviam crescido magníficos com as chuvas, em número nunca visto, agora começavam novamente a necessitar do sol para se porem de vez. A continuação das chuvas, pesadas e persistentes, poderia apodrecê-los antes da colheita. Com os mesmos olhos de temor agoniado, os coronéis fitavam o céu plúmbeo, a chuva descendo, buscavam o sol escondido. Velas eram acesas nos altares de são Jorge, de são Sebastião, de Maria Madalena, até no de Nossa Senhora da Vitória, na capela do cemitério. Mais uma semana, mais dez dias de chuvas e a safra estaria por inteiro em perigo, era uma trágica expectativa.

Eis por que quando, naquela manhã em que tudo começou, um velho fazendeiro, o coronel Manuel das Onças (assim chamado porque suas roças ficavam num tal fim de mundo que lá, segundo diziam e ele confirmava, até onças rugiam), saiu de casa ainda quase noite, às quatro da manhã, e viu o céu despejado, num azul fantasmagórico de aurora desabrochando, o sol a anunciar-se num clarão alegre sobre o mar, elevou os braços, gritou num alívio imenso:

— Enfim... A safra está salva.

O coronel Manuel das Onças apressou o passo em direção à banca de peixe, nas imediações do porto, onde pela manhãzinha, cotidianamente, reunia-se um grupo de velhos conhecidos em torno das latas de mingau das baianas. Não iria encontrar ainda ninguém, era ele sempre o primeiro a chegar, mas andava depressa como se todos o esperassem para ouvir a notícia. A alvissareira notícia do fim da estação das chuvas. O rosto do fazendeiro abria-se num sorriso feliz.

Estava garantida a safra, aquela que seria a maior safra, a excepcional, de preços em constante alta, naquele ano de tantos acontecimentos sociais e políticos, quando tanta coisa mudaria em Ilhéus, ano por muitos considerado como decisivo na vida da região. Para uns foi o ano do caso da barra, para outros o da luta política entre Mundinho Falcão, exportador de cacau, e o coronel Ramiro Bastos, o velho cacique local. Terceiros lembravam-no como o ano do sensacional julgamento do coronel Jesuíno Mendonça, alguns como o da chegada do primeiro navio sueco, dando início à exportação direta do cacau. Ninguém, no entanto, fala desse ano, da safra de 1925 à de 1926, como o ano do amor de Nacib e Gabriela, e, mesmo quando se referem às peripécias do romance, não se dão conta de como, mais que qualquer outro acontecimento, foi a história dessa doida paixão o centro de toda a vida da cidade naquele tempo, quando o impetuoso progresso e as novidades da civilização transformavam a fisionomia de Ilhéus.

DO PASSADO & DO FUTURO
MISTURADOS NAS RUAS DE ILHÉUS

AS CHUVAS PROLONGADAS HAVIAM TRANS-
FORMADO ESTRADAS E RUAS EM LAMAÇAIS, diariamente revolvi-
dos pelas patas das tropas de burros e dos cavalos de montaria.

A própria estrada de rodagem, recentemente inaugurada, ligando Ilhéus a Itabuna, onde trafegavam caminhões e marinetes, ficara, em certo momento, quase intransitável, pontilhões arrastados pelas águas, trechos com tanta lama que ante eles os choferes recuavam. O russo Jacob e seu sócio, o jovem Moacir Estrela, dono de uma garagem, haviam raspado um susto. Antes da chegada das chuvas organizaram uma empresa de transportes para explorar a ligação rodoviária entre as duas principais cidades do cacau, encomendaram quatro pequenos ônibus no sul. A viagem por estrada de ferro durava três horas quando não havia atraso, pela estrada de rodagem podia ser feita em hora e meia.

Esse russo Jacob possuía caminhões, transportava cacau de Itabuna para Ilhéus. Moacir Estrela montara uma garagem no centro, também ele labutava com caminhões. Juntaram suas forças, levantaram capital num banco, assinando duplicatas, mandaram buscar as marinetes. Esfregavam as mãos na expectativa de negócio rendoso. Isto é: o russo esfregava as mãos, Moacir contentava-se em assoviar. O assovio alegre enchia a garagem enquanto, nos postes da cidade, boletins anunciavam o próximo estabelecimento da linha de ônibus, viagens mais rápidas e mais baratas que pelo trem de ferro.

Só que as marinetes demoraram a chegar, e quando finalmente desembarcaram de um pequeno cargueiro do Lloyd Brasileiro, ante a admiração geral da cidade, as chuvas estavam no auge e a estrada em petição de miséria. A ponte de madeira sobre o rio Cachoeira, coração mesmo da estrada, estava ameaçada pela cheia do rio e os sócios resolveram adiar a inauguração das viagens. As marinetes novinhas ficaram quase dois meses na garagem, enquanto o russo praguejava numa língua desconhecida e Moacir assoviava com raiva. Os títulos venciam no banco, e se Mundinho Falcão não os houvesse socorrido no aperto o negócio teria fracassado antes mesmo de iniciar-se. Fora o próprio Mundinho quem procurara o russo, mandando-o chamar a seu escritório, oferecendo-lhe, sem juros, o dinheiro necessário. Mundinho Falcão acreditava no progresso de Ilhéus e o incentivava.

Com a diminuição das chuvas o rio baixara, Jacob e Moacir, apesar do tempo continuar ruim, mandaram consertar por conta própria uns pontilhões, botaram pedras nos trechos mais escorregadios, e iniciaram o serviço. A viagem inaugural, com o próprio Moacir Estrela dirigindo a marinete, deu lugar a discursos e a piadas. Os passageiros eram todos convidados: o intendente, Mundinho Falcão, outros exportadores, o coronel Ramiro Bastos, outros fazendeiros, o Capitão, o Doutor, advogados e médicos. Alguns, receosos da estrada, apresentaram desculpas diversas, os seus lugares foram ocupados por outros, e tantos eram os candidatos que acabou indo gente em pé. A viagem durou duas horas — a estrada ainda estava muito difícil — mas correu sem incidente de maior monta. Em Itabuna, à chegada, houve foguetório e almoço comemorativo. O russo Jacob anunciara então, para o fim da primeira quinzena de viagens regulares, um grande jantar em Ilhéus, reunindo personalidades dos dois municípios, para festejar mais aquele marco do progresso local. O banquete foi encomendado a Nacib.

Progresso era a palavra que mais se ouvia em Ilhéus e em Itabuna naquele tempo. Estava em todas as bocas, insistentemente repetida. Aparecia nas colunas dos jornais, no cotidiano e nos semanários, surgia nas discussões na Papelaria Modelo, nos bares, nos cabarés. Os ilheenses repetiam-na a propósito das novas ruas, das praças ajardinadas, dos edifícios no centro comercial e das residências modernas na praia, das oficinas do *Diário de Ilhéus*, das marinetes saindo pela manhã e à tarde para Itabuna, dos caminhões transportando cacau, dos cabarés iluminados, do novo Cine-Teatro Ilhéus, do campo de futebol, do colégio do dr. Enoch, dos conferencistas esfomeados vindos da Bahia e até do Rio, do Clube Progresso com seus chás dançantes. "É o progresso!" Diziam-no orgulhosamente, conscientes de concorrerem todos para as mudanças tão profundas na fisionomia da cidade e nos seus hábitos.

Havia um ar de prosperidade em toda parte, um vertiginoso crescimento. Abriam-se ruas para os lados do mar e dos morros, nasciam jardins e praças, construíam-se casas, sobrados, palacetes. Os aluguéis subiam, no centro comercial atingiam preços absurdos. Bancos do sul abriam agências, o Banco do Brasil edificara prédio novo, de quatro andares, uma beleza!

A cidade ia perdendo, a cada dia, aquele ar de acampamento guerreiro que a caracterizara no tempo da conquista da terra: fazendeiros montados a cavalo, de revólver à cinta, amedrontadores jagunços de repetição em punho atravessando ruas sem calçamento, ora de lama permanente, ora de permanente poeira, tiros enchendo de susto as noites intranquilas, mascates exibindo suas malas nas calçadas. Tudo isso acabava, a cidade esplendia em vitrines coloridas e variadas, multiplicavam-se as lojas e os armazéns, os mascates só apareciam nas feiras, andavam pelo interior. Bares, cabarés, cinemas, colégios. Terra de pouca religião, orgulhara-se no entanto com a promoção a diocese, e recebera entre festas inesquecíveis o primeiro bispo. Fazendeiros, exportadores, banqueiros, comerciantes, todos deram dinheiro para a construção do colégio das freiras, destinado às moças ilheenses, e do palácio diocesano, ambos no Alto da Conquista. Como deram dinheiro para a instalação do Clube Progresso, iniciativa de comerciantes e doutores, Mundinho Falcão à frente, onde aos domingos havia chás dançantes e de quando em quando grandes bailes. Surgiam clubes de futebol, prosperava o Grêmio Rui Barbosa. Naqueles anos Ilhéus começara a ser conhecida nos estados da Bahia e de Sergipe como a Rainha do Sul. A cultura do cacau dominava todo o sul do estado da Bahia, não havia lavoura mais lucrativa, as fortunas cresciam, crescia Ilhéus, capital do cacau.

No entanto ainda se misturavam em suas ruas esse impetuoso progresso, esse futuro de grandezas, com os restos dos tempos da conquista da terra, de um próximo passado de lutas e bandidos. Ainda as tropas de burros, conduzindo cacau para os armazéns dos exportadores, invadiam o centro comercial, misturando-se aos caminhões que começavam a fazer-lhes frente. Passavam ainda muitos homens calçados de botas, exibindo revólveres, estouravam ainda facilmente arruaças nas ruas de canto, jagunços conhecidos arrotavam valentias nos botequins baratos, de quando em vez um assassinato era cometido em plena rua. Cruzavam essas figuras, nas ruas calçadas e limpas, com exportadores prósperos, vestidos com elegância por alfaiates vindos da Bahia, com incontáveis caixeiros-viajantes ruidosos e cordiais, sabendo sempre as últimas anedotas, com os médicos, advogados, dentistas, agrônomos, engenheiros, chegados a cada navio. Mesmo muitos fazendeiros andavam sem botas e sem armas, um ar pacífico, construindo boas casas de moradia, vivendo parte de seu tempo na cidade, botando os filhos no colégio de Enoch ou enviando-os para os ginásios da Bahia, as esposas indo às fazendas apenas pelas férias, gastando sedas e sapatos de taco alto, frequentando as festas do Progresso.

Muita coisa recordava ainda o velho Ilhéus de antes. Não o do tempo dos engenhos, das pobres plantações de café, dos senhores nobres, dos negros escravos, da casa ilustre dos Ávilas. Desse passado remoto sobravam apenas vagas lembranças, só mesmo o Doutor se preocupava com ele. Eram os aspectos de um passado recente, do tempo das grandes lutas pela conquista da terra. Depois que os padres jesuítas haviam trazido as primeiras mudas de cacau. Quando os homens, chegados em busca de fortuna, atiraram-se para as matas e disputaram, na boca das repetições e dos parabéluns, a posse de cada palmo de terra. Quando os Badarós, os Oliveiras, os Braz Damásio, os Teodoros das Baraúnas, outros muitos, atravessavam os caminhos, abriam picadas, à frente dos jagunços, nos encontros mortais. Quando as matas foram derrubadas e os pés de cacau plantados sobre cadáveres e sangue. Quando o caxixe reinou, a justiça posta a serviço dos interesses dos conquistadores de terra, quando cada grande árvore escondia um atirador na tocaia, esperando sua vítima. Era esse passado que ainda estava presente em detalhes da vida da cidade e nos hábitos do povo. Desaparecendo aos poucos, cedendo lugar às inovações, a recentes costumes. Mas não sem resistência, sobretudo no que se referia a hábitos, transformados pelo tempo quase em leis.

Um desses homens apegados ao passado, olhando com desconfiança aquelas novidades de Ilhéus, vivendo o tempo quase todo na roça, vindo à cidade somente a negócios — discutir com os exportadores —, era o coronel Manuel das Onças. Andando pela rua deserta, na madrugada sem chuvas, a primeira após tanto tempo, pensava em partir naquele mesmo dia para sua fazenda. Aproximava-se a época da colheita, o sol iria agora dourar os frutos de cacau, as roças ficavam uma beleza. Era daquilo que ele gostava, a cidade não conseguia prendê-lo apesar de tantas seduções: cinemas, bares, cabarés com mulheres formosas, lojas sortidas. Preferia a fartura da fazenda, as caçadas, o espetáculo das roças de cacau, as conversas com os trabalhadores, as histórias repetidas dos tempos das lutas, os casos de cobras, as caboclinhas humildes nas pobres casas de rameiras, nos povoados. Viera a Ilhéus para conversar com Mundinho Falcão, vender cacau para entrega posterior, retirar dinheiro para novas benfeitorias na fazenda. O exportador andava pelo Rio, ele não quisera discutir com o gerente, preferira esperar, já que Mundinho chegaria pelo próximo ita.

E, enquanto esperava, na cidade alegre apesar das chuvas, ia sendo arrastado pelos amigos aos cinemas (em geral dormia no meio do filme, cansava-lhe a vista), aos bares, aos cabarés. Mulheres com tanto perfume, meu Deus!, um despropósito... E cobrando alto, pedindo joias, querendo anéis... Esse Ilhéus era mesmo uma perdição... No entanto, a visão do céu límpido, a certeza da safra garantida, o cacau a secar nas barcaças, a largar o mel nos cochos, partindo no lombo dos burros, fazia-o tão feliz que ele pensou ser injusto manter a família na fazenda, os meninos crescendo sem instrução, a esposa na cozinha, como uma negra, sem uma diversão. Outros coronéis viviam na cidade, construíam boas casas, vestiam-se como gente...

De tudo quanto fazia em Ilhéus, durante suas rápidas estadas, nada agradava tanto ao coronel Manuel das Onças quanto a conversa matutina com os amigos, junto da banca de peixe. Naquele dia lhes anunciaria sua decisão de botar casa em Ilhéus, de trazer a família. Nessas coisas ia pensando pela rua deserta quando, ao desembocar no porto, encontrou o russo Jacob, a barba ruiva por fazer, despenteado, eufórico. Mal enxergou o coronel, abriu os braços e bradou qualquer coisa mas, tão excitado estava, o fez em língua estrangeira, o que não impediu o iletrado fazendeiro de entender e responder:

— Pois é... Finalmente... Temos sol, meu amigo.

O russo esfregava as mãos:

— Agora botaremos três viagens diárias: às sete horas, ao meio-dia, às quatro da tarde. E vamos encomendar mais duas marinetes.

Juntos andaram até a garagem, o coronel, afoito, anunciou:

— Dessa vez vou viajar nessa sua máquina. Me decidi...

O russo riu:

— Com a estrada seca a viagem vai durar pouco mais de uma hora...

— Que coisa! Quem diria! Trinta e cinco quilômetros em hora e meia... Antigamente a gente levava dois dias, a cavalo... Pois, se Mundinho Falcão chegar hoje no ita, pode me reservar passagem para amanhã de manhã...

— Isso é que não, coronel. Amanhã, não.

— E por que não?

— Porque amanhã é o nosso jantar de comemoração e o senhor é meu convidado. Um jantar de primeira, com o coronel Ramiro Bastos, os intendentes, o daqui e o de Itabuna, o juiz de direito, e o de Itabuna também, Mundinho Falcão, tudo gente de primeira... O gerente do Banco do Brasil... Uma festa de arromba!

— Quem sou eu, Jacob, para essas lordezas... Vivo no meu canto.
— Faço questão de sua presença. É no Bar Vesúvio, o de Nacib.
— Nesse caso, fico pra ir depois de amanhã...
— Vou lhe reservar lugar no primeiro banco.
O fazendeiro despedia-se:
— Não há mesmo perigo desse troço virar? Com uma velocidade assim... Parece impossível.

DOS NOTÁVEIS NA BANCA DE PEIXE

SILENCIARAM UM INSTANTE, OUVINDO O APITO DO NAVIO.
— Está pedindo prático... — disse João Fulgêncio.
— É o ita que vem do Rio. Mundinho Falcão chega nele — informou o Capitão, sempre a par das novidades.

O Doutor retomou a palavra, avançando um dedo categórico a sublinhar a frase:
— É como eu lhes digo: nuns quantos anos, um lustro talvez, Ilhéus será uma verdadeira capital. Maior que Aracaju, Natal, Maceió... Não existe hoje, no norte do país, cidade de progresso mais rápido. Ainda há dias li num jornal do Rio... — deixava cair as palavras lentamente, mesmo conversando sua voz mantinha certo tom oratório e sua opinião era altamente considerada. Funcionário público aposentado, com fama de cultura e talento, publicando nos jornais da Bahia longos e indigestos artigos históricos, Pelópidas de Assunção d'Ávila, ilheense dos velhos tempos, era quase uma glória da cidade.

Em redor aprovavam com a cabeça, estavam todos contentes com o fim das chuvas e o inegável progresso da região cacaueira era para todos eles — fazendeiros, funcionários, negociantes, exportadores — motivo de orgulho. À exceção de Pelópidas, do Capitão e de João Fulgêncio, nenhum dos demais a conversar junto à banca de peixe, naquele dia, nascera em Ilhéus. Tinham vindo atraídos pelo cacau mas sentiam-se todos grapiúnas, ligados àquela terra para sempre.

O coronel Ribeirinho, a cabeça grisalha, recordava:

— Quando eu desembarquei aqui, em 1902, para o mês faz vinte e três anos, isso era um buraco medonho. Um fim de mundo, caindo aos pedaços. Olivença é que era cidade... — riu ao recordar-se. — Ponte para atracação não havia, umas ruas sem calçamento, movimento pequeno. Lugar bom para esperar a morte. Hoje é o que se vê: cada dia uma rua nova. O porto entupido de embarcação.

Apontava o ancoradouro: um cargueiro do Lloyd na ponte da estrada de ferro, um navio da Bahiana na ponte em frente aos armazéns, uma lancha desatracando da ponte mais próxima, fazendo lugar para o ita. Barcaças e lanchas, canoas indo e vindo entre Ilhéus e Pontal, chegando das roças pelo rio.

Conversavam junto à banca de peixe, construída num descampado em frente à rua do Unhão, onde os circos de passagem armavam seus pavilhões. Negras vendiam mingau e cuscuz, milho cozido e bolos de tapioca. Fazendeiros habituados a madrugar em suas roças e certas figuras da cidade — o Doutor, João Fulgêncio, o Capitão, Nhô-Galo, por vezes o juiz de direito e o dr. Ezequiel Prado, quase sempre vindo diretamente da casa da rapariga situada nas imediações — reuniam-se ali diariamente antes da cidade acordar. A pretexto de comprar o melhor peixe, fresquinho, a debater-se, ainda vivo, nas mesas da banca, comentavam os últimos acontecimentos, faziam previsões sobre a chuva e a safra, o preço do cacau. Alguns, como o coronel Manuel das Onças, apareciam tão cedo que assistiam à saída dos últimos retardatários do cabaré Bataclan e à chegada de pescadores, os cestos de peixes retirados dos saveiros, robalos e dourados brilhando como lâminas de prata à luz da manhã. O coronel Ribeirinho, proprietário da Fazenda Princesa da Serra, cuja riqueza não afetara sua simplicidade bonachona, quase sempre já ali se encontrava quando, às cinco da manhã, Maria de São Jorge, formosa negra especialista em mingau e cuscuz de puba, descia o morro, o tabuleiro sobre a cabeça, vestida com a saia colorida de chitão e a bata engomada e decotada a mostrar metade dos seios rijos. Quantas vezes não a ajudara o coronel a baixar a lata de mingau, a arrumar o tabuleiro, os olhos no decote da bata.

Alguns vinham mesmo de chinelas, paletó de pijama sobre uma calça velha. Jamais o Doutor, é claro. Esse dava a impressão de não despir a roupa negra, os borzeguins, o colarinho de bunda virada, a gravata austera, sequer para dormir. Repetiam diariamente o mesmo itinerário: primeiro o copo de mingau na banca de peixe, a conversa animada, a troca de novidades, grandes gargalhadas. Iam andando depois até a ponte principal do cais onde paravam ainda um momento, separavam-se quase sempre em frente à garagem de Moacir Estrela, onde a marinete das sete horas, espetáculo recente, recebia passageiros para Itabuna. O navio apitava novamente, um apito longo e alegre como se quisesse despertar toda a cidade.

— Recebeu o prático. Vai entrar.

— Sim, Ilhéus é um colosso. Não há terra de mais futuro.

— Se o cacau subir nem que seja quinhentos réis este ano, com a safra que vamos ter, dinheiro vai ser cama de gato... — sentenciou o coronel Ribeirinho, uma expressão de cobiça nos olhos.

— Até eu vou comprar uma boa casa para minha família. Comprar ou construir... — anunciou o coronel Manuel das Onças.

— Ora, muito que bem! Sim, senhor, finalmente! — aprovou o Capitão, batendo nas costas do fazendeiro.

— Já era tempo, Manuel... — zombou Ribeirinho.

— Os meninos mais moços estão chegando na idade de colégio e não quero que fiquem ignorantes como os mais velhos e como o pai. Quero que pelo menos um seja doutor de anel e diploma.

— Além do mais — considerou o Doutor — os homens ricos da região, como você, têm obrigação de concorrer para o progresso da cidade construindo boas residências, bangalôs, palacetes. Veja o palacete que Mundinho Falcão construiu na praia: e isso que ele chegou aqui há um par de anos e, ainda por cima, é solteiro. Afinal de que vale juntar dinheiro para viver metido na roça, sem conforto?

— Por mim, vou comprar uma casa é na Bahia. Levar a família para lá — disse o coronel Amâncio Leal, que tinha um olho vazado e um defeito no braço esquerdo, recordações do tempo das lutas.

— Isso é o que eu chamo de falta de civismo — indignou-se o Doutor. Foi na Bahia ou foi aqui que você ganhou dinheiro? Por que empregar na Bahia o dinheiro que ganhou aqui?

— Calma, Doutor, não se afobe. Ilhéus é muito bom etc. e tal, mas, vosmicê compreende, a Bahia é capital, tem de um tudo, bom colégio para os meninos.

Não se acalmava o Doutor:

— Tem de um tudo porque vocês desembarcam aqui de mãos abanando, aqui enchem o bandulho, entopem-se de dinheiro e depois vão gastá-lo na Bahia.

— Mas...

— Creio, compadre Amâncio — dirigia-se João Fulgêncio ao fazendeiro —, que o nosso Doutor tem razão. Se nós não cuidarmos de Ilhéus, quem vai cuidar?

— Não digo que não... — cedeu Amâncio. Era um homem calmo, não gostava de discussões, ninguém que o visse assim cordato imaginaria estar diante do célebre chefe de jagunços, de um dos homens que mais sangue fizera correr em Ilhéus, nas lutas pelas matas de Sequeiro Grande. — Pra mim, pessoalmente, não há terra que valha Ilhéus. Só que na Bahia tem outro conforto, bons colégios. Quem pode negar isso? Estou com os meninos mais moços no colégio dos jesuítas e a patroa não quer ficar longe deles. Já morre de saudades do que está em São Paulo. O que é que posso fazer? Por mim, não saio daqui...

O Capitão interveio:

— Por colégio, não, Amâncio. Com o do Enoch funcionando é até um absurdo dizer isso. Não tem colégio melhor na Bahia... — O próprio Capitão, para ajudar e não porque necessitasse, ensinava história universal no colégio fundado por um advogado de pequena clientela, dr. Enoch Lira, introduzindo modernos métodos de ensino e abolindo a palmatória.

— Mas nem está equiparado.

— A estas horas já deve estar. Enoch recebeu um telegrama de Mundinho Falcão dizendo que o ministro da Justiça garantira para dali a poucos dias...

— E então?

— Esse Mundinho Falcão é um danado...

— Que diabo vocês pensam que ele está querendo? — perguntou o coronel Manuel das Onças; mas a pergunta ficou sem resposta porque uma discussão se iniciara entre Ribeirinho, o Doutor e João Fulgêncio a propósito de métodos de ensino.

— Pode ser tudo que vocês quiserem. Para mim, para ensinar o bê-á-bá, não tem ninguém como dona Guilhermina. Mão de ferro. Filho meu é com ela que aprende a ler e contar. Isso de ensinar sem palmatória...

— Atraso, coronel — sorria João Fulgêncio. — Esse tempo já passou. A pedagogia moderna...

— O quê?
— Que a palmatória é necessária olhem que é...
— Vocês estão atrasados de um século. Nos Estados Unidos...
— As meninas boto no colégio das freiras, está certo. Mas os meninos é com dona Guilhermina...
— A pedagogia moderna aboliu a palmatória e os castigos físicos — conseguiu explicar João Fulgêncio.
— Não sei de quem você está falando, João Fulgêncio, mas lhe garanto que foi muito malfeito. Se eu sei ler e escrever...
Assim discutindo sobre os métodos do dr. Enoch e da famosa dona Guilhermina, legendária por sua severidade, foram andando para a ponte. Desembocando das ruas, algumas outras pessoas apareciam na mesma direção, vinham esperar o navio. Apesar da hora matinal reinava já certo movimento no porto. Carregadores conduziam sacos de cacau dos armazéns para o navio da Bahiana. Uma barcaça, as velas despregadas, preparava-se para partir, semelhava enorme pássaro branco. Um toque de búzio elevou-se, vibrou no ar, anunciando a partida próxima. O coronel Manuel das Onças insistia:
— O que é que Mundinho Falcão está visando? O homem tem o diabo no corpo. Não se contenta com seus negócios, se mete em tudo.
— Ora, é fácil. Quer ser intendente na próxima eleição.
— Não creio... É pouco para ele — disse João Fulgêncio.
— É homem de muita ambição.
— Daria um bom intendente. Empreendedor.
— Um desconhecido, chegou aqui outro dia.
O Doutor, admirador de Mundinho, atalhou:
— De homens como Mundinho Falcão é que estamos precisando. Homens de visão, corajosos, dispostos...
— Ora, Doutor, coragem é que nunca faltou aos homens dessa terra...
— Não falo disso: dar tiro e matar gente. Falo de coisa mais difícil...
— Mais difícil?
— Mundinho Falcão chegou aqui outro dia, como diz Amâncio. E veja quanta coisa já realizou: abriu a avenida na praia, ninguém acreditava, foi um negócio de primeira, e, para a cidade, uma beleza. Trouxe os primeiros caminhões, sem ele não saía o *Diário de Ilhéus* nem o Clube Progresso.
— Dizem que emprestou dinheiro ao russo Jacob e a Moacir para a empresa de marinetes...

— Estou com o Doutor — disse o Capitão até então silencioso. — De homens assim é que precisamos... Capazes de compreender e ajudar o progresso.

Chegavam à ponte, encontravam Nhô-Galo, funcionário da mesa de rendas, boêmio inveterado, figura indispensável em todas as rodas, de voz fanhosa e anticlerical irredutível.

— Salve a ilustre companhia... — apertava as mãos, ia contando: — Tou morrendo de sono, quase não dormi. Andei no Bataclan com o árabe Nacib, acabamos indo pra casa da Machadão, comida e mulher... Mas não podia deixar de comparecer ao desembarque de Mundinho...

Em frente à garagem de Moacir Estrela juntavam-se os passageiros da primeira marinete. O sol aparecera, um dia esplêndido.

— Vai ser uma safra de primeira.

— Amanhã tem um jantar, um banquete das marinetes...

— É verdade. O russo Jacob me convidou.

A conversa foi interrompida por apitos repetidos, breves e aflitos do navio. Houve um movimento de expectativa na ponte. Até os carregadores pararam para escutar.

— Encalhou!

— Porcaria de barra!

— Continuando assim nem navio da Bahiana vai poder entrar no porto.

— Quanto mais da Costeira e do Lloyd.

— A Costeira já ameaçou suspender a linha.

Barra difícil e perigosa, aquela de Ilhéus, apertada entre o morro do Unhão, na cidade, e o morro de Pernambuco, numa ilha ao lado do Pontal. Canal estreito e pouco profundo, de areia movendo-se continuamente, a cada maré. Era frequente o encalhe de navios, por vezes demoravam um dia para libertar-se. Os grandes paquetes não se atreviam a cruzar a barra assustadora, apesar do magnífico ancoradouro de Ilhéus.

Os apitos continuavam angustiosos, pessoas vindas para esperar o navio começavam a tomar o caminho da rua do Unhão para ver o que se passava na barra.

— Vamos até lá?

— Isso é revoltante — dizia o Doutor enquanto o grupo caminhava pela rua sem calçamento, contornando o morro. — Ilhéus produz uma grande parte do cacau que se consome no mundo, tem um porto de primeira, e, no entanto, a renda da exportação do cacau fica é na cidade da Bahia. Tudo por causa dessa maldita barra...

Agora que as chuvas tinham cessado, nenhum assunto mais empolgante que aquele para os ilheenses. Sobre a barra e a necessidade de torná--la praticável para os grandes navios, discutia-se todos os dias e em todas as partes. Sugeriam-se medidas, criticava-se o governo, acusava-se a intendência de pouco-caso. Sem que solução fosse dada, ficando as autoridades em promessas e as docas da Bahia recolhendo as taxas de exportação.

Enquanto a discussão mais uma vez fervia, o Capitão atrasou-se, tomou do braço de Nhô-Galo a quem ele deixara, por volta de uma da madrugada, na porta de Maria Machadão:

— E a zinha, que tal?

— Papa-fina... — murmurou Nhô-Galo com sua voz fanhosa. E contou: — Você não sabe o que perdeu. Você precisava ter visto o árabe Nacib fazendo declaração de amor àquela zarolha nova que saiu com ele. Era de mijar de rir...

Os apitos do navio cresciam em desespero, eles apressaram o passo, aparecia gente de todos os lados.

DE COMO O DOUTOR QUASE POSSUÍA SANGUE IMPERIAL

O DOUTOR NÃO ERA DOUTOR, O CAPITÃO NÃO ERA CAPITÃO. COMO A MAIOR PARTE DOS coronéis não eram coronéis. Poucos, em realidade, os fazendeiros que, nos começos da República e da lavoura do cacau, haviam adquirido patentes de coronel da Guarda Nacional. Ficara o costume: dono de roça de mais de mil arrobas passava normalmente a usar e receber o título que ali não implicava em mando militar e, sim, no reconhecimento da riqueza. João Fulgêncio, que amava rir dos costumes locais, dizia ser a maioria deles "coronéis de jagunços", pois muitos se haviam envolvido nas lutas pela conquista da terra.

Entre as jovens gerações havia quem não soubesse sequer o sonoro e nobre nome de Pelópidas de Assunção d'Ávila, tanto se haviam acostumado a tratá-lo respeitosamente de Doutor. Quanto a Miguel Batista de Oliveira, filho do finado Cazuzinha, que fora intendente no começo das lutas, que tivera dinheiro e morrera pobre, cuja fama de bondade ainda hoje é comentada por velhas comadres, a Miguel chamaram-no de Capitão ainda criança, quando, irrequieto e atrevido, comandava os moleques de então. Eram duas personalidades ilustres da cidade e, se bem velhos amigos, entre eles se dividia a população indecisa em resolver qual dos dois era o maior e mais empolgante orador local. Sem desfazer do dr. Ezequiel Prado, invencível no júri.

Nos feriados nacionais — o 7 de Setembro, o 15 de Novembro, o 13 de Maio —, nas festas do fim e do começo de ano com reisado, presépio e bumba meu boi, por ocasião da vinda a Ilhéus de literatos da capital do estado, a população se regalava e mais uma vez se dividia ante a oratória do Doutor e a do Capitão.

Jamais a unanimidade se obtivera nessa disputa prolongada através dos anos. Preferindo uns as altissonantes tiradas do Capitão, onde os adjetivos grandiosos sucediam-se em impetuosa cavalgada, uns trêmulos na voz rouca a provocarem delirantes aplausos; preferindo outros as longas frases rebuscadas do Doutor, a erudição transparecendo nos nomes citados em abundância, na adjetivação difícil, na qual brilhavam, como joias raras, palavras tão clássicas que apenas uns poucos conheciam seu verdadeiro significado.

Até as irmãs Dos Reis, tão unidas em tudo o mais na vida, dividiam, no caso, suas opiniões. A franzina e nervosa Florzinha exaltava-se com os rompantes do Capitão, suas "rútilas auroras da liberdade", deliciava-se com os trêmulos de voz nos fins de frase, vibrando no ar. Quinquina, a gorda e alegre Quinquina, preferia o saber do Doutor, aquelas vetustas palavras, aquela maneira patética como, de dedo em riste, ele clamava: "Povo, ó meu povo!". Discutiam as duas, de volta das reuniões cívicas na intendência ou em praça pública, como discutia toda a cidade, incapaz de decidir-se.

— Não entendo nada mas é tão bonito... — concluía Quinquina pelo Doutor.

— Sinto até um frio na espinha quando ele fala — decidia Florzinha pelo Capitão.

Memoráveis dias aqueles em que, no palanque da praça da matriz de São Jorge, ornamentado de flores, o Capitão e o Doutor se sucediam com o verbo, um como orador oficial da Euterpe 13 de Maio, o outro em nome do Grêmio Rui Barbosa, organização lítero-charadística da cidade. Desapareciam todos os outros oradores (mesmo o professor Josué cujo palavreado lírico tinha seu público de mocinhas do colégio das freiras), fazia-se o silêncio das grandes ocasiões, quando avançava no palanque ou bem a figura morena e insinuante do Capitão, vestido de impecável roupa branca, uma flor na lapela, alfinete de rubi na gravata, ar de ave de rapina devido ao nariz crescido e curvo, ou bem a silhueta magra do Doutor, pequenino e saltitante, como gárrulo pássaro inquieto, trajando sua eterna roupa negra, colarinho alto e peitilho engomado, o *pince-nez* preso ao paletó por uma fita, os cabelos já quase inteiramente brancos.

— Hoje o Capitão parecia uma cachoeira de eloquência — comentava. — Que palavreado bonito!

— Mas vazio. O Doutor, em compensação, tudo que ele diz tem tutano. O homem é um dicionário!

Só mesmo o dr. Ezequiel Prado podia lhes fazer concorrência nas raras vezes em que, quase sempre bêbedo de cair, subia a outra tribuna fora do júri. Tinha ele também seus incondicionais, e, no que se refere aos debates jurídicos, a unanimidade da opinião pública: não havia quem se lhe comparasse.

Pelópidas de Assunção d'Ávila descendia de uns Ávilas, fidalgos portugueses estabelecidos nas bandas de Ilhéus ainda no tempo das capitanias. Pelo menos assim o afirmava o Doutor, dizendo-se baseado em documentos de família. Opinião ponderável, de historiador.

Descendente desses celebrados Ávilas, cujo solar elevara-se entre Ilhéus e Olivença, hoje negras ruínas ante o mar, cercadas de coqueiros, mas também de uns Assunções plebeus e comerciantes — diga-se em sua homenagem, ele cultuava a memória de uns e de outros com o mesmo fervor exaltado. É claro que pouco havia a contar sobre os Assunções, enquanto era rica de feitos a crônica dos Ávilas. Obscuro funcionário federal aposentado, vivia o Doutor, no entanto, em meio a um mundo de fantasia e de grandeza: a glória antiga dos Ávilas e o glorioso presente de Ilhéus. Sobre os Ávilas, seus feitos e sua prosápia, estava ele desde há muitos anos escrevendo um livro volumoso e definitivo. Do progresso de Ilhéus era ardoroso propagandista e voluntário colaborador.

Ávila colateral e arruinado fora o pai de Pelópidas. Da família nobre herdara apenas o nome e o aristocrático hábito de não trabalhar. Havia sido, porém, o amor, e não o vil interesse como então se propalara, que o levara a casar-se com uma plebeia Assunção, filha de um próspero bazar de miudezas. Tão próspero durante a vida do velho Assunção, que o neto Pelópidas fora mandado estudar na Faculdade de Direito do Rio de Janeiro. Mas o velho Assunção morrera sem ter ainda completamente perdoado à filha a burrice daquele casamento nobre, e o fidalgo, tendo adquirido hábitos populares como o jogo de gamão e a briga de galos, comera a pouco e pouco o bazar, a metro e metro de fazenda, a dúzia e dúzia de grampos, a peça e peça de fita colorida. Assim terminara a abastança dos Assunções após a grandeza dos Ávilas, deixando Pelópidas no Rio sem recursos para continuar os estudos, quando andava pelo terceiro ano da faculdade. Já então o chamavam de Doutor, primeiro o avô, as empregadas da casa, os vizinhos, quando vinha a Ilhéus pelas férias.

Amigos de seu avô arranjaram-lhe magro emprego numa repartição pública, deixou os estudos, ficou pelo Rio. Prosperou na repartição, miúdo prosperar, no entanto, falho da proteção dos grandes e da útil sabedoria da adulação. Trinta anos depois aposentou-se e voltou a Ilhéus para sempre, para dedicar-se à "sua obra", o livro monumental sobre os Ávilas e o passado de Ilhéus.

Livro que já era, ele próprio, quase uma tradição. Pois nele se falava desde os tempos quando, ainda estudante, o Doutor publicara numa revista carioca, de circulação limitada e vida reduzida ao primeiro número, famoso artigo sobre os amores do imperador Pedro II — por ocasião de sua imperial viagem ao norte do país — e da virginal Ofenísia, Ávila romântica e linfática.

O artigo do jovem estudante passaria em completa obscuridade se, por um desses acasos, não houvesse a revista caído em mãos de escritor moralista, conde papalino e membro da Academia Brasileira de Letras. Admirador incondicional das virtudes do monarca, sentiu-se o conde ofendido em sua própria honra com aquela "insinuação depravada e anarquista" a colocar o "insigne varão" na postura ridícula de suspirante, de hóspede desleal a buscar os olhares da filha virtuosa da família cuja casa ilustrava com sua visita. Descompôs o conde, em vigoroso português quinhentista, o audacioso estudante, emprestando-lhe intenções e objetivos que Pelópidas jamais tivera. Alvoroçou-se o estudante com a ríspida resposta, era quase a consagração. Para o segundo número da revista preparou um artigo, em português não menos clássico e com argumentos irrespondíveis, no qual, baseado em fatos e sobretudo nos versos do poeta Teodoro de Castro, esmagava definitivamente as negativas do conde. A revista não voltou a circular, ficara no primeiro número. O jornal onde o conde atacara Pelópidas recusou-se a publicar-lhe a resposta, e, a muito custo, resumiu as dezoito laudas do Doutor a vinte linhas impressas, num canto de página. Mas ainda hoje o

Doutor vangloria-se dessa sua "violenta polêmica" com um membro da Academia Brasileira de Letras, nome conhecido em todo o país.

— Meu segundo artigo o esmagou e o reduziu ao silêncio...

Nos anais da vida intelectual de Ilhéus essa polêmica é assídua e vaidosamente citada como prova da cultura ilheense, ao lado da menção honrosa obtida por Ari Santos — atual presidente do Grêmio Rui Barbosa, moço empregado numa casa exportadora — num concurso de contos de revista carioca, e dos versos do já citado Teodoro de Castro. Quanto aos amores clandestinos do imperador e de Ofenísia, reduziram-se, ao que parece, a olhares, suspiros, juras murmuradas. O imperial viajante a teria conhecido na Bahia, numa festa, apaixonara-se por seus olhos de desmaio. E como habitava no sobrado dos Ávilas, na ladeira do Pelourinho, um certo padre Romualdo, latinista emérito, mais de uma vez o imperador por lá apareceu a pretexto de visitar sacerdote de tanto saber. Nos balcões rendilhados do sobradão, o monarca suspirara em latim inconfessado e impossível desejo por essa flor dos Ávilas. Ofenísia, numa excitação de mucama, rondava a sala onde as barbas negras e sábias do imperador trocavam ciência com o padre, sob as vistas respeitosas e ignorantes de Luiz Antônio d'Ávila, seu irmão e chefe da família. É certo ter Ofenísia, após a partida do imperial apaixonado, desencadeado uma ofensiva visando a mudarem-se todos para a corte, fracassando ante a obstinada resistência de Luiz Antônio, guardião da honra da donzela e da família.

Esse Luiz Antônio d'Ávila morrera coronel na Guerra do Paraguai, chefiando homens levados de seus engenhos, na Retirada da Laguna. A romântica Ofenísia morreu tísica e virgem, no solar dos Ávilas, saudosa das barbas reais. E bêbedo morreu o poeta Teodoro de Castro, o apaixonado e mavioso cantor das graças de Ofenísia, cujos versos tiveram certa popularidade na época, nome hoje injustamente esquecido nas antologias nacionais.

Para Ofenísia escrevera seus versos mais catitas, exaltando em rimas ricas sua frágil beleza doentia, suplicando seu inacessível amor. Versos ainda hoje declamados pelas alunas do colégio das freiras, ao som da dalila, em festas e saraus. O poeta Teodoro, temperamento trágico e boêmio, morreu sem dúvida de lânguida saudade (quem irá discutir com o Doutor essa verdade?), dez anos após a saída, pela porta do solar em luto, do caixão branco onde ia o corpo macerado de Ofenísia. Morreu afogado em álcool, no álcool então barato em Ilhéus, cachaça do engenho dos Ávilas.

Material interessante não faltava ao Doutor, como se vê, para seu inédito e já famoso livro: os Ávilas dos engenhos de açúcar e alambiques de cachaça, de centenas de escravos, de terras a nunca acabar, os Ávilas do solar em Olivença, do sobradão na ladeira do Pelourinho, na capital, os Ávilas de pantagruélico paladar, os Ávilas sustentando concubinas na corte, os Ávilas das belas mulheres e dos homens sem medo, incluindo até um Ávila letrado. Além de Luiz Antônio e de Ofenísia, outros haviam-se destacado, antes e depois, como aquele que lutou no Recôncavo, ao lado do avô de Castro Alves, contra as tropas portuguesas nas batalhas da Independência, em 1823. Outro, Jerônimo d'Ávila, dera-se à política, e, derrotado numas eleições, fraudadas por ele em Ilhéus, fraudadas pelos adversários no resto da província, pusera-se à frente de seus homens, varrera estradas, saqueara povoados, marchara sobre a capital, ameaçando depor o governo. Intermediários obtiveram a paz e compensações para o Ávila colérico. A decadência da família acentuara-se com Pedro d'Ávila, de cavanhaque ruivo e aloucado temperamento, que fugira, abandonando o solar (o sobradão na Bahia já tinha sido vendido), os engenhos e os alambiques hipotecados, e a família em pranto, para seguir uma cigana de estranha beleza e — no dizer da esposa inconsolável — de maléficos poderes. Desse Pedro d'Ávila constava haver terminado assassinado, numa briga de canto de rua, por outro amante da cigana.

Tudo isso fazia parte de um passado esquecido pelos cidadãos de Ilhéus. Uma nova vida começara com o aparecimento do cacau, o que acontecera antes não contava. Engenhos e alambiques, plantações de cana e de café, legendas e histórias, tudo havia desaparecido para sempre, cresciam agora as roças de cacau e as novas legendas e histórias narrando como os homens lutaram entre si pela posse da terra. Os cegos cantadores levavam pelas feiras, até o mais distante sertão, os nomes e os feitos dos homens do cacau, a fama daquela região. Só mesmo o Doutor se preocupava com os Ávilas. O que, no entanto, não deixava de aumentar a consideração que lhe dispensavam na cidade. Aqueles rudes conquistadores de terras, fazendeiros de poucas letras, tinham um respeito quase humilde pelo saber, pelos homens letrados que escreviam nos jornais e pronunciavam discursos.

Que dizer então de um homem, com tanta capacidade e conhecimento, capaz de estar escrevendo ou de ter escrito um livro? Porque tanto se falara nesse livro do Doutor, tanto se louvaram suas qualidades, que muitos o pensavam publicado há anos, há tempos definitivamente incorporado ao acervo da literatura nacional.

DE COMO NACIB DESPERTOU SEM COZINHEIRA

NACIB DESPERTOU COM AS REPETIDAS PANCADAS NA PORTA DO QUARTO. Chegara de madrugada; depois de fechado o bar, andara com Tonico Bastos e Nhô-Galo pelos cabarés, acabara em casa de Maria Machadão com a Risoleta, uma recém-chegada de Aracaju, um pouco vesga.

— O que é?
— Sou eu, seu Nacib. Pra me despedir, vou embora.

Um navio apitava próximo, pedindo prático.

— Embora pra onde, Filomena?

Nacib levantava-se, prestava uma atenção distraída ao apito do navio — pelo jeito do apito é um ita, pensava —, procurava enxergar as horas no patacão colocado ao lado da cama: seis horas da manhã e ele chegara por volta das quatro. Que mulher, aquela Risoleta! Não que fosse uma beleza, até tinha um olho troncho, mas sabia coisas, mordia-lhe a ponta da orelha e atirava-se para trás, rindo... Que espécie de loucura atacara a velha Filomena?

— Pra Água Preta, ficar com meu filho...
— Que diabo de história é essa, Filomena? Tá maluca?

Buscava os chinelos com os pés, mal acordado, o pensamento em Risoleta. O perfume barato da mulher persistia em seu peito peludo. Saía mesmo descalço para o corredor, metido no camisolão de dormir. A velha Filomena esperava na sala, com seu vestido novo, um lenço de ramagens amarrado na cabeça, o guarda-chuva na mão. No chão, o baú e um embrulho com os quadros de santos. Era empregada de Nacib desde que ele comprara o bar, há mais de quatro anos. Rabugenta porém limpa e trabalhadora, séria a não mais poder, incapaz de tocar num tostão, cuidadosa. "Uma pérola, uma pedra preciosa", costumava dizer dona Arminda para defini-la. Tinha seus dias de calundu, quando do amanhecia de cara amarrada, e nesses dias não falava senão para anunciar sua próxima partida, a viagem para Água Preta onde o filho único se estabelecera com uma quitanda. Tanto falava em ir-se embora, naquela famosa viagem, que Nacib não lhe dava mais crédito, pensava não passar tudo aquilo de mania inofensiva da velha afinal tão li-

39

gada a ele, menos empregada que uma pessoa da casa, quase um parente distante.

O navio apitava, Nacib abriu a janela, era, como adivinhara, o ita procedente do Rio de Janeiro. Estava pedindo prático, parado ante a Pedra do Rapa.

— Mas, Filomena, que loucura é essa? Assim, de repente, sem avisar nem nada... Absurdo.

— Ué, seu Nacib! Desde que travessei o batente de sua porta venho lhe dizendo: "Um dia vou embora, morar com meu Vicente...".

— Mas podia ter me falado ontem que ia hoje...

— Bem que mandei um recado por Chico. O senhor nem ligou, nem apareceu em casa.

Realmente Chico Moleza, seu empregado e vizinho, filho da dona Arminda, tinha levado, juntamente com o almoço, um recado da velha anunciando a próxima partida. Mas isso acontecia quase toda semana, Nacib mal ouvira, nem respondera.

— E esperei o senhor pela noite adentro... Até de madrugada... O senhor estava correndo gado por aí, tamanho homem que já devia estar casado, com o rabo assentado em casa em vez de viver trocando perna depois do trabalho... Um dia, com todo esse corpo, fica fraco e bate as botas...

Apontava, com o dedo estendido, magro e acusador, o peito do árabe aparecendo pela gola do camisolão, bordada de pequenas flores vermelhas. Nacib baixou os olhos, viu as manchas de batom. Risoleta!... A velha Filomena e dona Arminda viviam criticando sua vida de solteiro, lançando indiretas, planejando casamentos para ele.

— Mas, Filomena...

— Não tem mais nem meio mais, seu Nacib. Agora vou mesmo embora, Vicente me escreveu, vai se casar, tá precisando de mim. Já preparei meus teréns...

E logo na véspera do jantar da Empresa de Ônibus Sul-Baiana, marcado para o dia seguinte, coisa de arromba, trinta talheres. A velha até parecia ter escolhido de propósito.

— Adeus, seu Nacib. Deus lhe proteja e lhe ajude a arrumar uma noiva direita que cuide de sua casa...

— Mas, mulher, são seis horas da manhã, o trem só sai às oito...

— Eu é que não confio em trem, bicho matreiro. Prefiro chegar com tempo...

— Deixe pelo menos eu lhe pagar...

Tudo aquilo lhe parecia um pesadelo idiota. Movia-se descalço pela sala, pisando no cimento frio, espirrou, rogou uma praga baixinho. E se ainda por cima se resfriasse... Peste de velha maluca...

Filomena estendia a mão ossuda, a ponta dos dedos.

— Até outra, seu Nacib. Quando for por Água Preta, apareça.

Nacib contou o dinheiro, juntou uma gratificação — apesar de tudo ela merecia —, ajudou-a a segurar o baú, o embrulho pesado com os quadros de santos — antes pendurados em profusão no pequeno quarto dos fundos —, o guarda-chuva. Pela janela entrava a manhã alegre, e com ela a brisa do mar, um canto de pássaro e um sol sem nuvens após tantos dias de chuva. Nacib olhou o navio, o barco do prático aproximava-se. Arriou os braços, desistiu de voltar para a cama. Dormiria na hora da sesta para estar em forma à noite, prometera à Risoleta voltar. Diabo de velha, transtornara seu dia...

Foi para a janela, ficou vendo a empregada afastar-se. O vento do mar o arrepiou. A casa na ladeira de São Sebastião ficava quase em frente à barra. Pelo menos as chuvas haviam terminado. Tinham durado tanto que por pouco não prejudicavam a safra, os frutos jovens de cacau podiam apodrecer nas árvores se continuasse a chover. Já os coronéis demonstravam certa inquietação. Na janela da casa vizinha aparecera dona Arminda, acenava com um lenço para a velha Filomena, eram íntimas.

— Bom dia, seu Nacib.

— A doida da Filomena... Foi embora...

— Pois é... Uma coincidência, o senhor nem imagina. Ainda ontem eu disse a Chico quando ele chegou do bar: "Amanhã siá Filomena vai embora, o filho mandou uma carta chamando...".

— Chico me falou, não acreditei.

— Ela ficou até tarde esperando o senhor. Até, por coincidência, ficamos as duas conversando sentadas no batente de sua casa. Só que o senhor não apareceu... — riu um risinho entre reprovador e compreensivo.

— Ocupado, dona Arminda, muito trabalho...

Ela não tirava os olhos das manchas de batom. Nacib sobressaltou-se: será que as tinha também no rosto? Provável, muito provável.

— Pois é o que eu sempre digo: homem trabalhador como seu Nacib há poucos em Ilhéus... Até de madrugada...

— E logo hoje — lastimou-se Nacib — com um jantar para trinta pessoas encomendado no bar para amanhã de noite...

— Eu nem senti quando o senhor entrou e olhe que fui dormir tarde, mais de duas da manhã...

Nacib rosnou qualquer coisa, essa dona Arminda era a curiosidade em pessoa:

— Por aí... Agora quem vai preparar o jantar?

— Um caso sério... Comigo o senhor não pode contar. Dona Elisabeth está esperando a qualquer momento, até já passou do dia. Foi por isso que fiquei acordada, seu Paulo podia aparecer de repente. Além do mais, essa coisa de comida fina não sei fazer...

Dona Arminda, viúva, espírita, língua viperina, mãe de Chico Moleza, rapazola empregado no bar de Nacib, era parteira afamada: inúmeros ilheenses, nos últimos vinte anos, tinham nascido em suas mãos, e as primeiras sensações do mundo a sentirem foram seu ativo cheiro de alho e sua face avermelhada de sarará.

— E dona Clorinda, já teve menino? O doutor Raul não apareceu no bar ontem...

— Já, ontem de tarde. Mas chamaram o médico, esse tal de doutor Demóstenes. Essas novidades d'agora. O senhor não acha uma indecência médico pegar criança? Ver mulher dos outros toda nua? Sem-vergonhice...

Para Arminda aquele era um assunto vital: os médicos começavam a fazer-lhe concorrência, onde já se vira tal descaração, médico a espiar mulher dos outros nua nas dores do parto... Mas Nacib preocupava-se era com o jantar do dia seguinte e com os doces e salgados para o bar, problemas sérios criados pela viagem de Filomena:

— É o progresso, dona Arminda. Essa velha pintou o diabo comigo...

— Progresso? Descaração é o que é...

— Onde vou arranjar cozinheira?

— O jeito é encomendar às irmãs Dos Reis...

— Careiras, arrancam a pele da gente... E eu que já tinha arrumado duas cabrochas para ajudar Filomena...

— O mundo é assim, seu Nacib. Quando menos a gente espera é que sucede. Eu, felizmente, tenho o finado que me avisa. Ainda outro dia, o senhor nem pode imaginar... Foi numa sessão, em casa de compadre Deodoro...

Mas Nacib não estava disposto a ouvir as repetidas histórias de espiritismo, especialidade da parteira.

— Chico já acordou?

— Qual o quê, seu Nacib. O pobre chegou mais de meia-noite.
— Por favor, acorde ele. Preciso tomar providências. A senhora compreende: um jantar para trinta pessoas, tudo gente importante, comemorando a instalação da linha de marinetes...
— Ouvi dizer que uma virou na ponte do rio Cachoeira.
— Conversa fiada. Vão e vêm cheias. Um negoço.
— Olhe que agora se vê de um tudo em Ilhéus, hein, seu Nacib? Me contaram que no hotel novo vai ter até um tal de elevador, uma caixa que sobe e desce sozinha.
— Quer acordar o Chico?
— Já tou indo... Que não vai ter mais escada, t'esconjuro!

Nacib ficou ainda uns momentos na janela olhando o navio da Costeira, do qual o prático se aproximava. Mundinho Falcão devia vir nesse navio, assim alguém dissera no bar. Cheio de novidades certamente. Chegariam também novas mulheres para os cabarés, para as casas da rua do Unhão, do Sapo, das Flores. Cada navio, da Bahia, de Aracaju ou do Rio, trazia um carregamento de raparigas. Talvez chegasse também o automóvel do dr. Demósthenes, o médico estava ganhando um dinheirão, era o primeiro consultório da cidade. Valia a pena vestir-se e ir ao porto, assistir ao desembarque. Lá encontraria certamente a turma habitual, os madrugadores. E quem sabe se não lhe dariam notícias de uma boa cozinheira, capaz de arcar com o trabalho do bar? Cozinheira em Ilhéus era raridade, disputada pelas famílias, pelos hotéis, pensões e bares. O diabo da velha... E logo quando ele havia descoberto essa preciosidade, a Risoleta! Quando precisava estar com o espírito tranquilo... Por uns dias, pelo menos, não via outro jeito, ia ter de cair nas unhas das irmãs Dos Reis. Coisa complicada é a vida: ainda ontem tudo marchava tão bem, ele não tinha preocupações, ganhara duas partidas de gamão seguidas contra um parceiro da força do Capitão, comera uma moqueca de siris realmente divina em casa de Maria Machadão, e descobrira aquela novata, a Risoleta... E já hoje, de manhãzinha, estava atravancado de problemas... Uma porcaria! Velha maluca... A verdade é que já sentia saudade dela, de sua limpeza, do café da manhã com cuscuz de milho, batata-doce, banana-da-terra frita, beijus... De seus cuidados maternais, de sua solicitude, mesmo dos seus resmungos. Quando uma vez ele caíra com febre, o tifo na época endêmico na região como o paludismo e a bexiga, ela não arredara do quarto, dormia mesmo no chão. Onde arranjaria outra como ela?

Dona Arminda voltava à janela:

— Já acordou, seu Nacib. Está tomando banho.
— Vou fazer o mesmo. Obrigado.
— Depois venha tomar café com a gente. Café de pobre. Quero lhe contar o sonho que tive com o finado. Ele me disse: "Arminda, minha velha, o diabo tomou conta da cabeça desse povo de Ilhéus. Só pensam em dinheiro, só pensam em grandezas. Isso vai terminar mal... Muita coisa vai começar a acontecer...".
— Pois para mim, dona Arminda, já começou... Com essa viagem de Filomena. Pra mim já começou.
Disse em tom de mofa, não sabia que tinha começado mesmo. O navio recebia o prático, manobrava em direção à barra.

DE ELOGIO À LEI & À JUSTIÇA OU SOBRE NASCIMENTO & NACIONALIDADE

ERA COMUM TRATAREM-NO DE ÁRABE, E MESMO DE TURCO, FAZENDO-SE ASSIM necessário de logo deixar completamente livre de qualquer dúvida a condição de brasileiro, nato e não naturalizado, de Nacib. Nascera na Síria, desembarcara em Ilhéus com quatro anos, vindo num navio francês até à Bahia. Naquele tempo, no rastro do cacau dando dinheiro, chegavam à cidade de alastrada fama, diariamente, pelos caminhos do mar, do rio e da terra, nos navios, nas barcaças e lanchas, nas canoas, no lombo dos burros, a pé abrindo picadas, centenas e centenas de nacionais e estrangeiros oriundos de toda parte: de Sergipe e do Ceará, de Alagoas e da Bahia, do Recife e do Rio, da Síria e da Itália, do Líbano e de Portugal, da Espanha e de *ghettos* variados. Trabalhadores, comerciantes, jovens em busca de situação, bandidos e aventureiros, um mulherio colorido, e até um casal de gregos surgidos só Deus sabe como. E todos eles, mesmo os loiros alemães da recém-fundada fábrica de chocolate em pó e os altaneiros ingleses da estrada de ferro, não eram senão homens da zona do cacau, adaptados aos costumes da região ainda semibárbara com suas lutas sangrentas, tocaias e mortes. Chegavam e em pouco eram ilheenses dos melhores, verdadeiros grapiúnas plantando roças, instalando lojas e armazéns, rasgando estradas, matando gente, jogando nos cabarés, bebendo nos bares, construindo povoados de rápido crescimento, rompendo a selva ameaçadora, ganhando e perdendo dinheiro, sentindo-se tão dali como os mais antigos ilheenses, os filhos das famílias de antes do aparecimento do cacau.

Graças a essa gente diversa, Ilhéus começara a perder seu ar de acampamento de jagunços, a ser uma cidade. Eram todos, mesmo o último dos vagabundos chegado para explorar os coronéis enriquecidos, fatores do assombroso progresso da zona.

Já ilheenses por fora e por dentro, além de brasileiros naturalizados, eram os parentes de Nacib, uns Ashcar envolvidos nas lutas pela conquista da terra, onde seus feitos foram dos mais heroicos e comentados. Só encontram eles comparação com os dos Badarós, de Braz Damásio, do célebre negro José Nique, do coronel Amâncio Leal. Um deles, de nome Abdula, o terceiro em idade, morreu nos fundos de um cabaré em Pirangi, após abater três dos cinco jagunços mandados contra ele, quando disputava pacífica partida de pôquer. Os irmãos vingaram sua morte de forma inesquecível. Para saber desses parentes ricos de Nacib, basta compulsar os anais do júri, ler os discursos do promotor e dos advogados.

De árabe e turco muitos o tratavam, é bem verdade. Mas o faziam exatamente seus melhores amigos e o faziam numa expressão de carinho, de intimidade. De turco ele não gostava que o chamassem, repelia irritado o apodo, por vezes chegava a se aborrecer:

— Turco é a mãe!

— Mas, Nacib...

— Tudo que quiser, menos turco. Brasileiro — batia com a mão enorme no peito cabeludo — filho de sírios, graças a Deus.

— Árabe, turco, sírio, é tudo a mesma coisa.

— A mesma coisa, um corno! Isso é ignorância sua. É não conhecer história e geografia. Os turcos são uns bandidos, a raça mais desgraçada que existe. Não pode haver insulto pior para um sírio que ser chamado de turco.

— Ora, Nacib, não se zangue. Não foi para lhe ofender. É que essas coisas das estranjas pra gente é tudo igual...

Talvez assim o chamassem menos por sua ascendência levantina que pelos bigodões negros de sultão destronado, a descer-lhe pelos lábios, cujas pontas ele cofiava ao conversar. Frondosos bigodes plantados num rosto gordo e bonachão, de olhos desmesurados, fazendo-se cúpidos à passagem das mulheres. Boca gulosa, grande e de riso fácil. Um enorme brasileiro, alto e gordo, cabeça chata e farta cabeleira, ventre demasiadamente crescido, "barriga de nove meses", como pilheriava o Capitão ao perder uma partida no tabuleiro de damas.

— Na terra de meu pai... — assim começavam suas histórias nas noites de conversas longas, quando nas mesas do bar ficavam apenas uns poucos amigos.

Porque sua terra era Ilhéus, a cidade alegre ante o mar, as roças de cacau, aquela zona ubérrima onde se fizera homem. Seu pai e seus tios, seguindo o exemplo dos Ashcar, vieram primeiro, deixando as famílias. Ele embarcara depois, com a mãe e a irmã mais velha, de seis anos, Nacib ainda não completara os quatro. Lembrava-se vagamente da viagem na terceira classe, o desembarque na Bahia onde o pai fora esperá-los. Depois a chegada a Ilhéus, a vinda para terra numa canoa, pois naquele tempo nem ponte de desembarque existia. Do que não se recordava mesmo era da Síria, não lhe ficara lembrança da terra natal tanto se misturara ele à nova pátria, e tanto se fizera brasileiro e ilheense. Para Nacib era como se houvesse nascido no momento mesmo da chegada do navio à Bahia, ao receber o beijo do pai em lágrimas. Aliás, a primeira providência do mascate Aziz, após chegar a Ilhéus, foi conduzir os filhos a Itabuna, então Tabocas, ao cartório do velho Segismundo, para registrá-los brasileiros.

Processo rápido de naturalização que o respeitável tabelião praticava, com a perfeita consciência do dever cumprido, por uns quantos mil--réis. Não tendo alma de explorador, cobrava barato, colocando a operação legal ao alcance de todos, fazendo desses filhos de imigrantes, quando não dos próprios imigrantes vindos trabalhar em nossa terra, autênticos cidadãos brasileiros, vendendo-lhes boas e válidas certidões de nascimento.

Acontece ter sido o antigo cartório incendiado, numa daquelas lutas pela conquista da terra, para que o fogo devorasse indiscretas medições e escrituras da mata do Sequeiro Grande — isso está até contado num livro. Não era culpa de ninguém, portanto, muito menos do velho Segismundo, se os livros de registro de nascimentos e óbitos, todos eles, tinham sido consumidos no incêndio, obrigando a novo registro centenas de ilheenses (naquele tempo Itabuna ainda era distrito do município de Ilhéus). Livros de registros não existiam, mas existiam idôneas testemunhas a afirmar que o pequeno Nacib e a tímida Salma, filhos de Aziz e de Zoraia, haviam nascido no arraial de Ferradas e tinham sido anteriormente registrados no cartório, antes do incêndio. Como poderia Segismundo, sem cometer grave descortesia, duvidar da palavra do coronel José Antunes, rico fazendeiro, ou do comerciante Fadel, estabelecido com loja de fazendas, gozando de crédito na praça? Ou mesmo da palavra mais modesta do sacristão Bonifácio, pronto sempre a aumentar seu parco salário servindo em casos assim como fidedigna testemunha? Ou do perneta Fabiano, corrido de Sequeiro do Espinho e que outro meio de vida não possuía além de testemunhar?

Cerca de trinta anos se haviam passado sobre tais fatos. O velho Segismundo morrera cercado da estima geral e ainda hoje seu enterro é recordado. Toda a população comparecera, de há muito ele não tinha inimigos, nem mesmo os que lhe haviam incendiado o cartório.

No seu túmulo falaram oradores, celebraram suas virtudes. Fora — afirmaram — um servidor admirável da justiça, exemplo para as gerações futuras.

Registrava ele facilmente como nascidos no município de Ilhéus, estado da Bahia, Brasil, a quanta criança lhe chegasse, sem maiores investigações, mesmo quando parecia evidente ter-se dado o nascimento bem depois do incêndio. Não era cético nem formalista nem o podia ser no Ilhéus dos começos do cacau. Campeava o caxixe, a falsificação de escrituras e medições de terras, as hipotecas inventadas, os cartórios e tabeliães eram peças importantes na luta pelo desbravamento e plantio das matas, como distinguir um documento falso de um verdadeiro? Como pensar em míseros detalhes legais, como o lugar e a data exata do nascimento de uma criança, quando se vivia perigosamente em meio aos tiroteios, aos bandos de jagunços armados, às tocaias mortais? A vida era bela e variada, como iria o velho Segismundo esmiuçar sobre nomes de localidades? Que importava em realidade onde nascera o brasileiro a registrar, aldeia síria ou Ferradas, sul da Itália ou Pirangi, Trás-os-Montes ou Rio do Braço? O velho Segismundo já tinha demasiadas complicações com os documentos de posse da terra, por que havia de dificultar a vida de honrados cidadãos que desejavam apenas cumprir a lei, registrando os filhos? Acreditava simplesmente na palavra daqueles simpáticos imigrantes, aceitava-lhes os presentes modestos, vinham acompanhados de testemunhas idôneas, pessoas respeitáveis, homens cuja palavra, por vezes, valia mais que qualquer documento legal.

E, se alguma dúvida perdurava-lhe no espírito por acaso, não era o pagamento mais elevado do registro e da certidão, o corte de fazenda para sua esposa, a galinha ou o peru para o quintal, que o punham em paz com sua consciência. Era que ele, como a maioria da população, não media pelo nascimento o verdadeiro grapiúna, e, sim, pelo seu trabalho em benefício da terra, pela sua coragem de entrar na selva e afrontar a morte, pelos pés de cacau plantados ou pelo número de portas das lojas e armazéns, pela sua contribuição ao desenvolvimento da zona. Essa era a mentalidade de Ilhéus, era também a do velho Segismundo, homem de larga experiência da vida, de ampla compreensão humana e de poucos escrúpulos. Experiência e compreensão colocadas a serviço da região cacaueira. Quanto aos escrúpulos, não foi com eles que progrediram as cidades do sul da Bahia, que se rasgaram as estradas, plantaram-se as fazendas, criou-se o comércio, construiu-se o porto, elevaram-se edifícios, fundaram-se jornais, exportou-se cacau para o mundo inteiro. Foi com tiros e tocaias, com falsas escrituras e medições inventadas, com mortes e crimes, com jagunços e aventureiros, com prostitutas e jogadores, com sangue e coragem. Uma vez Segismundo lembrara-se de seus escrúpulos. Tratava-se da medição da mata de Sequeiro Grande e lhe ofereciam pouco para o vulto do caxixe: cresceram-lhe subitamente os escrúpulos. Em vista disso queimaram-lhe o cartório e meteram-lhe uma bala na perna. A bala, por engano, isto é: por engano na perna pois destinava-se ela ao peito de Segismundo. Desde então ficou ele menos escrupuloso e mais barateiro, mais grapiúna ainda, graças a Deus. Por isso, quando morreu octogenário, seu enterro transformou-se em verdadeira manifestação de homenagem a quem fora, naquelas paragens, exemplo de civismo e devoção à justiça.

Por essa mão veneranda fizera-se Nacib brasileiro nato em certa tarde distante de sua primeira infância, vestido com verde bombacho de veludo francês.

ONDE APARECE MUNDINHO FALCÃO, SUJEITO IMPORTANTE, OLHANDO ILHÉUS POR UM BINÓCULO

DA PONTE DE COMANDO DO NAVIO A ESPERA DE PRÁTICO, UM HOMEM AINDA JOVEM, bem-vestido e bem barbeado, olhava a cidade com um ar levemente sonhador. Qualquer coisa, talvez os cabelos negros, talvez os olhos rasgados, dava-lhe um toque romântico, fazia com que as mulheres logo o notassem. Mas a boca dura e o queixo forte eram de homem decidido, prático, sabendo querer e fazer. O comandante, rosto curtido pelo vento, mordendo um cachimbo, estendeu-lhe o binóculo. Mundinho Falcão disse, ao recebê-lo:

— Nem preciso... Conheço casa por casa, homem por homem. Como se tivesse nascido ali, na praia — apontava com o dedo. — Aquela casa — a da esquerda ao lado do sobrado — é minha casa. Posso dizer que essa avenida eu a construí...

— Terra de dinheiro, de futuro — falou, como conhecedor, o comandante. — Só que a barra é uma desgraça...

— Isso também vamos resolver — anunciou Mundinho. — E muito em breve...

— Deus lhe ouça. Toda a vez que entro aqui tremo pelo meu navio. Não há barra pior em todo o norte.

Mundinho levantou o binóculo, aplicou-o aos olhos. Viu sua casa moderna, trouxera um arquiteto do Rio para construí-la. Os sobrados da avenida, os jardins do palacete do coronel Misael, as torres da matriz, o grupo escolar. O dentista Osmundo, envolto num roupão, saía de casa para o banho de mar tomado bem de manhãzinha para não escandalizar a população. Na praça São Sebastião, nem uma só pessoa. O Bar Vesúvio com suas portas fechadas. O vento da noite derrubara uma tabuleta de anúncio na frente do cinema, Mundinho examinava cada detalhe atentamente, quase com emoção. A verdade é que gostava cada vez mais daquela terra, não lamentava o aloucado arroubo a trazê-lo um dia, há poucos anos, para ali, como um náufrago à deriva, servindo-lhe qualquer terra onde salvar-se. Mas essa não era uma terra qualquer. Ali crescia o cacau. Onde melhor aplicar o seu dinheiro, multiplicá-lo? Bastava ter disposição para o trabalho, cabeça para os negócios, tino e audácia. Tudo isso ele possuía e algo mais: mulher a esquecer, paixão impossível a arrancar do peito e do pensamento.

Dessa vez, no Rio, a mãe e os irmãos foram unânimes em achá-lo mudado, diferente.

Lourival, o irmão mais velho, não pôde deixar de reconhecer com sua voz de desdém, de homem sempre enfastiado:

— Não há dúvida, o rapazinho amadureceu.

Emílio sorrira, chupando o charuto:

— E está ganhando dinheiro. Não devíamos — falava agora para Mundinho — ter permitido que partisses. Mas quem podia adivinhar que o nosso jovem galã tinha jeito para negócios? Aqui nunca revelaste gosto senão para a esbórnia. E, quando te foste, levando teu dinheiro, que podíamos imaginar senão mais uma loucura, maior que as outras? Era esperar tua volta, para encaminhar-te na vida.

A mãe concluíra, quase irritada:

— Ele não é mais um menino.

Irritada com quem? Com Emílio por dizer tais coisas ou com Mundinho que já não lhe vinha solicitar mais dinheiro, após esbanjar a mesada gorda?

Mundinho deixava-os falar, gozava aquele diálogo. Quando eles não mais tiveram o que dizer, então anunciou:

— Penso meter-me na política, fazer-me eleger qualquer coisa. Deputado, talvez... Pouco a pouco, estou a tornar-me o homem importante da terra. Que pensas, Emílio, de me veres subindo à tribuna para responder a um desses teus discursos de adulação ao governo? Quero vir pela oposição...

Na grande sala austera da residência familiar, os móveis solenes, a mãe a dominá-los como uma rainha, os olhos altivos, a cabeleira branca, estavam os três irmãos a conversar. Lourival, cujas roupas vinham de Londres, jamais aceitara deputação ou senatória. Mesmo um ministério recusara quando convidado. Governador de São Paulo, quem sabe?, aceitaria se fosse escolhido por todas as forças políticas. Emílio era deputado federal, eleito e reeleito sem o menor esforço. Muito mais idosos os dois que Mundinho, espantavam-se agora de vê-lo homem, gerindo seus negócios, exportando cacau, obtendo lucros invejáveis, falando daquela terra bárbara onde fora se meter, ninguém jamais pôde saber por que motivo, anunciando-se deputado em breve.

— Podemos te ajudar — disse, paternalmente, Lourival.
— Faremos botar teu nome na chapa do governo, entre os primeiros. Eleição garantida — completou Emílio.
— Não vim aqui para pedir, vim aqui para contar.
— Orgulhoso, o rapazinho... — murmurou Lourival desdenhoso.
— Sozinho, não te elegerás — previu Emílio.
— Sozinho vou me eleger. E no terço da oposição. Governo, só quero ser lá mesmo, em Ilhéus. Governo que vou tomar, não vim aqui para solicitá-lo a vocês, muito obrigado.

A mãe alteou a voz:
— Podes fazer o que quiseres, ninguém te impede. Mas por que te levantas contra teus irmãos? Por que te separas de nós? Eles só querem te ajudar, são teus irmãos.
— Não sou mais menino, a senhora mesma disse.

Depois contou de Ilhéus, das lutas passadas, do banditismo, das terras conquistadas a bala, do progresso atual, dos problemas.
— Quero que me respeitem, que me mandem falar em seu nome, na Câmara. Que me adiantaria se vocês me metessem numa chapa? Para representar a firma, basta Emílio. Sou um homem de Ilhéus.
— Política de lugarejo. Com tiroteios e banda de música — sorriu Emílio, entre irônico e condescendente.
— Para que correr perigo quando não é necessário? — perguntou a mãe escondendo o temor.
— Para não ser apenas o irmão dos meus irmãos. Para ser alguém.

Revirara o Rio de Janeiro. Andara nos ministérios, tratava os ministros por tu, ia entrando gabinete adentro, quantas vezes não encontrara cada um deles em sua casa, sentado na mesa presidida pela mãe, ou na casa de Lourival, em São Paulo, sorrindo para Madeleine? Quando o ministro da Justiça, seu rival na disputa das graças de uma holandesa, anos antes, lhe dissera já ter respondido ao governador da Bahia, afirmando só poder equiparar o colégio de Enoch no começo do ano, Mundinho rira:
— Filho meu, tu deves muito a Ilhéus. Não tivesse eu emigrado para lá e jamais terias dormido com Berta, a holandesinha viciosa. Quero a equiparação para já. Ao governador podes exibir a lei. A mim não. Para mim, o ilegal, o difícil, o impossível...

No Ministério da Viação e Obras Públicas reclamara o engenheiro. O ministro contara-lhe toda a história da barra de Ilhéus, das docas da

Bahia, os interesses de gente ligada ao genro do governador. Aquilo era impossível. Justo, sem dúvida, mas impossível, meu caro, completamente impossível, o governador iria rugir de raiva.

— Foi ele quem te nomeou?
— Não, é claro.
— Pode te derrubar?
— Creio que não...
— E então?
— Não compreendes?
— Não. O governador é um velho, o genro um ladrão, não valem nada. Fim de governo, fim de um clã. Vais ficar contra mim, contra a região mais próspera e poderosa do estado? Burrice. O futuro sou eu, o governador é o passado. Além de que, se venho a ti, é por amizade. Posso ir mais alto, bem sabes. Se falar com Lourival e Emílio tu receberás ordens do presidente da República para mandar o engenheiro. Não é verdade?

Gozava aquela chantagem com o nome dos irmãos, aos quais por nenhum preço pediria fosse o que fosse. Comeu com o ministro à noite, havia música e mulheres, champanha e flores. No mês seguinte o engenheiro estaria em Ilhéus.

Três semanas andara pelo Rio, voltara à vida de antes: às festas, às farras, às moças da alta sociedade, às artistas de teatro musicado. Admirava-se de como tudo aquilo, que fora sua vida durante anos e anos, agora tão pouco o seduzia, logo o cansava. Em verdade sentia falta de Ilhéus, do seu escritório movimentado, das intrigas, dos disse que disse, de certas figuras locais. Nunca pensara poder adaptar-se tanto, tanto prender-se. A mãe apresentava-lhe moças ricas, de famílias importantes, buscava-lhe noiva que o arrancasse de Ilhéus. Lourival queria levá-lo a São Paulo, Mundinho ainda era sócio das fazendas de café, devia visitá-las. Não foi: apenas cicatrizava a ferida no seu peito, apenas desaparecera a imagem de Madeleine dos seus sonhos, não iria revê-la, sofrer seus olhos de perseguição. Paixão monstruosa, jamais confessada, mas sentida por ele e por ela, sempre a um passo de se atirarem um sobre o outro. A Ilhéus devia a cura, para Ilhéus vivia agora.

Lourival desdenhoso e enfarado, tão superior, tão inglês em sua suficiência, viúvo sem filhos de mulher milionária, casara-se novamente, de súbito, numa de suas constantes viagens à Europa, com uma francesa modelo de casa de modas. Grande diferença de idade separava marido e mulher, Madeleine mal escondia as razões por que casara. Mundinho sentiu que se não partisse definitivamente nada poderia — nenhuma consideração moral, nenhum escândalo, nenhum remorso possível — impedir que terminassem um nos braços do outro. Os olhos perseguiam-se pela casa, as mãos tremiam ao tocar-se, as vozes embargadas. Mal podia o desdenhoso e frio Lourival imaginar que o irmão mais moço, o aloucado Mundinho, rompera com tudo por sua causa, por amor ao irmão.

Ilhéus o curara, pois estava curado, poderia — quem sabe? —, se quisesse, fitar Madeleine, já nada sentia por ela. Com o binóculo percorre a cidade de Ilhéus, vê o árabe Nacib na sua janela. Sorri porque o dono do bar recorda-lhe o Capitão, eram parceiros habituais na dama e no gamão. O Capitão ia servir-lhe muito. Tornara-se seu melhor amigo e há tempos vinha lhe acenando, em palavras vagas, com a possibilidade de fazer política. Não era segredo na cidade o despeito do Capitão contra os Bastos, seu pai fora por eles derrubado do governo local, por eles arruinado na luta política, há vinte anos. Mundinho fazia-se desentendido, estava ainda preparando o terreno. A hora era chegada. Precisava levar o Capitão a falar franco, a lhe oferecer a chefia da oposição. Mostraria aos irmãos de quanto era capaz. Sem contar que Ilhéus precisava de um homem como ele para incrementar o progresso, para imprimir-lhe um ritmo acelerado, aqueles coronéis nem sabiam das necessidades da região.

Mundinho restituía o binóculo, o prático subia para bordo, o navio embicava para a barra.

DA CHEGADA DO NAVIO

APESAR DA HORA MATINAL, UMA PEQUENA MULTIDÃO ACOMPANHAVA OS PENOSOS trabalhos de desencalhe do navio. Pegara fundo na barra, parecia ali ancorado para sempre. Da ponta do morro do Unhão, os curiosos viam o comandante e o prático afobados, dando ordens, marinheiros correndo, oficiais passando apressados. Pequenos botes, vindos do Pontal, rondavam o navio.

Passageiros debruçavam-se na amurada, quase todos de pijama e chinelos, um ou outro vestido para o desembarque. Esses trocavam frases, aos gritos, com os parentes que haviam madrugado para recebê-los no porto, informações sobre a viagem, pilhérias sobre o encalhe. De bordo, alguém anunciava a uma família em terra:

— Morreu num sofrimento medonho, a pobrezinha!

Notícia que arrancou soluços de uma senhora de preto, de meia-idade, junto a um homem magro e sorumbático com sinais de luto no braço e na lapela do paletó. Duas crianças olhavam o movimento sem se darem conta das lágrimas maternas.

Entre os espectadores formavam-se grupos, trocavam-se cumprimentos, comentava-se o acontecido:

— É uma vergonha essa barra...

— É um perigo. Um dia desses um navio fica aí para sempre, adeus porto de Ilhéus...

— O governo não liga...

— Não liga? Deixa assim de propósito. Para não entrar navio grande. Para a exportação continuar pela Bahia.

— Também a intendência não faz nada, o intendente não tem voz ativa. Só sabe dizer amém ao governo.

— Ilhéus precisa mostrar o que vale.

O grupo vindo da banca de peixe envolvia-se nas conversas. O Doutor, com sua habitual excitação, conclamava o povo contra os políticos, contra os governantes da Bahia a tratar o município com desprezo, como se não fosse ele o mais rico, o mais próspero do estado, o que contribuía com maiores rendas para os cofres públicos. Isso sem falar em Itabuna, cidade crescendo como um cogumelo, município também sacrificado à incapacidade dos governantes, à incúria, à má vontade para com o porto de Ilhéus.

— A culpa é mesmo nossa, devemos reconhecer — disse o Capitão.

— Como?

— Nossa e de mais ninguém. E é fácil provar: quem é que manda na política de Ilhéus? Os mesmos homens de há vinte anos passados. Elegemos intendente, deputado e senador estadual, deputado federal a gente que não tem nada que ver com Ilhéus, devido a compromissos antigos, do tempo em que Judas perdeu as botas.

João Fulgêncio apoiava:

— É isso mesmo. Os coronéis continuam a votar nos mesmos homens que os sustentaram naquele tempo.

— Resultado: os interesses de Ilhéus que se arranjem.

— Compromisso é compromisso... — defendeu-se o coronel Amâncio Leal. — Na hora da necessidade foi com eles que a gente contou...

— As necessidades agora são outras...

O Doutor brandia o dedo:

— Mas essa bandalheira vai acabar. Havemos de eleger homens que representem os verdadeiros interesses da terra.

O coronel Manuel das Onças riu:

— E os votos, Doutor, onde vão buscar?

O coronel Amâncio Leal falou com sua voz suave:

— Ouça, Doutor: fala-se muito de progresso, de civilização, da necessidade de mudar tudo em Ilhéus. Não ouço outra conversa o dia inteiro. Mas, me diga uma coisa: quem é que fez esse progresso? Não fomos nós, os fazendeiros de cacau? Temos nossos compromissos, tomados numa hora difícil, não somos homens de duas palavras. Enquanto eu for vivo, meus votos são para meu compadre Ramiro Bastos e pra quem ele indicar. Nem quero saber o nome. Foi ele quem me deu mão forte quando a gente estava jogando a vida nessas brenhas...

O árabe Nacib incorporava-se à roda, ainda sonolento, preocupado e abatido:

— De que se trata?

O Capitão explicava:

— É o eterno atraso... Os coronéis não compreendem que não estão mais naquele tempo, que hoje as coisas são diferentes. Que os problemas não são mais os de vinte ou trinta anos passados.

Mas o árabe não se interessou, estava distante de toda aquela discussão capaz de empolgá-lo noutro momento. Voltado para seu problema — o bar sem cozinheira, um desastre! —, apenas abanou a cabeça às palavras do amigo.

— Você está jururu. Por que essa cara de enterro?

— Minha cozinheira foi embora...

— Ora, que motivo... — o Capitão voltou-se para a discussão cada vez mais exaltada, reunindo agora várias pessoas em torno ao grupo.

Ora, que motivo... Ora, que motivo... Nacib afastou-se uns passos como a colocar distância entre ele e a discussão perturbadora. A voz do Doutor cruzava-se, oratória, com a voz macia mas firme do coronel Amâncio. Que lhe importavam a intendência de Ilhéus, deputados e senadores! Importava-lhe, sim, o jantar do dia seguinte, trinta talheres. As irmãs Dos Reis, se aceitassem a encomenda, iam pedir um dinheirão. E logo quando tudo ia tão bem...

Quando ele comprara o Bar Vesúvio, situado na praça São Sebastião, em zona residencial, distante — distante não, que as distâncias em Ilhéus eram ridículas —, afastado do centro comercial, do porto onde estavam seus maiores concorrentes, alguns amigos e seu tio consideraram que ele ia cometer uma loucura. O bar andava numa decadência medonha, vazio, sem freguesia, às moscas. Prosperavam os botequins do porto, afreguesados. Mas Nacib não queria continuar medindo pano no balcão da loja onde trabalhava desde a morte do pai. Não gostava daquele trabalho, muito menos da sociedade com o tio e o cunhado (sua irmã casara com um agrônomo da Estação Experimental de Cacau). Enquanto o pai era vivo, a loja ia bem, o velho tinha iniciativa, era simpático. Já o tio, homem de família grande e métodos rotineiros, marcava passo, medroso, contentando-se com pouco. Nacib preferiu vender sua parte, andou fazendo o dinheiro render nuns perigosos negócios de compra e venda de cacau, terminou adquirindo o bar. Comprara de um italiano, ia fazer cinco anos. O italiano metera-se pelo interior na alucinação do cacau.

Bar era bom negócio em Ilhéus, melhor só mesmo cabaré. Terra de muito movimento, de gente chegando atraída pela fama de riqueza, multidão de caixeiros-viajantes enchendo as ruas, muita gente de passagem, quantidade de negócios resolvidos nas mesas dos bares, o hábito de beber valentemente e o costume levado pelos ingleses, quando da construção da estrada de ferro, do aperitivo antes do almoço e do jantar, disputado no pôquer de dados, hábito que se estendera a toda a população masculina.

Antes do meio-dia e depois das cinco da tarde os bares superlotavam.

O Bar Vesúvio era o mais antigo da cidade. Ocupava o andar térreo de um sobrado de esquina numa pequena e linda praça em frente ao mar, onde se erguia a igreja de São Sebastião. Na outra esquina, inaugurara-se recentemente o Cine-Teatro Ilhéus. Não se devia a decadência do Vesúvio à sua localização fora das ruas comerciais, onde prosperavam o Café Ideal, o Bar Chic, o Pinga de Ouro, de Plínio Araçá, os três principais concorrentes de Nacib. Devia-se sobretudo ao italiano, de cabeça voltada para as roças de cacau. Não ligava para o bar, não renovava os estoques de bebidas, nada fazia para agradar os fregueses. Até um gramofone velho, onde tocava discos com árias de óperas, esperava conserto, coberto de teias de aranha. Cadeiras desconjuntadas, mesas de pernas quebradas, um bilhar com o pano rasgado. Mesmo o nome do bar, pintado com letras cor de fogo, sobre a imagem de um vulcão em erupção, desbotara com o tempo. Nacib comprou toda aquela porcaria e mais o nome e o ponto por pouco dinheiro. O italiano só ficou com o gramofone e os discos.

Mandou pintar tudo de novo, fazer novas mesas, cadeiras, trouxe tabuleiros de damas e gamão, vendeu o bilhar para um bar de Macuco, construiu um reservado nos fundos para o jogo de pôquer. Variado sortimento de bebidas, sorvete para as famílias na hora dos passeios à tarde pela nova avenida da praia e na saída dos cinemas, e, mais que tudo, os salgadinhos e os doces para as horas do aperitivo. Um detalhe aparentemente sem importância: os acarajés, os abarás, os bolinhos de mandioca e puba, as frigideiras de siri-mole, de camarão e bacalhau, os doces de aipim, de milho. Tinha sido ideia de João Fulgêncio:

— Por que você não faz para vender no bar? — perguntara um dia, mastigando um acarajé da velha Filomena, preparado para o prazer exclusivo do árabe amante da boa mesa.

No começo, apenas os amigos se afreguesaram: a turma da Papelaria Modelo, vindo discutir ali após o fechamento do comércio, os amantes do gamão e das damas, e certos homens mais respeitáveis, como o juiz de direito e o dr. Maurício, pouco dados a se mostrarem nos bares do porto de frequência misturada, onde, não raro, explodiam rixas violentas com pancadaria e tiros de revólver. Também logo vieram as famílias, atraídas pelo sorvete e pelos refrescos de frutas. Mas foi após ter iniciado o serviço de doces e salgados nas horas do aperitivo que a freguesia realmente começou a crescer e o bar a prosperar. As partidas de pôquer, no reservado, conheceram grande sucesso. Para esses fregueses — o coronel Amâncio Leal, o rico Maluf, o coronel Melk Tavares, Ribeirinho, o sírio Fuad da loja de calçados, Osnar Faria, cuja única ocupação era jogar pôquer e pegar negrinhas no morro da Conquista, o dr. Ezequiel Prado, vários outros — ele guardava, pela meia-noite, pratos de frigideira, de bolinhos, de doces. A bebida corria farta, o barato da casa era alto.

Com pouco tempo, o Vesúvio voltara a florescer. Superara o Café Ideal, o Bar Chic, seu movimento só era inferior ao do Pinga de Ouro. Nacib não se podia queixar: trabalhava como um escravo é bem verdade, ajudado por Chico Moleza e Bico-Fino, às vezes pelo moleque Tuísca que estabelecera sua caixa de engraxate no passeio largo do bar, no lado da praça, junto às mesas ao ar livre. Tudo ia bem, daquele trabalho ele gostava, no bar sabia-se de todas as novidades, comentavam-se os mais mínimos acontecimentos da cidade, as notícias do país e do mundo.

Uma simpatia geral cercava Nacib, "homem direito e trabalhador", como dizia o juiz ao sentar-se, após o jantar, numa das mesas de fora para contemplar o mar e o movimento da praça.

Tudo ia muito bem até esse dia quando a maluca Filomena cumprira a antiga ameaça. Quem iria agora cozinhar para o bar — e para ele, Nacib, cujo vício era comer bem, comidas temperadas e apimentadas? Pensar nas irmãs Dos Reis em caráter permanente era um absurdo, não só elas não aceitariam, como ele não as poderia pagar. Preços altos, absorveriam todo o lucro. Tinha de arranjar, naquele mesmo dia se possível, uma cozinheira e de mão-cheia, sem o quê...

— É capaz de ter de jogar a carga no mar para se safar — comentou um homem em mangas de camisa. — Tá preso de verdade.

Nacib esqueceu por um momento suas preocupações: as máquinas do navio roncavam sem sucesso.

— Isso vai acabar... — a voz do Doutor na discussão.

— Ninguém nem sabe direito quem é esse tal Mundinho Falcão... — atacava Amâncio Leal sempre suave.

— Não sabe? Pois é um homem que está nesse navio, um homem como Ilhéus precisa.

O navio sacudia-se, o casco arrastava-se sobre a areia, os motores gemiam, o prático gritava ordens. Na ponte de comando surgiu um homem ainda jovem, bem-vestido, as mãos sobre os olhos, buscando reconhecer amigos entre os espectadores.

— Lá está ele... Mundinho! — avisou o Capitão.

— Onde?

— Lá em cima...

Sucederam-se gritos:

— Mundinho! Mundinho!

O outro ouviu, procurou de onde vinham as vozes, abanou com a mão. Depois desceu as escadas, desapareceu durante uns minutos, surgiu na amurada, entre os passageiros, risonho. Punha agora as mãos em concha em torno da boca para anunciar:

— O engenheiro vai vir!

— Que engenheiro?

— Do Ministério da Viação, para estudar a barra. Grandes novidades...

— Tão vendo? O que é que eu dizia?

Por detrás de Mundinho Falcão surgia uma figura de mulher nova, um grande chapéu verde, cabelos loiros. Tocava sorridente o braço do exportador.

— Que mulher, puxa! Mundinho não perde tempo...

— Um peixão! — Nhô-Galo aprovou com a cabeça.

O navio balançou violentamente, assustando os passageiros — a mulher loira soltou um pequeno grito —, o fundo desprendeu-se da areia, um clamor alegre elevou-se de terra e de bordo. Um homem escuro e magérrimo, cigarro na boca, ao lado de Mundinho, olhava indiferente. O exportador disse-lhe alguma coisa, ele riu.

— Esse Mundinho é um finório... — comentou, com simpatia, o coronel Ribeirinho.

O navio apitou, apito largo e livre, rumou para o porto.

— É um lorde, não é como a gente — respondeu, sem simpatia, o coronel Amâncio Leal.

— Vamos saber as novidades que Mundinho traz — propôs o Capitão.

— Vou é pra pensão, trocar de roupa e tomar café — despediu-se Manuel das Onças.

— Eu também... — e Amâncio Leal o acompanhou.

A pequena multidão dirigia-se para o porto. O grupo de amigos comentava a informação de Mundinho:

— Pelo jeito ele conseguiu movimentar o ministério. Já não era sem tempo.

— O homem tem prestígio de fato.

— Que mulher! Bocado de rei... — suspirava o coronel Ribeirinho.

Quando chegaram à ponte já estava o navio nas manobras de atracação. Passageiros com destino a Bahia, Aracaju, Maceió, Recife, olhavam curiosos. Mundinho Falcão foi dos primeiros a saltar, logo envolvido pelos abraços. O árabe desdobrava-se em salamaleques.

— Engordou...

— Está mais moço...

— É o Rio de Janeiro que remoça...

A mulher loira — menos jovem do que parecia de longe, porém ainda mais formosa, bem-vestida e bem pintada, "uma boneca estrangeira", como classificou o coronel Ribeirinho — e o homem esquelético estavam parados junto ao grupo, esperando. Mundinho fez as apresentações numa voz brincalhona de propagandista de circo:

— O Príncipe Sandra, mágico de primeira, e sua esposa, a bailarina Anabela... Vão fazer uma temporada aqui.

O homem que, de bordo, anunciara a dolorosa morte de alguém, abraçado agora com a família no cais, contava detalhes tristes:

— Levou um mês morrendo, a coitadinha! Nunca se viu sofrer tanto... Gemia dia e noite, de cortar o coração.

Cresceram os soluços da mulher. Mundinho, os artistas, o Capitão, o Doutor, Nacib, os fazendeiros saíram andando pela ponte. Carregadores passavam com malas. Anabela abriu uma sombrinha. Mundinho Falcão propôs a Nacib:

— Não quer contratar a moça pra dançar no seu bar? Ela tem uma dança dos véus, meu caro, seria um sucesso...

Nacib levantou as mãos:

— No bar? Isso é pro cinema ou pros cabarés... Eu tou querendo é cozinheira.

Riram todos. O Capitão tomou do braço de Mundinho:
— E o engenheiro?
— No fim do mês está aqui. O ministro me garantiu.

DAS IRMÃS DOS REIS & DO SEU PRESÉPIO

AS IRMÃS DOS REIS, A ROLIÇA QUINQUINA E A FRANZINA FLORZINHA, de volta da missa das sete na catedral, apressaram o passo miudinho ao ver Nacib esperando, parado junto ao portão. Eram duas velhinhas álacres, somavam cento e vinte e oito anos de sólida virgindade indiscutida. Gêmeas, eram tudo que sobrava de antiga família ilheense de antes do cacau, daquela gente que cedera seu lugar aos sergipanos, aos sertanejos, aos alagoanos, aos árabes, italianos e espanhóis, aos cearenses. Herdeiras da boa casa onde moravam — cobiçada por muito coronel rico — na rua coronel Adami, e de três outras na praça da matriz, viviam dos aluguéis e dos doces vendidos à tarde pelo moleque Tuísca. Doceiras eméritas, mãos de fada na cozinha, aceitavam por vezes encomendas para almoços e jantares de cerimônia. Sua celebridade, no entanto, aquilo a fazê-las uma instituição da cidade, era o grande presépio de Natal, armado cada ano numa das salas de frente da casa pintada de azul. Trabalhavam o ano inteiro, recortando e colando em cartolina figuras de revistas para aumentar o presépio, sua diversão e sua devoção.

— Madrugou hoje, seu Nacib...
— Coisas que acontecem pra gente.
— E as revistas que prometeu?
— Vou trazer, dona Florzinha, vou trazer. Tou juntando.

A nervosa Florzinha cobrava revistas a todos os conhecidos, a plácida Quinquina sorria. Pareciam duas caricaturas saídas de um livro antigo, com seus vestidos fora de moda, os xales na cabeça, saltitantes e vivas.

— O que lhe traz aqui a essa hora?
— Queria tratar um assunto.
— Pois entre...

O portão conduzia a uma varanda onde cresciam flores e plantas cuidadas com carinho. Uma empregada, mais velha ainda que as solteironas, curvada pelos anos, passava entre os canteiros a regá-los com um balde.

— Entre para a sala do presépio — convidou Quinquina.
— Anastácia, sirva um licor a seu Nacib! — ordenou Florzinha. — De que prefere? De jenipapo ou de abacaxi? Temos também de laranja e de maracujá...

Nacib sabia, por experiência própria, ser necessário tomar o licor — àquela hora da manhã, Senhor! —, elogiá-lo, perguntar pelos trabalhos do presépio, mostrar por eles interesse, se quisesse levar a bom termo suas negociações. O importante era garantir os salgados e doces do bar durante alguns dias, e o jantar da empresa de ônibus para a noite seguinte. Até arranjar uma nova e boa cozinheira.

Era uma daquelas casas de antigamente, com duas salas de visitas dando para a rua. Uma delas há muito deixara de funcionar como sala de visitas, era a sala do presépio. Não que ficasse armado o ano inteiro. Só em dezembro ele era montado e exposto ao público, durava até as proximidades do Carnaval, quando Quinquina e Florzinha o desarmavam cuidadosamente, e, em seguida, iniciavam a preparação do próximo presépio.

Não era o único em Ilhéus. Outros existiam, alguns belos e ricos, mas quando alguém falava do "presépio" era ao das irmãs Dos Reis que se referia, pois nenhum dos demais se lhe podia comparar. Fora crescendo aos poucos no correr de mais de cinquenta anos. Era Ilhéus ainda um lugarejo atrasado, Quinquina e Florzinha ainda mocinhas, irrequietas e festeiras, requestadas pelos rapazes (ainda hoje é um pequeno mistério terem ficado solteiras, talvez houvessem escolhido demais) quando armaram seu primeiro e pequeno presépio. Naquele esquecido Ilhéus de outros tempos, antes do cacau, estabelecia-se entre as famílias verdadeira emulação para ver qual apresentaria mais belo, completo e rico presépio pelo Natal. O Natal europeu com Papai Noel em carro de renas, vestido para a neve e para o frio, trazendo presentes para as crianças não existia em Ilhéus. Era o Natal dos presépios, das visitas às casas de mesa posta, das ceias após a missa do galo, do início dos folguedos populares, dos reisados, dos ternos de pastorinha, dos bumba meu boi, do vaqueiro e da caapora.

Ano a ano foram as meninas Dos Reis aumentando seu presépio. E, à proporção que o tempo das danças foi passando, mais tempo lhe dedicavam, juntando-lhe novas figuras, ampliando o tablado sobre o qual era montado, terminando por abranger três dos quatro lados da sala. Entre março e novembro, todas as horas deixadas pelas visitas obrigatórias às igrejas (às seis da manhã para a missa, às seis da tarde para a bênção), pela confecção dos saborosos doces vendidos pelo moleque Tuísca a uma freguesia certa, pelas visitas a amigos e vagos parentes, pelo comentário da vida alheia com a vizinhança, dedicavam-nas a recortar figuras de revistas e almanaques, cuidadosamente coladas depois em papelão. Nos trabalhos de montagem, no fim do ano, eram elas auxiliadas por Joaquim, empregado da Papelaria Modelo, tocador de bombo da Euterpe 13 de Maio, que se considerava assim um temperamento de artista. João Fulgêncio, o Capitão, Diógenes (dono do Cine-Teatro Ilhéus e protestante), alunas do colégio das freiras, o professor Josué, Nhô-Galo, apesar de anticlerical exaltado, eram fornecedores assíduos de revistas. Quando, em dezembro, o trabalho apertava, vizinhas, amigas e moças estudantes — após os exames —, vinham ajudar as velhas. O grande presépio chegara a ser quase propriedade coletiva da comunidade, orgulho dos habitantes, e o dia de sua inauguração era dia de festa, cheia a casa das irmãs Dos Reis, os curiosos aglomerados na rua, ante as janelas abertas, para ver o presépio iluminado com lâmpadas multicores, trabalho também de Joaquim que nesse dia glorioso embebedava-se intrepidamente com os licores açucarados das solteironas.

Representava o presépio, como é de esperar-se, o nascimento de Cristo na cocheira pobre da distante Palestina. Mas, ah!, a árida terra oriental era hoje apenas um detalhe no centro do mundo variado, onde se misturavam democraticamente cenas e figuras as mais diversas, dos mais diferentes períodos da história. Ampliando-se ano a ano: homens célebres, políticos, cientistas, militares, literatos e artistas, animais domésticos e ferozes, maceradas faces de santo ao lado da radiosa carnação de estrelas seminuas de cinema.

Sobre o tablado elevava-se uma sucessão de colinas com um pequeno vale ao centro onde ficava a estrebaria com o berço de Jesus, Maria sentada ao lado, são José de pé segurando pelo cabresto um tímido jumento. Essas figuras não eram as maiores nem as mais ricas do presépio. Ao contrário, pareciam pequenas e pobres ao lado de outras, mas como eram as do primeiro presépio por elas montado, Quinquina e Florzinha faziam questão de conservá-las. Já o mesmo não acontecia com o grande e misterioso cometa anunciador do nascimento, suspenso por fios entre a estrebaria e um céu de pano azul perfurado de estrelas. Era a obra-prima de Joaquim, alvo de elogios que o deixavam de olhos úmidos: uma enorme estrela de cauda vermelha, tudo em papel celofane, tão bem concebida e realizada que parecia dela descer toda a luz a resplandecer no imenso presépio.

Nas proximidades da estrebaria, vacas — acordadas do seu pacífico sono pelo acontecimento —, cavalos, gatos, cachorros, galos, patos e galinhas, um leão e um tigre, uma girafa, animais variados adoravam o recém-nascido. E guiados pela luz da estrela de Joaquim, ali estavam os três reis magos, Gaspar, Melchior e Baltazar, trazendo ouro, incenso e mirra. Duas figuras bíblicas as dos reis brancos, recortadas há muito tempo de um almanaque. Quanto ao rei negro, porém, cuja figura a umidade arruinara, fora recentemente substituído pelo retrato do sultão de Marrocos, profusamente divulgado pelos jornais e revistas da época (que melhor rei, em verdade, mais indicado para substituir o estropiado Melchior, do que aquele tão necessitado de proteção, lutando de armas na mão pela independência de seu reino?).

Um rio, filete de água correndo sobre o leito de um cano de borracha cortado ao meio, descia das colinas para o vale, e até mesmo uma cachoeira concebera e realizara o engenhoso Joaquim. Caminhos cruzavam as colinas, dirigindo-se todos à estrebaria, arruados levantavam-se aqui e ali. E nesses caminhos, diante de casas de janelas iluminadas, encontravam-se, em meio a animais, os homens e mulheres que, de alguma forma, se haviam destacado no Brasil e no mundo, cujos retratos mereceram a consagração das revistas. Ali estava Santos Dumont ao lado de um dos seus primitivos aviões, com um chapéu esportivo e seu ar um pouco triste. Próximo a ele, na vertente direita de uma colina, confabulavam Herodes e Pilatos. Mais adiante, heróis da guerra: o rei George V, da Inglaterra, o kaiser, o marechal Joffre, Lloyd George, Poincaré, o tzar Nicolau. Na vertente esquerda esplendia Eleonora Duse, de diadema na cabeleira, os braços nus. Misturavam-se Rui Barbosa, J. J. Seabra, Lucien Guitry, Victor Hugo, d. Pedro II, Emílio de Meneses, o barão do Rio Branco, Zola e Dreyfus, o poeta Castro Alves e o bandido Antônio Silvino. Lado a lado com ingênuas estampas coloridas cuja visão nas revistas arrancava exclamações das irmãs, encantadas:

— Que beleza para o presépio!

Nos últimos anos crescera grandemente o número de artistas de cinema, principal contribuição das alunas do colégio das freiras, e os William Farnum, Eddie Polo, Lya de Putti, Rodolfo Valentino, Carlitos, Lillian Gish, Ramon Novarro, William S. Hart, ameaçavam seriamente dominar os caminhos das colinas. E lá estava até mesmo Vladimir Ilitch Lênin, o temido chefe da Revolução Bolchevique. Fora João Fulgêncio quem cortara o retrato numa revista, entregara a Florzinha:

— Homem importante... Não pode deixar de estar no presépio.

Apareciam também figuras locais: o antigo intendente Cazuza de Oliveira, cuja administração deixara fama, o falecido coronel Horácio Macedo, desbravador de terras. Um desenho — feito por Joaquim, a instâncias do Doutor — representando a inesquecível Ofenísia, jagunços de barro, cenas de tocaia, homens com repetição ao ombro.

Numa mesa, ao lado das janelas, espalhavam-se revistas, tesouras, cola, cartolina. Nacib tinha pressa, queria acertar o jantar da empresa de ônibus, os tabuleiros de doces e salgados. Sorveu o licor de jenipapo, elogiou os trabalhos do presépio:

— Esse ano, pelo visto, vai ser formidável!

— Se Deus quiser...

— Muita coisa nova, não é?

— Chi... Nem damos conta.

Sentavam-se as duas irmãs num sofá, muito empertigadas, sorrindo para o árabe, à espera de que ele falasse.

— Pois é... Avaliem só o que me aconteceu hoje... A velha Filomena foi embora, morar com o filho em Água Preta.

— Não me diga... Foi mesmo? Ela bem dizia... — falavam as duas ao mesmo tempo, era uma notícia a espalhar.

— Eu não esperava por uma dessas. E logo hoje: dia de feira, dia de muito movimento no bar. E ainda por cima eu tinha tomado a encomenda de um jantar para trinta pessoas.

— Jantar de trinta pessoas?

— Oferecido pelo russo Jacob e por Moacir da garagem. Pra festejar a inauguração da empresa de ônibus.

— Ah! — fez Florzinha. — Já sei.

— Bem! — disse Quinquina. — Ouvi falar. Diz que vem o intendente de Itabuna.

— O daqui, o de Itabuna, o coronel Misael, o gerente do Banco do Brasil, seu Hugo Kaufmann, enfim, tudo gente de primeira.

— O senhor acha que esse negócio de marinete vai dar certo? — quis saber Quinquina.

— Se vai... Já está dando... Daqui a pouco ninguém viaja mais de trem. Uma hora de diferença...

— E o perigo? — perguntou Florzinha.

— Que perigo?

— Perigo de virar... Outro dia virou uma na Bahia, li no jornal, morreram três pessoas...

— Eu é que não viajo nesses negócios. Automóvel não foi feito pra mim. Posso morrer de automóvel se me pegar na rua. Mas de eu entrar dentro, isso não... — disse Quinquina.

— Ainda outro dia compadre Eusébio queria a pulso fazer a gente subir no carro dele para dar uma volta. Até a comadre Noca nos chamou de atrasadas... — contou Florzinha.

Nacib riu:

— Ainda vou ver as senhoras comprar automóvel.

— Nós... Mesmo que a gente tivesse dinheiro...

— Mas vamos ao nosso assunto.

Relutaram, fizeram-se rogar, terminaram aceitando. Não sem antes afirmar que só o faziam por se tratar de seu Nacib, moço distinto. Onde já se viu encomendar de véspera um jantar para trinta pessoas e todas importantes? Sem falar nos dois dias perdidos para o presépio, não ia sobrar tempo de cortar uma figura sequer. Além de ter de arranjar quem as ajudasse...

— Eu havia apalavrado duas cabrochas para ajudar Filomena...

— Não. A gente prefere dona Jucundina e as filhas. Já estamos acostumadas com ela. E cozinha bem.

— Será que ela não aceitaria cozinhar pra mim?

— Quem? Jucundina? Nem pense nisso, seu Nacib: e a casa dela, os três filhos já homens, o marido, quem ia cuidar? Pra nós, assim uma vez, ela vem, por amizade...

Cobravam caro, um dinheirão. Pelo preço que lhe fizeram, o jantar não ia render nada. Não fosse Nacib ter tomado o compromisso com Moacir e o russo... Era homem de palavra, não ia deixar os amigos a ver navios, sem jantar para seus convidados. Como não podia também deixar o bar sem salgadinhos e doces. Se o fizesse, perderia a freguesia, o prejuízo seria maior. Mas aquilo não podia durar mais de alguns dias, senão onde iria parar?

— Cozinheira boa é tão difícil de encontrar... — lastimou Florzinha.

— Quando aparece uma, é disputada... — completou Quinquina.

Era verdade. Boa cozinheira em Ilhéus valia ouro, as famílias ricas mandavam buscar em Aracaju, em Feira de Santana, em Estância.

— Então, está certo. Mando Chico Moleza com as compras.

— Quanto antes, seu Nacib.

Levantava-se, estendia a mão às solteironas. Olhava mais uma vez a mesa cheia de revistas, o presépio por armar, as caixas de papelão atulhadas de figuras:

— Vou trazer as revistas. E muito obrigado por me tirar do aperto...

— Não há de quê. Fazemos pelo senhor. O que o senhor precisa é se casar, seu Nacib. Se fosse casado não lhe acontecia dessas...

— Com tanta moça solteira na cidade... E prendadas.

— Eu sei de uma ótima para o senhor, seu Nacib. Moça direita, não é dessas sirigaitas que só pensam em cinema e em dança... Distinta, sabe até tocar piano. Só que é pobre...

Era mania das velhas arrumar casamentos. Nacib riu:

— Quando resolver me casar venho direto aqui. Buscar noiva.

DA DESESPERADA BUSCA

INICIARA A DESESPERADA BUSCA PELO MORRO DO UNHÃO. O CORPANZIL ATIRADO para a frente, suando em bicas, o paletó sob o braço, Nacib percorrera Ilhéus de ponta a ponta, naquela primeira manhã de sol após a longa estação das chuvas. Reinava alegre animação nas ruas onde fazendeiros, exportadores, comerciantes trocavam exclamações e parabéns. Era dia de feira, as lojas estavam cheias, os consultórios médicos e as farmácias abarrotados. Descendo e subindo ladeiras, cruzando ruas e praças, Nacib praguejava. Ao chegar em casa, na véspera, cansado da jornada de trabalho e do leito de Risoleta, fizera seus cálculos para o dia seguinte: dormir até às dez horas, quando Chico Moleza e Bico-Fino, feita a limpeza do bar, começavam a servir os primeiros fregueses. Dormir a sesta após o almoço. Jogar suas partidas de gamão ou de damas, com Nhô-Galo e o Capitão, conversar com João Fulgêncio, saber as novidades locais e as notícias do mundo. Dar um pulo, após fechar o bar, ao cabaré, terminar a noite, quem sabe?, outra vez com Risoleta. Em vez disso, corria as ruas de Ilhéus, subia as ladeiras do morro...

No Unhão desfizera o trato com as duas cabrochas acertadas para ajudar Filomena no preparo do jantar da empresa de ônibus. Uma delas, rindo com a boca sem dentes, declarou saber fazer o trivial. A outra nem isso... Acarajé, abará, doces, moquecas e frigideiras de camarão, isso só mesmo Maria de São Jorge... Nacib perguntou aqui e ali, desceu pelo outro lado do morro. Cozinheira em Ilhéus, capaz de assegurar a cozinha de um bar, era coisa difícil, quase impossível.

Perguntara pelo porto, passara em casa do tio: não sabiam por acaso de uma cozinheira? Ouvira a tia lastimar-se: tinha uma mais ou menos, não que fosse grande coisa, largara o emprego sem quê nem por quê. Agora era ela, a tia, quem estava cozinhando enquanto não aparecia outra. Por que Nacib não vinha almoçar com eles?

Deram-lhe notícias de uma, famosa, vivendo no morro da Conquista. De mão-cheia, dissera-lhe o informante, o espanhol Felipe, hábil no conserto não só de sapatos e botas, como de selas e arreios. Falador como só ele, temível adversário no jogo de damas, esse Felipe, de língua suja e coração sem fel, representava em Ilhéus a extrema esquerda, declarando-se anarquista a cada passo, ameaçando limpar o mundo de capitalistas e de padres, sendo amigo e comensal de vários fazendeiros, entre os quais o padre Basílio. Enquanto batia sola cantava canções anarquistas e, quando jogavam damas, ele e Nhô-Galo, valia a pena ouvir as pragas que rogavam contra os padres. Interessara-se pelo drama culinário de Nacib.

— Uma tal de Mariazinha. Um portento.

Nacib tocou-se para a Conquista, a ladeira ainda escorregadia das chuvas, um grupo de negrinhas a rir quando ele caiu, sujando os fundilhos da calça. De informação em informação, localizou a casa da cozinheira. No alto do morro. Uma casinha de madeira e zinco. Daquela vez ia com certa esperança. Seu Eduardo, dono de vacas leiteiras, confirmara-lhe os predicados de Mariazinha. Trabalhara uns tempos em sua casa, tinha um tempero de fazer gosto. Seu único defeito era a bebida, cachaceira memorável. Quando bebia pintava o diabo: faltara com o respeito a dona Mariana, por isso Eduardo a despedira.

— Mas pra casa de homem solteiro como você...

Bêbeda ou não, se era boa cozinheira, ele a contrataria. Pelo menos enquanto não encontrasse outra. Finalmente divisou a casinhola miserável e, sentada à porta, Mariazinha, os pés descalços, a pentear uns cabelos compridos, a matar piolhos. Era mulher de uns trinta, trinta e cinco anos, gasta pela bebida, mas ainda com uns restos de graça no rosto caboclo. Ficara a ouvi-lo, com o pente na mão. Depois riu como se a proposta a divertisse:

— Inhô, não. Agora só cozinho pra meu homem e pra mim. Ele nem quer ouvir falar nisso.

A voz do homem vinha lá de dentro:

— Quem é, Mariazinha?

— Um doutor procurando cozinheira. Tá me oferecendo... Diz que paga bem...

— Diga a ele pra ir pro diabo que o carregue. Aqui não tem cozinheira nenhuma.

— O senhor tá vendo? Ele é assim: nem quer ouvir falar em me empregar. Ciumento... Por dá cá essa palha faz um fuzuê medonho... É sargento da polícia — contava prazerosa como a mostrar quanto valia.

— O que é que tu ainda está dando prosa a estranho, mulher? Manda o homem embora antes que eu me zangue...

— É melhor vosmicê ir capando o gato...

Voltava a pentear os cabelos, procurando piolhos entre os fios, as pernas estendidas ao sol. Nacib sacudiu os ombros:

— Não sabe de nenhuma?

Nem respondeu, apenas balançou a cabeça. Nacib desceu pela ladeira da Vitória, passou pelo cemitério. Lá embaixo a cidade brilhava ao sol, movimentada. O ita, chegado pela manhãzinha, descarregava. Desgraça de terra: falava-se tanto em progresso e não se podia conseguir nem mesmo uma cozinheira.

— Por isso mesmo — explicara-lhe João Fulgêncio quando o árabe parara na Papelaria Modelo para descansar —, a mão de obra torna-se difícil e cara com a procura. Quem sabe se na feira?

A feira semanal era uma festa. Ruidosa e colorida. Um vasto descampado em frente ao ancoradouro, estendendo-se até às proximidades da estrada de ferro. Postas de carne-seca, de sol, de fumeiro, porcos, ovelhas, veados, pacas e cotias, caça diversa. Sacos de alva farinha de mandioca. Bananas cor de ouro, abóboras amarelas, verdes jilós, quiabos, laranjas. Nas barracas serviam, em pratos de flandres, sarapatel, feijoada, moqueca de peixe. Camponeses comiam, o copo de cachaça ao lado. Nacib informou-se ali. Uma negra gorda, um torso na cabeça, colares e pulseiras, torceu o nariz:

— Trabalhar pra patrão? Deus que me livre...

Pássaros de incrível plumagem, papagaios faladores.

— Quanto quer pelo louro, sinhá-dona?

— Oito mil-réis porque é pra vosmicê...

— Tão caro não pode ser.

— Mas é falador de verdade. Sabe cada palavrão...

O papagaio, como a provar, se esganiçava, cantava "Ai, seu Mé". Nacib passou entre montanhas de requeijão, o sol brilhava sobre o amarelo das jacas maduras. O papagaio gritava: "Tabaréu! Tabaréu!". Ninguém sabia de cozinheira.

Um cego, a cuia no chão, contava na viola histórias dos tempos das lutas:

Amâncio, homem valente,
atirador de primeira.
Mais valente do que ele
só mesmo Juca Ferreira.
Em noite de escuridão
se encontraram na clareira.

*— Quem vem lá? — disse Ferreira.
— É homem. Não é bicho não —
seu Amâncio respondera
com a mão na repetição.
Tremeram até os macacos
na noite de escuridão.*

Os cegos, às vezes, eram bem informados. Não souberam dar notícias. Um deles, vindo do sertão, disse pestes da comida de Ilhéus. Não sabiam cozinhar, comida era a de Pernambuco, não aquela porcaria dali, ninguém sabia o que era bom.

Árabes pobres, mascates das estradas, exibiam suas malas abertas, berliques e berloques, cortes baratos de chita, colares falsos e vistosos, anéis brilhantes de vidro, perfumes com nomes estrangeiros, fabricados em São Paulo. Mulatas e negras, empregadas nas casas ricas, amontoavam-se ante as malas abertas:

— Compra, freguesa, compra. É baratinho... — a pronúncia cômica, a voz sedutora.

Longas negociações. Os colares sobre os peitos negros, as pulseiras nos braços mulatos, uma tentação! O vidro dos anéis faiscava ao sol que nem diamante.

— Tudo verdadeiro, do melhor.

Nacib interrompia a discussão dos preços, alguém sabia de uma boa cozinheira? Existia uma, muito boa, de forno e fogão, mas era empregada do comendador Domingos Ferreira, sim senhor. E vivia num trato, nem parecia empregada...

O mascate estendia uns brincos a Nacib:

— Compra, patrício, presente pra mulher, pra noiva, pra rapariga.

Nacib continuava seu caminho, indiferente a toda tentação. As negrinhas compravam por metade do preço, pelo duplo do valor.

Um camelô, com uma cobra mansa e um pequeno jacaré, anunciava a cura de todas as moléstias para um grupo a cercá-lo. Exibia um vidro contendo um remédio milagroso, descoberta dos índios nas selvas mais além dos cacauais.

— Cura tosse, resfriado, tísica, perebas, catapora, sarampo, bexiga brava, paludismo, dor de cabeça, íngua, tudo que é doença feia, cura espinhela caída e reumatismo...

Por uma ninharia, mil e quinhentos réis, cedia aquele vidro de saúde.

A cobra subia pelo braço do camelô, o jacaré no chão imóvel como uma pedra estranha. Nacib perguntava a uns e outros.

— Cozinheira, sei não sinhô. Um bom pedreiro, eu sei...

Bilhas de barro, moringas, potes para água fresca, panelas, cuscuzeiros, e cavalos, bois, cachorros, galos, jagunços com suas repetições, homens montados, soldados de polícia e cenas de tocaia, de enterro e casamento, valendo um tostão, dois, um cruzado, obra das mãos toscas e sábias dos artesãos. Um negro quase tão alto quanto Nacib virava um copo de cachaça de um trago, cuspia grosso no chão:

— Pinga de primeira, Nosso Senhor Jesus Cristo seja louvado.

Respondia à cansada pergunta:

— Não sei, não senhor. Tu sabe de alguma cozinheira, Pedro Paca? Aqui pro coronel...

O outro não sabia. Talvez no "mercado dos escravos", só que agora não tinha mesmo ninguém, nenhuma leva de sertanejos recém-chegados.

Nacib nem se deu ao trabalho de ir ao "mercado dos escravos", por detrás da estrada de ferro, onde se amontoavam os retirantes vindos do sertão, fugitivos da seca, em busca de trabalho. Ali os coronéis iam contratar trabalhadores e jagunços, as famílias procuravam empregadas. Mas não havia ninguém naqueles dias. Aconselharam-no dar uma busca no Pontal.

Pelos menos não tinha de subir ladeira. Tomou a canoa, atravessou o ancoradouro. Andou pelas poucas ruas de areia, sob o sol, onde crianças pobres jogavam futebol com bola de meia. Euclides, dono de uma padaria, tirou-lhe as esperanças.

— Cozinheira? Nem pense... Nem boa nem ruim. Na fábrica de chocolate ganham mais. Nem adianta procurar.

Voltou a Ilhéus, cansado e sonolento. A estas horas, o bar já devia estar aberto e, com o dia de feira, movimentado. Necessitando de sua presença, de suas atenções para com os fregueses, sua animação, sua prosa, sua simpatia. Os dois empregados — uns palermas! — sozinhos não davam conta. Mas, no Pontal, lhe haviam falado de uma velha que fora cozinheira apreciada, trabalhara em várias casas e vivia com uma filha casada, perto da praça Seabra. Decidiu tentar a sorte:

— Depois vou pro bar...

A velha morrera há mais de seis meses, a filha quis lhe contar a história da doença, Nacib não tinha tempo de ouvir. Um desânimo o invadia, se pudesse ia era para casa, dormir. Entrou pela praça Seabra, onde ficava o prédio da intendência e a sede do Clube Progresso. Ia ruminando suas tristezas quando deparou com o coronel Ramiro Bastos, sentado num banco, tomando sol, bem em frente ao palácio municipal. Parou para cumprimentá-lo, o coronel fê-lo sentar-se ao seu lado:

— Faz tempo que não lhe vejo, Nacib. E como vai o bar? Prosperando sempre? Assim desejo, pelo menos.

— Hoje me aconteceu uma, coronel!... Minha cozinheira foi embora. Já corri Ilhéus inteiro, fui até ao Pontal, e não se arranja quem saiba cozinhar...

— Fácil não é. Só mandando buscar fora. Ou nas roças...

— E com um jantar amanhã do russo Jacob...

— É verdade. Estou convidado, talvez vá.

O coronel sorria, contente do sol que brincava nos vidros das janelas da intendência e lhe esquentava o corpo fatigado.

DO DONO DA TERRA ESQUENTANDO SOL

NACIB NÃO CONSEGUIU DESPEDIR-SE, O CORONEL RAMIRO BASTOS NÃO DEIXOU. E quem iria discutir uma ordem do coronel, mesmo quando ele a dava sorrindo, como a solicitar:

— Muito cedo. Vamos conversar um pouco.

Nos dias de sol, invariavelmente às dez horas, apoiando-se numa bengala de castão de ouro, o passo vagaroso mas ainda firme, o coronel Ramiro Bastos atravessava a rua, vindo de sua casa, entrava na praça da intendência, sentava-se num banco.

— A cobra já veio esquentar sol... — dizia o Capitão ao vê-lo da porta da coletoria, em frente à Papelaria Modelo.

O coronel também o via, tirava o chapéu-panamá, balançava a cabeça de cabelos brancos. O Capitão respondia ao cumprimento, bem outro era seu desejo.

Aquele era o mais belo jardim da cidade. As más-línguas diziam ter a intendência atenções especiais para com aquele logradouro devido à vizinhança da casa do coronel Ramiro. Mas a verdade é que na praça Seabra elevavam-se também o edifício da intendência, a sede do Progresso e o Cinema Vitória, em cujo segundo andar residiam rapazes solteiros e funcionava, numa sala de frente, o Grêmio Rui Barbosa. Além de sobrados e casas, dos melhores da cidade. É natural que os poderes públicos cuidassem com especial carinho da praça. Fora ela ajardinada durante um dos períodos de governo do coronel Ramiro.

Naquele dia o velho estava satisfeito, conversador. Finalmente o sol havia reaparecido, o coronel Ramiro o sentia nas costas curvadas, nas mãos ossudas, dentro do coração também. Aos oitenta e dois anos de idade, aquele sol da manhã era sua diversão, seu luxo, sua melhor alegria. Por ocasião das chuvas sentia-se infeliz, ficava na sala de visitas, na sua cadeira austríaca, atendendo gente, ouvindo pedidos, prometendo soluções. Desfilavam dezenas de pessoas diariamente. Mas quando fazia sol, às dez horas, estivesse quem estivesse, ele se levantava, desculpava-se, tomava da bengala, vinha para a praça. Sentava-se num banco do jardim, não tardava a aparecer alguém para fazer-lhe companhia. Seus olhos passeavam pela praça, pousavam no edifício da intendência. O coronel Ramiro Bastos contemplava tudo aquilo como se fosse propriedade sua. E assim o era um pouco, pois ele e os seus governavam Ilhéus há muitos anos.

Era um velho seco, resistente à idade. Seus olhos pequenos conservavam um brilho de comando, de homem acostumado a dar ordens. Sendo um dos grandes fazendeiros da região, fizera-se chefe político respeitado e temido. O poder viera às suas mãos durante as lutas pela posse da terra, quando o poderio de Cazuza de Oliveira desmoronou-se. Apoiara o velho Seabra, esse entregou-lhe a região. Fora duas vezes intendente, era agora senador estadual. De dois em dois anos mudava o intendente, em eleições a bico de pena, mas nada mudava em realidade, pois quem continuava a mandar era mesmo o coronel Ramiro, cujo retrato de corpo inteiro se podia ver no salão nobre da intendência, onde se realizavam conferências e festas. Amigos incondicionais ou parentes seus revezavam-se no cargo, não moviam uma palha sem sua aprovação. Seu filho, médico de crianças e deputado estadual, deixara fama de bom administrador. Abrira ruas e praças. Plantara jardins, durante sua gestão a cidade começara a mudar de fisionomia. Falava-se ter assim sucedido para facilitar a eleição do rapaz à Câmara estadual. A verdade, porém, é que o coronel Ramiro amava a cidade à sua maneira, como amava o jardim de sua casa, o pomar de sua fazenda. Nos jardins de sua casa plantara até macieiras e pereiras, mudas vindas da Europa. Gostava de ver a cidade limpa (e para isso fizera a intendência adquirir caminhões), calçada, ajardinada, com bom serviço de esgotos. Animava as construções de boas casas, alegrava-se quando os forasteiros falavam da graça de Ilhéus, com suas praças e jardins. Mantinha-se, por outro lado, obstinadamente surdo a certos problemas, a reclamações diversas: criação de hospitais, fundação de um ginásio municipal, abertura de estradas para o interior, construção de campos de esportes. Torcia o nariz ao Clube Progresso e nem queria ouvir falar de dragagem da barra. Cuidava de tais coisas quando não tinha jeito, quando sentia abalar-se seu prestígio. Assim fora com a estrada de rodagem, obra das duas intendências, a de Ilhéus, a de Itabuna. Olhava com desconfiança certos empreendimentos, e, sobretudo, certos hábitos novos. E como a oposição estava reduzida a um pequeno grupo de descontentes sem força e sem maior expressão, o coronel fazia quase sempre o que queria, com um supremo desprezo pela opinião pública. No entanto, apesar de sua teimosia, nos últimos tempos sentia seu indiscutível prestígio, sua palavra como lei, um tanto quanto abalados. Não pela oposição, gente sem conceito. Mas pelo próprio crescimento da cidade e da região, que às vezes parecia querer escapar de suas mãos agora trêmulas. Suas próprias netas não o criticavam porque ele fizera a intendência negar uma ajuda de custo ao Clube Progresso? E o jornal de Clóvis Costa não ousara discutir o problema do ginásio? Ele ouvira a conversa das netas: "Vovô é um retrógrado!".

Ele compreendia, aceitava os cabarés, as casas de mulheres da vida, a orgia desenfreada das noites de Ilhéus. Os homens precisavam daquilo, ele também fora jovem. O que não entendia era clube para rapazes e moças conversarem até altas horas, dançarem essas tais danças modernas, onde até mulheres casadas iam rodopiar em outros braços que não os de seus maridos, uma indecência! Mulher é para viver dentro de casa, cuidando dos filhos e do lar. Moça solteira é para esperar marido, sabendo coser, tocar piano, dirigir a cozinha. Não pudera impedir a fundação do clube, bem se esforçara. Esse Mundinho Falcão, vindo do Rio, escapava ao seu controle, não vinha visitá-lo nem consultá-lo, decidia por sua própria conta, ia fazendo o que bem entendia. O coronel sentia obscuramente ser o exportador um inimigo, ainda lhe daria dor de cabeça. Na aparência mantinham ótimas relações. Quando se encontravam, o que sucedia raramente, trocavam palavras gentis, protestos de amizade, punham-se à disposição um do outro. Mas esse tal Mundinho começava a meter o bico em todas as coisas, era cada vez maior o número de pessoas a cercá-lo, ele falava de Ilhéus, sua vida, seu progresso, como se aquilo fosse assunto seu, de sua alçada, como se tivesse alguma autoridade. Era homem de família do sul do país, acostumada a mandar, seus irmãos tinham prestígio e dinheiro. Para ele, era como se o coronel Ramiro não existisse. Não fora assim que agira quando resolvera abrir a avenida na praia? Aparecera de súbito na intendência com as plantas, dono dos terrenos, os planos completos.

Nacib lhe dava as notícias mais recentes, o coronel já tinha sabido do encalhe do ita.

— Mundinho Falcão chegou nele. Disse que o caso da barra...

— Forasteiro... — atalhou o coronel. — Que diabo veio buscar em Ilhéus onde não perdeu nada? — Era aquela voz dura do homem que tocara fogo em fazendas, invadira povoados, liquidara gente, sem piedade. Nacib estremeceu.

— Forasteiro...

Como se Ilhéus não fosse uma terra de forasteiros, de gente vinda de toda parte. Mas era diferente. Os outros chegavam modestamente, curvavam-se logo à autoridade dos Bastos, queriam apenas ganhar dinheiro, estabelecer-se, entrar pelas matas. Não se metiam a cuidar do "progresso da cidade e da região", a decidir sobre as necessidades de Ilhéus. Uns meses antes, o coronel Ramiro Bastos fora procurado por Clóvis Costa, dono de um semanário. Queria organizar uma sociedade para lançar um jornal diário. Já tinha máquinas em vista, na Bahia, precisava de capital. Dera-lhe longas explicações: um jornal diário significava um novo passo no progresso de Ilhéus, seria o primeiro do interior do estado. Pretendia o jornalista levantar dinheiro entre os fazendeiros, seriam todos sócios do jornal, órgão a serviço da defesa dos interesses da região cacaueira. A Ramiro Bastos a ideia não agradou. Defesa contra quem ou contra quê? Quem ameaçava Ilhéus? O governo, por acaso? A oposição era coisa à toa, desprezível. Jornal diário parecia-lhe luxo supérfluo. Se precisasse dele para qualquer outra coisa, às ordens. Para jornal diário, não...

Clóvis saíra desanimado, queixara-se a Tonico Bastos, o outro filho do coronel, tabelião da cidade. Poderia obter um pouco de dinheiro com um ou outro fazendeiro. Mas a recusa de Ramiro significava a da maioria. Iriam perguntar-lhe, quando ele lhes falasse:

— O coronel Ramiro quanto assinou?

O coronel não pensou mais no assunto. Essa coisa de jornal diário era um perigo. Bastava não satisfazer um dia um pedido de Clóvis para ter o jornal fazendo oposição, metendo-se nos negócios municipais, esmiuçando, arrastando reputações na lama. Com sua recusa botara de vez uma pedra em cima da ideia. Foi o que disse a Tonico quando este, à noite, veio lhe falar no caso, relatando as queixas de Clóvis:

— Tu precisa de jornal diário? Eu também não. Então Ilhéus não precisa — e falou de outra coisa.

Qual não foi sua surpresa ao ver, nos postes da praça e nas paredes, dias depois, anúncios do próximo aparecimento do jornal. Mandou chamar Tonico:

— Que história é essa de jornal?

— De Clóvis?

— Sim. Tem uns papéis dizendo que vai sair.

— As máquinas já chegaram e estão sendo montadas.

— Como é isso? Neguei meu apoio. Onde ele achou dinheiro? Na Bahia?

— Aqui mesmo, pai. Mundinho Falcão...

E quem animara a fundação do Clube Progresso, quem dera dinheiro aos rapazes do comércio para fundar os clubes de futebol? A sombra de Mundinho Falcão projetava-se por toda parte. Seu nome soava cada vez mais insistentemente nos ouvidos do coronel. Ainda agora o árabe Nacib falava nele, em sua chegada a anunciar a vinda de engenheiros do Ministério da Viação para estudar o caso da barra. Quem lhe encomendara engenheiros, quem lhe entregara a solução dos problemas da cidade? Desde quando ele era autoridade?

— Quem deu essa comissão a ele? — a voz brusca do velho interrogava Nacib como se este tivesse alguma responsabilidade.

— Ah, isso lá não sei... Estou vendendo o peixe pelo preço que comprei...

As flores coloridas do jardim brilham à luz do dia esplêndido, pássaros trinam nas árvores em torno. O coronel fecha a cara, Nacib não tem coragem de despedir-se. O velho está zangado, de repente começa a falar. Se pensam que ele está acabado, estão enganados. Ainda não morreu nem é um inútil. Querem luta? Pois vamos lutar, que outra coisa ele fez na vida? Como plantou suas roças, marcou os amplos limites de suas fazendas, construiu seu poder? Não foi herdando de parentes, crescendo à sombra de irmãos, nas grandes capitais, como esse Mundinho Falcão...

Como liquidara os adversários políticos? Foi rompendo a mata, o parabélum na mão, os jagunços a segui-lo. Qualquer ilheense de mais idade poderá contar. Ninguém esqueceu ainda essas histórias. Esse Mundinho Falcão está muito enganado, veio de fora, não conhece as histórias de Ilhéus, era melhor primeiro se informar... O coronel bate com o bico da bengala no cimento do passeio, Nacib escuta em silêncio.

A voz cordial do professor Josué o interrompe:

— Bom dia, coronel. Tomando sol?

O coronel sorri, estende a mão ao jovem:

— Conversando aqui com o amigo Nacib. Sente-se — faz lugar no banco. — Na minha idade tudo que resta é tomar sol...

— Ora, coronel, poucos moços valem o senhor.

— Pois eu estava dizendo a Nacib que ainda não estou enterrado. Tem quem pense por aí que não valho mais nada...

— Ninguém pensa isso, coronel — disse Nacib.

Ramiro Bastos mudava de assunto, perguntava a Josué:

— Como vai o colégio de Enoch? — Josué era professor e subdiretor do colégio.

— Vai bem, muito bem. Foi equiparado. Ilhéus já tem seu ginásio. Uma grande notícia.

— Já foi equiparado? Não sabia... O governador mandou me dizer que só podia ser no princípio do ano. Que o ministério não podia fazer antes, era proibido. Eu me interessei muito pelo caso.

— Realmente, coronel, as equiparações, em princípio, são feitas sempre no começo do ano, antes do início das aulas. Mas Enoch pediu a Mundinho Falcão quando ele foi pro Rio...

— Ah!

— ...e ele obteve do ministro uma exceção. Já para os exames deste ano o colégio terá fiscal federal. É uma grande notícia para Ilhéus...

— Não há dúvida... Não há dúvida...

O jovem professor continuava a falar, Nacib aproveitava para despedir-se, o coronel nem os ouvia. Seu pensamento estava longe. Que diabo fazia seu filho Alfredo, na Bahia? Deputado estadual, entrando em palácio e falando com o governador a qualquer hora, que diabo fazia? Não havia ele mandado pedir a equiparação do colégio? A ele, e mais ninguém, deveriam Enoch e a cidade a equiparação do colégio se o governador, pressionado por Alfredo, houvesse realmente se interessado. Ele, Ramiro, quase não ia ultimamente à Bahia, às sessões do Senado, a viagem era um sacri-

fício. E o resultado aí estava: seus pedidos ao governo dormiam nos ministérios, arrastavam-se nos caminhos normais da burocracia, enquanto que...
O colégio seria equiparado sem falta no começo do ano, mandara dizer-lhe o governador como se estivesse atendendo pressurosamente seu pedido. E ele ficara contente, dera a notícia a Enoch, sublinhando a presteza com que o governo respondera à sua solicitação.

— Para o ano seu colégio terá fiscalização federal.

Enoch agradecera, mas lastimara:

— Pena não ter obtido agora mesmo, coronel. Vamos perder um ano, muitos meninos irão para a Bahia.

— Fora do prazo, meu caro. No meio do ano, a equiparação é impossível. Mas, é só esperar um pouco.

E agora, de repente, essa notícia. O colégio equiparado fora do prazo por obra e graça de Mundinho Falcão. Iria à Bahia, o governador ouviria poucas e boas... Não era homem com quem se brincasse, com cujo prestígio se pudesse jogar. Também que diabo fazia seu filho na Câmara estadual? O rapaz não tinha mesmo jeito para político, era bom médico, bom administrador, mas era mole, não saíra a ele, não sabia impor. O outro, Tonico, só pensava em mulheres, não queria saber de mais nada... Josué despedia-se.

— Até logo, meu filho. Diga a Enoch que eu mando meus parabéns. Eu estava esperando a notícia a qualquer momento...

Ficou outra vez sozinho na praça. Não sentia mais a alegria do sol, seu rosto ensombrecera-se. Pensava nos tempos de antes, quando essas coisas eram fáceis de resolver. Quando alguém se fazia incômodo bastava chamar um cabra, prometer-lhe um dinheiro, dizer-lhe o nome do cujo. Hoje era diferente. Mas esse Mundinho Falcão se enganava. Ilhéus mudara muito nesses anos, é bem verdade. O coronel Ramiro buscava compreender essa nova vida, esse Ilhéus nascendo daquele outro que fora o seu. Pensara tê-lo compreendido, sentido seus problemas, suas necessidades. Não embelezara a cidade, não construíra praças e jardins, não calçara ruas, não abrira até a estrada de rodagem, apesar de seus compromissos com os ingleses da estrada de ferro? Por que então, assim de repente, a cidade parecia fugir de suas mãos? Por que começavam todos a fazer o que queriam, por conta própria, sem o ouvir, sem esperar que ele desse ordens? Que estava acontecendo em Ilhéus que ele já não compreendia e já não comandava?

Não era homem de deixar-se vencer sem luta. Aquela era sua terra, ninguém fizera mais por ela que Ramiro Bastos, ninguém iria arrebatar-lhe o bastão de comando, fosse quem fosse. Sentia um novo tempo de luta aproximar-se. Diferente daquele de outrora, mais difícil talvez. Levantou-se, erguia-se como se pouco sentisse o peso dos anos. Podia estar velho, mas ainda não estava enterrado e enquanto vivesse era ele quem mandava ali. Deixou o jardim, atravessou para o palácio. O soldado de polícia, postado na porta, bateu-lhe continência. O coronel Ramiro Bastos sorriu.

DA CONSPIRAÇÃO POLÍTICA

NA MESMA HORA EM QUE O CORONEL RAMIRO BASTOS PENETRAVA NO EDIFÍCIO da intendência e o árabe Nacib chegava ao Bar Vesúvio sem ter encontrado cozinheira, em sua casa na praia Mundinho narrava ao Capitão:
— Uma batalha, meu caro. Não foi nada fácil.
Empurrou a xícara, estirou as pernas, espreguiçou-se na cadeira. Estivera rapidamente no escritório, arrastara o amigo para conversar em casa a pretexto de lhe contar as novidades. O Capitão saboreou um gole de café, quis saber detalhes:
— Mas, de onde vem toda essa resistência? Afinal, Ilhéus não é um povoado qualquer. Um município que rende mais de mil contos.
— Ora, meu caro, um ministro não é todo-poderoso. Tem que atender aos interesses dos governadores. E o governo da Bahia quer ouvir falar de tudo menos da barra de Ilhéus. Cada saco de cacau que sai do porto da Bahia significa dinheiro para as docas de lá. E o genro do governador é ligado ao pessoal das docas. O ministro me disse: seu Mundinho, você vai me deixar mal com o governador da Bahia.
— Uma indecência esse genro. É isso que os coronéis não querem compreender. Ainda hoje estávamos discutindo enquanto o ita desencalhava. Eles apoiam um governo que tira tudo de Ilhéus e não nos dá nada.
— Ao contrário... Os políticos daqui também não se mexem.
— Pois é: põem dificuldades a obras indispensáveis à cidade. Uma

estupidez sem nome. Ramiro Bastos cruza os braços, não tem visão, os coronéis o acompanham.

A pressa que assaltara Mundinho no escritório, fazendo-o deixar os fregueses, transferindo para a tarde importantes encontros comerciais, desaparecia agora, ao perceber a impaciência do Capitão. Era preciso deixar que o outro lhe oferecesse a chefia política, devia fazer-se rogado, tomado de surpresa, solicitado. Levantou-se, andou até a janela, contemplou o mar rebentando na praia, o dia de sol:

— Por vezes pergunto a mim mesmo, Capitão, por que diabo vim me meter aqui? Afinal podia estar gozando a vida, no Rio e em São Paulo. Ainda agora meu irmão Emílio, o deputado, me perguntou: "Ainda não te cansaste dessa loucura de Ilhéus? Não sei o que te deu para te meteres nesse buraco". Você sabe que minha família negocia com café, não sabe? Há muitos anos...

Tamborilava com os dedos na janela, olhava para o Capitão:

— Não pense que me queixo, cacau é bom negócio. Ótimo. Mas não se pode comparar a vida daqui com a do Rio. No entanto, não quero voltar. E sabe por quê?

O Capitão gozava aquela hora de intimidade com o exportador, sentia-se vaidoso daquela amizade importante:

— Confesso minha curiosidade. Que não é só minha, é de todo mundo. Por que você veio para aqui, eis um dos mistérios da terra...

— Por que vim, não tem importância. Por que fiquei, essa a pergunta a fazer. Quando desembarquei aqui e me hospedei no Hotel Coelho, no primeiro dia tive vontade de sentar no passeio e começar a chorar.

— Esse atraso todo...

— Pois bem: creio que foi isso mesmo que me prendeu. Exatamente isso... Uma terra nova, rica, onde tudo está por fazer, onde tudo está começando. O que está feito em geral é ruim, é preciso mudar. É, por assim dizer, uma civilização a construir.

— Uma civilização a construir, bem dito... — o Capitão apoiava. — Antigamente, no tempo dos barulhos, se dizia que quem chegava a Ilhéus não partia nunca mais. Os pés grudavam no mel do cacau, ficavam presos para sempre. Você nunca ouviu falar?

— Já. Mas, como sou exportador e não fazendeiro, creio que meus pés ficaram presos foi na lama das ruas. Deu-me vontade de ficar para construir alguma coisa. Não sei se você me compreende.

— Perfeitamente.

— É claro que se não ganhasse dinheiro, se cacau não fosse o bom negócio que é, não ficaria. Mas só isso não era suficiente para prender-me. Creio que tenho alma de pioneiro — riu.

— Por isso você se mete em tanta coisa? Compreendo... Compra terrenos, abre ruas, constrói casas, bota dinheiro nos negócios mais diferentes...

O Capitão foi enumerando e ao mesmo tempo dava-se conta da extensão dos negócios de Mundinho, de como o exportador estava presente em quase tudo que se fazia em Ilhéus: a instalação de novas filiais de bancos, a empresa de ônibus, a avenida na praia, o jornal diário, os técnicos vindos para a poda do cacau, o arquiteto maluco que construíra sua casa e agora estava na moda, sobrecarregado de trabalho.

— ...até artista de teatro você traz... — concluiu rindo com a alusão à bailarina chegada no ita, pela manhã.

— Bonita, hein? Coitados! Encontrei os dois no Rio sem saber o que fazer. Queriam viajar mas não tinham dinheiro sequer para as passagens. Virei empresário...

— Nessas condições, meu caro, não é vantagem. Até eu viraria. O marido parece ser da confraria...

— Que confraria?

— A de São Cornélio, a ilustre confraria dos maridos conformados, os naturais de bom gênio...

Mundinho fez um gesto com a mão:

— Qual... Nem são casados, essa gente não se casa. Vivem juntos mas cada um para seu lado. O que é que você pensa que ela faz quando não tem onde dançar? Para mim, foi uma diversão para quebrar a monotonia da viagem. E acabou-se. Está à disposição de vocês. Ali é só pagar, meu caro.

— Os coronéis vão perder a cabeça... Mas não conte que não são casados. O ideal de cada coronel é dormir com mulher casada. Só que, se alguém quiser dormir com a deles, aí... Mas, voltando ao caso da barra... Você está mesmo disposto a levar a coisa adiante?

— Para mim agora é uma questão pessoal. No Rio, entrei em contato com uma companhia de cargueiros suecos. Estão dispostos a estabelecer uma linha direta para Ilhéus. Assim que a barra esteja em condições de dar passagem a navios de certo calado.

O Capitão ouvia atento, ruminando certas ideias a persegui-lo há muito, certos planos políticos. Chegara a hora de pô-los em execução. A vinda de Mundinho para Ilhéus fora uma bênção dos céus. Mas como receberia ele tais propostas? Era preciso ir com cuidado, ganhar sua confiança, convencê-lo. Mundinho sentia-se enternecido com a admiração do outro, estava em veia de confidência, deixava-se levar:

— Olhe, Capitão, quando eu vim para aqui... — silenciou um instante como a duvidar se valia a pena falar — ...vim meio fugido. — Novo silêncio. — Não da polícia! De uma mulher. Um dia eu lhe conto a história toda, hoje não. Você sabe o que é paixão? Mais do que paixão, loucura? Por isso eu vim. Larguei tudo. Já tinham me falado de Ilhéus, do cacau. Vim para ver como era, nunca mais fui embora. O resto você sabe: a firma exportadora, minha vida aqui, as boas amizades que fiz, o entusiasmo que tenho pela terra. Não é só pelos negócios, pelo dinheiro, você compreende? Podia ganhar tanto ou mais exportando café. Mas aqui estou fazendo alguma coisa, sou alguém, sabe? Faço com minhas mãos... — e olhava as mãos bem tratadas, finas, de unhas manicuradas como as de uma mulher.

— Sobre isso quero lhe falar...

— Espere. Deixe eu acabar. Vim por motivos íntimos, fugindo. Mas, se fiquei foi por causa de meus irmãos. Sou o mais moço dos três, o caçula, muito mais moço, nasci fora de tempo. Tudo já estava feito, eu não precisava me esforçar para nada. Era deixar as coisas correrem. Apenas eu era sempre o terceiro. Primeiro os outros dois. Não me servia.

O Capitão nadava em gozo, aquelas confidências chegavam na hora justa. Fizera-se amigo de Mundinho Falcão, apenas o exportador chegara a Ilhéus, devido à fundação da nova casa exportadora. Era o coletor federal, coube-lhe orientar o capitalista. Passaram a andar juntos, servia--lhe de cicerone. Levou-o à fazenda de Ribeirinho, a Itabuna, a Pirangi, a Água Preta, explicou-lhe os costumes da terra, recomendou-lhe até mulheres. Mundinho, por sua vez, era homem sem pose, cordial, de camaradagem fácil. O Capitão sentira-se a princípio apenas orgulhoso da intimidade daquele ricaço vindo do sul, de família importante nos negócios e na política, irmão deputado, parentes na diplomacia. O mais velho tinha sido até falado para ministro da Fazenda. Só depois, com o correr dos tempos e a múltipla atividade de Mundinho, começara a cogitar e a planejar: era o homem para se opor aos Bastos, para derrubá-los...

— Fui menino mimado. Na firma não tinha nada a fazer, os manos resolviam tudo. Homem-feito, para eles eu era um menino. Deixavam que eu me divertisse, depois chegaria minha vez, "minha hora de responsabilidade", como dizia Lourival... — Seu rosto fechava-se ao falar do irmão mais velho. — Você compreende? Cansei-me de não fazer nada, de ser o irmão mais moço. Talvez não reagisse nunca, fosse ficando naquela moleza, na boa vida. Aí apareceu a tal mulher... Uma coisa sem solução... — Seus olhos agora estavam voltados para o mar, ante a janela aberta, mas fitavam além do horizonte, lembranças e figuras que só ele enxergava.

— Bonita?

Mundinho Falcão teve um breve riso:

— Bonita é insulto falando dela. Sabe o que é beleza, Capitão? Tudo perfeito? Uma mulher assim não se chama de bonita.

Passou a mão sobre o rosto a desfazer visões:

— Enfim... No fundo, estou contente. Hoje não sou mais o irmão de Lourival, de Emílio Mendes Falcão. Sou eu mesmo. Essa é minha terra, tenho minha firma e vou, seu Capitão, virar esse Ilhéus pelo avesso, fazer disso aqui uma...

— ...uma capital como ainda hoje dizia o Doutor... — interrompeu o Capitão.

— Desta vez meus irmãos já me olharam de outra forma. Já perderam a esperança de me ver voltar fracassado, de cabeça baixa. A verdade é que não estou indo tão mal assim, hein?

— Mal? Puxa, você chegou outro dia e já é o primeiro exportador de cacau.

— Ainda não. Os Kaufmann exportam mais. Stevenson também. Mas passarei à frente deles. Porém, o que me prende é essa terra começando, esse princípio de tudo. Com tudo por fazer e eu podendo fazer tudo isso. Pelo menos — corrigiu-se — ajudar a fazer. É estimulante para um homem como eu.

— Você sabe o que andam dizendo por aí? — O Capitão levantava-se, atravessava a sala, chegara o momento.

— O quê? — Mundinho esperava, adivinhava as palavras do outro.

— Que você tem ambições políticas. Ainda hoje...

— Ambições políticas? Nunca pensei, pelo menos a sério. Tenho pensado em ganhar dinheiro e estimular o progresso da terra.

— Tudo isso é muito bonito, fica-lhe muito bem. Porém você não vai conseguir fazer nem metade do que pensa enquanto não se meter em política, não modificar a situação aqui existente.

— Como? — As cartas estavam na mesa, o jogo começara.

— Você mesmo disse: o ministro tem de atender ao governador. O governo não tem interesse, os políticos daqui são umas zebras. Os coronéis não enxergam um palmo adiante do nariz. Para eles, é plantar e colher cacau. O resto não interessa. Elegem uns idiotas para a Câmara, votam em quem Ramiro Bastos ordena. A intendência vai das mãos de um filho para as de um compadre de Ramiro.

— Mas o coronel sempre faz alguma coisa...

— Calça ruas, abre praças, planta flores. E fica nisso. Estradas? Nem pensar. Já construir a estrada de rodagem para Itabuna foi uma luta. Que tinha compromisso com os ingleses da estrada de ferro, patati, patatá... A barra? Tem compromissos com o governador... Como se Ilhéus houvesse parado há vinte anos...

Agora era Mundinho quem ouvia em silêncio. O Capitão falava com um acento de paixão, querendo convencer. Mundinho pensava: ele tinha razão, as necessidades dos coronéis já não correspondiam às da terra em rápido progresso.

— Você não deixa de ter razão...

— É claro que tenho — bateu no ombro do exportador. — Meu caro, mesmo que você não quisesse não tinha outro jeito senão meter-se em política...

— E por quê?

— Porque Ilhéus exige, seus amigos, o povo!

O Capitão falara solene, estendera o braço como se estivesse discursando. Mundinho Falcão acendeu um cigarro:

— É uma coisa a pensar... — e via-se chegando à Câmara federal, eleito deputado pela terra do cacau, assim como dissera a Emílio.

— Você nem imagina... — O Capitão voltava a sentar-se, satisfeito consigo mesmo. — Não se fala noutra coisa. Todos os que se interessam pelo progresso de Ilhéus, de Itabuna, da zona toda. Tanta gente, você nem pode calcular.

— É uma coisa a discutir-se, não digo sim nem não. Não quero me meter numa aventura ridícula.

— Aventura? Se eu lhe disser que vai ser fácil, que não vai haver luta, estarei lhe mentindo. Vai ser uma dureza, não há dúvida. Mas uma coisa é certa: podemos ganhar longe.

— É uma coisa a pensar... — repetiu Mundinho Falcão.

O Capitão sorriu, Mundinho estava interessado, daí a comprometer-se era um passo. E, em Ilhéus, apenas Mundinho Falcão, ele e mais ninguém, podia fazer frente ao poder do coronel Ramiro Bastos, apenas ele podia vingar o Capitão. Os Bastos não haviam desbancado o velho Cazuzinha, levando-o a arruinar-se em inglória luta política, deixando o Capitão sem vintém a herdar, na dependência de emprego público?

Mundinho Falcão sorriu, o Capitão ali estava a oferecer-lhe o poder, ou, pelo menos, os meios de alcançá-lo. Como ele desejava.

— Coisa a pensar? As eleições se aproximam. É a começar imediatamente.

— Você pensa mesmo que encontraria apoio, gente disposta a marchar comigo?

— É só você se dispor. Veja: essa história da barra pode ser decisiva. É uma coisa que bole com o povo todo. E não só daqui. De Itabuna, de Itapira, de todo o interior. Você verá: a chegada do engenheiro vai ser uma sensação.

— E depois do engenheiro, virão as dragas, os rebocadores...

— E a quem Ilhéus deve tudo isso? Você já viu o trunfo que tem na mão? Melhor do que baralho marcado. Sabe qual a primeira providência a tomar?

— Qual?

— Uma série de artigos no *Diário* desmascarando o governo, a intendência, mostrando a importância do caso da barra. Veja você: até jornal nós temos.

— Bem, não é meu. Botei dinheiro para ajudar, mas Clóvis Costa não tem nenhum compromisso comigo. Creio que é amigo dos Bastos. Pelo menos de Tonico, andam juntos...

— Amigo de quem lhe pagar melhor. Deixe ele por minha conta.

O exportador quis aparentar uma última vacilação:

— Valerá mesmo a pena? Política é sempre tão suja... Mas, se é para o bem da terra... — Sentia-se levemente ridículo. — Talvez seja divertido — emendou.

— Meu caro, se você quer realizar seus projetos, servir a Ilhéus, não tem outro jeito. Idealismo só não basta.

— Lá isso é verdade...

Batiam palmas na porta, a empregada ia abrir. A figura inconfundível do Doutor exclamava:

— Fui ao seu escritório, dar-lhe as boas-vindas. Não o encontrei, aqui vim para cumprimentá-lo. — Suava sob o colarinho de bunda virada, a camisa de peito engomado.

O Capitão apressou-se:

— Que me diz, Doutor, de termos Mundinho Falcão candidato nas próximas eleições?

O Doutor ergueu os braços:

— Grande notícia! Sensacional! — Voltava-se para o exportador: — Se para alguma coisa podem servir-lhe os meus modestos préstimos...

O Capitão olhou para Mundinho como a dizer-lhe: "Viu que eu não mentia? Os melhores homens de Ilhéus...".

— Mas ainda é segredo, Doutor.

Sentaram-se os três, o Capitão começou a explicar o mecanismo político da terra, as ligações entre os donos de votos, os interesses em jogo. O dr. Ezequiel Prado, por exemplo, homem de tantos amigos entre os fazendeiros, estava descontente com os Bastos, não o haviam feito presidente do conselho municipal...

DA ARTE DE FALAR
DA VIDA ALHEIA

NACIB ARREGAÇOU AS MANGAS DA CAMISA, EXAMINOU A FREGUESIA. QUASE toda ela constituída àquela hora por gente estranha, de passagem na cidade devido à feira. Havia também alguns passageiros do ita, em trânsito para os portos do norte, era ainda cedo para os fregueses habituais. Segurou Bico-Fino, tirou-lhe a garrafa da mão:

— Que quer dizer isso? — Era uma garrafa de conhaque português. — Onde já se viu? — Andava com o empregado para o balcão. — Servir a esses tabaréus conhaque verdadeiro... — Tomava de outra garrafa, o mesmo rótulo, a mesma aparência, apenas nela misturavam-se o conhaque português e o nacional, receitas do árabe para aumentar os lucros.

— Não é para eles não, seu Nacib. É pro pessoal do navio.

— E daí? São melhores que os outros?

O conhaque puro, o vermute sem mistura, o porto e o madeira sem batismo, eram reservados para a freguesia certa, os de todos os dias, os amigos. Não podia afastar-se do bar, os empregados começavam logo a meter os pés pelas mãos, se ele não estivesse presente acabaria perdendo dinheiro. Abriu a caixa registradora. Aquele ia ser um dia de muito movimento! De muitos comentários também. A viagem de Filomena não lhe causava apenas prejuízo material e canseira. Tirava-lhe também a paz do espírito, impedia-o de voltar-se por inteiro para as múltiplas novidades, para tanta coisa a comentar quando os amigos chegassem. Novidades a granel, e, na opinião de Nacib, nada mais gostoso — só mesmo comida ou mulher — do que comentar novidades, especular sobre elas. Falar da vida alheia era a arte suprema, o supremo deleite da cidade. Arte levada a incríveis refinamentos pelas solteironas. "Está reunido o Congresso das Línguas Viperinas", dizia João Fulgêncio ao vê-las em frente à igreja, na hora da bênção. Mas não era na Papelaria Modelo, onde João Fulgêncio imperava entre livros, cadernos, lápis, canetas, que se reuniam os "talentos" locais, línguas tão afiadas quanto as das solteironas? Ali e nos bares, junto às pontes do cais, nas rodas de pôquer, em toda a parte: falava-se da vida alheia, glosavam-se os acontecimentos. Uma vez foram dizer a Nhô-Galo andarem comentando suas aventuras em casas de mulheres. Respondeu com sua voz fanhosa:

— Meu filho, não me importo. Sei que falam de mim, fala-se de todo mundo. Apenas esforço-me, como bom patriota, para lhes dar assunto.

Era a diversão principal da cidade. E, como nem todos possuíam o bom humor de Nhô-Galo, por vezes havia bofetadas nos bares, exaltados a exigir explicações, sacando revólveres. Não era, assim, uma arte gratuita, sem perigo.

Naquele dia havia muito a comentar: primeiro o caso da barra, assunto complexo, envolvendo uma diversidade de detalhes, tais como o encalhe do ita, a vinda do engenheiro, a atividade de Mundinho Falcão ("Que é que ele está querendo?", perguntava o coronel Manuel das Onças), a violenta irritação do coronel Ramiro Bastos. Só esse complicado assunto bastaria para apaixonar. Mas como esquecer o casal de artistas, a mulher formosa e o Príncipe de meia-tigela, com sua cara de rato esfomeado? Assunto delicado e delicioso, daria lugar às piadas do Capitão e de João Fulgêncio, a sarcásticos comentários de Nhô-Galo, a gostosas gargalhadas. Tonico Bastos não tardaria a estar rondando a dançarina, mas desta vez teria Mundinho Falcão pela frente. Não fora certamente por amor às suas danças que o exportador a trouxera, rebocando o marido de piteira, pagando certamente as passagens. Havia o jantar do dia seguinte, da empresa de ônibus. Saber os motivos por que tal e qual não haviam sido convidados. E as novas mulheres do cabaré, a noite com Risoleta...

Nem de propósito, Nhô-Galo entrava no bar. Não era sua hora, devia estar na mesa de rendas:

— Fiz a besteira de voltar pra casa depois da chegada do ita, dormi até agora. Me dá um trago, vou trabalhar...

Serviu-lhe a mistura habitual de vermute e cachaça.

— E a zarolha, hein? — Nhô-Galo ria. — Você ontem estava grandioso, árabe, grandioso! — Afirmava depois, na constatação de um fato: — O mulherio aqui está melhorando, não há dúvida.

— Nunca vi mulher tão sabida... — Nacib sussurrava detalhes.

— Não me diga, senhor!

O negrinho Tuísca chegava com sua caixa de engraxate, trazia um recado das irmãs Dos Reis: estava tudo em ordem, Nacib podia ficar descansado. À tarde mandariam dois tabuleiros.

— Por falar em tabuleiro, me serve alguma coisa pra acompanhar. Um tira-gosto qualquer.

— Não tá vendo que não tem? Só de tarde. Minha cozinheira foi embora...

Nhô-Galo fez-se engraçado:

— Por que você não contrata Machadinho ou Miss Pirangi?

Tratava-se dos dois invertidos oficiais da cidade. O mulato Machadinho, sempre limpo e bem-arrumado, lavadeira de profissão, em cujas mãos delicadas as famílias entregavam os ternos de linho, de brim branco HJ, as camisas finas, os colarinhos duros. E um negro medonho, servente na pensão de Caetano, cujo vulto era visto à noite na praia, em busca viciosa. Os moleques atiravam-lhe pedras, gritavam-lhe o apelido: "Miss Pirangi! Miss Pirangi!".

Nacib danava-se com o conselho motejador:

— Vá à merda!

— Vou mesmo, vou pra repartição. Fazer que trabalho. Daqui a pouco volto, quero saber a noite de ontem, tim-tim por tim-tim.

O movimento crescia no bar. Nacib viu quando, das bandas da praia, surgiram o Capitão e o Doutor, ladeando Mundinho Falcão. Conversavam animados, o Capitão gesticulava, de quando em quando interrompido pelo Doutor. Mundinho ouvia, concordava com a cabeça. Ali havia coisa... — pensou Nacib. Que diabo fazia o exportador em casa (pois de casa certamente vinha), àquela hora, em companhia dos dois compadres? Desembarcado naquela manhã, ausente quase um mês, Mundinho deveria estar em seu escritório, recebendo coronéis, discutindo negócios, comprando cacau. Esse Mundinho Falcão era inesperado, fazia tudo diferente dos demais. Lá vinha ele, como se não tivesse negócios a resolver, fregueses a atender e despachar, conversando na maior das animações com os dois amigos. Nacib entregou a caixa a Bico-Fino, adiantou-se para o passeio.

— Já arranjou cozinheira? — perguntou o Capitão, sentando-se.

— Já andei Ilhéus inteiro. Nem sombra...

— Conhaque, Nacib. Do verdadeiro, hein! — pediu Mundinho.

— E uns bolinhos de bacalhau...

— Só à tarde...

— Ué, árabe, que decadência é essa?

— Assim você perde a freguesia. Mudamos de bar... — riu o Capitão.

— De tarde já tem. Encomendei às Dos Reis.

— Ainda bem...

— Bem? Cobram uma fortuna... Perco dinheiro.

Mundinho Falcão aconselhava:

— O que você precisa, Nacib, é modernizar seu bar. Trazer frigorífico para ter gelo próprio, instalar máquinas modernas...

— Eu preciso é de uma cozinheira...

— Mande buscar em Sergipe.

— E até chegar?

Espiava o ar cúmplice dos três, o sorriso satisfeito do Capitão, a conversa interrompida, terminada de repente. Chico Moleza chegava com a bandeja das bebidas. Nacib sentou-se:

— Seu Mundinho, que diabo o senhor fez ao coronel Ramiro Bastos?

— Ao coronel? Não fiz nada. Por quê?

Foi a vez de Nacib fazer-se discreto:

— Por nada...

O Capitão, interessado, bateu-lhe nas costas, autoritário:

— Desembucha, árabe. O que foi?

— Encontrei ele hoje, na frente da intendência. Tava sentado, quentando sol. Conversa vai, conversa vem, contei que seu Mundinho tinha chegado hoje, que ia vir o engenheiro... O velho ficou uma fera. Queria saber o que seu Mundinho tinha que ver com isso, por que se metia onde não era chamado.

— Tão vendo? — interrompeu o Capitão. — A barra...

— Não é só isso, não. Quando ele estava falando chegou o professor Josué contando que o colégio tinha sido oficializado, aí é que o homem pulou. Parece que ele tinha pedido ao governo e não conseguiu. Batia a bengala no chão, danado da vida.

Nacib gozava o silêncio dos amigos, a impressão produzida por sua história, vingava-se do ar conspirativo com que haviam chegado. Não tardaria a saber o que andavam tramando. O Capitão falou:

— Furioso, hein? Muito mais ele ainda vai ficar, o velho pajé. Pensa que é dono disso aqui...

— Para ele, Ilhéus é como se fosse parte de sua fazenda. E nós, ilheenses, simples empreiteiros e contratados... — definiu o Doutor.

Mundinho Falcão não dizia nada, sorria. Na porta do cinema apareciam Diógenes e o casal de artistas. Viram os outros na mesa, no passeio do bar, para lá se dirigiram. Nacib acrescentava:

— É isso mesmo. Seu Mundinho para ele é um "forasteiro".

— Ele disse forasteiro? — perguntou o exportador.

— Forasteiro, sim. Foi a palavra que usou.

Mundinho Falcão tocou no braço do Capitão:

— Pode procurar o homem, Capitão. Estou decidido. Vamos tocar música pro velho dançar... — disse a última frase para Nacib.

O Capitão levantou-se, esvaziou seu cálice, o casal de artistas estava chegando. Que diabo estariam os outros planejando? — cogitava Nacib. O Capitão cumprimentava:

— Desculpem-me, estava de saída, coisa urgente.

Os homens levantavam-se da mesa, arrastavam cadeiras. Uma sombrinha aberta, Anabela sorria coquete. O Príncipe, com sua piteira comprida, estendia a mão longa e magérrima, nervosa.

— Quando é a estreia? — perguntou o Doutor.

— Amanhã... Estamos acertando com seu Diógenes.

O dono do cinema, barba por fazer, explicava numa voz eternamente desanimada e lamentosa de cantador de hinos sacros:

— Creio que ele pode agradar. A meninada gosta desses truques de prestidigitação. E mesmo gente grande. Mas ela...

— Por que não? — perguntou Mundinho enquanto Nacib servia novos aperitivos.

Diógenes coçou a barba:

— O senhor sabe, isso aqui ainda é um lugar atrasado. Essas danças dela, quase nua, as famílias não vêm.

— Enche de homem... — afirmou Nacib.

Diógenes estava cheio de dedos para explicar. Não querendo confessar ser ele próprio, protestante e pudico, quem se sentia melindrado com as danças ousadas de Anabela:

— É coisa pra cabaré... Não fica bem no cinema.

O Doutor, muito cortês e fino, desculpava a cidade ante a sorridente artista:

— A senhora desculpe. Terra atrasada, onde as ousadias da arte não são compreendidas. Acham tudo imoral.

— Danças artísticas — a voz cavernosa do prestidigitador.

— É claro, é claro... Mas...

Mundinho Falcão divertia-se:

— Ora, seu Diógenes...

— No cabaré ela pode até ganhar mais. Trabalha no cinema com o marido, nos truques. Depois dança no cabaré...

À voz de ganhar mais, iluminou-se o olhar do Príncipe. Anabela queria saber a opinião de Mundinho:

— O que é que acha?

— Bem, não é? Mágica no cinema, dança no cabaré... Perfeito.

— E o dono do cabaré? Será que se interessa?

— Isso vamos saber logo... — Dirigia-se a Nacib. — Nacib, faça-me um favor: mande um rapaz chamar Zeca Lima, quero falar com ele. Com pressa, que venha logo.

Nacib gritou uma ordem ao negrinho Tuísca que saiu correndo, Mundinho dava boas gorjetas. O árabe pensava na voz de mando do exportador, parecia a voz do coronel Ramiro Bastos quando mais moço, ordenando sempre, ditando leis. Alguma coisa estava para suceder.

O movimento aumentava, chegavam novos fregueses, animavam-se as mesas, Chico Moleza corria de um lado para outro. Nhô-Galo reapareceu, juntou-se à roda. Também o coronel Ribeirinho, os olhos a engolir a dançarina. Anabela resplandecia entre todos aqueles homens. O Príncipe Sandra, com seu ar de subalimentado, muito digno na cadeira, fazia cálculos do dinheirão a ganhar ali... Praça para demorar, para tirar a barriga da miséria.

— Essa ideia do cabaré não é má...

— Que ideia? — desejava saber Ribeirinho.

— Ela vai dançar no cabaré.

— No cinema, não?

— No cinema só mágicas. Pras famílias. No cabaré, a dança dos sete véus...

— No cabaré? Ótimo... Vai pegar enchente... Mas por que não dança no cinema? Eu pensei...
— Danças modernas, coronel. Os véus vão caindo um a um...
— Um a um? Todos sete?
— As famílias podiam não gostar...
— Ah! Lá isso é... Um a um... Todos? É melhor mesmo no cabaré... Mais animado.
Anabela ria, fitava o coronel com uns olhos prometedores. O Doutor repetia:
— Terra atrasada. Onde a arte é expulsa para os cabarés.
— Nem cozinheira se encontra — lastimou-se Nacib.
O professor Josué descia a rua em companhia de João Fulgêncio. Chegara a hora do aperitivo. O bar regurgitava de gente. O próprio Nacib era obrigado a andar entre as mesas, servindo. Os fregueses reclamavam dos salgados e doces, o árabe repetia explicações, praguejava contra a velha Filomena. O russo Jacob, suando em bicas, despenteado o cabelo ruivo, queria saber do jantar do dia seguinte:
— Não se preocupe. Não sou mulher-dama para faltar ao trato.
Josué, muito homem de sociedade, beijava a mão de Anabela. João Fulgêncio, que não frequentava o cabaré, protestava contra a pudicícia de Diógenes:
— Escândalo, coisa nenhuma. Isso é carolice desse protestante...
Mundinho Falcão espiava a rua, esperando a volta do Capitão. De quando em vez, ele e o Doutor trocavam olhares. Nacib acompanhava aqueles olhares, a impaciência do exportador. A ele não enganavam: alguma coisa estava sendo tramada. O vento, vindo do mar, arrastava a sombrinha de Anabela, deixada aberta ao lado da mesa. Nhô-Galo, Josué, o Doutor, o coronel Ribeirinho precipitaram-se para segurá-la. Apenas Mundinho Falcão e o Príncipe Sandra ficaram sentados. Mas quem a trouxe foi o dr. Ezequiel Prado, que vinha chegando, os olhos empapados de ébrio.
— Meus respeitos, minha senhora...
Os olhos de Anabela, de longas pestanas negras, passavam de homem a homem, demoravam-se em Ribeirinho.
— Gente distinta! — disse o Príncipe Sandra.
Tonico Bastos, vindo do cartório, caía nos braços de Mundinho Falcão, grandes demonstrações de amizade:
— E o Rio, como o deixou? Lá é que se vive...

Seus olhos mediam Anabela, seus olhos de conquistador, do homem irresistível da cidade.

— Quem me apresenta? — perguntou.

Nhô-Galo e o Doutor sentavam-se ao lado de um tabuleiro de gamão. Noutra mesa, alguém contava a Nacib as maravilhas de uma cozinheira. Tempero como o dela, nunca tinha visto... Só que estava no Recife, empregada de uma família Coutinho, pernambucanos importantes.

— De que diabo me serve?

GABRIELA NO CAMINHO

A PAISAGEM MUDARA, A INÓSPITA CAATINGA CEDERA LUGAR A TERRAS FÉRTEIS, verdes pastos, densos bosques a atravessar, rios e regatos, a chuva caindo farta. Haviam pernoitado nas vizinhanças de um alambique, plantações de cana balançando ao vento. Um trabalhador lhes dera detalhadas explicações sobre o caminho a seguir: menos de um dia de marcha e estariam em Ilhéus, a viagem de pavores terminada, uma nova vida a começar.

— Tudo que é retirante acampa perto do porto, pros lados da estrada de ferro, no fim da feira.

— Num vai procurar trabalho? — perguntou o negro Fagundes.

— É melhor esperar, não demora e logo aparece gente pra contratar. Tanto pra trabalhar nas roças de cacau quanto na cidade...

— Também na cidade? — interessou-se Clemente, o rosto fechado, a harmônica no ombro, uma preocupação nos olhos.

— Inhô, sim. Pra quem tem ofício: pedreiro, carpina, pintor de casa. Tão levantando tanta casa em Ilhéus que é um desperdício.

— Só?

— Tem ocupação também nos armazéns de cacau, nas docas.

— Por mim — disse um sertanejo forte, de meia-idade —, vou é pras matas. Diz que um homem pode juntar dinheiro.

— Faz tempo era assim. Hoje é mais custoso.
— Diz que um homem sabendo atirar tem boa aceitação... — falou o negro Fagundes passando a mão, quase numa carícia, sobre a repetição.
— Num tempo foi assim.
— E num é mais?
— Ainda tem sua procura.

Clemente não tinha ofício. Labutara sempre no campo, plantar, roçar e colher era tudo o que sabia. Ademais viera com a intenção de se meter nas roças de cacau, tinha ouvido tanta história de gente chegando como ele, batida pela seca, fugindo do sertão, quase morta de fome, e enriquecendo naquelas terras em pouco tempo. Era o que diziam pelo sertão, a fama de Ilhéus corria mundo, os cegos cantavam suas grandezas nas violas, os caixeiros-viajantes falavam daquelas terras de fartura e valentia, ali um homem se arranjava num abrir e fechar de olhos, não havia lavoura mais próspera que a do cacau. Os bandos de imigrantes desciam do sertão, a seca nos seus calcanhares, abandonavam a terra árida onde o gado morria e as plantações não vingavam, tomavam as picadas em direção ao sul. Muitos ficavam pelo caminho, não suportavam a travessia de horrores, outros morriam ao entrar na região das chuvas onde o tifo, o impaludismo, a bexiga os esperavam. Chegavam dizimados, restos de famílias, quase mortos de cansaço, mas os corações pulsavam de esperança naquele dia derradeiro de marcha. Um pouco mais de esforço e teriam atingido a cidade rica e fácil. As terras do cacau onde dinheiro era lixo nas ruas.

Clemente ia carregado. Além dos seus haveres — a harmônica e um saco de pano cheio pela metade — levava a trouxa de Gabriela. A marcha era lenta, iam velhos entre eles e mesmo os moços estavam no limite da fadiga, não podiam mais. Alguns quase se arrastavam, sustentados apenas pela esperança.

Só Gabriela parecia não sentir a caminhada, seus pés como que deslizando pela picada muitas vezes aberta na hora a golpes de facão, na mata virgem. Como se não existissem as pedras, os tocos, os cipós emaranhados. A poeira dos caminhos da caatinga a cobrira tão por completo que era impossível distinguir seus traços. Nos cabelos já não penetrava o pedaço de pente, tanto pó se acumulara. Parecia uma demente perdida nos caminhos. Mas Clemente sabia como ela era deveras e o sabia em cada partícula de seu ser, na ponta dos dedos e na pele do peito. Quando os dois grupos se encontraram, no começo da viagem, a cor do rosto de

Gabriela e de suas pernas era ainda visível e os cabelos rolavam sobre o cangote, espalhando perfume. Ainda agora, através da sujeira a envolvê-la, ele a enxergava como a vira no primeiro dia, encostada numa árvore, o corpo esguio, o rosto sorridente, mordendo uma goiaba.

— Tu parece que nem veio de longe...
Ela riu:
— A gente tá chegando. Tá pertinho. Tão bom chegar.
Ele fechou ainda mais o rosto sombrio:
— Num acho não.
— E por que tu não acha? — Levantou para o rosto severo do homem seus olhos, ora tímidos e cândidos, ora insolentes e provocadores. — Tu não saiu para vir trabalhar no cacau, ganhar dinheiro? Tu não fala noutra coisa.

— Tu sabe por quê — resmungou ele com raiva. — Pra mim esse caminho podia durar a vida toda. Num me importava...
No riso dela havia certa mágoa, não chegava a ser tristeza, como se estivesse conformada com o destino:
— Tudo que é bom, tudo que é ruim, também termina por acabar.
Uma raiva subia dentro dele, impotente. Mais uma vez, controlando a voz, repetiu a pergunta que lhe vinha fazendo pelo caminho e nas noites insones:
— Tu não quer mesmo ir comigo pras matas? Botar uma roça, plantar cacau junto nós dois? Com pouco tempo a gente vai ter um roçado seu, começar a vida.

A voz de Gabriela era cariciosa, mas definitiva:
— Já te disse minha tenção. Vou ficar na cidade, não quero mais viver no mato. Vou me contratar de cozinheira, de lavadeira ou pra arrumar casa dos outros...
Acrescentou numa lembrança alegre:
— Já andei de empregada em casa de gente rica, aprendi cozinhar.
— Aí tu não vai progredir. Na roça, comigo, a gente ia fazendo seu pé-de-meia, ia tirando pra frente...
Ela não respondeu. Ia pelo caminho quase saltitante. Parecia uma demente com aquele cabelo desmazelado, envolta em sujeira, os pés feridos, trapos rotos sobre o corpo. Mas Clemente a via esguia e formosa, a cabeleira solta e o rosto fino, as pernas altas e o busto levantado. Fechou ainda mais o rosto, queria tê-la com ele para sempre. Como viver sem o calor de Gabriela?

Quando, no início da viagem, os grupos se encontraram, logo reparou na moça. Ela vinha com um tio, acabado e doente, sacudido o tempo todo pela tosse. Nos primeiros dias ele a observara de longe, sem coragem sequer para aproximar-se. Ela ia de um para outro, conversando, ajudando, consolando.

Nas noites da caatinga, povoadas de cobras e de medo, Clemente tomava da harmônica e os sons enchiam a solidão. O negro Fagundes contava histórias de valentias, coisas de cangaço, andara metido com jagunços, matara gente. Punha em Gabriela uns olhos pesados e humildes, obedecia-lhe pressurosamente quando ela lhe pedia para ir encher uma lata com água.

Clemente tocava para Gabriela, mas não se atrevia a dirigir-lhe a palavra. Foi ela quem veio, certa noite, com seu passo de dança e seus olhos de inocência, para junto dele, puxar conversa. O tio dormia numa agitação de falta de ar, ela encostou-se numa árvore. O negro Fagundes narrava:

— Tinha cinco soldados, cinco macacos que a gente comeu na faca pra não gastar munição...

Na noite escura e assustadora, Clemente sentia a presença vizinha de Gabriela, não se animava sequer a olhar para a árvore à qual ela se encostara, um umbuzeiro. Os sons morreram na harmônica, a voz de Fagundes ressaltou no silêncio. Gabriela falou baixinho:

— Não pare de tocar senão vão arreparar.

Atacou uma melodia do sertão, estava com um nó na garganta, aflito o coração. A moça começou a cantar em surdina. A noite ia alta, a fogueira morria em brasas, quando ela deitou-se junto dele como se nada fora. Noite tão escura, quase não se viam.

Desde aquela noite milagrosa, Clemente vivia no terror de perdê-la. Pensara a princípio que, tendo acontecido, ela já não o largaria, iria correr sua sorte nas matas dessa terra do cacau. Mas logo se desiludiu. Durante a caminhada ela se comportava como se nada houvesse entre eles, tratava-o da mesma maneira que aos demais. Era de natural risonha e brincalhona, trocava graças até com o negro Fagundes, distribuía sorrisos e obtinha de todos o que quisesse. Mas quando a noite chegava, após ter cuidado do tio, vinha para o canto distante, onde ele ia meter-se, e deitava-se a seu lado, como se para outra coisa não houvesse vivido o dia inteiro. Se entregava toda, abandonada nas mãos dele, morrendo em suspiros, gemendo e rindo.

No outro dia, quando ele, preso a Gabriela como se ela fosse sua própria vida, queria concretizar os planos de futuro, ela apenas ria, quase a mofar-se dele, e ia embora, ajudar o tio cada vez mais fatigado e magro.

Uma tarde tiveram que parar a caminhada, o tio de Gabriela estava nas últimas. Vinha cuspindo sangue, não aguentava mais andar. O negro Fagundes jogou-o nas costas como um fardo e o carregou durante um pedaço de caminho. O velho ia arfando, Gabriela a seu lado. Morreu de tardinha, botando sangue pela boca, os urubus voavam sobre o cadáver.

Então Clemente a viu órfã e só, necessitada e triste. Pela primeira vez pensou compreendê-la: nada mais era que uma pobre moça, quase menina ainda, a quem proteger. Aproximou-se e longamente falou de seus planos. Muito tinham-lhe contado daquela terra do cacau para onde iam. Sabia de gente que saíra do Ceará sem tostão e voltara poucos anos depois a passeio, arrotando dinheiro. Era o que ele ia fazer. Queria derrubar mata, ainda existiam algumas, plantar cacau, ter terra sua, ganhar bastante. Gabriela iria com ele, e, quando aparecesse um padre por aquelas bandas, casariam. Ela fez que não com a cabeça, agora não ria seu riso de mofa, disse apenas:

— Vou pro mato não, Clemente.

Outros morreram e os corpos ficaram pelo caminho, pasto dos urubus. A caatinga acabou, começaram terras férteis, as chuvas caíram. Ela continuava a deitar-se com ele, a gemer e a rir, a dormir recostada sobre seu peito nu. Clemente falava, cada vez mais sombrio, explicava as vantagens, ela apenas ria e balançava a cabeça numa renovada negativa. Certa noite, ele teve um gesto brusco, atirou-a para um lado, num repelão:

— Tu não gosta de mim!

De súbito, saído não se sabe de onde, o negro Fagundes apareceu, a arma na mão, um brilho nos olhos. Gabriela disse:

— Foi nada não, Fagundes.

Ela havia batido contra o tronco de árvore junto ao qual estavam deitados. Fagundes baixou a cabeça, foi embora. Gabriela ria, a raiva foi crescendo dentro de Clemente. Aproximou-se dela, tomou-lhe dos pulsos, ela estava caída sobre o mato, o rosto ferido:

— Tenho até vontade de te matar e a mim também...

— Por quê?

— Tu não gosta de mim.

— Tu é tolo...

— Que é que eu vou fazer, meu Deus?
— Importa não... — disse ela, e o puxou para si.
Agora, naquele último dia de viagem, desnorteado e perdido, ele terminara por se decidir. Ficaria em Ilhéus, abandonaria seus planos, a única coisa importante era estar ao lado de Gabriela.
— Já que tu não quer ir, vou arranjar jeito de ficar em Ilhéus. Só que não tenho ofício, além de lavrar terra não sei fazer um nada...
Ela tomou-lhe a mão num gesto inesperado, ele sentiu-se vitorioso e feliz.
— Não, Clemente, fique não. Pra quê?
— Pra quê?
— Tu veio pra ganhar dinheiro, botar roça, ser um dia fazendeiro. É disso que tu gosta. Pra que ficar em Ilhéus passando necessidade?
— Só pra te ver, pra gente tá junto.
— E se a gente não puder se ver? É melhor não, tu vai pra teu lado, eu vou pro meu. Um dia, pode ser, a gente se encontra outra vez. Tu feito um homem rico, nem vai me reconhecer.
Dizia tudo aquilo tranquilamente, como se as noites que dormiram juntos não contassem, como se apenas se conhecessem.
— Mas, Gabriela...
Nem sabia como responder-lhe, esquecia os argumentos, também os insultos, a vontade de bater-lhe para ela aprender que com um homem não se brinca. Só conseguia dizer:
— Tu não gosta de mim...
— Foi bom a gente ter se encontrado, a viagem encurtou.
— Tu não quer mesmo que eu fique?
— Pra quê? Pra passar necessidade? Num vale a pena. Tu tem tua tenção, vai cumprir teu destino.
— E tu qual é tua tenção?
— Quero ir pro mato não. O resto só Deus sabe.
Ele ficou silencioso, uma dor no peito, vontade de matá-la, de acabar com a própria vida, antes que a viagem terminasse. Ela sorriu:
— Importa não, Clemente.

CAPÍTULO SEGUNDO

A SOLIDÃO DE GLÓRIA
(na sua janela a suspirar)

*Atrasados e ignorantes,
incapazes de compreender
os tempos novos, o progresso, a civilização,
esses homens já não podem governar...*
(de um artigo do Doutor no *Diário de Ilhéus*)

LAMENTO DE GLÓRIA

*Tenho no peito um calor
ai! um calor no meu peito
(quem nele se queimará?)
Coronel me deu riqueza
riqueza de não acabar:
mobília de Luiz XV
pra minha bunda sentar.
Camisa de seda pura,
blusa branca de cambraia.
Não há corpete que caiba,
nem de cetim nem de seda
nem da mais fina cambraia,
o fogo que está queimando
a solidão do meu peito.*

*Tenho sombrinha pro sol
dinheiro para esbanjar.
Compro na loja mais cara
mando na conta botar.
Tenho tudo que desejo
e um fogo dentro do peito.
De que vale tanto ter
se o que desejo não tenho?*

*Me viram a cara as mulheres,
os homens olham de longe:
sou Glória do coronel,
manceba do fazendeiro.
Alvo lençol de linho
e um fogo no meu peito.
Na solidão desse leito
meus peitos estão queimando,
coxas de chamas, boca
morrendo de sede, ai!
Sou Glória, a do fazendeiro
que tem um fogo no peito
e no lençol do seu leito
se deita com a solidão.*

*Meus olhos são de quebranto,
os meus seios de alfazema
com um calor dentro deles.
Como é meu ventre não conto,
mas esse fogo que queima
nasce da brasa acendida
na solidão dessa lua
do doce ventre de Glória.
O segredo dele não conto
nem de sua brasa acendida.*

*Ai, um estudante quisera
de buço apenas nascido.
Quisera um brioso soldado
de túnica bem militar.
Quisera um amor, quisera
para esse fogo apagar
com a solidão acabar.*

*Empurrai a minha porta
a tranca já retirei,
não tem chave de fechar.
Vinde essa brasa apagar,
nesse fogo vos queimar,
trazei um pouco de amor
que eu muito tenho pra dar.
Vinde esse leito ocupar.*

*Tenho no peito um calor
ai! um calor no meu peito
(quem nele se queimará?).*

DA TENTAÇÃO NA JANELA

A CASA DE GLÓRIA FICAVA NA ESQUINA DA PRAÇA E GLÓRIA DEBRUÇAVA-SE à tarde na janela, os robustos seios empinados como numa oferenda aos passantes. Uma e outra coisa escandalizavam as solteironas que vinham para a igreja, e davam lugar aos mesmos comentários, cada dia, na hora vespertina da prece:
— Falta de vergonha...
— Os homens pecam até sem querer. Só de olhar.
— Até os meninos perdem a virgindade dos olhos...
A áspera Doroteia, toda em negro de virginal virtude, atrevia-se a murmurar em santa exaltação:
— Também o coronel Coriolano podia botar casa para a rapariga numa rua de canto. Vem e planta com ela bem na cara das melhores famílias da cidade. Bem no nariz dos homens...
— Pertinho da igreja. Isso até ofende a Deus...
Do bar, repleto a partir das cinco da tarde, os homens alongavam os olhos para a janela de Glória do outro lado da praça. O professor Josué, de gravata-borboleta azul com pintas brancas, o cabelo reluzente de brilhantina e as cavadas faces de tísico, alto e espigado ("como um triste eucalipto solitário", definira-se ele num poema), um livro de versos na mão, atravessava a praça e tomava pela calçada de Glória. Na esquina, no fundo da praça, no centro de um pequeno jardim bem cuidado de rosas-chá e açucenas, com um jasmineiro à porta, elevava-se a casa nova do coronel Melk Tavares, objeto de profundas e agras discussões na Papelaria Modelo. Era uma casa em "estilo moderno", a primeira a ser construída pelo arquiteto trazido por Mundinho Falcão, e as opiniões da intelectualidade local se haviam dividido, as discussões eternizavam-se. Em suas linhas claras e simples, contrastava com os sobradões pesados e as casas baixas, coloniais.

No jardim, a cuidar de suas flores, ajoelhada entre elas, mais bela que elas, sonhava Malvina, filha única de Melk, aluna do colégio das freiras, por quem suspirava Josué. Todas as tardes, terminadas as aulas e a indispensável prosa na Papelaria Modelo, o professor vinha passear na praça, vinte vezes passava ante o jardim de Malvina, vinte vezes seu olhar suplicante pousava-se na moça em muda declaração. No bar de Nacib, os fregueses habituais seguiam a peregrinação cotidiana com comentários risonhos:

— O professor é obstinado...

— Quer fazer sua independência, ganhar roça de cacau sem o trabalho de plantar.

— Lá vai ele para sua penitência... — diziam as solteironas ao vê-lo chegar à praça, afobado, e simpatizavam com ele, com aquela ardente paixão não correspondida.

— O que ela é, eu sei: uma sirigaita, metida a importante. Que espera ela de melhor do que um moço tão inteligente?

— Mas pobre...

— Casamento de dinheiro não traz felicidade. Um moço tão bom, tão cheio de letras, até escreve versos...

Nas proximidades da igreja, Josué diminuía o passo acelerado, tirava o chapéu, dobrando-se quase em dois ao saudar as solteironas.

— Tão educado. Um moço fino...

— Mas fraco do peito...

— Doutor Plínio disse que ele não tem nada no pulmão. É só franzino.

— Uma espevitada é o que ela é. Por que tem uma carinha bonita e o pai tem dinheiro. E o moço, coitado, tão influído... — Um suspiro elevava-se do peito encarquilhado.

Seguido pelos simpáticos comentários das solteironas e pelas injustas opiniões emitidas no bar, aproximava-se Josué da janela de Glória. Era para ver Malvina, bela e fria, que, nos fins da tarde, ele vinte vezes fazia aquele percurso em passos lentos, um livro de versos na mão. Mas, de passagem, seu olhar romântico pousava na pujança dos seios altos de Glória, colocados na janela como sobre uma bandeja azul. E dos seios subia para o rosto moreno queimado, de lábios carnudos e ávidos, de olhos entornados em permanente convite. Acendiam-se em pecaminoso e material desejo os olhos românticos de Josué e um calor cobria-lhe a palidez da face. Por um instante apenas, pois, passada a tentação da janela mal-afamada, retornavam seus olhos à expressão de súplica e desesperança, mais pálida ainda era sua face, olhos e face para Malvina.

Também o professor Josué criticava, em seu foro íntimo, a infeliz ideia do coronel Coriolano Ribeiro, fazendeiro rico, de instalar na praça São Sebastião, em rua onde moravam as melhores famílias, a dois passos da casa do coronel Melk Tavares, sua concubina tão apetecida e tão se oferecendo. Fosse noutra rua qualquer, mais distante do jardim de Malvina, e ele poderia talvez arriscar-se, numa noite sem lua, para cobrar todas as promessas lidas nos olhos de Glória a chamá-lo, nos lábios entreabertos.

— Lá está a peste de olho no rapaz...

As solteironas, os longos vestidos negros fechados no pescoço, negros xales aos ombros, pareciam aves noturnas paradas ante o átrio da pequena igreja. Viam o movimento da cabeça de Glória acompanhando Josué no passeio da casa do coronel Melk.

— Ele é um moço direito. Só tem olhos pra Malvina.

— Vou fazer uma promessa a são Sebastião — dizia a roliça Quinquina — para Malvina gostar dele. Trago uma vela das grandes.

— E eu trago outra... — reforçava a franzina Florzinha, em tudo solidária com a irmã.

Na janela Glória suspirava, quase um gemido. Ânsia, tristeza, indignação misturavam-se nesse suspiro a morrer na praça.

De indignação estava cheio seu peito, contra os homens em geral. Eram covardes e hipócritas. Quando, nas horas de mormaço do meio da tarde, a praça vazia, as janelas das casas de família fechadas, ao passar sozinhos ante a janela aberta de Glória, sorriam para ela, suplicavam-lhe um olhar, desejavam-lhe boa tarde com visível emoção. Mas bastava que houvesse alguém na praça, uma única solteirona que fosse, ou que viessem acompanhados, para que lhe virassem a cara, olhassem para outro lado, acintosamente, como se lhes repugnasse vê-la na janela, os altos seios saltando da bordada blusa de cambraia. Vestiam o rosto de ofendida pudicícia mesmo os que antes lhe haviam dito galanteios ao passar sozinhos. Glória gostaria de dar-lhes com a janela na cara mas, ah!, não tinha forças para fazê-lo, aquela chispa de desejo entrevista nos olhos dos homens era tudo que possuía em sua solidão. Demasiado pouco para sua sede e sua fome. Mas, se lhes batesse com a janela, perderia até mesmo aqueles sorrisos, aqueles olhares cínicos, aquelas medrosas e fugidias palavras. Não havia mulher casada em Ilhéus, onde mulher casada vivia no interior de suas casas, cuidando do lar, tão bem guardada e inacessível como aquela rapariga. O coronel Coriolano não era homem para brincadeiras.

Tanto medo lhe tinham que não se animavam sequer a cumprimentar a pobre Glória. Só Josué era diferente. Vinte vezes cada tarde, seu olhar se acendia ao passar sob a janela de Glória, apagava-se romântico ante o portão de Malvina. Glória sabia da paixão do professor e também ela antipatizava com a moça estudante, indiferente a tanto amor, tratava-a de enjoada e tola. Sabia da paixão de Josué mas, nem por isso, deixava de sorrir-lhe o mesmo sorriso de convite e de promessa; e era-lhe grata porque ele, jamais, mesmo quando Malvina estava no portão da casa nova sob o jasmineiro em flor, lhe virava o rosto. Ah! se ele tivesse um pouco mais de coragem e empurrasse, no meio da noite, a porta da rua que Glória deixava aberta, pois, quem sabe?, de repente... Então ela o faria esquecer a moça orgulhosa.

Josué não se atrevia a empurrar a maciça porta da rua. Ninguém se atrevia. Medo da língua afiada das solteironas, da gente da cidade a falar mal da vida alheia, medo do escândalo, mas medo sobretudo do coronel Coriolano Ribeiro. Todos sabiam da história de Juca e de Chiquinha.

Naquele dia, Josué viera bem mais cedo, na hora da sesta, a praça deserta. A frequência no bar reduzia-se a alguns caixeiros-viajantes, ao Doutor e ao Capitão disputando um partida de damas. Enoch, para festejar a equiparação do colégio, dera a tarde de folga aos alunos. O professor Josué andara pela feira, assistira à chegada de um numeroso grupo de retirantes ao "mercado dos escravos", demorara-se na Papelaria Modelo, tomava agora uma mistura no bar, conversando com Nacib:

— Uma quantidade de retirantes. A seca está comendo no sertão.

Nacib interessou-se:

— Mulheres também?

O professor quis saber a razão daquele interesse:

— Você está assim tão falto de mulher?

— Não brinca. Minha cozinheira foi embora, tou procurando outra. Às vezes no meio desses retirantes vem alguma...

— Tinha umas quantas mulheres, sim. Um horror essa gente vestida de farrapos, suja, parecendo empesteados...

— Mais tarde vou lá, ver se encontro alguma...

Malvina não aparecia no portão, Josué mostrava-se impaciente. Nacib informou:

— A pequena está na avenida, na praia. Passaram há pouco, ela e umas colegas...

Josué pagou, levantou-se. Nacib ficou na porta do bar, olhando-o ir, devia ser bom sentir-se assim apaixonado. Mesmo quando a moça fazia pouco-caso, mais cobiçada ainda. Aquilo terminaria em casamento, mais dia menos dia... Glória surgia na janela, os olhos de Nacib tornavam-se cúpidos. Se um dia o coronel a largasse haveria uma corrida nunca vista em Ilhéus. Nem assim chegaria para seu bico, os coronéis ricos não deixariam... Os tabuleiros de doces e salgados tinham chegado, os fregueses do aperitivo ficariam contentes. Só que ele, Nacib, não poderia continuar a pagar aquela fortuna às irmãs Dos Reis. Quando o movimento

decrescesse, na hora do jantar, iria ao acampamento dos retirantes. Quem sabe não teria sorte, encontraria uma cozinheira?...
De súbito, a calma da tarde foi cortada por gritos, balbúrdia de muita gente falando. O Capitão parou a jogada, a pedra de dama na mão. Nacib deu um passo à frente, o clamor aumentava.
O negrinho Tuísca, que mercava os doces feitos pelas irmãs Dos Reis, apareceu correndo, vindo da avenida, o tabuleiro equilibrado na cabeça. Gritava algo, não conseguiam ouvir. O Capitão e o Doutor voltavam-se curiosos, fregueses levantavam-se. Nacib viu Josué e, com ele, várias pessoas movimentando-se apressadas na avenida. Finalmente o negrinho Tuísca fez-se ouvir:
— O coronel Jesuíno matou dona Sinhazinha e o doutor Osmundo. Tá tudo lá no meio do sangue...
O Capitão empurrou a mesa de jogo, saiu quase correndo. O Doutor o acompanhou. Nacib, após um momento de indecisão, apressou o passo para alcançá-los.

DA LEI CRUEL

A NOTÍCIA DO CRIME ESPALHARA-SE NUM ABRIR E FECHAR DE OLHOS. Do morro do Unhão ao morro da Conquista, nas casas elegantes da praia e nos casebres da ilha das Cobras, no Pontal e no Malhado, nas residências familiares e nas casas de mulheres públicas, comentava-se o acontecido. Ao demais era dia de feira, a cidade repleta de gente vinda do interior, dos povoados e das roças, para vender e comprar. Nas lojas, nos armazéns de secos e molhados, nas farmácias e nos consultórios médicos, nos escritórios de advogados, nas casas exportadoras de cacau, na matriz de São Jorge e na igreja de São Sebastião, não havia outro assunto.
Sobretudo nos bares, cuja frequência crescera apenas a notícia circulara. Especialmente a do Bar Vesúvio, situado nas proximidades do local da tragédia. Em frente à casa do dentista, pequeno bangalô na praia,

juntavam-se curiosos. Um soldado de polícia postado à porta dava explicações. Cercavam a empregada apalermada, queriam detalhes. Moças do colégio das freiras, numa excitação álacre, exibiam-se no passeio da praia, cochichavam-se segredos. O professor Josué aproveitara-se para aproximar-se de Malvina, relembrava para o grupo de moças amores célebres, Romeu e Julieta, Heloísa e Abelardo, Dirceu e Marília.

E toda aquela gente terminava no bar de Nacib, enchendo as mesas, comentando e discutindo. Unanimemente davam razão ao fazendeiro, não se elevava voz — nem mesmo de mulher em átrio de igreja — para defender a pobre e formosa Sinhazinha. Mais uma vez o coronel Jesuíno demonstrara ser homem de fibra, decidido, corajoso, íntegro, como aliás à saciedade o provara durante a conquista da terra. Segundo recordavam, muitas cruzes no cemitério e na beira das estradas deviam-se aos seus jagunços, cuja fama não fora esquecida. Não só utilizara jagunços, mas os comandara também em ocasiões famosas, como aquele encontro com os homens do finado major Fortunato Pereira, na encruzilhada da Boa Morte, nos perigosos caminhos de Ferradas. Era homem sem medo e obstinado.

Esse Jesuíno Mendonça, de uns famigerados Mendonças, de Alagoas, chegara a Ilhéus ainda jovem, quando das lutas pela terra. Desbravara selvas e plantara roças, disputando a tiro a posse do solo, suas propriedades cresceram e seu nome fez-se respeitado. Casara com Sinhazinha Guedes, formosura local, de antiga família ilheense, órfã de pai e herdeira de um coqueiral para as bandas de Olivença. Quase vinte anos mais moça que o marido, bonitona, freguesa assídua das lojas de fazendas e sapatos, principal organizadora das festas da igreja de São Sebastião, aparentada de longe com o Doutor, passando longos períodos na fazenda, Sinhazinha jamais dera que falar, em todos aqueles anos de casada, aos muitos maledicentes da cidade. De súbito, naquele dia de sol esplêndido, na hora calma da sesta, o coronel Jesuíno Mendonça descarregara seu revólver na esposa e no amante, emocionando a cidade, trazendo-a mais uma vez para o remoto clima de sangue derramado, fazendo com que o próprio Nacib esquecesse seu problema tão grave, de cozinheira. Também o Capitão e o Doutor esqueceram suas preocupações políticas, e o próprio coronel Ramiro Bastos, informado do infortúnio, deixou de pensar em Mundinho Falcão. A notícia correra rápida como relâmpago e cresceram o respeito e a admiração que já cercavam a figura magra e um tanto sombria do fazendeiro. Porque assim era em Ilhéus: honra de marido enganado só com sangue podia ser lavada.

Assim era. Numa região recém-chegada de barulhos e lutas frequentes, quando as estradas para as tropas de burro e mesmo para os caminhões abriam-se sobre picadas feitas por jagunços, marcadas pelas cruzes dos caídos nas tocaias, onde a vida humana possuía pouco valor, não se conhecia outra lei para traição de esposa além da morte violenta. Lei antiga, vinha dos primeiros tempos do cacau, não estava no papel, não constava do código, era no entanto a mais válida das leis e o júri, reunido para decidir da sorte do matador, a confirmava unanimemente, cada vez, como a impô-la sobre a lei escrita mandando condenar quem matava seu semelhante.

Apesar da recente concorrência dos três cinemas locais, dos bailes e chás dançantes do Clube Progresso, das partidas de futebol nas tardes de domingo, e das conferências — literatos da Bahia, e até mesmo do Rio, arribando a Ilhéus na caça de uns mil-réis na terra inculta e rica —, a sessão do júri, duas vezes por ano, era ainda a mais animada e concorrida diversão da cidade. Existiam advogados famosos como o dr. Ezequiel Prado e o dr. Maurício Caires, o rábula João Peixoto, de retumbante voz, oradores aplaudidos, retóricos eminentes, fazendo a assistência fremir e chorar. O dr. Maurício Caires, homem muito da igreja e dos padres, presidente da Confraria de São Jorge, era especialista em citações da Bíblia. Fora seminarista antes de entrar para a faculdade, gostava de frases em latim, havia quem o considerasse tão erudito quanto o Doutor. No júri, os duelos oratórios duravam horas e horas, com réplicas e tréplicas, atravessavam pelas madrugadas, eram os acontecimentos culturais mais importantes de Ilhéus.

Faziam-se apostas volumosas na absolvição ou na condenação, a gente de Ilhéus gostava de jogar e tudo lhe servia de pretexto. Noutras ocasiões, agora mais raras, o resultado do júri dava lugar a tiroteios e novas mortes. O coronel Pedro Brandão, por exemplo, fora assassinado na escadaria da intendência, ao ser absolvido pelo júri. O filho de Chico Martins, a quem o coronel e seus jagunços haviam matado barbaramente, fez justiça com as próprias mãos.

Nenhuma aposta se aceitava, porém, quando o júri se reunia para decidir sobre crime de morte em razão de adultério: sabiam todos ser a absolvição unânime do marido ultrajado o resultado fatal e justo. Iam para ouvir os discursos, a acusação e a defesa, e na expectativa de detalhes escabrosos e picarescos, escapando dos autos ou da falação dos advogados. Condenação do assassino, isso jamais!, era contra a lei da terra mandando lavar com sangue a honra manchada do marido.

Comentava-se e discutia-se apaixonadamente a tragédia de Sinhazinha e do dentista. Divergiam as versões do sucedido, opunham-se detalhes, mas numa coisa todos concordavam: em dar razão ao coronel, em louvar-lhe o gesto de macho.

DAS MEIAS PRETAS

CRESCIA O MOVIMENTO NO BAR VESÚVIO EM DIA DE FEIRA, MAS NAQUELA TARDE de morte violenta havia uma frequência absolutamente anormal, uma animação quase festiva. Além dos fregueses habituais do aperitivo, do pessoal vindo para a feira, inúmeros outros apareciam para colher e comentar novidades. Iam até à praia espiar a casa do dentista, ancoravam no bar:

— Quem havia de dizer! Não saía da igreja...

Nacib, atarefado de mesa em mesa, ativava os empregados, calculando mentalmente os lucros. Um crimezinho assim, todos os dias, e logo poderia ele comprar as sonhadas roças de cacau.

Mundinho Falcão, tendo marcado encontro com Clóvis Costa no Bar Vesúvio, viu-se envolvido pelos comentários. Sorria indiferente, preocupado com seus projetos políticos, aos quais se entregava de corpo e alma. Ele era assim: quando decidia fazer uma coisa não descansava enquanto não a visse realizada. Mas tanto o Doutor quanto o Capitão pareciam distantes de qualquer outro assunto além do crime, como se a conversa da manhã não houvesse sequer existido. Mundinho apenas lastimara a morte do dentista, seu vizinho na praia e um de seus raros companheiros no banho de mar — considerado então quase um escândalo em Ilhéus. O Doutor, cujo temperamento arrebatado sentia-se bem naquele clima de tragédia, a pretexto de Sinhazinha revivia Ofenísia, a do imperador:

— Dona Sinhazinha era ainda aparentada dos Ávilas. Família de mulheres românticas. Ela deve ter herdado o destino da prima, sua vocação para a desgraça.

— Que Ofenísia? Quem é essa? — quis saber um comerciante do Rio do Braço, vindo a Ilhéus para a feira e desejoso de levar ao seu povoado o maior e mais completo sortimento de detalhes do crime.

— Uma antepassada minha, beleza fatal que inspirou o poeta Teodoro de Castro e apaixonou dom Pedro II. Morreu de desgosto por não ter ido com ele.

— Pra onde?

— Ora, pra onde... — gracejou João Fulgêncio. — Para a cama, para onde podia ser...

O Doutor explicava:

— Para a corte. Não lhe importava ser amante dele, o irmão teve de trancá-la a sete chaves. O irmão, o coronel Luiz Antônio d'Ávila, da Guerra do Paraguai. Ela morreu de desgosto. Em dona Sinhazinha havia sangue de Ofenísia, esse sangue dos Ávilas marcado pela tragédia!

Nhô-Galo surgia afobado, soltava a notícia no meio da mesa:

— Foi carta anônima. Jesuíno encontrou na fazenda.

— Quem teria escrito?

Perdiam-se num silêncio de cogitações, Mundinho aproveitou para perguntar ao Capitão, em voz baixa:

— E Clóvis Costa? Falou com ele?

— Estava escrevendo a notícia do crime. Até atrasou o jornal. Combinei pra de noite, em sua casa.

— Então vou embora...

— Embora? Com uma história dessas?

— Não sou daqui, meu caro... — riu o exportador.

Era geral o assombro ante tanta indiferença por um prato daqueles, suculento, de raro sabor. Mundinho atravessava a praça, encontrava-se com o grupo de moças do colégio das freiras, comboiadas pelo professor Josué. À aproximação do exportador, os olhos de Malvina resplandeceram, sua boca sorriu, ajeitou o vestido. Josué, feliz de estar em companhia de Malvina, felicitou mais uma vez Mundinho pela equiparação do colégio:

— Ilhéus lhe deve mais esse benefício...

— Qual! Coisa tão fácil... — parecia um príncipe a distribuir benfeitorias, títulos de nobreza, dinheiro e favores, magnânimo.

— E o senhor, que pensa do crime? — perguntou Iracema, fogosa morena de namoros falados, no portão do quintal de sua casa.

Malvina adiantou-se para ouvir a resposta. Mundinho abriu os braços:

— É sempre triste saber da morte de mulher bonita. Sobretudo morte assim horrível. Mulher bonita é sagrada.

— Mas ela enganava o marido — acusou Celestina tão moça e já tão solteirona.

— Entre a morte e o amor, prefiro o amor...

— O senhor também faz versos? — sorriu Malvina.

— Quem? Eu? Não, senhorita, não tenho esses dons. O poeta aqui é o nosso professor.

— Pensei. O que o senhor disse parece um verso...

— Bela frase, não há dúvida — apoiou Josué.

Mundinho, pela primeira vez, prestou atenção em Malvina. Bonita moça, os olhos não o largavam, fundos e misteriosos.

— O senhor diz isso porque é solteiro — frisou Celestina.

— E a senhorita também não é?

Riram todos, Mundinho despedia-se. Os olhos de Malvina o perseguiam, pensativos. Iracema ria um riso quase descarado:

— Esse seu Mundinho... — E como o exportador se afastasse, caminho de casa: — Beleza de rapaz!

No bar, Ari Santos — o Ariosto das crônicas no *Diário de Ilhéus*, empregado em casa exportadora e presidente do Grêmio Rui Barbosa — curvou-se sobre a mesa, ciciou o detalhe:

— Ela estava nuinha...

— Toda?

— Inteira? — a voz gulosa do Capitão.

— Todinha... A única coisa que levava era umas meias pretas.

— Pretas? — Nhô-Galo escandalizava-se.

— Meias pretas, oh! — o Capitão estalava a língua.

— Devassa... — condenou o dr. Maurício Caires.

— Devia estar uma beleza. — O árabe Nacib, de pé, viu de repente dona Sinhazinha nua, calçada de meias pretas. Suspirou.

O detalhe constaria dos autos, depois. Requinte do dentista, sem dúvida, moço da capital, nascido e formado na Bahia, de onde viera para Ilhéus, após a colação de grau, há poucos meses, atraído pela fama da terra rica e próspera. Dera-se bem. Alugara aquele bangalô na praia, ali mesmo instalara o consultório, na sala da frente, e os passantes podiam ver, pela larga janela, das dez ao meio-dia, e das três às seis da tarde, a cadeira nova, reluzente de metais, de fabricação japonesa, o dentista elegante em sua bata branca trabalhando a boca dos clientes. O pai dera-lhe o dinheiro para o consultório, nos primeiros meses fornecia-lhe mesada para ajudar as despesas, era comerciante forte na Bahia, com loja na rua Chile. Consultório bem montado na sala da frente mas o fazendeiro encontrou a esposa foi no quarto, vestida apenas — como contava Ari e constou nos autos — com "depravadas meias pretas". Quanto ao dr. Osmundo Pimentel estava completamente descalço, sem meias de qualquer cor, nem nenhum outro traje a cobrir-lhe a arrogante juventude conquistadora. O fazendeiro disparou dois tiros em cada um, definitivos. Homem de pontaria louvada, acostumado a acertar balas no escuro das estradas em noites de barulhos e tocaias.

Nacib não tinha mãos a medir. Chico Moleza e Bico-Fino iam de mesa em mesa no bar cheio, servindo a uns e a outros, pescando de quando em vez um detalhe das conversas. O negrinho Tuísca ajudava, preocupado em saber quem lhe pagaria a conta semanal de doces do dentista, em cuja casa, todas as tardes, deixava bolo de milho e de aipim, cuscuz de mandioca também. De quando em vez, olhando o bar superlotado, consumidos já os doces e salgados do tabuleiro enviado pelas irmãs Dos Reis, Nacib praguejava contra a velha Filomena. Logo num dia desses, de tantas novidades e tamanhos acontecimentos, ela achara de ir embora, deixando-o sem cozinheira. Indo de mesa em mesa, participando das conversas, bebendo com os amigos, o árabe Nacib não podia se entregar por completo ao prazer dos comentários sobre a tragédia, como o desejaria, e certamente o faria se a preocupação de cozinheira não o afligisse. Histórias como aquela, de amores ilícitos e vingança mortal, com detalhes tão suculentos, meias pretas, meu Deus!, não aconteciam todos os dias. E ele obrigado a sair daí a pouco, em busca de cozinheira, no meio dos retirantes chegados ao "mercado dos escravos".

Chico Moleza, preguiçoso incurável, passava com copos e garrafas, ouvidos alertas, parando para escutar. Nacib o apressava:

— Anda, preguiça...

Chico parava ante as mesas, também ele era filho de Deus, queria também ele ouvir as novidades, saber das "meias pretas".

— Finíssimas, meu caro, estrangeiras... — Ari Santos acrescentava detalhes. — Mercadoria que não existe em Ilhéus...

— Certamente foi ele quem mandou vir da Bahia. Da loja do pai.

— O quê! — O coronel Manuel das Onças deixava cair o queixo de espanto. — Se vê cada uma nesse mundo...

— Tavam embolados quando Jesuíno entrou. Nem ouviram.

— E isso que a criada, quando viu Jesuíno, deu um grito...
— Nessa hora não se ouve nada... — disse o Capitão.
— Bem feito! O coronel fez justiça...
Dr. Maurício parecia já sentir-se no júri:
— Fez o que faria qualquer um de nós, num caso desses. Obrou como homem de bem: não nasceu pra cabrão e só há uma forma de arrancar os chifres, a que ele utilizou.

A conversa generalizava-se, falava-se de uma mesa para outra, e nem uma voz se levantava, naquela ruidosa assembleia, onde alguns dos notáveis da cidade se reuniam, em defesa da maturidade em fogo de Sinhazinha, trinta e cinco anos de adormecidos desejos despertados subitamente pela lábia do dentista e transformados em crepitante paixão. A lábia do dentista e suas melenas ondeadas, seus olhos derramados, tristonhos como os da imagem de são Sebastião trespassado de flechas no altar-mor da pequena igreja da praça, ao lado do bar. Ari Santos, companheiro do dentista nas sessões literárias do Grêmio Rui Barbosa, onde declamavam versos e liam prosa nas manhãs de domingo para reduzido auditório, contava como tudo começara: primeiro ela achara Osmundo parecido com são Sebastião, santo de sua devoção, os mesmos olhos, iguaizinhos.

— Esse negócio de muito frequentar igreja, dá nisso... — comentou Nhô-Galo, anticlerical conhecido.

— É mesmo... — concordou o coronel Ribeirinho. — Mulher casada que vive agarrada em saia de padre não é boa bisca...

Três dentes a obturar e a voz melosa do dentista ao ritmo do motor japonês, as palavras bonitas em comparações que nem versos...

— Ele tinha veia — afirmava o Doutor. — Uma vez declamou-me uns sonetos, primorosos. Rimas soberbas. Dignos de Olavo Bilac.

Tão diferente do marido áspero e soturno, vinte anos mais velho do que ela, o dentista doze anos mais moço! E aqueles olhos súplices de são Sebastião... Meu Deus! que mulher resistiria, sobretudo mulher na força da idade, com marido velho — vivendo mais na roça que em casa, farto da esposa, doido por cabrochas novas na fazenda, caboclinhas em flor, brusco nos modos —, e ademais mulher sem filhos nos quais pensar e dos quais cuidar. Como resistir?

— Não me venha defendê-la, a sem-vergonha, meu caro senhor Ari Santos... — cortou o dr. Maurício Caires. — Mulher honrada é fortaleza inexpugnável.

— O sangue... — disse o Doutor, a voz lúgubre como sob o peso de uma maldição eterna. — O sangue terrível dos Ávilas, o sangue de Ofenísia...

— E você a dar com o sangue... Querendo comparar uma história platônica que não passou de olhares sem consequência com essa orgia imunda. Comparar uma fidalga inocente com uma bacante, o nosso sábio imperador, modelo de virtudes, com esse dentista depravado...

— Quem está comparando? Falo apenas da hereditariedade, do sangue da minha gente...

— Não defendo ninguém — afirmou Ari —, estou apenas contando. Sinhazinha foi deixando as festas de igreja, frequentou os chás dançantes do Clube Progresso...

— Fator de dissolução dos costumes... — interrompeu dr. Maurício.

...foi prolongando o tratamento, já agora sem motor, trocada a cadeira de metais rutilantes do consultório pelo leito negro do quarto. Chico Moleza, parado com uma garrafa e um copo na mão, recolhia avidamente os detalhes, arregalados os olhos adolescentes, aberta também a boca num riso idiota. Ari Santos concluía com uma frase que lhe parecia lapidar:

— E assim o destino transforma uma senhora honesta, religiosa e tímida em heroína de tragédia...

— Heroína? Não me venha com literaturas. Não queira absolver a pecadora. Onde iríamos parar? — Dr. Maurício suspendia a mão num gesto ameaçador. — Tudo isso é resultado da degeneração dos costumes que começa a imperar em nossa terra: bailes e tardes dançantes, festinhas em toda parte, namorinhos na escuridão dos cinemas. O cinema ensinando como enganar os maridos, uma degradação.

— Ora, doutor, não culpe nem o cinema nem os bailes. Antes de existir tudo isso já as mulheres traíam os maridos. Esse costume vem de Eva com a serpente... — riu João Fulgêncio.

O Capitão o apoiou. O advogado via fantasmas. Ele também, Capitão, não desculpava mulher casada esquecida dos seus deveres. Mas, daí a querer culpar o Clube Progresso, os cinemas... Por que não culpava certos maridos que nem ligavam para as esposas, tratavam-nas como criadas, enquanto davam de um tudo, joias e perfumes, vestidos caros e luxo, às raparigas, às mulheres da vida que sustentavam, às mulatas para quem botavam casa? Bastava olhar ali mesmo na praça: aquele luxo de Glória vestindo-se melhor que qualquer senhora — será que o coronel Coriolano gastava tanto com a esposa?

— Também é uma velha decrépita...
— Não estou falando dela e sim do que se passa. É ou não é assim?
— Mulher casada é para viver no lar, criar os filhos, cuidar do esposo e da família...
— E as raparigas para esbanjar o dinheiro?
— Quem eu não acho tão culpado é o dentista. Afinal... — João Fulgêncio interrompia a discussão, as palavras indignadas do Capitão podiam ser mal interpretadas pelos fazendeiros presentes.

O dentista era solteiro, jovem, desocupado coração, se a mulher o achava parecido com são Sebastião que culpa tinha ele, não era sequer católico, formava com Diógenes a dupla de protestantes da cidade...

— Nem católico era, doutor Maurício.
— Por que não pensou ele, antes de acoitar-se com mulher casada, na honra impoluta do esposo? — inquiriu o advogado.
— Mulher é tentação, é o diabo, vira gente.
— E você acha que ela se atirou assim, sem mais nem menos, nos braços dele? Que ele não fez nada, inocente?

A discussão entre os dois admirados intelectuais — o advogado e João Fulgêncio, um solene e agressivo, defensor sectário da moral, o outro bonachão e risonho, amigo da blague e da ironia, nunca se sabendo quando falava a sério — empolgava a assistência. Nacib adorava ouvir uma discussão assim. Ainda mais estando presentes, e podendo participar, o Doutor, o Capitão, Nhô-Galo, Ari Santos...

Não, João Fulgêncio não achava Sinhazinha capaz de ter se atirado nos braços do dentista, assim sem mais nem menos. Que ele lhe dissera frases adocicadas, era perfeitamente possível. Mas — perguntava — não seria essa a mais mínima obrigação de um bom dentista? Galantear um pouco as clientes amedrontadas ante os ferros, o motor, a cadeira assustadora? Osmundo era bom dentista, dos melhores de Ilhéus, quem o negaria? E quem negaria também o medo que os dentistas inspiram? Frases para criar ambiente, afastar o temor, inspirar confiança.

— Obrigação de dentista é tratar dos dentes e não recitar versos às clientes bonitas, meu amigo. É o que eu afirmo e reafirmo: esses costumes depravados de terras decadentes estão querendo nos dominar... Começa a sociedade de Ilhéus a penetrar-se de veneno, direi melhor: de lama dissolvente...

— É o progresso, doutor.

— A esse progresso, eu chamo de imoralidade... — passou os olhos ferozes pelo bar, Chico Moleza chegou a estremecer.

A voz fanhosa de Nhô-Galo se elevou:

— De que costumes o senhor fala? Dos bailes, dos cinemas... Mas eu vivo aqui há mais de vinte anos e sempre conheci Ilhéus como uma terra de cabarés, de bebedeira farta, de jogatina, de mulheres-damas... Isso não é d'agora, sempre existiu.

— São coisas para homens. Não que eu as aprove. Mas não são coisas que atinjam as famílias como esses clubes onde mocinhas e senhoras vão dançar, esquecidas das obrigações familiares. O cinema é uma escola de depravação...

Agora o Capitão colocava outra pergunta: como podia um homem — e essa era também uma questão de honra — recusar uma mulher bonita quando ela, enleada por suas palavras, achando-o parecido com santo de igreja, tonteada pelo perfume em ondas das melenas negras, caía-lhe nos braços, obturados os dentes mas para sempre ferido o coração? O homem tem também sua honra de macho. Ao ver do Capitão, o dentista era mais vítima que culpado, mais digno de dó que de reprovação.

— Que faria você, seu doutor Maurício, se a dona Sinhazinha, com aquele corpo que Deus lhe deu, nua e de meias pretas, se atirasse em cima de você? Saía correndo, pedindo socorro?

Alguns ouvintes — o árabe Nacib, o coronel Ribeirinho, mesmo o coronel Manuel das Onças com seus cabelos brancos — pesaram a pergunta e a acharam irrespondível. Todos eles haviam conhecido dona Sinhazinha, haviam-na visto atravessar a praça, as carnes presas no vestido apertado, indo para a igreja, o ar sério e recolhido... Chico Moleza, esquecido de servir, suspirou ante a visão de Sinhazinha nua, atirando-se-lhe nos braços. Com o que foi expulso por Nacib:

— Vai servir, moleque. Onde já se viu?

Dr. Maurício sentia-se já em pleno júri:

— Vade retro!

Não era o dentista esse inocente que o Capitão (quase ia dizendo o nobre colega) descrevia. E para lhe responder, ia buscar na Bíblia, o livro dos livros, o exemplo de José...

— Que José?

— O que foi tentado pela mulher do faraó...

— Esse cara era brocha... — riu Nhô-Galo.

Dr. Maurício fuzilou com os olhos o funcionário da mesa de rendas:

— Tais pilhérias não se coadunam com a seriedade do assunto. Não era nenhum inocente o tal de Osmundo. Bom dentista podia ser, mas era também um perigo para a família ilheense...

E o descreveu como se estivesse ante o juiz e os jurados: bem-falante, apurado no vestir — e para que toda aquela elegância em terra onde os fazendeiros andavam de calça de montaria e botas altas? Não já era prova de decadência dos costumes, responsável pela decadência moral? Revelara-se, logo ao chegar à cidade, um dançarino emérito de tango argentino. Ah! esse clube onde aos sábados e domingos moças e rapazes, mulheres casadas, iam rebolar-se... Esse tal de Clube Progresso que melhor se chamaria Clube da Esfregação... Nele o pudor e o recato desapareciam... Qual mariposa, Osmundo namorara, em seus oito meses de Ilhéus, meia dúzia das mais belas moças solteiras, pulando de uma em uma, leviano coração. Porque moças casadoiras não lhe interessavam, queria era mulher casada, banquetear-se gratuitamente em mesa alheia. Um malandrim, desses muitos que agora começavam a aparecer nas ruas de Ilhéus. Pigarreou, balançou a cabeça, já agradecendo as palmas que no júri não faltariam, apesar das repetidas proibições do juiz.

Também no bar não faltaram aplausos:

— Bem dito... — apoiou o fazendeiro Manuel das Onças.

— Não há dúvida, é isso mesmo... — disse Ribeirinho. — Foi bom exemplo, Jesuíno agiu como devia.

— Não discuto isso — falou o Capitão. — Mas a verdade é que você, doutor Maurício, e muitos outros são é contra o progresso.

— Desde quando progresso é safadeza?

— São contra, sim, e não me venha com essa conversa de safadeza numa terra cheia de cabarés e de mulheres perdidas. Onde cada homem rico tem sua rapariga. Vocês são contra o cinema, um clube social, até as festas familiares. Vocês querem as mulheres trancadas em casa, na cozinha...

— O lar é a fortaleza da mulher virtuosa.

— Quanto a mim, não sou contra nada disso — explicou o coronel Manuel das Onças. — Até gosto de um cinema para me distrair quando a fita é cômica. Arrastar o pé, não, não estou mais na idade. Mas isso é uma coisa e outra é achar que mulher casada tem o direito de enganar o marido.

— E quem disse isso? Quem está de acordo?

Nem mesmo o Capitão, homem vivido, tendo morado no Rio e reprovando muitos dos hábitos de Ilhéus, nem mesmo ele sentia-se com coragem para opor-se de frente à lei feroz. Tão feroz e rígida que o pobre dr. Felismino, médico chegado uns quantos anos antes a Ilhéus para tentar a clínica, ali não pudera continuar, após ter descoberto os amores de sua esposa Rita com o agrônomo Raul Lima, e havê-la abandonado ao amante. Feliz, aliás, com a inesperada oportunidade de livrar-se da mulher insuportável, com a qual casara nem ele mesmo sabia por quê. Poucas vezes sentira-se tão satisfeito como ao descobrir o adultério: o agrônomo, enganado a respeito de suas intenções, a correr, seminu, pelas ruas de Ilhéus. A Felismino vingança nenhuma parecia melhor, mais refinada e tremenda: entregar ao amante a responsabilidade dos desperdícios de Rita, seu amor ao luxo, seu insuportável mandonismo. Mas Ilhéus não possuía tanto senso de humor, ninguém o compreendera, consideraram-no um cínico, covarde e imoral, sua iniciada clientela esfumou-se, houve quem lhe negasse a mão, apelidaram-no de "boi manso". Não teve outro jeito, foi-se embora para sempre.

DA LEI PARA AS RAPARIGAS

NAQUELE DIA, DE BAR EXCITADO E QUASE FESTIVO, MUITAS HISTÓRIAS FORAM recordadas, além da melancólica aventura do dr. Felismino. Histórias em geral terríveis, de amor e traição, vinganças de arrepiar. E, como não podia deixar de acontecer, com a proximidade de Glória na janela, ansiosa e solitária, sua empregada andando entre os grupos na praia, vindo ao bar à cata de informações, alguém relembrou o caso famoso de Juca Viana e Chiquinha. Não se tratava, é claro, de acontecimento semelhante ao daquela tarde, os coronéis reservavam a pena de morte para traição de esposa. Rapariga não merecia tanto. Assim pensava também o coronel Coriolano Ribeiro.

Quando tomavam conhecimento de infidelidades das mulheres que sustentavam — ou pagando-lhes o quarto, a comida e o luxo em pensões de prostitutas ou alugando-lhes casa nas ruas menos frequentadas —, contentavam-se com largá-las, substituí-las no conforto que lhes proporcionavam. Arranjavam outra. Já sucedera, no entanto, tiro e morte, mais de uma vez, devido a rapariga. Não tinham, por exemplo, o coronel Ananias e o comerciário Ivo, conhecido como "El Tigre" por sua maestria de centroavante do Vera-Cruz F. C., trocado tiros no Pinga de Ouro, por causa de Joana, pernambucana bexigosa, ainda recentemente?

Fora o coronel Coriolano Ribeiro dos primeiros a atirar-se às matas e a plantar cacau. Poucas fazendas podiam comparar-se com a sua, terras magníficas, onde em três anos os cacaueiros começavam a produzir. Homem de influência, compadre do coronel Ramiro Bastos, dominava ele um dos mais ricos distritos de Ilhéus. De hábitos simples, conservava os costumes dos velhos tempos, sóbrio em suas necessidades: seu único luxo era rapariga de casa montada. Vivia quase sempre na fazenda, aparecendo em Ilhéus a cavalo, desprezando o conforto do trem e das recentes marinetes, vestido com calça porta-de-loja, paletó batido pelas chuvas, chapéu de respeitável idade, botas sujas de lama. Gostava mesmo era da roça, das plantações de cacau, de dar ordens aos trabalhadores, meter-se pela mata. As más-línguas diziam que, na fazenda, ele só comia arroz aos domingos ou em dias feriados, tão econômico era, contentando-se com o feijão e o pedaço de carne-seca, refeição dos trabalhadores. No entanto sua família vivia na Bahia no maior conforto, em casa grande na Barra, o filho na escola de direito, a filha nos bailes da Associação Atlética. A esposa envelhecera precocemente, nos tempos das lutas, nas noites ansiosas quando o coronel partia à frente dos jagunços.

— Um anjo de bondade, um demônio de feiura... — dizia dela João Fulgêncio, quando alguém criticava o abandono em que o coronel deixava a esposa, indo à Bahia só de raro em raro.

Mesmo quando sua família residia em Ilhéus — na casa onde agora instalara Glória —, nunca deixara o coronel de ter rapariga de mesa e cama. Por vezes, ao chegar da fazenda, era para a "filial" que se dirigia, ali descia do cavalo, antes mesmo de ir ver a família. Eram seu luxo, sua alegria na vida, essas cabrochas, mulatinhas no verdor dos anos, que o tratavam como se ele fosse um rei.

Logo que os filhos chegaram à idade de colégio, transferiu a família para a Bahia, parava na casa da rapariga. Ali recebia os amigos, tratava de negócios, discutia política, estendido numa rede, a pitar um cigarro de palha. O próprio filho — quando nas férias dava um pulo a Ilhéus e à fazenda — ali o devia procurar. Homem de economizar vintém consigo próprio, era mão-aberta com as raparigas, gostava de vê-las luxando, abria para elas conta nas lojas.

Antes de Glória, muitas outras haviam se sucedido nas boas graças do coronel, em amigações que em geral duravam certo tempo. Rapariga sua era trancada em casa, pouco saindo, solitária, sem direito a amizades, a visitas. "Um monstro de ciúmes", diziam dele.

— Não gosto de pagar mulher pros outros... — explicava o coronel quando lhe tocavam no assunto.

Quase sempre era a mulher quem o abandonava, farta daquela vida de cativa, de escrava bem alimentada e bem-vestida. Algumas iam parar nas casas de prostituição, outras voltavam para as roças, uma viajara para a Bahia, levada por um caixeiro-viajante. Por vezes, no entanto, era o coronel quem se fartava, precisava carne nova. Descobria, quase sempre em sua própria fazenda ou nos povoados, uma cabocliha simpática, mandava a anterior embora. Nesses casos, gratificava-a bem. Para uma delas, que com ele vivera mais de três anos, montara uma quitanda na rua do Sapo. De quando em quando ia lá visitá-la, sentava-se a conversar, interessava-se pelo andamento dos negócios. Sobre as raparigas do coronel Coriolano contavam-se múltiplas histórias.

A de uma certa Chiquinha, de extrema juventude e timidez, ficara como exemplo. Menina de dezesseis anos, parecendo ter medo de tudo, franzina, os olhos meigos saltando do rosto, fora descoberta e trazida, pelo coronel, de suas terras para uma casa de rua de canto. Lá ele amarrava seu cavalo alazão ao vir à cidade. Andava o coronel pelos seus cinquenta anos e era ele próprio, tão tímida e encabulada parecia Chiquinha, quem lhe comprava sapatos e cortes de fazenda, vidros de perfume. Ela, mesmo nas horas de completa intimidade, tratava-o respeitosamente de "senhor" e "coronel". Coriolano babava-se de contente.

Estudante em férias, Juca Viana descobriu Chiquinha num dia de procissão. Começou a rondar a casa na rua mal iluminada, amigos o avisaram do perigo: com rapariga do coronel Coriolano ninguém se metia, o coronel não era homem de meias conversas. Juca Viana, segundanista de direito, tirado a valente, encolheu os ombros. Dissolveu-se a timidez de Chiquinha ante o atrevido bigode estudantil, as roupas elegantes, as promessas de amor. Começou por abrir a janela, quase sempre fechada quando o fazendeiro não estava. Abriu a porta uma noite, Juca fez-se parceiro do coronel no leito da rapariga. Sócio sem capital e sem obrigações, levando o melhor dos lucros no ardor da paixão, que logo se fez conhecida e comentada na cidade inteira.

Ainda hoje a história, em todos os seus detalhes, é relembrada na Papelaria Modelo, nas conversas das solteironas, ante os tabuleiros de gamão. Juca Viana perdera o senso da prudência, entrava, em plena luz do dia, na casa — de aluguel pago por Coriolano. A tímida Chiquinha transformou-se em atrevida amante, chegando ao cúmulo de sair à noite, de braço dado com Juca, para deitarem-se os dois na praia deserta, sob o luar. Duas crianças pareciam, ela com seus dezesseis, ele com vinte anos incompletos, fugidos de um poema bucólico.

Os cabras do coronel chegaram no princípio da noite, beberam acintosamente umas cachaças no bar mal frequentado de Toinho Cara de Bode, resmungaram ameaças e partiram para a casa de Chiquinha. Jogavam os amantes jogos de amor no leito pago pelo coronel, apaixonados e confiantes, sorrindo um para o outro, felizes. Os vizinhos próximos ouviam risos e suspiros entrecortados, de quando em vez a voz de Chiquinha num gemido: "Ai, meu amor!". Os cabras entraram pelo quintal, os vizinhos próximos e distantes ouviram novos rumores, toda a rua acordou com os gritos, neutra se reuniu em frente à casa. Foi, segundo contam, surra de criar bicho, no rapaz e na moça; e rasparam o cabelo dos dois, de tranças compridas o de Chiquinha, ondeado e loiro o de Juca Viana, e lhes deram ordens, em nome do indignado coronel, de desaparecer naquela mesma noite e para sempre de Ilhéus.

Juca Viana era agora promotor em Jequié, nem mesmo depois de formado voltara a Ilhéus. De Chiquinha não se teve mais notícia.

Conhecendo essa história, quem se atreveria a transpor, sem expresso convite do coronel, a soleira da porta de rapariga sua? Sobretudo a pesada porta da casa de Glória, a mais apetitosa, a mais esplêndida de quantas mancebas abrigara Coriolano? O coronel envelhecera, sua força política já não era a mesma, mas a lembrança do exemplo de Juca Viana e Chiquinha persistia, e o próprio Coriolano encarregava-se de relembrá-lo quando isso lhe parecia necessário. Recentes eram os sucessos ocorridos no cartório de Tonico Bastos.

DO SIMPÁTICO VILÃO

TONICO BASTOS, O HOMEM, POR EXCELÊNCIA, ELEGANTE DA CIDADE, OLHEIRAS negras e romântica cabeleira de fios prateados, o paletó azul e a calça branca, os sapatos brilhando de lustro, um verdadeiro dândi, entrava no bar com seu passo despreocupado quando vinham de pronunciar seu nome. Fez-se um silêncio incômodo na roda, ele perguntou suspeitoso:

— De que falavam? Ouvi meu nome.

— De mulheres, de que havia de ser? — disse João Fulgêncio. — E, falando-se de mulheres, seu nome veio à baila. Como não podia deixar de acontecer...

Abriu-se o rosto de Tonico num sorriso, puxou uma cadeira, aquela fama de conquistador, de irresistível, era sua razão de viver. Enquanto o irmão Alfredo, médico e deputado, examinava crianças em seu consultório, em Ilhéus, fazia discursos na Câmara, na Bahia, ele trocava pernas pelas ruas, metendo-se com raparigas, corneando os fazendeiros nos leitos das concubinas. Mulher nova, desembarcada na cidade, sendo bonita, logo encontrava Tonico Bastos rodando em torno de sua saia, dizendo-lhe galanteios, gentil e ousado. A verdade é que tinha sucesso, e multiplicava esse sucesso nas conversas sobre mulheres. Era amigo de Nacib e vinha, em geral, na hora da sesta, quando o bar cochilava vazio, espantar o árabe com suas histórias, suas conquistas, a ciumeira das mulheres por sua causa. Não havia em Ilhéus pessoa a quem Nacib tanto admirasse.

As opiniões variavam sobre Tonico Bastos. Uns o consideravam bom rapaz, um pouco interesseiro e um pouco gabola, mas de agradável conversa e, no fundo, inofensivo. Outros achavam-no burro e cheio de si, incapaz e covarde, preguiçoso e suficiente. Mas sua simpatia era indiscutível: aquele sorriso de homem satisfeito com a vida, a conversa cativante. O próprio Capitão o dizia, quando falavam a seu respeito:

— É um canalha simpático, um irresistível mau-caráter.

Não conseguira Tonico Bastos passar do terceiro ano de engenharia, nos sete levados a cursar a faculdade, no Rio, para onde o enviara o coronel Ramiro, farto dos seus escândalos na Bahia. Cansado de lhe remeter dinheiro, desiludido de ver aquele filho formado, exercendo a profissão com capricho, como Alfredo, o coronel fê-lo voltar a Ilhéus, arranjou-lhe o melhor cartório da cidade e a noiva mais rica.

Rica, filha única de viúva, órfã de um fazendeiro que deixara a pele no fim das lutas, dona Olga era sobretudo incômoda. Não herdara Tonico a coragem do pai, por mais de uma vez haviam-no visto empalidecer e gaguejar quando envolvido em complicações nas ruas de mulheres, mas nem mesmo isso podia explicar o medo que tinha da esposa. Medo, sem dúvida, de um escândalo a prejudicar o velho Ramiro, homem conceituado e respeitado. Pois dona Olga vivia ameaçando com escândalos, era uma boca de trapo, na sua opinião todas as mulheres andavam atrás de Tonico. A vizinhança ouvia diariamente as ameaças da gorda senhora, os sermões ao marido:

— Se um dia eu souber que você anda metido com mulher!...

Em sua casa não parava empregada: dona Olga suspeitava de todas, despedia-as ao menor pretexto, andavam certamente cobiçando seu belo esposo. Olhava com desconfiança as moças do colégio das freiras, as senhoras nos bailes do Clube Progresso, seu ciúme tornara-se lendário em Ilhéus. Seu ciúme e sua má-educação, seus modos brutos, suas gafes colossais.

Não que tivesse conhecimento das aventuras de Tonico, que suspeitasse estar ele em casa de mulheres quando saía à noite "para tratar de política", como lhe explicava. O mundo viria abaixo se soubesse. Mas Tonico tinha lábia, encontrava sempre maneira de enganá-la, de acalmar seu ciúme. Não havia homem mais circunspecto do que ele, quando, após o jantar, dava uma volta com a esposa na avenida da praia, tomava um sorvete no Bar Vesúvio, ou a levava ao cinema.

— Olhem como ele vai sério com o seu elefante... — diziam, ao vê-lo passar, referindo-se ao seu ar tão digno e à gordura de Olga, estourando os vestidos.

Era outro homem minutos depois, após conduzi-la de volta à casa da rua dos Paralelepípedos, onde também ficava o cartório, quando saía para "conversar com os amigos e fazer política". Ia dançar nos cabarés, cear em casas de mulheres, muito requestado; por ele se engalfinhavam raparigas, trocavam insultos, chegavam a agarrar-se pelos cabelos.

— Um dia a casa cai... — comentavam. — Dona Olga sabe, vai ser um fim de mundo.

Várias vezes estivera para acontecer. Mas Tonico Bastos envolvia a esposa numa rede de mentiras, aplacava-lhe as suspeitas. Não era barato o preço a pagar pela posição de homem irresistível, de conquistador número um da cidade.

— O que é que você me diz do crime? — perguntou Nhô-Galo.
— Que horror, hein! Uma coisa assim...
Contaram-lhe das meias pretas, Tonico pinicou um olho entendido. Voltavam a relembrar casos semelhantes, o do coronel Fabrício, que esfaqueara a mulher e mandara os jagunços atirar no amante, quando este voltava de uma reunião na maçonaria. Costumes cruéis, tradição de vingança e sangue. Uma lei inexorável.

Também o árabe Nacib, apesar de suas preocupações — os doces e salgados das irmãs Dos Reis tinham-se evaporado —, participava da conversa. E, como sempre, para dizer que na Síria, terra de seus pais, era ainda mais terrível. Parado junto à mesa, de pé, o corpanzil enorme, dominava a assistência. O silêncio se estendia pelas outras mesas, para melhor ouvi-lo:

— Na terra de meu pai ainda é pior... Lá, honra de homem é sagrada, com ela ninguém brinca. Sob pena de...
— De quê, árabe?

Passava o olhar demoradamente pelos ouvintes, seus fregueses e amigos, tomava um ar dramático, avançava a cabeçorra:

— Lá mulher sem-vergonha se acaba é a faca, devagarinho. Cortando em pedacinhos...
— Em pedacinhos? — a voz fanhosa de Nhô-Galo.

Nacib aproximava o rosto balofo, as grandes bochechas cândidas, armava uma cara assassina, torcia a ponta do bigode:

— Sim, compadre Nhô, lá ninguém se contenta com matar a desavergonhada, com essa coisa de dois ou três tirinhos nela e no safardana. Lá é terra de homem macho e para mulher descarada o tratamento é outro: cortar a peste em pedacinhos, começando do bico dos peitos...

— Do bico dos peitos, que barbaridade — até o coronel Ribeirinho sentia-se estremecer.

— Que barbaridade nem nada! Mulher que trai o marido não merece menos. Eu, se fosse casado e minha mulher me iluminasse a testa, ah!, comigo era na lei síria: picadinho com o corpo dela... Não faria por menos.

— E o amante? — interessou-se o dr. Maurício Caires, impressionado.
— O manchador da honra alheia? — Ficou parado, quase tenebroso, levantou a mão, riu um pequeno riso cavo. — O miserável, ah!... Bem seguro por uns quantos homens, desses sírios rijos das montanhas, tiram-lhe as calças, afastam-lhe as pernas... e o marido, com a navalha de barba bem afiada... — Baixava a mão num gesto rápido descrevendo o resto.

— O quê! Não me diga!
— Isso, doutor. Capadinho da silva...
João Fulgêncio passou a mão no queixo:
— Estranhos costumes, Nacib. Enfim, cada terra com seu uso...
— É o diabo — disse o Capitão. — E, fogosas como são essas turcas, deve haver muito capado por lá...
— Também quem manda se meter em casa alheia para roubar o que não é seu? — dr. Maurício aprovava. — E logo a honra de um lar.
O árabe Nacib triunfava, sorria, olhava com carinho seus fregueses. Gostava daquela profissão de dono de bar, daquelas prosas, discussões, das partidas de gamão e damas, do joguinho de pôquer.
— Vamos à nossa partida... — convidava o Capitão.
— Hoje, não. Muito movimento. E daqui a pouco vou sair, procurar cozinheira.
O Doutor aceitou, foi sentar-se com o Capitão ante o tabuleiro. Nhô-Galo foi com eles, jogaria com o vencedor. Enquanto batiam as pedras, o Doutor ia contando:
— Houve um caso parecido com um dos Ávilas... Meteu-se com a mulher de um capataz, foi um escândalo, o marido descobriu...
— E capou seu parente?
— Quem falou em castrar? O marido apareceu armado, só que meu bisavô atirou antes dele...
A roda dissolvia-se aos poucos, aproximava-se a hora do jantar. Vindos do hotel para o cinema, surgiam, como pela manhã, Diógenes e o casal de artistas. Tonico Bastos queria detalhes:
— Exclusividade de Mundinho?
Do tabuleiro de gamão, sentindo-se um pouco senhor dos atos de Mundinho, o Capitão informava:
— Não. Não tem nada com ela. Está livre como um passarinho, à disposição...
Tonico assoviou entre dentes. O casal dava boa-tarde, Anabela sorria.
— Vou até lá, cumprimentá-la em nome da cidade...
— Não misture a cidade nisso, seu malandro.
— Cuidado com a navalha do marido... — riu Nhô-Galo.
— Vou com você... — disse o coronel Ribeirinho.
Mas não chegaram a ir, pois apareceu o coronel Amâncio Leal e a curiosidade foi mais forte: sabiam todos ter-se Jesuíno homiziado em sua casa, após o crime. Saciada sua vingança, retirara-se o coronel calma-

mente, para evitar o flagrante. Atravessara a cidade movimentada pela feira, sem apressar o passo, fora para a casa do amigo e companheiro dos tempos dos barulhos, mandara avisar ao juiz que no dia seguinte se apresentaria. Para ser imediatamente enviado em paz, aguardar em liberdade o julgamento, como era costume em casos idênticos. O coronel Amâncio procurava alguém com os olhos, aproximou-se do dr. Maurício:

— Podia lhe dar uma palavra, doutor?

Levantou-se o advogado, andaram os dois para os fundos do bar, o fazendeiro dizia algo, Maurício balançava a cabeça, voltava para buscar o chapéu:

— Com licença. Devo retirar-me.

O coronel Amâncio cumprimentava:

— Boa tarde, senhores.

Tomavam pela rua Coronel Adami, morava Amâncio na praça do grupo escolar. Alguns, mais curiosos, puseram-se de pé para vê-los subindo a rua, silenciosos e graves como se acompanhassem procissão ou enterro.

— Vai contratar doutor Maurício para a defesa.

— Está em boas mãos. Vamos ter, no júri, o Velho e o Novo Testamento.

— Também... Nem precisa advogado. Absolvição certa.

O Capitão voltava-se, segurando uma pedra do gamão, desafogava:

— Esse Maurício é um saco de hipocrisia... Viúvo descarado.

— Dizem que não há negrinha que se aguente em suas mãos...

— Já ouvi falar...

— Tem uma, do morro do Unhão, vem quase toda noite pra sua casa.

Na porta do cinema voltavam a aparecer o Príncipe e Anabela, Diógenes a comboiá-los com sua cara triste. A mulher tinha um livro na mão.

— Vêm para cá... — murmurou o coronel Ribeirinho.

Levantavam-se à aproximação de Anabela, ofereciam cadeiras. O livro, um álbum encadernado em couro, passava de mão em mão. Continha recortes de jornais e opiniões manuscritas sobre a dançarina.

— Depois de minha estreia quero a opinião dos senhores todos — estava de pé, não aceitara sentar-se: "Já vamos para o hotel", encostava-se na cadeira do coronel Ribeirinho.

Estrearia no cabaré naquela mesma noite, no outro dia exibir-se-iam, ela e o Príncipe, no cinema, em números de prestidigitação. Ele hipnotizava, era um colosso na telepatia. Acabavam de fazer uma demonstração para Diógenes, o dono do cinema confessava nunca ter visto nada igual. No átrio da igreja, as solteironas, já tão excitadas com o duplo assassinato, fitavam a cena, apontavam a mulher:

— Mais uma para virar a cabeça dos homens...

Anabela perguntava numa voz meiga:

— Ouvi dizer que hoje houve um crime aqui?

— Verdade. Um fazendeiro matou a mulher e o amante.

— Coitadinha... — comoveu-se Anabela, e essa foi a única palavra a lastimar o triste destino de Sinhazinha, nessa tarde de tantos comentários.

— Costumes feudais... — pronunciou Tonico Bastos voltado para a dançarina. Aqui ainda vivemos no século passado.

O Príncipe sorria, desdenhoso, aprovou com a cabeça, engoliu a cachaça pura, não gostava de misturas. João Fulgêncio restituía o álbum onde lia elogios ao trabalho de Anabela. O casal despedia-se. Ela queria descansar antes da estreia:

— Espero todos hoje no Bataclan.

— Lá estaremos, com certeza.

As solteironas enchiam o átrio da igreja, escandalizadas, persignavam-se. Terra de perdição, essa de Ilhéus... No portão da casa do coronel Melk Tavares, o professor Josué conversava com Malvina. Glória suspirava em sua janela solitária. A tarde caía sobre Ilhéus. O bar começava a despovoar-se. O coronel Ribeirinho partira no rastro dos artistas.

Tonico Bastos vinha encostar-se ao balcão, junto à caixa. Nacib vestia o paletó, dava ordens a Chico Moleza e a Bico-Fino. Tonico contemplava absorto o fundo quase vazio do cálice.

— Pensando na dançarina? Aquilo é comida de luxo, é preciso gastar os tubos... A concorrência vai ser grande. Ribeirinho já está de olho

— Estava pensando em Sinhazinha. Que horror, seu Nacib...

— Já tinham me falado dela com o dentista. Juro que não acreditei. Era tão séria.

— Você é um ingênuo — servia-se ele mesmo, íntimo do bar, enchia novamente o copo, mandava botar na conta, pagava no fim do mês. — Mas podia ter sido pior, bem pior.

Nacib baixou a voz, assombrado:

— Você também navegou naquelas águas?

Tonico não teve coragem de afirmar, bastava-lhe criar a dúvida, a suspeita. Fez um gesto com a mão.

— Parecia tão séria... — a voz de Nacib se acanhalava. — Vai-se ver e debaixo dessa seriedade toda... Você, hein!

— Não seja má-língua, árabe. Deixe os mortos em paz.

Nacib abriu a boca, ia dizer qualquer coisa, não disse, apenas suspirou. Então o dentista não tinha sido o primeiro... Esse danado do Tonico, com sua faixa de cabelos brancos, mulherengo como ele só, também a tivera nos braços, tomara daquele corpo. Quantas vezes, ele, Nacib, não a acompanhara com olhos de cobiça e respeito, quando Sinhazinha passava frente ao bar para a igreja.

— É por isso que não me caso nem me meto com mulher casada.

— Nem eu... — disse Tonico.

— Cínico...

Encaminhava-se para a rua:

— Vou ver se encontro cozinheira. Chegaram uns retirantes, quem sabe tem alguma que sirva.

Na janela de Glória, o negrinho Tuísca contava-lhe as novidades, detalhes do crime, coisas ouvidas no bar. Agradecida, a mulata afagava a carapinha do moleque, beliscava-lhe o rosto. O Capitão, tendo ganho a partida, olhava a cena:

— Eta negrinho feliz!

DA HORA TRISTE DO CREPÚSCULO

ANDANDO PARA A ESTRADA DE FERRO, NA HORA TRISTE DO CREPÚSCULO, O CHAPELÃO de abas largas, o revólver na cinta, Nacib recordava Sinhazinha. Do interior das casas vinha um ruído de mesas postas, risos e conversas. Falariam certamente de Sinhazinha e de Osmundo. Nacib a recordava com ternura, a desejar, no escondido do coração, fosse esse miserável Jesuíno Mendonça, sujeito arrogante e antipático, condenado pela justiça, coisa impossível, bem certo, porém merecida. Costumes ferozes esses de Ilhéus...

Porque toda aquela fanfarronada de Nacib, suas histórias terríveis da Síria, a mulher picadinha a faca, o amante capado a navalha, era tudo da boca para fora. Como poderia ele achar que mulher moça e bonita pudesse merecer a morte por ter enganado homem velho e bruto, incapaz certamente de um carinho, de uma palavra terna? Essa terra de Ilhéus, sua terra, estava longe de ser realmente civilizada. Falava-se muito em progresso, o dinheiro corria solto, o cacau rasgava estradas, erguia povoados, mudava o aspecto da cidade, mas conservavam-se os costumes antigos, aquele horror. Nacib não tinha coragem de dizer tais coisas em voz alta, só mesmo Mundinho Falcão podia se dar a esse atrevimento, mas, nessa hora melancólica de sombras caindo, ele ia pensando e uma tristeza o invadia, sentia-se cansado.

Por essas e outras ele, Nacib, não se casava: para não ser enganado, não ter de matar, derramar o sangue alheio, enfiar cinco tiros no peito de uma mulher. E bem gostaria de casar... Sentia falta de um carinho, de ternura, um lar, casa cheia com uma presença feminina a esperá-lo no meio da noite, quando fechasse o bar. Pensamento a persegui-lo de quando em quando, como agora no caminho do "mercado dos escravos". Não era homem para andar atrás de noiva, não tinha sequer tempo, o dia inteiro no bar. Sua vida sentimental reduzia-se aos xodós, mais ou menos longos, com raparigas encontradas nos cabarés, mulheres ao mesmo tempo dele e de outros, aventuras fáceis nas quais não cabia o amor. Quando mais jovem, tivera duas ou três namoradas. Mas, como então não podia pensar em casar-se, tudo não passara de conversas sem consequência, bilhetinhos marcando encontro nos cinemas, tímidos beijos trocados nas matinês.

Hoje não lhe sobrava tempo para namoros, o bar o ocupava o dia inteiro. Queria era ganhar dinheiro, prosperar, para poder comprar terras onde plantar cacau. Como todos os ilheenses, Nacib sonhava com roças de cacau, terras onde crescessem as árvores de frutos amarelos como ouro, valendo ouro. Talvez então pensasse em casamento. Por ora contentava-se em botar olhos compridos nas belas senhoras que passavam na praça, em Glória inacessível em sua janela, em descobrir novatas como Risoleta, deitar-se com elas.

Sorriu ao recordar a sergipana da véspera, seu olho um pouco vesgo, sua sabedoria na cama. Iria ou não vê-la novamente naquela noite? Ela o esperaria certamente, no cabaré, mas ele estava cansado e triste. Novamente pensou em Sinhazinha: muitas vezes ficara parado, em frente ao bar, vendo-a passar na praça, entrar na igreja. Os olhos cobiçando o bem do fazendeiro, manchando a honra alheia com o pensamento, já que não podia manchá-la com atos e desatinos. Não sabia palavras bonitas como versos, não tinha melenas ondeadas, não dançava o tango argentino no Clube Progresso. Se o fizesse talvez fosse ele a estar estendido no meio do sangue, o peito furado de balas, ao lado da mulher calçada de meias pretas.

    Nacib marcha no crepúsculo, de vez em quando responde a um boa-tarde, seu pensamento longe. O peito furado de balas, os seios alvos da amante rasgados de balas. Via a cena, os dois cadáveres lado a lado, nus em meio ao sangue, ela de meias pretas. Com ligas — talvez — ou sem ligas, como seria? Sem ligas parecia-lhe mais elegante, meias de fina malha prendendo na carne branca sem ajuda de nada. Bonito! Bonito e triste. Nacib suspira, já não enxerga o dentista Osmundo ao lado de Sinhazinha. Era o próprio Nacib quem ele via, um tanto quanto mais magro e menos barrigudo, estendido morto, assassinado, ao lado da mulher. Uma beleza! O peito rasgado de balas. Suspirou novamente. Coração romântico, as histórias terríveis que ele contava nada significavam. Nem o revólver que conduzia no cinto, como todo homem em Ilhéus. Hábitos da terra... Ele gostava mesmo era de comer bem, bons pratos apimentados, beber sua cerveja geladinha, jogar uma apurada partida de gamão, atravessar madrugadas chorando cartas no pôquer, receoso de perder no jogo os lucros do bar, que ele ia depositando no banco, na esperança de comprar terras. De falsificar a bebida para ganhar mais, aumentar cuidadosamente uns mil-réis nas contas dos que pagavam por mês, de acompanhar os amigos ao cabaré, acabar a noite nos braços de uma Risoleta qualquer, xodó de alguns dias. Dessas coisas e das morenas queimadas na cor, ele gostava. De conversar também e rir.

DE COMO NACIB CONTRATOU UMA COZINHEIRA OU DOS COMPLICADOS CAMINHOS DO AMOR

DEIXOU PARA TRÁS A FEIRA ONDE AS BARRACAS ESTAVAM SENDO DESMONTADAS, as mercadorias recolhidas. Atravessou por entre os edifícios da estrada de ferro. Antes de começar o morro da Conquista ficava o "mercado dos escravos". Alguém assim apelidara, há tempos, o lugar onde os retirantes acampavam à espera de trabalho. O nome pegara, ninguém chamava de outra maneira. Amontoavam-se ali os sertanejos fugidos da seca, os mais pobres entre quantos deixavam suas casas e suas terras no apelo do cacau.

Fazendeiros examinavam a leva recente, o chicote batendo nas botas. Os sertanejos gozavam fama de bons trabalhadores.

Homens e mulheres, esgotados e famélicos, esperavam. Viam a feira distante, onde havia de um tudo, uma esperança enchia-lhes o coração. Tinham conseguido vencer os caminhos, a caatinga, a fome e as cobras, as moléstias endêmicas, o cansaço. Atingiam a terra farta, os dias de miséria pareciam terminados. Ouviam contar histórias espantosas, de morte e violência, mas sabiam do preço do cacau em alta, sabiam de homens chegados como eles, do sertão em agonia, e agora andando de botas lustrosas, empunhando chicotes de cabo de prata. Donos de roças de cacau.

Na feira explodia uma rixa, gente corria, uma navalha brilhava aos últimos raios do sol, os gritos chegavam até ali. Todo fim de feira era assim, com bêbedos e barulhos. Do meio dos sertanejos subiam sons melodiosos de harmônica, uma voz de mulher cantava toadas.

O coronel Melk Tavares fez um sinal ao tocador de harmônica, o instrumento silenciou:

— Casado?

— Inhô não.

— Quer trabalhar para mim? — Apontava outros homens já selecionados por ele. — Um bom tocador nunca é demais numa fazenda. Alegra as festas... — Ria convincente, dele diziam saber escolher como ninguém homens bons para o trabalho. Suas fazendas ficavam em Cachoeira do Sul, as grandes canoas estavam esperando ao lado da ponte da estrada de ferro.

— De agregado ou de empreiteiro?

— A escolher. Tenho umas matas a derrubar, preciso de empreiteiros. — Os sertanejos preferiam as empreitadas, o plantio de cacau novo, a possibilidade de ganhar dinheiro por sua conta e risco.
— Inhô sim.
Melk avistava Nacib, pilheriava:
— Botou roça, Nacib, vem contratar alugados?
— Quem sou eu, coronel... Busco cozinheira, a minha foi embora hoje...
— E o que me diz do sucedido? O Jesuíno...
— Pois é... Uma coisa assim, de repente...
— Já lhe levei meu abraço na casa do Amâncio. É que subo para a fazenda ainda hoje, levando esses homens... Com o sol, vai ser uma safra e tanto. — Mostrava os homens que selecionara, agora agrupados a seu lado. — Esses sertanejos são bons no trabalho. Não é como essa gente daqui. Grapiúna não gosta de pegar no pesado, gosta é de ficar vagabundando na cidade...
Outro fazendeiro percorria os grupos, Melk continuava:
— Sertanejo não mede trabalho, quer é ganhar dinheiro. Às cinco da manhã já estão na roça, só largam a enxada depois do sol deitar. Tendo feijão e carne-seca, café e pinga, estão contentes. Pra mim, não há trabalhador que valha esses sertanejos — afirmava como autoridade na matéria.
Nacib examinava os homens contratados pelo coronel, aprovava a escolha. Invejava o outro, dono de terras, montado em suas botas, contratando homens para a lavoura. Quanto a ele, buscava apenas uma mulher não muito moça, séria, capaz de assegurar-lhe a limpeza da pequena casa da ladeira de São Sebastião, a lavagem da roupa, a comida para ele, os tabuleiros para o bar. Nisso estivera o dia inteiro, andando de um lado para o outro.
— Cozinheira por aqui é dureza... — dizia Melk.
Instintivamente, Nacib buscava entre as sertanejas alguma parecida com Filomena, mais ou menos de sua idade, com seu jeito resmungão. O coronel Melk apertava-lhe a mão, as canoas o esperavam já carregadas:
— Jesuíno agiu direito. Homem de honra...
Também Nacib vendia suas novidades:
— Consta que vem um engenheiro estudar a barra.
— Ouvi falar. Tempo perdido, essa barra não tem conserto.
Nacib saiu andando entre os sertanejos. Velhos e moços lançavam-

-lhe olhares, numa esperança. Poucas mulheres, quase todas com filhos agarrados nas saias. Finalmente reparou numa de seus cinquenta anos, grandona, robusta, sem marido:

— Ficou no caminho, inhô...
— Sabe cozinhar?
— Pra mesa posta, não.

Meu Deus, onde encontrar cozinheira? Não podia ficar pagando fortunas às irmãs Dos Reis. E logo em dias de movimento, hoje assassinatos, amanhã enterros... E, ainda pior, ter de almoçar e jantar no Hotel Coelho, aquela porcaria de comida sem gosto. O jeito era encomendar em Aracaju, pagar a passagem. Parou ante uma velha, mas tão velha que certamente apenas teria tempo de morrer ao chegar em sua casa. Dobrava-se num bastão, como conseguira atravessar tanto caminho até Ilhéus? Chegava a dar aflição, tão velha e ressequida, um resto de gente. Tanta desgraça no mundo...

Foi quando surgiu outra mulher, vestida de trapos miseráveis, coberta de tamanha sujeira que era impossível ver-lhe as feições e dar-lhe idade, os cabelos desgrenhados, imundos de pó, os pés descalços. Trazia uma cuia com água, entregou nas mãos trêmulas da velha, que sorveu ansiosa.

— Deus lhe pague...
— Não tem de quê, avó... — era uma voz de jovem, talvez a voz a cantar modas quando Nacib chegara.

O coronel Melk e seus homens desapareciam por detrás dos vagões da estrada de ferro, o tocador de harmônica parava um instante, acenava adeus. A mulher levantou o braço, sacudiu a mão, voltou-se novamente para a anciã, recebeu a cuia vazia. Ia retirar-se, Nacib perguntou-lhe, ainda na admiração da velha alquebrada:

— É sua avó?
— Não, moço. — Parou e sorriu, e só então Nacib constatou tratar-se realmente de uma jovem, porque os olhos brilhavam enquanto ela ria. — A gente encontrou ela no caminho, há uns quatro dias de viagem.
— A gente, quem?
— Acolá... — Apontou um grupo com o dedo e novamente riu um riso claro, cristalino, inesperado. — A gente saiu junto, do mesmo lugar. A seca matou tudo que era bicho vivente, secou tudo que era água, árvore virou graveto seco. No caminho a gente encontrou outros. Tudo fugindo.
— Você é parente deles?
— Não, moço. Sou só no mundo. Meu tio vinha comigo, entregou a

alma antes de chegar a Jeremoabo. A tal de tísica... — E riu como se fosse coisa para rir.

— Não era você que estava cantando há pouquinho?

— Era, sim senhor. Tinha um moço tocador, foi contratado pra roça, diz que vai enricar aqui. A gente canta, esquece os maus pedaços...

A mão segurava a cuia, encostada na anca. Nacib a examinava sob a sujeira. Parecia forte e disposta.

— O que é que você sabe fazer?

— De tudo um pouco, seu moço.

— Lavar roupa?

— E quem não sabe? — espantava-se. — Basta ter água e sabão.

— E cozinhar?

— Já fui cozinheira até de casa rica... — E novamente riu como se recordasse algo divertido.

Talvez porque ela risse, Nacib concluiu que não servia. Essa gente vinda do sertão, esfomeada, era capaz de qualquer mentira para conseguir trabalho. Que podia ela saber de cozinha? Assar jabá e cozinhar feijão, nada mais. Ele precisava de mulher idosa, séria, limpa e trabalhadora, assim como a velha Filomena. E boa cozinheira, entendendo de temperos, de pontos de doces. A moça continuava parada, esperando, a fitá-lo no rosto. Nacib sacudiu a mão sem achar o que dizer:

— Bem... Até outra. Boa sorte.

Virou as costas, ia saindo, ouviu a voz atrás dele, arrastada e quente:

— Que moço bonito!

Parou. Não se lembrava de ninguém achá-lo bonito, à exceção da velha Zoraia, sua mãe, nos dias de infância. Foi quase um choque.

— Espere.

Voltou a examiná-la, era forte, por que não experimentá-la?

— Sabe mesmo cozinhar?

— O moço me leva e vai ver...

Se não soubesse cozinhar, serviria ao menos para arrumar a casa, lavar a roupa.

— Quanto quer ganhar?

— O moço é que sabe. O que quiser pagar...

— Vamos ver primeiro o que você sabe fazer. Depois acertamos o ordenado. Lhe serve?

— Pra mim, o que o moço disser, tá bom.

— Então pegue sua trouxa.

Ela riu novamente, mostrando os dentes brancos, limados. Ele estava cansado, já começava a achar que tinha feito uma besteira. Ficara com pena da sertaneja, ia levar um trambolho para casa. Mas era tarde para arrepender-se. Se pelo menos soubesse lavar...
Voltou com um pequeno atado de pano, pouca coisa possuía. Nacib saiu andando devagar. A trouxa na mão, ela o acompanhava poucos passos atrás. Quando já iam saindo da estrada de ferro, ele voltou a cabeça e perguntou:

— Como é mesmo seu nome?

— Gabriela, pra servir o senhor.

Continuaram andando, ele na frente, novamente pensando em Sinhazinha, o dia agitado, de encalhe de navio e crime de morte. Sem falar nos segredinhos do Capitão, do Doutor e de Mundinho Falcão. Ali havia coisa, a ele, Nacib, não enganavam. Não tardaria a surgir novidade. A verdade é que, com a notícia do crime, até daquilo esquecera, o ar conspirativo dos três, a raiva do coronel Ramiro Bastos. O crime a todos empolgara, tudo mais ficara em segundo plano. O pobre dentista, rapaz simpático, pagara caro seu desejo de mulher casada. Era correr muito risco meter-se com esposa dos outros, terminava-se com uma bala no peito. Tonico Bastos que tomasse cuidado, senão um dia ia lhe acontecer coisa semelhante. Teria ele realmente dormido com Sinhazinha, ou era prosa sua, gabação para impressioná-lo? De qualquer maneira, Tonico corria risco, um dia ainda lhe sucederia uma desgraça. Nacib refletia: quem sabe?, talvez valesse a pena correr todos os riscos por um olhar, um suspiro, um beijo de mulher.

Gabriela ia uns passos atrás com sua trouxa, já esquecida de Clemente, alegre de sair do amontoado de retirantes, do acampamento imundo. Ia rindo com os olhos e a boca, os pés descalços quase deslizando no chão, uma vontade de cantar as modas sertanejas, só não cantava porque talvez o moço bonito e triste não gostasse.

DA CANOA NA SELVA

— DIZ QUE O CORONEL JESUÍNO MATOU A MULHER LÁ DELE E UM DOUTOR que dormia com ela. É mesmo verdade, coronel? — perguntou um remeiro a Melk Tavares.

— Também ouvi falar... — disse outro.

— Verdade, sim. Apanhou a mulher na cama com o dentista. Despachou os dois.

— Mulher é bicho ruim, faz a desgraça da gente.

A canoa subia o rio, a selva crescia nos barrancos, os sertanejos olhavam a paisagem inédita, um vago terror no coração. A noite precipitava-se das árvores sobre as águas, assustadora. A canoa era quase um batelão de tão grande, descia carregada de sacos de cacau, voltava cheia de mantimentos. Os remeiros curvavam-se num esforço descomunal, avançavam lentamente. Um deles acendeu uma lamparina na popa, a luz vermelha criava sombras fantásticas no rio.

— Lá no Ceará sucedeu um caso parecido... — começou um sertanejo a contar.

— Mulher é enganadeira, a gente nunca sabe que coisa mulher tá maginando... Conheci uma, parecia uma santa, ninguém podia pensar... — lembrou o negro Fagundes.

Clemente ia silencioso. Melk Tavares puxava conversa com os novos agregados, querendo saber de cada um, as qualidades e os defeitos de seus trabalhadores, seu passado. Os sertanejos iam contando, as histórias assemelhavam-se, a mesma terra árida queimada pela seca, o milharal, o mandiocal perdidos, a caminhada imensa. Eram sóbrios no narrar. Chegavam por lá notícias de Ilhéus: a terra rica, o dinheiro fácil. Lavoura de futuro, barulhos e mortes. Quando a seca batia, largavam tudo e rumavam para o sul. O negro Fagundes era mais falador, contava valentias.

Eles também desejavam saber:

— Diz que tem ainda muita mata pra derrubar...

— Pra derrubar, tem muita. Pra medir é que não tem mais. Tudo já tem dono — riu um remeiro.

— Mas ainda há dinheiro a ganhar, e muito, para um homem trabalhador — consolou Melk Tavares.

— Só que aquele tempo quando o cujo chegava com as mãos abanando, com a cara e a coragem, e ia pra mata plantar roça, se acabou. Naquele tempo era bom... Bastava ter peito, tocar pra frente, liquidar quatro ou cinco que tinham a mesma tenção, e o cidadão tava rico...

— Ouvi falar desse tempo... — disse o negro Fagundes. — Foi por isso que vim...

— Não gosta da enxada, moreno? — perguntou Melk.

— Não desprezo, não sinhô. Mas manejo melhor o pau de fogo... — riu acariciando a repetição.

— Ainda há matas e grandes. Lá para a serra do Baforé, por exemplo. Terra boa para o cacau como não há outra...

— Só que é preciso comprar cada palmo de mata. Tudo tá medido e registrado. O senhor mesmo tem terras por lá.

— Um pedacinho... — confessou Melk. — Coisa à toa. Vou começar a derrubar a mata no ano que vem, se Deus quiser.

— Hoje Ilhéus não vale mais nada, não é como dantes. Tá virando lugar importante — lastimou-se um remeiro.

— E por isso não presta?

— Dantes, um homem valia pela coragem. Hoje só quem enriquece é turco mascate e espanhol de armazém. Não é como antigamente...

— Aquele tempo acabou — explicou Melk. — Agora chegou o progresso, as coisas são diferentes. Mas um homem trabalhador ainda se arranja, ainda há lugar pra todo mundo.

— Não se pode mais nem dar uns tiros na rua... Querem logo prender a gente.

A canoa subia vagarosa, as sombras da noite a envolviam, gritos de animais chegavam da selva, papagaios faziam súbita algazarra nas árvores. Só Clemente ia silencioso, todos os demais participavam da conversa, contavam casos, discutiam sobre Ilhéus.

— Essa terra vai crescer demais é no dia que começar a exportação direta.

— É mesmo.

Os sertanejos não entendiam, Melk Tavares explicou: todo o cacau para o estrangeiro, para a Inglaterra, a Alemanha, a França, os Estados Unidos, a Escandinávia, a Argentina, saía pelo porto da Bahia. Um dinheirão de impostos, a renda da exportação, tudo ficava na capital, Ilhéus não via nem as sobras. A barra era estreita, pouco profunda. Só com muito trabalho — havia até quem dissesse não haver jeito — seria possível capacitá-la para a passagem dos grandes navios. E, quando os grandes cargueiros viessem buscar o cacau no porto de Ilhéus, então poder-se-ia falar realmente em progresso...

— Agora só se fala num tal de seu Mundinho Falcão, coronel. Diz que ele vai resolver... Que é um homem danado.

— Tá pensando na moça? — perguntou Fagundes a Clemente.

— Nem me disse até-logo... Nem me olhou de despedida.

— Ela tava virando tua cabeça. Tu não era mais o mesmo.

— Como se a gente nem se conhecesse... Nem até-logo.

— Mulher é assim mesmo. Num vale a pena.

— É um homem de muita ambição. Mas, como vai poder resolver o caso da barra se nem compadre Ramiro deu jeito? — Melk falava sobre Mundinho Falcão.

A mão de Clemente acariciou a harmônica no fundo da canoa, ouviu a voz de Gabriela cantando. Olhou em torno, como a procurá-la: a selva cercando o rio, árvores e um intrincado de cipós, gritos amedrontadores e pios agourentos de corujas, uma exuberância de verde fazendo-se negro, não era como a caatinga cinzenta e nua. Um remeiro estendeu o dedo mostrando um lugar na mata:

— Foi por aqui o tiroteio entre Onofre e os cabras de seu Amâncio Leal... Morreu bem uns dez.

Dinheiro a ganhar naquela terra, era preciso não ter medo do trabalho. Ganhar dinheiro e voltar à cidade em busca de Gabriela. Haveria de encontrá-la, fosse como fosse.

— Melhor é não pensar, tirar ela da cabeça — aconselhou Fagundes. Os olhos do negro perscrutavam a selva, sua voz fez-se suave para falar de Gabriela. — Tira ela da cabeça. Não é mulher pra tu nem pra mim. Não é como essas quengas, é...

— Tou com ela metida em meu juízo, mesmo querendo não posso.

— Tu tá maluco. Ela não é mulher pra se viver com ela.

— Que é que tu tá dizendo?

— Num sei... Pra mim é assim. Tu pode dormir com ela, fazer as coisas. Mas ter ela mesmo, ser dono dela como é de outras, isso ninguém vai nunca ser.

— E por quê?

— Num sei, o diabo é que sabe. Num tem explicação.

Sim, o negro Fagundes tinha razão. Dormiam juntos à noite, no outro dia era como se ela nem se recordasse, olhava-o como aos outros, tratava-o como aos demais. Como se não tivesse nenhuma importância...

As sombras cobrem e cercam a canoa, a selva parece aproximar-se mais e mais, fechando-se sobre eles. O pio das corujas corta a escuridão. Noite sem Gabriela, seu corpo moreno, seu riso sem motivo, sua boca de pitanga. Nem lhe disse até-logo. Mulher sem explicação. Uma dor sobe pelo peito de Clemente. E de súbito a certeza de que jamais voltará a vê-la, tê-la nos braços, esmagá-la contra o peito, ouvir seus ais de amor.

O coronel Melk Tavares, no silêncio da noite, ergueu a voz, ordenou a Clemente:

— Toca alguma coisa pra gente, rapaz. Pra disfarçar o tempo.

Tomou da harmônica. Entre as árvores crescia a lua sobre o rio. Clemente enxerga o rosto de Gabriela. Brilham luzes de fifós e lamparinas ao longe. A música se eleva num choro de homem perdido, solitário para sempre. Na selva, rindo, aos raios da lua, Gabriela.

GABRIELA ADORMECIDA

NACIB A LEVARA ATÉ A CASA NA LADEIRA DE SÃO SEBASTIÃO. APENAS meteu a chave na fechadura e dona Arminda, fremente, apareceu na janela:

— Que coisa, hein, seu Nacib? Parecia tão distinta, tão cheia de nós pelas costas, toda tarde na igreja. É por isso que eu digo sempre... — Bateu os olhos em Gabriela, ficou com a frase suspensa.

— Tomei de empregada. Pra lavar e cozinhar.

Dona Arminda examinava a retirante, de alto a baixo, como a medi--la e a pesá-la. Oferecia seus préstimos:

— Se precisar de alguma coisa, menina, é só me chamar. Os vizinhos são para se ajudar, não é? Só que hoje de noite não vou estar. É dia de sessão em casa do compadre Deodoro, dia do finado conversar comigo... É até capaz que dona Sinhazinha apareça... — Seus olhos iam de

Gabriela para Nacib. — Moça, hein? Agora não quer mais velhas como Filomena... — Ria seu riso cúmplice.

— Foi o que arranjei...

— Pois, como eu ia dizendo: para mim não foi surpresa, ainda outro dia vi o tal dentista na rua. Por coincidência, era dia de sessão, hoje faz uma semana direitinho. Olhei para ele e ouvi a voz do finado no meu ouvido, dizendo: "Tá aí, todo prosa, tá morto". Pensei que o finado tava brincando. Só hoje, quando soube, é que me dei conta, o finado tava me avisando.

Voltava-se para Gabriela, Nacib já tinha entrado:

— Qualquer coisa que precise, é só chamar. Amanhã a gente conversa. Tou aqui pra ajudar, seu Nacib é mesmo que parente. É patrão de meu Chico...

Nacib mostrou-lhe o quarto no quintal, antes ocupado por Filomena, explicou-lhe o serviço: arrumação da casa, lavagem da roupa suja, cozinhar para ele. Não falou dos doces e salgados para o bar, primeiro queria ver que espécie de comida ela sabia fazer. Mostrou-lhe a despensa onde Chico Moleza deixara as compras da feira.

— Qualquer coisa, pergunte a dona Arminda.

Estava com pressa, a noite chegara, o bar em pouco ficaria novamente cheio e ele ainda devia jantar. Na sala, Gabriela, os olhos arregalados, olhava o mar noturno, era a primeira vez que o via. Nacib disse-lhe em despedida:

— E tome um banho, está precisada.

No Hotel Coelho encontrou Mundinho Falcão, o Capitão e o Doutor jantando juntos. Sentou-se naturalmente na mesa deles, foi logo contando da cozinheira. Os outros ouviam em silêncio, Nacib compreendeu ter interrompido conversa importante. Falaram do crime da tarde, ele apenas iniciara o jantar quando os amigos, já no fim, se retiraram. Ficou a refletir. Aqueles três andavam arquitetando coisas. Que diabo seria?

O bar, naquela noite, não lhe deu descanso. Andou numa roda-viva, as mesas cheias, todo mundo querendo comentar os acontecimentos. Por volta das dez horas o Capitão e o Doutor apareceram, acompanhados de Clóvis Costa, o diretor do *Diário de Ilhéus*. Vinham da casa de Mundinho Falcão, anunciavam que o exportador apareceria no Bataclan por volta de meia-noite, para a estreia de Anabela. Clóvis e o Doutor conversavam em voz baixa, Nacib apurou o ouvido.

Noutra mesa, Tonico Bastos contava do jantar, verdadeiro banquete, em casa de Amâncio Leal. Com vários amigos de Jesuíno Mendonça, inclusive o dr. Maurício Caires, encarregado da defesa do coronel. Rega-bofe monumental, com vinho português, comida e bebida em abundância. Nhô-Galo achava aquilo um absurdo. Com o corpo da mulher ainda quente, não havia direito... Ari Santos contou do velório de Sinhazinha, em casa de uns parentes: velório triste e pobre, meia dúzia de pessoas. Quanto ao de Osmundo, nem valia a pena falar. Tinha horas que o corpo do dentista ficava só com a empregada. Ele passara por lá, afinal conhecia o morto, privara com ele nas sessões do Grêmio Rui Barbosa.

— Daqui a pouco vou até lá... — disse o Capitão. — Era bom rapaz e talento não lhe faltava. Versos supimpas...

— Eu também vou — solidarizava-se Nhô-Galo.

Nacib fora com eles e mais alguns, por curiosidade, por volta das onze horas quando o movimento diminuía no bar. As faces sem sangue, Osmundo sorria na morte, Nacib ficou impressionado. As mãos cruzadas, lívidas.

— Os tiros acertaram no peito. No coração.

Terminou indo mesmo ao cabaré, apreciar a dançarina, tirar da cabeça a visão do morto. Sentou-se numa mesa com Tonico Bastos. Dançavam em torno. Noutra sala, separada por um corredor, jogavam. O dr. Ezequiel Prado, já bastante alto, veio sentar-se com eles. Apoiava o indicador no peito de Nacib:

— Me disseram que você tá enrabichado com aquela zarolha. — Apontava Risoleta a dançar com um caixeiro-viajante.

— Enrabichado? Não. Tive com ela ontem, foi tudo.

— Não gosto de me meter com xodó de amigos. Por isso perguntei. Mas se é assim... Ela é um pirãozinho, não é?

— E Marta, doutor Ezequiel?

— Fez de besta, meti-lhe a mão. Não vou hoje lá.

Tomava o copo de Tonico, bebia de um trago. As brigas do advogado e da rapariga, uma loira por ele mantida há alguns anos, eram constante prato da cidade, sucediam-se a cada três dias. Quanto mais a surrava, bêbedo, mais ela se agarrava a ele, apaixonada, indo buscá-lo nos cabarés, nas casas de mulheres, tirando-o por vezes da cama de outra. A família do advogado vivia na Bahia, era separado da esposa.

Levantou-se, cambaleante, meteu-se no meio dos dançarinos, separou Risoleta de seu par. Tonico Bastos anunciou:

— Vai haver barulho.

Mas o caixeiro-viajante conhecia o dr. Ezequiel, sua fama, abandonou-lhe a mulher, procurou outra com os olhos. Risoleta resistia, Ezequiel segurou-lhe o pulso, tomou-a nos braços.

— Perdeste a comida... — riu Tonico Bastos.

— Um favor que ele me faz. Não quero nada com ela hoje, tou morto de cansado. Logo que a tal dançar, dou o fora. Tive um dia de cão.

— E a cozinheira?

— Terminei por arranjar uma, sertaneja.

— Jovem?

— Sei lá... Parece. Com tanta sujeira não dava pra ver. Essa gente não tem idade, seu Tonico, mesmo as meninas parecem velhas.

— Bonita?

— Como vou saber? Uns molambos, uma imundície, os cabelos duros de pó. Há de ser uma bruxa, minha casa não é como a sua onde empregada até parece moça de sociedade.

— Se Olga deixasse, bem que seria assim. Mas basta que a pobre tenha cara de gente e vai pro meio da rua com desaforos.

— Dona Olga não é de brincadeira. E faz bem. Você só mesmo de rédea curta.

Tonico Bastos fez um gesto de falsa modéstia:

— Também não exagere, homem. Quem lhe visse falar...

Mundinho Falcão chegava com o coronel Ribeirinho, sentavam-se com o Capitão.

— E o Doutor?

— Não vem nunca ao cabaré. Nem à força.

Nhô-Galo aproximou-se de Nacib:

— Largou a zinha pra Ezequiel?

— Hoje quero é dormir.

— Pois eu vou à casa de Zilda. Me disseram que tem uma pernambucana, um pancadão — estalava a língua. — Talvez apareça por aqui...

— Uma de tranças?

— Isso. De bunda grande...

— Tá no Trianon. Toda noite tá lá... — esclareceu Tonico. — É protegida do coronel Melk, ele a trouxe da Bahia. Tá de beiço caído...

— O coronel foi hoje pra fazenda. Vi quando embarcou — informou Nacib. — Tava contratando trabalhadores no "mercado dos escravos".

— Me toco pro Trianon...

— Antes da dançarina?

— Logo depois.

O Bataclan e o Trianon eram os principais cabarés de Ilhéus, frequentados pelos exportadores, fazendeiros, comerciantes, viajantes de grandes firmas. Mas nas ruas de canto havia outros, onde se misturavam trabalhadores do porto, gente vinda das roças, as mulheres mais baratas. O jogo era franco em todos eles, garantindo os lucros.

Uma pequena orquestra animava as danças. Tonico foi tirar uma mulher, Nhô-Galo olhava o relógio, já era hora da dançarina, ele estava impaciente. Queria ir ao Trianon ver a de tranças, a do coronel Melk.

Era quase uma da manhã quando a orquestra cessou e as luzes se apagaram. Ficaram apenas umas pequenas lâmpadas azuis, da sala de jogo veio muita gente, espalhando-se pelas mesas, outros de pé junto às portas. Anabela surgiu dos fundos, enormes leques de penas nas mãos. Os leques a cobriam e a descobriam, mostravam pedaços do corpo.

O Príncipe, de smoking, martelava o piano. Anabela dançava no meio da sala, sorrindo para as mesas. Foi um sucesso. O coronel Ribeirinho pedia bis, aplaudia de pé. As luzes voltavam a se acender, Anabela agradecia as palmas, vestida com uma malha cor de carne.

— Porcaria... A gente pensa que está vendo carne, é fazenda cor-de-rosa... — comentou Nhô-Galo.

Sob aplausos, ela retirou-se para voltar minutos depois num segundo número mais sensacional ainda: coberta de véus multicores que iam caindo um a um, como anunciara Mundinho. E durante um breve minuto, quando caiu o último véu e as luzes novamente se acenderam, puderam ver o corpo magro e benfeito, quase nu, apenas uma tanga mínima e um trapo vermelho sobre os seios pequenos. A sala gritava em coro, reclamava bis, Anabela passava correndo entre as mesas. O coronel Ribeirinho mandava descer champanha.

— Agora valeu a pena... — Até Nhô-Galo estava entusiasmado.

Anabela e o Príncipe foram para a mesa de Mundinho Falcão. "É tudo por minha conta", dizia Ribeirinho. A orquestra voltava a tocar, dr. Ezequiel arrastava Risoleta, tombando sobre as cadeiras. Nacib resolveu ir embora. Tonico Bastos, os olhos em Anabela, mudara-se para a mesa de Mundinho. Nhô-Galo desaparecera. A dançarina sorria, levantava a taça de champanha:

— À saúde de todos! Ao progresso de Ilhéus!

Batiam palmas, aplaudindo. Nas mesas vizinhas olhavam com inveja. Muitos iam para a outra sala, jogar. Nacib desceu as escadas.

Atravessou as ruas silenciosas. Na casa do dr. Maurício Caires filtrava-se a luz pela janela. Devia estar começando a estudar o caso de Jesuíno, a preparar dados para a defesa, pensou Nacib, recordando os indignados propósitos do advogado no bar. Mas um riso de mulher saiu pelas frinchas da janela, morreu na rua. Diziam que o viúvo levava, à noite, negrinhas do morro para sua casa. Ainda assim não podia Nacib adivinhar que o causídico, àquela hora, talvez por interesse puramente profissional, exigia de uma cabrocha do Unhão, mulatinha banguela e espantada, deitar-se calçada unicamente com umas meias pretas de algodão, vestida apenas com elas.

— Se vê cada coisa nesse mundo... — a cabrocha ria por entre os dentes falhos e podres.

Nacib sentia o cansaço do dia trabalhoso. Tinha conseguido saber, finalmente, o motivo daquelas idas e vindas de Mundinho, dos segredos com o Capitão e o Doutor, da entrevista secreta com Clóvis. Relacionavam-se com o caso da barra. Surpreendera pedaços de conversas. Pelo que diziam, iriam chegar engenheiros, dragas, rebocadores. Doesse a quem doesse, grandes navios estrangeiros entrariam no porto, viriam buscar cacau, começaria a exportação direta. A quem podia doer? Não era, por acaso, a luta aberta com os Bastos, com o coronel Ramiro? O Capitão sempre desejara mandar na política local. Mas não era fazendeiro, não tinha dinheiro para gastar. Estava explicada sua amizade com Mundinho Falcão, acontecimentos sérios se anunciavam. O coronel Ramiro não era homem, apesar da idade, para cruzar os braços, entregar-se sem luta. Nacib não queria meter-se nessa história. Era amigo de uns e de outros, de Mundinho e do coronel, do Capitão e de Tonico Bastos. Dono de bar não pode se envolver em política. Só traz prejuízo. Mais perigoso ainda que meter-se com mulher casada.

Sinhazinha e Osmundo não veriam os rebocadores e dragas no porto, cavando a barra. Não veriam esses dias de tanto progresso sobre os quais Mundinho falava. Esse mundo é assim, feito de alegrias e tristezas.

Contornou a igreja, começou a subir vagarosamente a ladeira. Será mesmo que Tonico Bastos havia dormido com Sinhazinha? Ou era conversa para impressionar? Nhô-Galo afirmava que Tonico mentia descaradamente. Em geral ele não se metia com mulher casada. Rapariga, isso sim, não respeitava dono. Sujeito de sorte. Também com aquela elegância, cabelo prateado, a voz sussurrante. Bem que Nacib gostaria de ser como ele, olhado com desejo pelas mulheres, merecendo ciúmes violentos. Ser amado com loucura, assim como Lídia, rapariga do coronel Nicodemos, amava Tonico. Mandava-lhe recados, atravessava ruas para vê-lo, suspirava por ele que nem mais ligava para ela, farto de tanta devoção. Por ele, Lídia arriscava todos os dias sua situação, por um olhar, uma palavra sua. Rapariga, Tonico não respeitava de ninguém, a não ser Glória e todos sabiam por quê. Mas com mulher casada não sabia que ele se metesse.

Enfiou a chave na fechadura, arfando da subida, a sala estava iluminada. Seria ladrão? Ou bem a nova empregada esquecera de fechar a luz?

Entrou de mansinho e a viu dormida numa cadeira, os cabelos longos espalhados nos ombros. Depois de lavados e penteados tinham-se transformado em cabeleira solta, negra, encaracolada. Vestia trapos, mas limpos, certamente os da trouxa. Um rasgão na saia mostrava um pedaço de coxa cor de canela, os seios subiam e desciam levemente ao ritmo do sono, o rosto sorridente.

— Meu Deus! — Nacib ficou parado sem acreditar.

A espiá-la, num espanto sem limites, como tanta boniteza se escondera sob a poeira dos caminhos? Caído o braço roliço, o rosto moreno sorrindo no sono, ali, adormecida na cadeira, parecia um quadro. Quantos anos teria? Corpo de mulher jovem, feições de menina.

— Meu Deus, que coisa! — murmurou o árabe quase devotamente.

Ao som de sua voz, ela despertou amedrontada mas logo sorriu e toda a sala pareceu sorrir com ela. Pôs-se de pé, as mãos ajeitando os trapos que vestia, humilde e risonha, coberta pelo luar.

— Por que não deitou, não foi dormir? — foi tudo que Nacib acertou dizer.

— O moço não disse nada...

— Que moço?

— O senhor... Já lavei roupa, arrumei a casa. Depois fiquei esperando, peguei no sono — uma voz cantada de nordestina.

Dela vinha um perfume de cravo, dos cabelos talvez, quem sabe do cangote.

— Você sabe mesmo cozinhar?

Luz e sombra em seu cabelo, os olhos baixos, o pé direito alisando o assoalho como se fosse sair a dançar.

— Sei, sim senhor. Trabalhei em casa de gente rica, me ensinaram. Até gosto de cozinhar... — sorriu e tudo sorriu com ela, até o árabe Nacib deixando-se cair numa cadeira.

— Se você sabe mesmo cozinhar, lhe faço um ordenadão. Cinquenta mil-réis por mês. Aqui pagam vinte, trinta é o mais. Se o serviço lhe parecer pesado, pode arranjar uma menina para lhe ajudar. A velha Filomena não queria nenhuma, nunca aceitou. Dizia que não estava morrendo para precisar ajudante.

— Também não preciso.

— E o ordenado? Que me diz?

— O que o moço quiser pagar, tá bom pra mim...

— Vamos ver a comida amanhã. Na hora do almoço mando o moleque buscar... Como mesmo no bar. Agora...

Ela estava esperando, o sorriso nos lábios, a réstia de luar nos seus cabelos e aquele cheiro de cravo.

— ...agora vá dormir que já é tarde.

Ela foi saindo, ele espiou-lhe as pernas, o balanço do corpo no andar, o pedaço de coxa cor de canela. Ela voltou o rosto:

— Pois boa noite, seu moço...

Desaparecia no escuro do corredor, Nacib pareceu ouvi-la acrescentar, mastigando as palavras: "moço bonito...". Levantou-se quase a chamá-la. Não, fora à tarde na feira que ela dissera. Se a chamasse, poderia assustá-la, ela tinha um ar ingênuo, talvez até fosse moça donzela... Havia tempo para tudo. Nacib tirou o paletó, pendurou na cadeira, arrancou a camisa. O perfume ficara na sala, um perfume de cravo. No dia seguinte compraria um vestido para ela, de chita, umas chinelas também. Daria de presente sem descontar no ordenado.

Sentou-se na cama desabotoando os sapatos. Dia complicado aquele. Muita coisa acontecera. Vestiu o camisolão. Morena e tanto, essa sua empregada. Uns olhos, meu Deus... E da cor queimada que ele gostava. Deitou-se, apagou a luz. O sono o venceu, um sono agitado, sonhou inquieto com Sinhazinha, o corpo nu, calçada com meias pretas, estendida morta no convés de um navio estrangeiro entrando na barra. Osmundo fugia de marinete, Jesuíno atirava em Tonico, Mundinho Falcão aparecia com dona Sinhazinha, outra vez viva, sorrindo para Nacib, estendendo os braços, mas era dona Sinhazinha com a cara morena da nova empregada. Só que Nacib não podia alcançá-la, ela saía dançando no cabaré.

DE ENTERROS & BANQUETES
COM PARÊNTESIS PARA CONTAR
UMA HISTÓRIA EXEMPLAR

IA ALTO O SOL RECONQUISTADO NA VÉSPERA QUANDO, AOS GRITOS DE DONA Arminda, Nacib acordou:
— Vamos espiar os enterros, menina. Vale a pena!
— Inhora, não. O moço ainda não levantou.
Pulou da cama: como perder os enterros? Saiu do banheiro já vestido, Gabriela acabava de pôr na mesa os bules fumegantes de café e leite. Sobre a alva toalha, cuscuz de milho com leite de coco, banana-da-terra frita, inhame, aipim. Ela ficara parada na porta da cozinha, interrogativa:
— O moço precisa me dizer do que é que gosta.
Engolia pedaços de cuscuz, os olhos enternecidos, a gula a prendê-lo à mesa, a curiosidade a dar-lhe pressa, era hora dos enterros. Divino aquele cuscuz, sublimes as talhadas de banana frita. Arrancou-se da mesa com esforço. Gabriela amarrara uma fita nos cabelos, devia ser bom morder-lhe o cangote moreno. Nacib saiu quase correndo para o bar. A voz de Gabriela acompanhava-o no caminho, a cantar:

Não vá lá, meu bem,
que lá tem ladeira,
escorrega e cai,
quebra o galho da roseira.

O enterro de Osmundo despontava na praça, vindo da avenida na praia.
— Não tem gente nem para pegar nas alças do caixão... — comentou alguém.
Pura verdade. Era difícil imaginar-se enterro mais magro de acompanhamento. Só mesmo as pessoas mais chegadas a Osmundo tiveram a coragem de acompanhá-lo nesse seu último passeio pelas ruas de Ilhéus. Levar o dentista ao cemitério era quase uma afronta ao coronel Jesuíno e à sociedade. Ari Santos, o Capitão, Nhô-Galo, um redator do *Diário de Ilhéus*, uns poucos mais, revezavam-se nas alças do caixão.
O morto não tinha família em Ilhéus, mas nos meses que ali passara fizera muitas relações, homem dado, amável, frequentador dos bailes do

Clube Progresso, das reuniões do Grêmio Rui Barbosa, das danças familiares, dos bares e cabarés. No entanto ia para o cemitério como um pobre-diabo, sem coroas e sem lágrimas. Um comerciante recebera um telegrama do pai de Osmundo, com quem mantinha negócios, pedindo-lhe tomar todas as providências para o enterro do filho e anunciando que chegaria pelo primeiro navio. O comerciante encomendara caixão e cova, contratara alguns homens no porto para levar o esquife no caso de não aparecer nenhum amigo, não achara necessário gastar dinheiro com coroas e flores.

Nacib não mantivera relações estreitas com Osmundo. Uma ou outra vez o dentista parava no bar, seu ponto era o Café Chic. Tomava um trago, quase sempre com Ari Santos ou com o professor Josué. Declamavam-se sonetos, liam-se pedaços de prosa, discutiam literatura. Por vezes acontecia o árabe sentar-se com eles: ouvia trechos de crônicas, versos falando em mulher. Como todo mundo, achava o dentista um bom rapaz, diziam-no competente profissional, sua clientela aumentava. Vendo agora o enterro mesquinho, aquela ausência de gente e de flores, aquele caixão pelado, sentia-se triste. Era afinal uma injustiça, uma coisa desairosa para a própria cidade. Onde estavam os que lhe louvavam o talento de versejador, os clientes a elogiar sua mão tão leve na extração de molares, seus colegas do Grêmio Rui Barbosa, os amigos do Clube Progresso, os parceiros de bar? Medo do coronel Jesuíno saber, das solteironas comentarem, de que a cidade os pensasse solidários com Osmundo.

Um moleque atravessou o enterro distribuindo anúncios do cinema, da estreia naquela mesma noite do "famoso mágico hindu, Príncipe Sandra, o maior ilusionista do século, faquir e hipnotizador, aclamado pelas plateias da Europa, e de sua bela ajudante, madame Anabela, médium vidente e assombro da telepatia". Levado pelo vento, um dos anúncios voava sobre o caixão. Osmundo não conheceria Anabela, não se juntaria ao seu séquito de admiradores, não participaria da concorrência em torno de seu corpo. O enterro passava perto do átrio da igreja, Nacib se incorporou ao acompanhamento. Não iria até ao cemitério, não podia deixar o bar, naquela noite era o jantar da empresa de ônibus. Mas o acompanharia durante pelo menos uns dois quarteirões, sentia-se obrigado a fazê-lo.

O enterro tomava pela rua dos Paralelepípedos, de quem teria sido a ideia? O caminho mais direto e mais curto era pela rua Coronel Adami, por que passar em frente à casa onde estava sendo velado o corpo de Sinhazinha? Aquilo devia ser coisa do Capitão. De sua janela, Glória assistia, uma bata sobre a camisa de dormir, o caixão passou sob seus seios mal escondidos na cambraia.

Na porta do colégio de Enoch, onde crianças comprimiam-se curiosas, o professor Josué substituiu Nhô-Galo numa das alças do féretro. Janelas cheias, comentários. Em frente à casa dos primos de Sinhazinha estavam paradas algumas pessoas vestidas de negro. O caixão de Osmundo ia lentamente com seu mísero acompanhamento. Passantes tiravam o chapéu. De uma janela da casa enlutada, alguém exclamou:

— Não tinham outro caminho? Não bastou ele ter desgraçado a vida da pobre?

Da praça da matriz, Nacib voltou. Demorou-se uns minutos no velório de Sinhazinha. O caixão ainda não estava fechado, velas e flores na sala, algumas coroas. Mulheres choravam, por Osmundo ninguém chorara.

— É preciso esperar um bocado. Dar tempo pra enterrar o outro — explicou um parente.

O dono da casa, marido de uma prima de Sinhazinha, sem esconder seu aborrecimento, andava pelo corredor. Aquilo era uma complicação inesperada em sua vida: afinal o corpo não podia sair da casa de Jesuíno, tampouco da casa do dentista, não era decente. Sua mulher era o único parente de Sinhazinha a viver na cidade, os demais habitavam Olivença, que outro jeito senão deixar que trouxessem o corpo e ali o velassem? E logo ele, amigo do coronel Jesuíno, com quem até tinha negócios.

— Uma espiga... — explicava.

Noite e manhã de amolações, sem falar nas despesas. Quem iria pagar?

Nacib foi contemplar o rosto da morta: os olhos fechados, a face serena, os cabelos escorridos, muito lisos; depois demorou os olhos nas pernas benfeitas. Desviou a vista, não era momento de olhar as pernas de Sinhazinha. A figura solene do Doutor surgiu na sala. Ficou um instante parado ante a morta, sentenciou para Nacib, mas todos o ouviram:

— Tinha sangue dos Ávilas. Sangue predestinado, o sangue de Ofenísia. — Baixou a voz. — Ainda era minha parenta.

Ante os olhos espantados da rua comprimida nas portas e janelas, Malvina entrou trazendo um ramo de flores colhidas em seu jardim. Que vinha fazer ali, no funeral de uma esposa morta por adultério, essa moça solteira, estudante, filha de fazendeiro? Nem que fossem amigas íntimas. Reprovavam com os olhos, cochichavam pelos cantos. Malvina sorriu para o Doutor, depositou suas flores aos pés do caixão, moveu os lábios numa prece, saiu de cabeça erguida como entrara, Nacib estava de queixo caído.

— Essa filha de Melk Tavares tem topete.

— Tá namorando com Josué.

Nacib a acompanhou com os olhos, gostara de seu gesto. Não sabia o que lhe passava naquele dia, amanhecera esquisito, sentindo-se solidário com Osmundo e Sinhazinha, irritado com a falta de gente no enterro do dentista, com as queixas do dono da casa onde estava o caixão da assassinada. O padre Basílio chegava, apertava mãos, comentava o sol brilhante, o fim das chuvas.

Finalmente o enterro saiu, maior que o de Osmundo mas também lastimável, o padre Basílio engrolando as rezas, em prantos a família vinda de Olivença, suspirando aliviado o dono da casa. Nacib voltou ao bar. Por que não enterrar os dois juntos, saindo os caixões na mesma hora, da mesma casa, para a mesma cova? Assim deviam ter feito. Vida salafrária, cheia de hipocrisia, cidade sem coração onde só o dinheiro contava.

— Seu Nacib, a empregada é um pirão. Que beleza! — a voz mole de Chico.

— Vá pro inferno! — Nacib estava triste.

Soube depois que o caixão de Sinhazinha transpusera o portão do cemitério no mesmo momento em que se retiravam os raros acompanhantes de Osmundo. Quase na mesma hora em que o coronel Jesuíno Mendonça, assistido pelo dr. Maurício Caires, batia palmas na porta do juiz de direito para se apresentar. Depois o advogado aparecera no bar, recusando qualquer bebida além de água mineral:

— Ontem saí do sério em casa de Amâncio. Tinha um vinho português de primeira...

Nacib afastou-se, não queria ouvir o comentário do rega-bofe da véspera. Foi à casa das irmãs Dos Reis saber como marchavam os preparativos do jantar e as encontrou ainda excitadas com o crime:

— Ontem de manhã, ela estava na igreja, a infeliz — disse Quinquina a benzer-se.

— Quando o senhor veio aqui, a gente tinha acabado de estar com ela na missa — arrepiou-se Florzinha.

— Uma coisa dessas... Por isso não me caso.

Levaram-no à cozinha, onde Jucundina e as filhas se desdobravam. "Não se afligisse pelo jantar, tudo ia bem."

— Por falar nisso, arranjei cozinheira.

— Ótimo. É boa?
— Cuscuz sabe fazer. Comida, vou saber daqui a pouco, na hora do almoço.
— Não quer mais os tabuleiros?
— Ainda uns dias...
— É por causa do presépio... Muito trabalho.

Quando o movimento no bar se acalmou, mandou Chico Moleza almoçar:
— Na volta traga minha marmita.

Na hora do almoço o bar ficava vazio. Nacib fazia a caixa, calculava os lucros, media as despesas. Invariavelmente o primeiro a aparecer após o almoço era Tonico Bastos, tomava um digestivo, cachaça com *bitter*. Naquele dia falaram dos enterros, depois Tonico contara os sucessos do cabaré na véspera, após a partida do árabe. O coronel Ribeirinho bebera tanto que tivera de ser levado para casa quase carregado. Na escada vomitara três vezes, sujando a roupa toda.

— Tá de beiço caído pela dançarina...
— E Mundinho Falcão?
— Foi embora cedo. Me garantiu que não tem nada com ela, que a estrada estava livre. E aí, é claro...
— Você se atirou...
— Entrei com meu jogo.
— E ela?
— Bem. Interessada ela está. Mas enquanto não agarrar Ribeirinho vai bancar a santa. Percebi tudo.
— E o marido?
— Inteiramente do coronel. Já sabe tudo sobre Ribeirinho. E comigo não quer nada. Que a mulher ria pra Ribeirinho, saia dançando com ele apertadinha, que segure a testa para ele vomitar, o crápula acha uma beleza. Mas basta eu me aproximar e ele se mete no meio. Aquilo não passa de um cafetão emérito.
— Tem medo que você estrague o negócio dele.
— Eu? Só quero as sobras. Que Ribeirinho pague e me contento com os dias feriados... Quanto ao marido, não se preocupe. A essas horas ele já deve saber que sou filho do chefe político da terra. Que tem de se comportar direito comigo.

Chico Moleza chegava com o almoço. Nacib abandonou o balcão, instalou-se numa das mesas, amarrando um guardanapo no pescoço:

— Vamos ver que tal a cozinheira...
— A nova? — Tonico aproximou-se curioso.
— Nunca vi morena tão bonita! — Chico Moleza deixava as palavras rolarem preguiçosamente.
— E você me disse que era uma bruxa, seu árabe sem-vergonha. Escondendo a verdade de seu amigo, hein?
Nacib destampava a marmita, separava os pratos.
— Oh! — exclamava ante o aroma a exalar-se da galinha de cabidela, da carne de sol assada, do arroz, do feijão, do doce de banana em rodinhas.
Tonico interrogava Chico Moleza:
— Bonita de verdade?
— Se é...
Curvava-se sobre os pratos:
— E não sabe cozinhar, não é? Seu turco mentiroso... Até dá água na boca...
Nacib convidava:
— Dá pra dois. Faça uma boquinha.
Bico-Fino abria uma garrafa de cerveja, colocava na mesa.
— Que é que ela está fazendo? — perguntou Nacib a Chico.
— Tá numa prosa comprida com a velha. Tão falando de espiritismo. Quer dizer: mamãe está falando, ela só faz escutar e rir. Quando ela ri, seu Tonico, até tonteia a gente.
— Oh! — voltava a exclamar Nacib após a primeira garfada. — Maná dos céus, seu Tonico. Desta vez, valha Deus, estou bem servido.
— Pra mesa e pra cama, hein, seu turco...
Nacib empanturrou-se e, após a saída de Tonico, estendeu-se, como o fazia diariamente, na espreguiçadeira, à sombra de umas árvores ao lado do bar. Tomou de um jornal da Bahia, atrasado de quase uma semana, acendeu o charuto. Passava a mão nos bigodes, contente da vida, dissipara-se a tristeza da manhã de enterros. Mais tarde iria à loja do tio, traria um vestido barato, um par de chinelas. E acertaria com a cozinheira os salgados e doces para o bar. Não pensara que aquela retirante, coberta de poeira, vestida de trapos, soubesse cozinhar... E que a poeira escondesse tanto encanto, tanta sedução... Adormeceu na paz de Deus. A brisa do mar acariciou-lhe os bigodes.
Não tinham os relógios anunciado ainda as cinco da tarde, a mesa de rendas em pleno movimento, quando Nhô-Galo, na mão um exemplar

do *Diário de Ilhéus*, entrou no bar, alvoroçado. Nacib serviu-lhe um vermute, preparava-se para falar na nova cozinheira, mas o outro elevava a voz fanhosa:

— A coisa começou!

— O quê?

— É o jornal de hoje. Acaba de sair. Leia...

Estava na primeira página, artigo longo, em tipo gordo. O título ocupava quatro colunas: O ESCANDALOSO ABANDONO DA BARRA. Descompostura em regra na intendência, em Alfredo Bastos, "deputado estadual eleito pelo povo de Ilhéus para defender os sagrados interesses da região cacaueira", esquecido desses interesses, cuja "eloquência franzina só se fazia ouvir para celebrar os atos do governo, parlamentar do muito bem e do apoiado!", no intendente, um compadre do coronel Ramiro, "inútil mediocridade, servilismo exemplar ao cacique, ao mandachuva", culpando os políticos no poder pelo abandono da barra de Ilhéus. O artigo tinha como pretexto o encalhe do ita na véspera. "O maior e mais premente problema da região, aquele que é o vértice e o cume do progresso local, que significará riqueza e civilização ou atraso e miséria, o problema da barra de Ilhéus, ou seja, o magno problema da exportação direta do cacau" não existia para os que haviam "em circunstâncias especiais abocanhado os postos de mando." E por aí vinha, verrina terrível, terminando numa evidente alusão a Mundinho, ao lembrar que, no entanto, "homens de elevado sentimento cívico estão dispostos, ante o criminoso desinteresse das autoridades municipais, a tomar o problema em suas mãos e a resolvê-lo. O povo, esse glorioso e intimorato povo de Ilhéus, de tantas tradições, saberá julgar, castigar e premiar".

— Menino... a coisa é séria...

— Escrito pelo Doutor.

— Parece mais de Ezequiel.

— Foi o Doutor. Tenho certeza. Doutor Ezequiel estava bêbedo ontem, no cabaré. Vai dar uma confusão...

— Confusão! Você é um otimista. Vai haver o diabo.

— Desde que não comece hoje, aqui no bar.

— Por que aqui?

— E o jantar das marinetes, você esqueceu? Vai vir todo mundo: o intendente, Mundinho, o coronel Amâncio, Tonico, o Doutor, o Capitão, Manuel das Onças, até o coronel Ramiro Bastos disse que talvez viesse.

— O coronel Ramiro? Não sai mais de noite.
— Disse que viria. É homem danado e agora vem mesmo, você vai ver. É capaz do jantar terminar em briga...
Nhô-Galo esfregava as mãos:
— Vai ser divertido... — voltava para a mesa de rendas deixando Nacib preocupado. O dono do bar era amigo de todos, precisava manter-se afastado daquela luta política.

Chegavam os garçons contratados para servir o jantar, começavam a preparar a sala, juntando mesas. Quase ao mesmo tempo o juiz de direito, um pacote de livros sob o braço, sentava-se do lado de fora com João Fulgêncio e Josué. Admiravam Glória na janela, o juiz considerava aquilo um verdadeiro escândalo. João Fulgêncio ria, discordava:

— Glória, seu doutor, é uma necessidade social, devia ser considerada de utilidade pública pela intendência como o Grêmio Rui Barbosa, a Euterpe 13 de Maio, a Santa Casa de Misericórdia. Glória exerce importante função na sociedade. Com a simples ação de sua presença na janela, com o passar de quando em quando pela rua, ela eleva a um nível superior um dos aspectos mais sérios da vida da cidade: sua vida sexual. Educa os jovens no gosto à beleza e dá dignidade aos sonhos dos maridos de mulheres feias, infelizmente grande maioria em nossa cidade, às suas obrigações matrimoniais que, de outra maneira, seriam insuportável sacrifício.

O juiz dignava-se em concordar:
— Bela defesa, meu caro, digna de quem a faz e de quem é feita. Mas, aqui para nós, não é mesmo absurdo tanta carne de mulher para um homem só? E um homem pequeno, magrinho... Se pelo menos ela não estivesse o dia todo à vista, como está...
— E o que é que o senhor pensa? Que ninguém dorme com ela? Engano, meu caro juiz, engano...
— Não me diga, João! Quem se atreve?
— A maioria dos homens, digníssimo. Quando dormem com as esposas estão pensando é em Glória. É com ela que dormem.
— Ora, seu João Fulgêncio, eu logo devia adivinhar que se tratava de paradoxo...
— De qualquer maneira, essa dona aí é uma tentação — disse Josué.
— Ela só falta agarrar a gente com os olhos...
Alguém aparecia agitando um exemplar do *Diário de Ilhéus*:
— Já viram?

João Fulgêncio e Josué já tinham lido. O juiz apoderou-se do jornal, botou os óculos. Noutras mesas também comentavam.

— Que me dizem?

— A política vai pegar fogo...

— Esse jantar de hoje vai ser gozado.

Josué continuava a falar sobre Glória:

— O que é admirável é que ninguém se atreva a meter-se com ela. Para mim é um mistério.

O professor Josué era novato na terra, trazido por Enoch quando fundara o colégio. Apesar de ter-se imediatamente adaptado, de frequentar a Papelaria Modelo e o Bar Vesúvio, de aparecer nos cabarés, de discursar nas festividades, de cear em casas de mulheres, ainda desconhecia muitas das histórias de Ilhéus. E enquanto os outros discutiam o artigo do *Diário*, João Fulgêncio contou-lhe o sucedido entre o coronel Coriolano e Tonico Bastos pouco antes da vinda de Josué para a cidade, quando o coronel pusera casa para Glória.

PARÊNTESIS DA ADVERTÊNCIA

LOGO QUE O CORONEL TROUXERA E INSTALARA GLÓRIA NA CIDADE — contou João Fulgêncio, verdadeiro repositório de sucessos e histórias de Ilhéus —, na melhor de suas casas, aquela onde, antes de mudar-se para a capital, habitava sua família, escandalizando as solteironas, Antoninho Bastos, tabelião, marido de mulher ciumenta e pai de duas lindas crianças, rapaz tão elegante que aos domingos usava colete, o Don Juan da terra, o filho bem-amado do coronel Ramiro Bastos, andara botando olhos compridos na mulata.

Não se tratava da repetição do idílio de Juca Viana e Chiquinha. Já ouvira Josué falar nessa antiga história? Tinham-lhe contado os detalhes entre cômicos e tristes? Mais tristes do que cômicos, era um tanto macabro esse humor ilheense. No caso recente, não houvera passeios pela praia, nem mãos dadas nas pontes do porto, não se arriscara ainda

Tonico a empurrar a porta noturna de Glória. Apenas dera de aparecer pelas tardes, frequentemente, em casa da rapariga, com presentinhos de bombons comprados no bar de Nacib, a perguntar-lhe pela saúde e se de algo necessitava. E olhares caídos e palavrinhas açucaradas. Daí não passara ainda mestre Tonico.

Tradicional amizade ligava o coronel Coriolano à família Bastos. Ramiro Bastos batizara-lhe um filho, eram parceiros políticos, viam-se sempre. Disso aproveitava-se Tonico para explicar à esposa, essa gordíssima e ciumentíssima dona Olga, ser obrigado, pelos laços de afeição e de interesse político que o ligavam ao coronel, àquelas suspeitas visitas, após o almoço, à casa mal habitada. Dona Olga arfava o peito monumental, ameaçava:

— Se você é obrigado a ir, Tonico, se o coronel lhe pede, vá, por mim não se acanhe. Mas, tome sentido! Se eu souber de alguma coisa, ah! se eu souber...

— Nesse caso, filha, pra ficar desconfiada, é melhor eu não ir. Só que prometi a Coriolano...

Língua de mel, esse Tonico, como dizia o Capitão. Para dona Olga não havia homem mais puro, pobre dela!, perseguido pelas mulheres todas da cidade, raparigas, moças solteiras, mulheres casadas, marafonas todas elas, sem exceção. No entanto, por via das dúvidas, para evitar que ele caísse em tentação, trazia-o sob controle. Mal sabia ela...

Assim, com paciência e bombons, ia Tonico "preparando a cama onde deitar-se", como já se murmurava na papelaria e no bar. Mas, antes de suceder o que certamente sucederia, o coronel Coriolano soube das visitas, dos caramelos, dos olhares mortos. Apareceu inesperadamente em Ilhéus, num meio de semana, entrou pela porta da casa de Tonico — onde também estava instalado o cartório, cheio de gente àquela hora.

Antoninho Bastos acolheu o amigo com expressões ruidosas e palmadinhas nas costas, sendo, como era, homem extremamente cordial e simpático. Coriolano deixou-se agradar, aceitou a cadeira, sentou-se, batia com o rebenque nas botas sujas de lama, disse sem elevar a voz:

— Seu Tonico, chegou aos meus ouvidos que vosmicê está se bandeando pros lados da casa de minha afilhada. Eu prezo muito sua amizade, seu Tonico. Lhe vi menino em casa do compadre Ramiro. Por isso vou dar um conselho a vosmicê, conselho de amigo velho: não apareça mais por lá. Eu apreciava também muito Juca Viana, filho do finado Viana, meu companheiro de pôquer, vi Juca pequenininho também. Vosmicê se lembra do que sucedeu com ele? Coisa de lastimar, coitado, ele foi se meter com mulher dos outros...

Havia um silêncio aflito no cartório. Tonico gaguejou:

— Mas, coronel...

Coriolano continuava, sem alterar a voz, brincando com o rebenque:

— Vosmicê é moço bonito e lorde, tem muita mulher, é o que não lhe falta. Eu tou gasto e velho, minha mulher verdadeira já macheou, coitada dela!, só tenho mesmo a Glória. Gosto dessa moça e quero ela só pra mim. Esse negócio de pagar mulher pros outros nunca foi de minha devoção.

Sorriu para Tonico Bastos:

— Sou seu amigo e por isso tou lhe avisando: deixe de andar por aquelas bandas.

O tabelião estava pálido, o silêncio era tumular no cartório. Os presentes entreolhavam-se, Manuel das Onças, que fora lavrar uma escritura, afirmava depois ter sentido no ar "cheiro de defunto" e ele possuía bom olfato para esse odor, responsável por uns quantos cadáveres nos tempos dos barulhos. Tonico começou a explicar-se: eram calúnias, miseráveis calúnias de seus inimigos e dos inimigos de Coriolano. Ele apenas aparecera em casa de Glória para oferecer seus préstimos à protegida do coronel, diariamente desfeiteada por todos. Essa mesma gente que criticava Coriolano por tê-la hospedado na praça São Sebastião, numa casa onde residira sua família, gente que virava a cara para a moça, que cuspia à sua passagem, era essa mesma gente que agora fazia intriga. Ele só tinha querido demonstrar publicamente sua estima e solidariedade ao coronel. Nada tivera com a rapariga, nem mesmo intenção. Língua de mel, esse Tonico.

— Que vosmicê não teve nada eu sei. Se tivesse tido, eu não tava aqui pra conversar, a conversa era outra. Mas se teve intenção, aí eu já não boto minha mão no fogo. Mas intenção não tira pedaço nem põe chifre em ninguém... O melhor é vosmicê fazer como os outros: virar a cara para ela. É assim mesmo que eu gosto. E, agora que vosmicê já está avisado, não vamos falar mais nisso.

Imediatamente começou a falar de negócios, como se nada houvesse dito, entrou pela casa adentro, foi dar bom-dia a dona Olga, beliscar as faces das crianças. Tonico Bastos deixou até de passar na calçada de Glória, desde então ela viveu ainda mais melancólica e solitária. A cidade glosara o assunto: "a cama caiu antes dele se deitar", diziam, "e caiu fazendo barulho", acrescentavam, uma gente sem dó nem piedade essa de

Ilhéus. O aviso do coronel Coriolano servira não apenas para Tonico: muita gente resolveu ficar nas intenções que, pelas noites mornas, transformavam-se em sonhos agitados, alimentados da contemplação do busto de Glória na janela e do sorriso descendo dos olhos para a boca, "molhado de desejo", como versejara muito bem o próprio Josué. E quem ganhava com isso, segundo João Fulgêncio, encerrando a narração, eram as esposas, as velhas e feias, pois, como ele dissera ao juiz, Glória era de utilidade pública, necessidade social, elevando a nível superior a vida sexual dessa cidade de Ilhéus, tão feudal ainda, apesar do propalado e inegável progresso...

FECHADO O PARÊNTESIS, CHEGA-SE AO BANQUETE

APESAR DA CURIOSIDADE E DO RECEIO DE NACIB, O JANTAR DA EMPRESA de ônibus transcorreu em perfeita paz e harmonia. Antes das sete horas, quando os últimos fregueses do aperitivo retiravam-se, já o russo Jacob, esfregando as mãos, rindo com todos os dentes, rondava em derredor de Nacib. Também ele tinha lido o artigo no jornal e também ele temia pelo sucesso da festa. Gente esquentada essa de Ilhéus... Seu sócio, Moacir Estrela, esperava, na garagem, a chegada da marinete com os convidados de Itabuna, dez pessoas, incluindo o intendente e o juiz de direito. E agora esse malfadado artigo a lançar a cizânia, a desconfiança e a divisão entre seus convidados.

— Isso ainda vai dar muito que falar.

O Capitão, tendo aparecido antes para a costumeira partida de gamão, confidenciara a Nacib ser o artigo apenas um começo. O primeiro de uma série, e não iriam ficar em artigos, Ilhéus viveria grandes dias. O Doutor, os dedos sujos de tinta, os olhos brilhantes de vaidade, lá estivera rapidamente, declarando-se ocupadíssimo. Quanto a Tonico Bastos não voltara ao bar, constava ter sido chamado com urgência pelo coronel Ramiro.

Os primeiros convidados a chegar foram os de Itabuna, louvando a viagem em marinete, o percurso feito em hora e meia apesar da estrada não estar ainda completamente seca. Olhavam com condescendente curiosidade as ruas, as casas, a igreja, o Bar Vesúvio, o estoque de bebidas, o Cine-Teatro Ilhéus, achando que em Itabuna tudo era melhor, não havia igreja como as de lá, cinema melhor que os deles, casas que se igualassem às novas moradias itabunenses, bares mais ricos em bebidas, cabarés tão frequentados. Naquele tempo a rivalidade entre as duas primeiras cidades da zona do cacau começava a tomar corpo. Os itabunenses falavam do progresso sem medidas, do crescimento espantoso de sua terra, ainda há alguns anos simples distrito de Ilhéus, uma aldeia conhecida por Tabocas. Discutiam com o Capitão, falavam do caso da barra.

Famílias dirigiam-se ao cinema para assistir à estreia do mágico Sandra, olhavam o movimento no bar, as figuras importantes ali reunidas, a grande mesa em forma de T. Jacob e Moacir recebiam os convidados. Mundinho Falcão chegou com Clóvis Costa, houve um movimento de curiosidade. O exportador foi abraçar os itabunenses, havia entre eles fregueses seus. O coronel Amâncio Leal, em companhia de Manuel das Onças, contava ter Jesuíno partido, devidamente autorizado pelo juiz, para sua fazenda, onde aguardaria o andamento do processo. O coronel Ribeirinho não tirava os olhos da porta do cinema, na esperança de ver Anabela chegar. A conversa generalizava-se, falava-se dos enterros, do crime da véspera, de negócios, do fim das chuvas, das perspectivas da safra, do Príncipe Sandra e de Anabela, evitava-se cuidadosamente qualquer referência ao caso da barra, ao artigo do *Diário de Ilhéus*. Como se todos temessem iniciar as hostilidades, ninguém quisesse assumir tal responsabilidade.

Quando, por volta das oito horas, já iam sentar-se à mesa, da porta do bar alguém anunciou:

— Lá vem o coronel Ramiro com Tonico.

Amâncio Leal dirigiu-se a seu encontro. Nacib sobressaltou-se: a atmosfera ficara mais tensa, os risos soavam falsos, ele percebia os revólveres sob os paletós. Mundinho Falcão conversava com João Fulgêncio, o Capitão se aproximou deles. Podia-se ver, do outro lado da praça, o professor Josué no portão de Malvina. O coronel Ramiro Bastos, o cansado passo apoiado na bengala, penetrou no bar, adiantou-se cumprimentando um a um. Parou ante Clóvis Costa, apertou-lhe a mão:

— Como vai o jornal, Clóvis? Prosperando?
— Vai bem, coronel.

Demorou-se um pouco no grupo formado por Mundinho, João Fulgêncio e o Capitão. Quis saber da viagem de Mundinho, reclamou de João Fulgêncio não ter aparecido nos últimos tempos em sua casa, pilheriou com o Capitão. Nacib sentiu-se cheio de admiração pelo velho: ele devia estar se comendo por dentro, de raiva, e nada deixava transparecer. Olhava para os adversários, aqueles que se preparavam para lutar contra seu poder, para arrancar-lhe os postos, como se fossem crianças sem juízo, não oferecessem perigo. Sentaram-no à cabeceira da mesa, entre os dois intendentes. Mundinho vinha logo depois entre os juízes. A comida das irmãs Dos Reis começou a ser servida.

A princípio ninguém estava completamente à vontade. Comiam, bebiam, conversavam, riam, mas havia uma inquietação na mesa como se esperassem um acontecimento. O coronel Ramiro Bastos não tocava na comida, apenas provara o vinho. Seus olhos miúdos passeavam de conviva a conviva. Escureciam-se ao pousar em Clóvis Costa, no Capitão, em Mundinho. De súbito quis saber por que o Doutor não comparecera e lamentou sua ausência. Aos poucos, o ambiente foi-se fazendo mais alegre e despejado. Contavam-se anedotas, descreviam-se as danças de Anabela, elogiavam a comida das irmãs Dos Reis.

E finalmente chegou a hora dos discursos. O russo Jacob e Moacir haviam pedido ao dr. Ezequiel Prado para falar em nome da empresa, oferecendo o jantar. O advogado levantou-se, bebera muito, tinha a língua pastosa, quanto mais bebia melhor falava. Amâncio Leal segredou qualquer coisa ao dr. Maurício Caires. Sem dúvida prevenindo-o para estar atento. Se Ezequiel, cuja lealdade política ao coronel Ramiro encontrava-se vacilante desde as últimas eleições, entrasse a fazer comentários sobre o caso da barra, competiria a ele, Maurício, responder na bucha. Mas o dr. Ezequiel, em dia de muita inspiração, tomou como tema principal a amizade entre Ilhéus e Itabuna, as cidades irmãs da zona do cacau, agora ligadas também pela nova empresa de ônibus, essa "monumental realização" de homens empreendedores como Jacob, "vindo das estepes geladas da Sibéria para impulsionar o progresso deste rincão brasileiro" — frase que umedeceu os olhos de Jacob, em realidade nascido num *ghetto* de Kiev —, e Moacir, "homem que se fez à custa do próprio esforço, exemplo de trabalho honrado" — Moacir baixava a cabeça, modesto, enquanto em torno ressoavam apoiados. Por aí foi, gastando muita civilização e muito progresso, prevendo o futuro da zona, destinada a "alcançar rapidamente os píncaros mais elevados da cultura".

O intendente de Ilhéus, xaroposo e interminável, saudou o povo de Itabuna, ali tão bem representado. O intendente de Itabuna, coronel Aristóteles Pires, agradeceu em poucas palavras. Observava o ambiente, pensativo. Levantou-se o dr. Maurício, soltou o verbo, serviu-lhes a Bíblia como sobremesa. Para concluir elevando um brinde a "esse impoluto ilheense, a quem tanto deve nossa região, varão de insignes virtudes, administrador operoso, pai de família exemplar, chefe e amigo, o coronel Ramiro Bastos". Beberam todos, Mundinho brindou com o coronel. Apenas dr. Maurício sentava-se e já o Capitão pusera-se de pé, uma taça na mão. Também ele queria fazer um brinde, disse, aproveitando aquela festa que marcava um passo a mais no progresso da zona do cacau. A um homem chegado das grandes cidades do sul para empregar naquela região sua fortuna e suas extraordinárias energias, sua visão de estadista, seu patriotismo. A esse homem, a quem Ilhéus e Itabuna já tanto deviam, cujo nome estava anonimamente ligado a essa empresa de ônibus, como a tudo mais que nesses últimos anos empreendera o povo ilheense, a Raimundo Mendes Falcão, ele levantava sua taça. Foi a vez do coronel brindar com o exportador. Segundo contaram depois, durante todo o discurso do Capitão, Amâncio Leal manteve a mão na coronha do revólver.

E nada mais se passou. Apenas todos compreenderam que Mundinho, a partir daquele dia, assumira a chefia da oposição e começara a luta. Não mais uma luta como a de antes, do tempo da conquista da terra. Agora as repetições e as tocaias, os cartórios queimados e as escrituras falsas não eram decisivos. João Fulgêncio disse ao juiz:

— Em vez de tiros, discursos... É melhor assim.

Mas o juiz duvidava:

— Isso acaba mesmo é em bala, você vai ver.

O coronel Ramiro Bastos retirou-se logo, acompanhado de Tonico. Outros espalharam-se pelas mesas do bar, continuaram a beber. Formou-se uma roda de pôquer no reservado, alguns dirigiram-se para os cabarés. Nacib ia de grupo em grupo, ativando os empregados, a bebida corria. No meio de toda aquela atrapalhação, recebeu, trazido por um moleque, um bilhete de Risoleta. Ela queria vê-lo sem falta naquela noite, ia esperá-lo no Bataclan. Assinava "sua bichinha Risoleta", o árabe sorriu satisfeito. Junto à caixa estava o pacote para Gabriela: um vestido de chita, um par de sandálias.

Quando terminou a sessão de cinema, o bar encheu. Nacib não tinha mãos a medir. Agora as discussões em torno ao artigo dominavam as conversas. Ainda havia quem falasse no crime da véspera, as famílias elogiavam o prestidigitador. Mas o assunto, em quase todas as mesas, era o artigo do *Diário de Ilhéus*. O movimento durou até tarde, era mais de meia-noite quando Nacib fechou a caixa e dirigiu-se ao cabaré. Numa mesa, com Ribeirinho, Ezequiel e outros, Anabela pedia opiniões para seu álbum. Nhô-Galo, romântico, escreveu: "Tu és, ó dançarina, a encarnação da própria arte". O dr. Ezequiel, num pileque grandioso, acrescentara, a letra tremida: "Quem me dera ser gigolô da arte". O Príncipe Sandra fumava sua longa piteira, imitação de marfim. Ribeirinho, muito íntimo, batia-lhe nas costas, narrava-lhe as grandezas de sua fazenda.

Risoleta esperava Nacib. Levou-o para um canto da sala. Contou-lhe amarguras: amanhecera doente, voltara-lhe uma complicação antiga que lhe infernava os dias, tivera de chamar médico. E estava sem dinheiro nenhum, nem para os remédios. Não tinha a quem pedir, não conhecia quase ninguém. Recorria a Nacib, ele fora tão gentil naquela noite... O árabe passou-lhe uma cédula, resmungando, ela acariciou-lhe os cabelos.

— Fico boa logo, dois, três dias, mando te chamar...

Partiu apressada. Estaria mesmo doente ou era uma comédia para tomar-lhe dinheiro, ir gastar com um estudante ou um caixeiro numa ceia regada a vinho? Nacib sentia-se irritado, esperara ir dormir com ela, nos seus braços esquecer o dia melancólico de enterros, trabalhoso e inquieto, de banquete e intrigas políticas. Dia de arrasar um homem. Terminando naquela decepção. Segurava o pacote para Gabriela. As luzes se apagavam, a dançarina apareceu vestida com suas penas. O coronel Ribeirinho chamava o garçom, comandava champanha.

NOITE DE GABRIELA

ENTROU NA SALA, ARRANCOU OS SAPATOS. FICAVA GRANDE PARTE DO DIA EM PÉ, andando de mesa em mesa. Um prazer tirar os sapatos, as meias, mexer os dedos dos pés, dar uns passos descalço, enfiar os velhos chinelos cara de gato. Sentimentos e imagens baralhavam-se em sua cabeça. Anabela devia haver terminado seu número, estaria na mesa com Ribeirinho bebendo champanha. Tonico Bastos não aparecera naquela noite. E o Príncipe? Chamava-se Eduardo da Silva, no seu cartão constava: "artista". Um cínico, isso sim. Adulando o fazendeiro, empurrando a mulher para seus braços, negociando com o corpo dela. Nacib encolheu os ombros. Talvez fosse apenas um pobre-diabo, talvez Anabela não significasse grande coisa para ele, simples ligação acidental, de trabalho. Aquele era seu negócio, seu ganha-pão, tinha cara de já haver passado muita fome. Sujo ganha-pão, sem dúvida — e qual o limpo? Por que julgá-lo e condená-lo? Quem sabe se não seria ele mais decente do que os amigos de Osmundo, seus companheiros de bar, de literatice, de bailes no Clube Progresso, de conversas sobre mulheres, todos eles cidadãos honrados mas incapazes de levar o corpo do amigo ao cemitério?... Homem direito era o Capitão. Pobre, sem outro recurso além do emprego de coletor federal, sem roças de cacau, mantinha suas opiniões, enfrentava qualquer um. Não era íntimo de Osmundo, e lá estava no enterro, segurando uma alça do caixão. E o discurso no jantar? Sapecara o nome de Mundinho na cara de todos, na presença do coronel Ramiro Bastos.

Recordando o jantar, Nacib estremeceu. Até tiro podia ter saído, foi uma sorte haver terminado em paz. Aliás, era apenas o começo, o próprio Capitão dissera. Mundinho tinha dinheiro, prestígio no Rio, amigos no governo federal, não era um "porcaria qualquer" como o dr. Honorato, médico idoso e alquebrado, chefe da oposição a dever favores a Ramiro, a pedir-lhe emprego para os filhos. Mundinho ia arrastar muita gente, dividir os fazendeiros donos de votos, fazer misérias. Se conseguisse, como prometia, trazer engenheiros e dragas para desentulhar a barra... Podia tomar conta de Ilhéus, botar os Bastos no ostracismo. Também o velho estava no fim, Alfredo só existia na Câmara por ser seu filho, bom médico de meninos e nada mais. Quanto a Tonico... aquele não nascera para política, para mandar e desmandar, fazer e desfazer. A não ser quando se tratava de mulheres. Nem aparecera no cabaré naquela noite. Certamente para não enfrentar as discussões em torno do artigo, não era homem de brigas. Nacib balançou a cabeça. Amigo de uns e de outros, do Capitão e de Tonico, de Amâncio Leal e do Doutor, com eles bebia, jogava, conversava, ia à casa de mulheres. Deles vinha-lhe o dinheiro que ganhava. E agora se encontravam divididos, cada um para seu lado. Só numa coisa estavam todos de acordo: em matar mulher adúltera, nem mesmo o Capitão defendia Sinhazinha. Nem mesmo seu primo, em cuja casa o corpo fora encomendado para o cemitério. Que diabo viera fazer ali a filha do coronel Melk Tavares, aquela por quem Josué suspirava apaixonado, uma de rosto formoso, calada, os olhos inquietos como se conduzisse um segredo, um mistério qualquer? Uma vez João Fulgêncio dissera, ao vê-la com outras colegas comprando chocolate no bar:

— Essa moça é diferente das outras, tem caráter.

Por que diferente, que queria dizer João Fulgêncio, homem tão ilustrado, com aquela coisa de "caráter"? A verdade é que ela aparecera no velório, levando flores. O pai visitara Jesuíno, "levara-lhe o seu abraço", como ele mesmo dissera a Nacib no "mercado dos escravos". A filha, moça solteira e estudante, à espera de noivo, que diabo fora fazer junto ao caixão de Sinhazinha? Tudo dividido, o pai de um lado, a filha de outro. Esse mundo é complicado, entenda-o quem quiser, estava acima de suas forças, não passava de dono de bar, por que pensar em tudo isso? Tinha era de ganhar dinheiro para um dia comprar roça de cacau. Se Deus ajudasse, haveria de comprar. Talvez então pudesse olhar o rosto de Malvina, tentar decifrar o seu enigma. Ou, pelo menos, botar casa para rapariga igual a Glória.

Estava com sede, foi beber água na moringa da cozinha. Viu o pacote, com o vestido e os chinelos, trazidos da loja do tio. Ficou indeciso. O melhor era entregar no outro dia. Ou botar na porta do quartinho dos fundos, para a empregada encontrar quando acordasse. Como se fosse Natal... Sorriu, tomou do embrulho. Na cozinha engoliu a água em grandes goles, bebera muito naquele dia, durante o jantar, ajudando a servir.

A lua, no alto dos céus, iluminava o quintal de mamoeiros e goiabeiras. A porta do quarto da empregada estava aberta. Talvez por causa do calor. No tempo de Filomena era trancada a chave, a velha tinha medo de ladrões, sua riqueza eram os quadros de santos. O luar entrava quarto adentro. Nacib aproximou-se, deixaria o pacote nos pés da cama, ela levaria um susto pela manhã. E, talvez, na próxima noite...

Os olhos perscrutaram a escuridão. A réstia de luar subia pela cama, iluminava um pedaço de perna. Nacib firmou a vista, já excitado. Esperara dormir essa noite nos braços de Risoleta, nessa certeza fora ao cabaré, antegozando a sabedoria dela, de prostituta de cidade grande. Ficara-lhe o desejo irritado. Agora via o corpo moreno de Gabriela, a perna saindo da cama. Mais do que via, adivinhava-o sob a coberta remendada, mal cobrindo a combinação rasgada o ventre e os seios. Um seio saltava pela metade, Nacib procurava enxergar. E aquele perfume de cravo, de tontear.

Gabriela agitou-se no sono, o árabe transpusera a porta. Estava com a mão estendida, sem coragem de tocar o corpo dormido. Por que apressar-se? Se ela gritasse, se fizesse um escândalo, fosse embora? Ficaria sem cozinheira, outra igual a ela jamais encontraria. O melhor era deixar o pacote na beira da cama. No outro dia demoraria mais em casa, ganhando sua confiança pouco a pouco, terminaria por conquistá-la.

Sua mão quase tremia pousando o embrulho. Gabriela sobressaltou-se, abriu os olhos, ia falar, mas viu Nacib de pé, a fitá-la. Com a mão, instintivamente, procurou a coberta mas tudo que conseguiu — por acanhamento ou por malícia? — foi fazê-la escorregar da cama. Levantou-se a meio, ficou sentada, sorria tímida. Não buscava esconder o seio, agora visível ao luar.

— Vim lhe trazer um presente — gaguejou Nacib. — Ia botar em sua cama. Cheguei agorinha...

Ela sorria, era de medo ou era para encorajar? Tudo podia ser, ela parecia uma criança, as coxas e os seios à mostra como se não visse mal naquilo, como se nada soubesse daquelas coisas, fosse toda inocência. Tirou o embrulho da mão dele:

— Obrigada, moço, Deus lhe pague.

Desatou o nó, Nacib a percorria com os olhos, ela estendeu sorrindo o vestido sobre o corpo, acariciou-o com a mão:

— Bonito...

Espiou os chinelos baratos, Nacib arfava.

— O moço é tão bom...

O desejo subia no peito de Nacib, apertava-lhe a garganta. Seus olhos se escureciam, o perfume de cravo o tonteava, ela tomava do vestido para melhor o ver, sua nudez cândida ressurgia.

— Bonito... Fiquei acordada, esperando pro moço me dizer a comida de amanhã. Ficou tarde, vim deitar...

— Tive muito trabalho — as palavras saíam-lhe a custo.
— Coitadinho... Não tá cansado?
Dobrava o vestido, colocava os chinelos no chão.
— Me dê, penduro no prego.
Sua mão tocou a mão de Gabriela, ela riu:
— Mão mais fria...
Ele não pôde mais, segurou-lhe o braço, a outra mão procurou o seio crescendo ao luar. Ela o puxou para si:
— Moço bonito...
O perfume de cravo enchia o quarto, um calor vinha do corpo de Gabriela, envolvia Nacib, queimava-lhe a pele, o luar morria na cama. Num sussurro entre beijos, a voz de Gabriela agonizava:
— Moço bonito...

SEGUNDA PARTE

ALEGRIAS & TRISTEZAS
DE UMA FILHA DO POVO NAS RUAS DE ILHÉUS,
DA COZINHA AO ALTAR
(ALIÁS ALTAR NÃO HOUVE DEVIDO A COMPLICAÇÕES RELIGIOSAS),
QUANDO CORRIA FARTO O DINHEIRO
&
TRANSFORMAVA-SE A VIDA

COM

CASAMENTOS & DESCASAMENTOS,

SUSPIROS DE AMOR & UIVOS DE CIÚME,

TRAIÇÕES POLÍTICAS & CONFERÊNCIAS LITERÁRIAS,

ATENTADOS, FUGAS, JORNAIS EM CHAMAS, LUTA ELEITORAL

&

O FIM DA SOLIDÃO,

CAPOEIRISTAS & CHEF DE CUISINE,

CALOR & FESTAS DE FIM DE ANO,

TERNO DE PASTORINHAS & CIRCO MAMBEMBE,

QUERMESSE & ESCAFANDRISTAS,

MULHERES DESEMBARCANDO A CADA NAVIO,

JAGUNÇOS NOS ÚLTIMOS TIROS,

COM

OS GRANDES CARGUEIROS NO PORTO & A LEI DERROTADA,

COM

UMA FLOR & UMA ESTRELA

OU

GABRIELA, CRAVO E CANELA

CAPÍTULO TERCEIRO

O SEGREDO DE MALVINA
(nascida para um grande destino, presa em seu jardim)

*A moral se enfraquece, os costumes degeneram,
aventureiros vindos de fora...*
(de um discurso do dr. Maurício Caires)

CANTIGA PARA NINAR MALVINA

*Dorme, menina dormida
teu lindo sonho a sonhar.
No teu leito adormecida
partirás a navegar.*

*Estou presa em meu jardim
com flores acorrentada.
Acudam! vão me afogar.
Acudam! vão me matar.
Acudam! vão me casar
numa casa me enterrar
na cozinha a cozinhar
na arrumação a arrumar
no piano a dedilhar
na missa a me confessar.
Acudam! vão me casar
na cama me engravidar.*

*No teu leito adormecida
partirás a navegar.*

*Meu marido, meu senhor
na minha vida a mandar.
A mandar na minha roupa
no meu perfume a mandar.
A mandar no meu desejo
no meu dormir a mandar.
A mandar nesse meu corpo
nessa minh'alma a mandar.
Direito meu a chorar.
Direito dele a matar.*

*No teu leito adormecida
partirás a navegar.*

*Acudam! me levem embora
quero marido pra amar
não quero pra respeitar.
Quem seja ele — que importa?
moço pobre ou moço rico
bonito, feio, mulato
me leve embora daqui.
Escrava não quero ser.
Acudam! me levem embora.*

*No teu leito adormecida
partirás a navegar.
A navegar partirei
acompanhada ou sozinha.
Abençoada ou maldita
a navegar partirei.
Partirei pra me casar
a navegar partirei.
Partirei pra me entregar
a navegar partirei.
Partirei pra trabalhar
a navegar partirei.
Partirei pra me encontrar
para jamais partirei.*

*Dorme, menina dormida
teu lindo sonho a sonhar.*

GABRIELA COM FLOR

AS FLORES DESABROCHAVAM NAS PRAÇAS DE ILHÉUS, CANTEIROS DE ROSAS, crisântemos, dálias, margaridas, malmequeres. As pétalas das onze-horas abriam-se por entre a relva, pontuais como o relógio da intendência, salpicando de vermelho o verde da grama. Para as bandas do Malhado, em meio ao mato, nos bosques úmidos do Unhão e da Conquista, explodiam fantásticas orquídeas. Mas o perfume a elevar-se na cidade, a dominá-la, não vinha dos jardins, dos bosques, das tratadas flores, das orquídeas selvagens. Chegava dos armazéns de ensacamento, do cais e das casas exportadoras, era o perfume das amêndoas de cacau seco, tão forte que entontecia os forasteiros, tão habitual que ninguém mais o sentia. Espalhando-se sobre a cidade, o rio e o mar.

Nas roças, os frutos de cacau punham-se de vez, todas as gamas do amarelo na paisagem, um ar doirado. O tempo da colheita aproximava-se, de safra tão grande jamais se tivera notícia.

Gabriela arrumava enorme tabuleiro de doces. Outro, ainda maior, de acarajés, abarás, bolinhos de bacalhau, frigideiras. O moleque Tuísca, pitando uma ponta de cigarro, esperava a contar-lhe conversas do bar, miúdos acontecimentos, aqueles a afetá-lo mais particularmente: os dez pares de sapatos de Mundinho Falcão, as partidas de futebol na praia, um roubo acontecido em loja de fazendas, o anúncio da próxima chegada do Grande Circo Balcânico, com elefante e girafa, camelo, leões e tigres. Gabriela ria, ouvindo, ficou atenta às notícias do circo:

— Vem mesmo?

— Já tem anúncio nos postes.

— Uma vez teve um circo por lá. Fui com a tia pra ver. Tinha um homem que comia fogo.

Tuísca fazia projetos: quando o circo chegasse, ele acompanharia o palhaço em seu percurso pela cidade, montado de costas num jumento. Assim acontecia sempre, cada vez que um circo armava seu pavilhão no descampado da banca de peixe. O palhaço a perguntar:

— Palhaço o que é?

A meninada a responder:

— É ladrão de mulher...

O palhaço marcava-lhe a testa com cal, ele entrava de graça no espetáculo à noite. Quando não ajudava os mata-cachorros na arrumação do picadeiro, fazendo-se indispensável e íntimo. Nessas ocasiões abandonava sua caixa de engraxate.

— Um circo quis me levar. O diretor me chamou...
— De mata-cachorro?

Tuísca quase se ofendeu:
— Não. De artista.
— O que é que tu ia fazer?

Iluminou-se o rostinho negro:
— Pra ajudar com os macacos, aparecer com eles. E pra dançar também... Só não fui por causa de mamãe... — A negra Raimunda estava entrevada de reumatismo, incapacitada de exercer sua profissão de lavadeira, os filhos sustentavam a casa: Filó, chofer de marinete, e Tuísca, mestre de várias artes.

— E tu sabe dançar?
— Nunca viu? Quer ver?

Imediatamente pôs-se a dançar, tinha a dança dentro de si, os pés criando passos, o corpo solto, as mãos batendo o ritmo. Gabriela olhava, com ela era igual, não se conteve. Abandonou tabuleiros e panelas, salgados e doces, a mão a suspender a saia. Dançavam agora os dois, o negrinho e a mulata, sob o sol do quintal. Nada mais existia no mundo. Em certo momento Tuísca parou, ficou apenas a bater as mãos sobre um tacho vazio, emborcado. Gabriela volteava, a saia voando, os braços indo e vindo, o corpo a dividir-se e a juntar-se, as ancas a rebolar, a boca a sorrir.

— Meu Deus, os tabuleiros...

Arrumaram às pressas, o de doces sobre o dos salgados, tudo na cabeça de Tuísca que saiu assoviando a melodia. Os pés de Gabriela ainda traçaram uns passos, dançar era bom. Um ruído de fervura veio da cozinha, ela precipitou-se.

Quando sentiu Chico Moleza entrar na casa ao lado já estava pronta, tomou da marmita, enfiou os chinelos, dirigiu-se para a porta. Ia levar a comida de Nacib, ajudar enquanto o empregado não estava. Voltou, porém, colheu uma rosa no canteiro do quintal, enfiou o talo atrás da orelha, sentia as pétalas veludosas a tocar-lhe de leve a face.

Fora o sapateiro Felipe — boca suja de anarquista a praguejar contra os padres, tão educado quanto um nobre espanhol ao falar com uma dama — quem lhe ensinara aquela moda. "A mais formosa das modas", dissera-lhe.

— Todas as *muchachas* em Sevilha usam uma flor *roja* nos cabelos...

Tantos anos em Ilhéus, batendo sola, e ainda misturava palavras castelhanas ao seu português. Antes aparecia no bar apenas de raro em raro. Trabalhava muito, remendando selas, arreios, fabricando chicotes de montaria, botando sola em sapatos e botas, no tempo livre lia folhetos de capa encarnada, discutia na Papelaria Modelo. Quase só aos domingos vinha ao bar para jogar gamão e dama, adversário temido. Atualmente era todos os dias, antes do almoço, na hora do aperitivo. Quando Gabriela chegava, o espanhol suspendia a cabeça de rebeldes cabelos brancos, ria com os dentes perfeitos, de jovem:

— *Salve la gracia, olé.*

E fazia com os dedos um ruído de castanholas.

Outros também, fregueses anteriormente acidentais, haviam-se tornado cotidianos, o Vesúvio conhecia uma singular prosperidade. A fama dos salgados e doces de Gabriela circulara, desde os primeiros dias, entre os viciados do aperitivo, trazendo gente dos bares do porto, alarmando Plínio Araçá, o dono do Pinga de Ouro. Nhô-Galo, Tonico Bastos, o Capitão, cada um por sua vez, haviam partilhado o almoço de Nacib, saíram dizendo maravilhas da comida. Seus acarajés, as fritadas envoltas em folhas de bananeira, os bolinhos de carne, picantes, eram cantados em prosa e verso — em verso porque o professor Josué a eles dedicara uma quadra, onde rimava frigideira com abrideira, cozinheira com faceira. Mundinho Falcão já a solicitara por empréstimo, um dia, quando ofereceu um jantar em sua residência, por ocasião da acidental passagem por Ilhéus, num ita, de um amigo seu, senador por Alagoas.

Vinham para o aperitivo, o pôquer de dados, os acarajés apimentados, os bolinhos salgados de bacalhau a abrir o apetite. O número crescendo, uns trazendo outros, devido às notícias sobre a alta qualidade do tempero de Gabriela. Mas muitos deles demoravam-se agora um pouco mais além da hora habitual, atrasando o almoço. Desde que Gabriela passara a vir ao bar com a marmita de Nacib.

Exclamações ressoavam à sua entrada: aquele passo de dança, os olhos baixos, o sorriso espalhando-se dos seus lábios para todas as bocas. Entrava, dizendo bom-dia por entre as mesas, ia direta para o balcão, depositava a marmita. Habitualmente, àquela hora o movimento era mínimo, um ou outro retardatário a apressar-se para casa. Mas, pouco a pouco, os fregueses foram prolongando a hora do aperitivo, medindo o tempo pela chegada de Gabriela, bebendo um último trago após sua aparição no bar.

— Desce um rabo de galo, Bico-Fino.

— Dois vermutes aqui...
— Saímos para outra? — Os dados ressoavam no copo de couro, rolavam sobre a mesa. — Trinca de reis em uma...
Ela ajudava a servir, para mais depressa o movimento acabar, senão a comida esfriaria na marmita, perderia o gosto. Os chinelos arrastando-se no cimento, os cabelos amarrados com uma fita, o rosto sem pintura, as ancas de dança. Ia por entre as mesas, um lhe dizia galanteios, outro a fitava com olhos súplices, o Doutor batia-lhe palmadinhas na mão, chamava-a minha menina. Ela sorria para uns e outros, pareceria uma criança não fossem as ancas soltas. Uma súbita animação percorria o bar, como se a presença de Gabriela o tornasse mais acolhedor e íntimo.

Do balcão, Nacib a via aparecer na praça, a rosa na orelha, presa nos cabelos. Semicerravam-se os olhos do árabe — a marmita cheia de comida gostosa, àquela hora sentia-se esfomeado, contendo-se para não devorar os pastéis e empadas de camarão, os bolinhos dos tabuleiros. E a entrada de Gabriela significaria mais uma rodada de bebida em quase todas as mesas, aumento de lucro. Ao demais, era um prazer para os olhos vê-la ao meio do dia, rememorar a noite passada, imaginar a próxima.

Por baixo do balcão a beliscava, passava-lhe a mão sob as saias, tocava-lhe os peitos. Gabriela ria então em surdina, era gostoso.

O Capitão a reclamava:

— Venha ver essa jogada, minha aluna...

De aluna a tratava, um falso ar paterno, desde um dia quando tentara, no bar quase vazio, ensinar-lhe os mistérios do gamão. Ela rira sacudindo a cabeça, além do "jogo de burro" não conseguia aprender nenhum outro. Mas ele, nas conclusões das partidas prolongadas em jogadas lentas para a ver chegar, reclamava sua presença nos lances decisivos:

— Venha aqui me dar sorte...

Por vezes a sorte era para Nhô-Galo, para o sapateiro Felipe ou para o Doutor:

— Obrigado, minha menina, Deus lhe faça ainda mais bela — o Doutor batia-lhe levemente na mão.

— Mais bela? Impossível! — protestava o Capitão, abandonando o ar paternal.

Nhô-Galo não dizia nada, apenas a olhava. O sapateiro Felipe elogiava-lhe a rosa na orelha:

— *Ah! mis vinte años...*

Reclamava de Josué, por que não fazia ele um soneto para aquela flor, aquela orelha, aqueles olhos verdes? Josué respondendo que um soneto era pouco, faria uma ode, uma balada.

    Sobressaltavam-se quando o relógio soava as doze e meia, iam saindo, deixando gordas gorjetas que Bico-Fino recolhia com as unhas sujas e ávidas. Iam empurrados pelo relógio, como obrigados, a contragosto. O bar esvaziava-se, Nacib sentava-se a comer. Ela o servia, rodando em torno da mesa, abrindo a garrafa de cerveja, enchendo-lhe o copo. O rosto moreno resplandecia, quando ele, farto, entre dois arrotos — "É bom para a saúde", explicava —, elogiava os pratos. Recolhia as marmitas, Chico Moleza aparecia de volta, era a vez de Bico-Fino ir almoçar. Gabriela armava a espreguiçadeira num terreno ao lado do bar, plantado de árvores, dando para a praça. Dizia "Até logo, seu Nacib", voltava para casa. O árabe acendia o charuto de São Félix, tomava dos jornais da Bahia, atrasados de uma semana, ficava a espiá-la desaparecer na curva da igreja, seu andar de dança, seus quadris marinheiros. Já não levava a flor na orelha, metida nos cabelos. Ele a encontrava na espreguiçadeira, teria caído por acaso, ao curvar-se a moça, ou a retirara ela da orelha e a deixara ali de propósito? Rosa rubra com cheiro de cravo, perfume de Gabriela.

DO ESPERADO HÓSPEDE INDESEJÁVEL

    EUFÓRICOS, O CAPITÃO E O DOUTOR APARECERAM CEDO NO BAR VESÚVIO comboiando um homem de uns trinta e poucos anos, de rosto aberto e ar esportivo. Antes mesmo que o apresentassem, Nacib adivinhou tratar-se do engenheiro. Desencantara afinal o tão esperado e discutido cidadão...

— Doutor Rômulo Vieira, engenheiro do Ministério da Viação.
— Muito prazer, doutor. Um seu criado...
— O prazer é meu.

    Ali estava ele, o rosto queimado de sol, o cabelo cortado quase rente, uma pequena cicatriz na testa. Apertava com força a mão de Nacib. O

Doutor sorria tão feliz como se exibisse parente próximo e ilustre ou mulher de rara beleza. O Capitão pilheriava:

— Esse árabe é uma instituição. É ele quem nos envenena com bebida falsificada, rouba-nos ao pôquer, sabe da vida de todo mundo.

— Não diga isso, Capitão. O que é que o doutor vai pensar?

— Um bom amigo — retificava o Capitão. — Pessoa de bem.

O engenheiro sorria, um tanto contrafeito, a olhar com desconfiança a praça e as ruas, o bar, o cinema, as casas próximas em cujas janelas surgiam olhos curiosos. Sentaram-se em torno de uma das mesas do passeio. Glória surgia na janela, molhada do banho, os cabelos por pentear, num desalinho matinal. Logo descobria o forasteiro, cravava-lhe os olhos, corria para dentro a embelezar-se.

— Um pancadão de mulher, hein? — o Capitão explicava-lhe Glória solitária.

Nacib quis servi-los pessoalmente, trouxe pedaços de gelo num prato, a cerveja estava apenas fria. Afinal chegara o engenheiro! O *Diário de Ilhéus* anunciara na véspera, na primeira página, em letras gordas, o desembarque no dia seguinte, pelo navio da Bahiana. Com o quê, acrescentava asperamente a notícia,

> vai transformar-se em sorriso amarelo o riso alvar dos parvos e despeitados, aqueles profetas de fancaria que, em sua obra impatriótica, negam não só a vinda do engenheiro mas a própria existência de qualquer engenheiro no ministério... O dia de amanhã será o das bocas arrolhadas, da empáfia castigada.

O engenheiro viera via Bahia, desembarcara em Ilhéus naquela madrugada.

Violenta a notícia do jornal, cheia de desaforos contra os adversários. Mas a verdade é que o engenheiro demorara a chegar, ia para mais de três meses o anúncio de sua vinda imediata. Um dia — Nacib recordava-se muito bem pois naquele dia a velha Filomena partira e ele contratara Gabriela — Mundinho Falcão desembarcara de um ita espalhando aos quatro ventos, numa demonstração de absoluto prestígio, o estudo e a solução do caso da barra. Ponto de partida inicial era a iminente chegada de um engenheiro do ministério. Fora uma sensação na cidade pelo menos tão intensa quanto o crime do coronel Jesuíno Mendonça. Marcara o início da campanha política para as eleições do começo do ano próximo,

Mundinho Falcão assumindo a chefia da oposição, arrastando um bocado de gente com ele. O *Diário de Ilhéus*, em cujo cabeçalho se lia: "noticioso e apolítico", começou a marretar a administração municipal, a atacar o coronel Ramiro Bastos, a fazer picuinhas ao governo estadual. O Doutor escrevera uma série de artigos, pasquinadas ferozes, brandindo o anunciado engenheiro como um gládio sobre a cabeça dos Bastos.

No seu escritório — todo o andar térreo ocupado pela ensacagem de cacau —, Mundinho Falcão conversava com fazendeiros mas já não eram simples assuntos comerciais, vendas de safra, modalidades de pagamento. Discutia política, propunha alianças, anunciava planos, dava a eleição como ganha. Os coronéis ouviam impressionados. Os Bastos mandavam em Ilhéus há mais de vinte anos, prestigiados pelos sucessivos governos estaduais. Mundinho, porém, atingia mais alto: seu prestígio decorria do Rio, do governo federal. Não obtivera, apesar da oposição do governo do estado, um engenheiro para estudar o até então insolúvel caso da barra, não garantia resolvê-lo em pouco tempo?

O coronel Ribeirinho, que jamais fizera caso de seus votos, dando-os de mão beijada a Ramiro Bastos, formara nas fileiras do novo chefe, metia-se em política pela primeira vez. E exaltado, viajando pelo interior para conversar compadres seus, influir sobre pequenos lavradores. Havia quem dissesse ter aquela amizade política nascido no leito de Anabela, dançarina trazida a Ilhéus pelo exportador e que ali abandonara o parceiro, mágico ilusionista, para dançar exclusivamente para o coronel. "Exclusivamente, uma ova", pensava Nacib. Demonstrando exemplar neutralidade política, dormia ela com Tonico Bastos enquanto o coronel percorria vilas e povoados. E aos dois traía quando Mundinho Falcão, amigo de variar, mandava-lhe um recado. Era com ele que contava, em definitivo, no caso de lhe ocorrer uma infelicidade qualquer nessa terra assustadora, de costumes brutais.

Outros fazendeiros, especialmente os mais moços, cujos compromissos com o coronel Ramiro Bastos eram recentes, não traziam o selo de sangue derramado, concordavam com Mundinho Falcão na análise e nas soluções dos problemas e necessidades de Ilhéus: abertura de estradas, aplicação de parte da renda nos distritos do interior, em Água Preta, em Pirangi, no Rio do Braço, em Cachoeira do Sul, exigir dos ingleses a conclusão do ramal da estrada de ferro ligando Ilhéus a Itapira, cujas obras eternizavam-se.

— Chega de praças e jardins... Precisamos de estradas.

Influíam-se sobretudo com a perspectiva da exportação direta, a barra dragada e retificada dando passagem aos grandes navios. Cresceria a renda do município, Ilhéus seria uma verdadeira capital. Mais uns dias e entre eles estaria o engenheiro...

Mas a verdade é que o tempo foi passando, semana após semana, um mês, outro mês, e o engenheiro não chegava. Arrefecia o entusiasmo dos fazendeiros, só Ribeirinho mantinha-se firme, discutindo nos bares, prometendo e ameaçando. O *Jornal do Sul*, semanário dos Bastos, perguntava pelo "engenheiro fantasma, invenção de forasteiros ambiciosos e mal-intencionados, cujo prestígio não passa de conversa de bar". O próprio Capitão, alma de todo aquele movimento, por mais que o escondesse, andava nervoso, irritava-se no tabuleiro de gamão, perdia partidas.

O coronel Ramiro Bastos fora à Bahia, apesar dos amigos e filhos desaconselharem a viagem, perigosa para sua idade. Voltou uma semana depois, triunfante. Reuniu os correligionários em sua casa.

Amâncio Leal contava para quem quisesse ouvir, com sua voz macia, ter o governador do estado garantido ao coronel Ramiro não existir engenheiro nenhum designado pelo ministério para a barra de Ilhéus. Aquele era um problema irremediável, já o secretário de Viação do estado o estudara amplamente. Não tinha mesmo jeito, seria tempo perdido tentar resolvê-lo. A solução estava em construir-se um novo porto para Ilhéus, no Malhado, fora da barra. Obra de enorme vulto, exigindo anos de estudos antes de pensar-se em iniciá-la. Dependendo de milhões de contos de réis, da cooperação entre os poderes federal, estadual e municipal. Obra de tamanha magnitude, os estudos andavam lentamente, não podia ser de outra maneira. Estudos múltiplos, demorados e difíceis. Mas já tinham começado. O povo de Ilhéus devia pacientar um pouco...

O *Jornal do Sul* publicou um artigo sobre o futuro porto, elogiando o governador e o coronel Ramiro. Quanto ao engenheiro, escrevia, "encalhara na barra para sempre...". O intendente, por sugestão de Ramiro, mandou ajardinar mais uma praça, ao lado do novo edifício do Banco do Brasil.

Amâncio Leal, toda vez que encontrava o Capitão ou o Doutor, não deixava de perguntar-lhes, um sorriso de zombaria:

— E o engenheiro, quando chega?

O Doutor respondia ríspido:

— Ri melhor quem ri por último.

O Capitão acrescentava:

— Você não perde por esperar.

— Quanto tempo é pra esperar?
Terminavam por beber juntos qualquer coisa, Amâncio exigia que eles pagassem:
— Quando o engenheiro chegar, eu começo a pagar.
Quis fazer dessas pilhérias com Ribeirinho mas o outro exaltou-se, gritando alto no bar:
— Não sou de mesquinharias. Quer apostar? Então aposte dinheiro de verdade. Boto dez contos como o engenheiro vem.
— Dez contos? Boto vinte contra seus dez e dou um ano de prazo. Ou quer mais? — a voz suave, o olho mau.
Nacib e João Fulgêncio serviram de testemunhas.
O Capitão insistia junto a Mundinho para que fosse ao Rio, apertar o ministro. O exportador recusava-se. A safra se iniciara, não podia largar seus negócios naquele momento. Viagem além de tudo desnecessária, pois a vinda do engenheiro era certa, apenas retardara-se devido a detalhes burocráticos. Não contava as dificuldades reais, o susto que passara ao saber, por carta de amigo, ter o ministro recuado da promessa feita ante o protesto do governador da Bahia. Mundinho jogou então todas as suas amizades, à exceção da própria família, na solução do caso. Escreveu cartas, passou quantidade de telegramas, pediu e prometeu. Um amigo seu falou com o presidente da República e, coisa que Mundinho jamais veio a saber, foi o prestígio de Lourival e de Emílio o fator decisivo para resolver o impasse. Ao saber o nome do autor do pedido e seu parentesco com os influentes políticos paulistas, o presidente dissera ao ministro:
— Afinal é um pedido justo. O governador está no fim do mandato, brigado com muita gente, nem sei se fará o sucessor. Não devemos nos curvar sempre à vontade dos governos estaduais...
Mundinho vivera dias de temor, quase de pânico. Se perdesse aquela partida, não tinha outra coisa a fazer senão arrumar sua bagagem, ir-se embora de Ilhéus. A não ser que quisesse viver desmoralizado, objeto de dichotes e pilhérias. Voltar, cabisbaixo, fracassado, para a sombra dos irmãos... Quase deixara de aparecer nos bares, nos cabarés, onde a maledicência crescia.
O próprio Tonico Bastos, muito discreto, evitando, o quanto podia, tocar naquele assunto diante dos partidários de Mundinho, já não se continha, gozava o mau humor dos adversários. Certa vez houve um bate-boca entre ele e o Capitão, teve João Fulgêncio que intervir para evitar um rompimento de relações. Tonico propusera enquanto bebiam e conversavam:

— Por que, em vez de engenheiro, Mundinho não traz outra dançarina? Custa menos trabalho e serve aos amigos...

Naquela mesma noite, o Capitão aparecera, sem avisar, em casa do exportador. Mundinho o recebera contrafeito:

— Você vai me desculpar, Capitão, tenho gente em casa. Uma jovem que veio da Bahia, chegou no navio de hoje. Para me distrair dos negócios...

— Só lhe ocupo um minuto — aquela história de rapariga mandada vir da Bahia irritava o Capitão. — Sabe o que Tonico Bastos dizia hoje, no bar? Que você só servia mesmo para trazer mulheres para Ilhéus. Mulheres e nada mais... Engenheiro, isso não.

— Tem graça. — Mundinho ria. — Mas não se aflija...

— Como não vou me afligir? O tempo está passando, a vinda do engenheiro...

— Já sei tudo que você vai dizer, Capitão. Você pensa que sou um imbecil, que estou de braços cruzados?

— Por que você não se dirige a seus irmãos? Têm força...

— Isso nunca. Nem é preciso. Hoje mandei um verdadeiro ultimatum. Vá descansado e desculpe o recebimento.

— Eu é que fui inoportuno... — Ouvia passos de mulher andando no quarto.

— E pergunte a Tonico se ele prefere loira ou morena...

Dias depois chegava o telegrama do ministro anunciando o nome do engenheiro e a data de seu embarque para a Bahia. Mundinho mandou chamar o Capitão, o coronel Ribeirinho, o Doutor. "Designado engenheiro Rômulo Vieira." O Capitão tomava do despacho, punha-se de pé:

— Vou esfregá-lo nas ventas de Tonico e de Amâncio...

— Vinte pacotes, ganhos sem esforço — Ribeirinho erguia as mãos. — Vamos fazer uma farra monumental no Bataclan.

Mundinho recolheu o telegrama, não deixou o Capitão levá-lo. Pediu-lhes mesmo guardar segredo ainda uns dias, era de muito mais efeito anunciar no jornal quando o engenheiro já estivesse na Bahia. No fundo, temia nova ofensiva do governador, novo recuo do ministro. E só uma semana depois, quando o engenheiro, já na Bahia, avisara sua chegada no próximo baiano, Mundinho os convocara novamente, mostrou-lhes as cartas e telegramas trocados, aquela fora uma dura e difícil batalha contra o governo do estado. Ele não quisera alarmar os amigos, por isso não os pusera antes a par dos detalhes. Mas agora, quando haviam vencido, valia a pena conhecer toda a extensão e valor dessa vitória.

No Bar Vesúvio, Ribeirinho mandou servir bebida a todo mundo e o Capitão, cujo bom humor reaparecera, elevou seu cálice à saúde do "doutor Rômulo Vieira, libertador da barra de Ilhéus". A notícia circulou, saiu depois no jornal, vários fazendeiros voltavam a entusiasmar-se. Ribeirinho, o Capitão, o Doutor citavam trechos de cartas. O governo do estado fizera tudo para impedir a vinda do engenheiro. Jogara todo seu prestígio, toda sua força. O governador, por causa do genro, se empenhara pessoalmente. E quem vencera? Ele, com o estado na mão, chefe de governo, ou Mundinho Falcão, sem sair de seu escritório em Ilhéus? Seu prestígio pessoal derrotara o governo do estado. Essa a verdade indiscutível. Os fazendeiros abanavam a cabeça, impressionados.

A recepção no porto foi festiva. Nacib, tendo acordado tarde, o que lhe sucedia agora frequentemente, não pôde comparecer. Mas soubera de tudo mal chegara ao bar, da boca de Nhô-Galo. Lá estiveram, na ponte, Mundinho Falcão e seus amigos, vários fazendeiros também, e grande número de curiosos. Tanto se falara desse engenheiro que desejavam ver como ele era, havia-se tornado quase um ser sobrenatural. Até um fotógrafo apareceu, contratado por Clóvis Costa. Juntou todo mundo num grupo, com o engenheiro no centro, meteu a cabeça sob o pano preto, levou meia hora para bater o retrato. Infelizmente perdeu-se esse documento histórico: a chapa queimara-se, o homem só sabia fotografar em seu atelier.

— Quando vai começar? — quis saber Nacib.

— Logo. Os estudos preliminares. Devo esperar meus ajudantes e os instrumentos necessários, estão vindo num navio do Lloyd, direto.

— Vai durar muito?

— É difícil prever. Mês e meio, dois meses, ainda não sei...

O engenheiro interessava-se, por sua vez:

— A praia é bonita. É boa pro banho de mar?

— Muito boa.

— Mas está vazia...

— Aqui não há esse costume. Só Mundinho, e, antigamente, o finado Osmundo, um dentista que foi assassinado... De manhãzinha bem cedo...

O engenheiro riu:

— Mas não é proibido?

— Proibido? Não. Só que não é costume.

Moças do colégio das freiras, aproveitando o dia santo, andavam pelo comércio fazendo compras, entravam no bar em busca de bombons e caramelos. Entre elas, formosa e séria, Malvina. O Capitão as apresentava:

— A juventude estudiosa, as futuras mães de família. Iracema, Heloísa, Zuleika, Malvina...

O engenheiro apertava as mãos, sorria, elogiava:

— Terra de moças bonitas...

— O senhor demorou demais — disse Malvina a fitá-lo com seus olhos de mistério. — Já se pensava que o senhor não viria.

— Se eu soubesse que era esperado por senhoritas tão belas, teria vindo já há muito tempo, mesmo sem ter sido designado... — Que olhos aquela moça possuía, sua formosura não estava apenas no rosto e no corpo elegante, era como se viesse também de dentro dela.

Partiu o grupo álacre, Malvina voltou-se duas vezes a olhar. O engenheiro anunciou:

— Vou aproveitar esse sol e tomar um banho de mar.

— Volte para o aperitivo. Aí pelas onze, onze e meia... Vai conhecer meio Ilhéus...

Estava hospedado no Hotel Coelho. Viram-no passar pouco depois, envolto num roupão de banho, andando para a praia. Levantaram-se para espiá-lo despindo o roupão, o corpo atlético vestido apenas com um maiô, correndo para o mar, cortando-o em braçadas rápidas. Malvina fora sentar-se num banco no passeio da praia, acompanhava com os olhos.

DE COMO SE INICIOU A CONFUSÃO DE SENTIMENTOS DO ÁRABE NACIB

LEU UMAS LINHAS NO JORNAL, ASPIRANDO A FUMAÇA DO CHARUTO DE SÃO FÉLIX, perfumado. Em geral, nem chegava a fumar todo o charuto, a ler grande coisa nos diários da Bahia. Logo adormecia, embalado pela brisa do mar, afrontado pelas iguarias gulosamente devoradas, o inigualável tempero de Gabriela. Ressonava feliz por entre os bigodes frondosos. Aquela meia hora de sono, à sombra das árvores, era uma das delícias de sua vida, sua boa vida tranquila, sem sustos, sem complicações, sem problemas graves. Jamais tinham os negócios marchado tão bem, crescia a frequência do bar, ele acumulava dinheiro no banco, o sonho de um pedaço de terra onde plantar cacau ganhava realidade. Nunca fizera negócio tão vantajoso como ao contratar Gabriela no "mercado dos escravos". Quem diria ser ela tão competente cozinheira, quem diria esconder-se sob trapos sujos tanta graça e formosura, corpo tão quente, braços de carinho, perfume de cravo a tontear?...

Naquele dia da chegada do engenheiro, a curiosidade tomando conta do bar, apresentações e cumprimentos, elogios a granel — "É um nadador de primeira" — quando todos os almoços se atrasaram em Ilhéus, Nacib fizera dia por dia a conta do tempo decorrido desde o anúncio de sua vinda. Gabriela voltava para casa após pedir:

— Deixa eu ir no cinema hoje? Pra acompanhar dona Arminda...

Tirara da caixa uma nota de cinco mil-réis, generoso:

— Pague a entrada dela...

Vendo-a partir, esfogueada e risonha (ele não parara de beliscá-la e tocá-la mesmo enquanto comia), contara os dias: três meses e dezoito dias exatamente. De aperreação, cochichos, agitação, dúvida e esperança para Mundinho e seus amigos, para o coronel Ramiro Bastos e seus correligionários. Com descomposturas nos jornais, conversas segredadas, apostas, bate-bocas, surdas ameaças, um clima de tensão em aumento. Havia dias em que o bar parecia uma caldeira prestes a explodir. Quando o Capitão e Tonico mal se falavam, o coronel Amâncio Leal e o coronel Ribeirinho apenas se cumprimentavam.

É para ver-se como são as coisas da vida. Aqueles mesmos dias foram de calma, de perfeita tranquilidade de espírito, de suave alegria para Nacib. Talvez os mais felizes de toda a sua existência.

Jamais dormira tão sereno sua sesta, acordando risonho com a voz de Tonico, infalível após o almoço para um dedo de amargo a ajudar a digestão, um dedo de prosa antes de abrir o cartório. Pouco depois juntava-se a eles João Fulgêncio, passando para a papelaria. Falavam de Ilhéus e do mundo, o livreiro era entendido em assuntos internacionais, Tonico sabia tudo quanto se referia ao mulherio da cidade.

Três meses e dezoito dias tardara o engenheiro a chegar, fazia exatamente o mesmo tempo que contratara Gabriela. Naquele dia o coronel Jesuíno Mendonça matara dona Sinhazinha e o dentista Osmundo. Mas só no outro dia tivera Nacib certeza de que ela sabia cozinhar. Na espreguiçadeira, o jornal abandonado no chão, o charuto a apagar-se, Nacib sorri, recordando... Três meses e dezessete dias a comer comida temperada por ela, não havia em todo Ilhéus cozinheira que se lhe pudesse comparar. Três meses e dezesseis dias dormindo com ela, a partir da segunda noite, quando o luar lambia-lhe a perna e no escuro do quarto saltava um seio da rota combinação...

Nessa tarde, devido talvez ao anormal movimento do bar, à excitação da presença do engenheiro, Nacib não conciliava o sono, tomado por seus pensamentos. A princípio não dera maior importância a nenhuma das duas coisas: nem à qualidade da comida nem ao corpo da retirante nas noites ardentes. Satisfeito com o tempero e a variedade dos pratos, só lhes deu o devido valor quando a freguesia começou a crescer, quando foi preciso aumentar o número de salgados e doces, quando sucederam-se unânimes os elogios e Plínio Araçá, cujos métodos comerciais eram dos mais discutíveis, mandou fazer uma oferta a Gabriela. Quanto ao corpo — aquele fogo de amor a consumi-la no leito, aquela loucura de noites atravessadas insones —, prendeu-se a ele, insensivelmente. Nos primeiros tempos, apenas certas noites a procurava, quando, ao chegar em casa, ocupada ou doente Risoleta, não estava cansado e com sono. Então decidia deitar-se com ela, à falta de outra coisa a fazer. Mas durara pouco essa displicência. Logo habituara-se de tal maneira à comida feita por Gabriela que, convidado a jantar com Nhô-Galo no dia de seu aniversário, mal provara os pratos, sentindo diferença na finura do tempero. E fora, sem o sentir, amiudando as idas ao quarto do quintal, esquecendo a sabida Risoleta, passando a não suportar seu carinho representado, suas manhas, seus eternos queixumes, mesmo aquela ciência do amor que ela usava para lhe tirar dinheiro. Terminou por não mais procurá-la, não responder a seus bilhetes, e desde então, há quase dois meses, não tinha outra mulher senão Gabriela. Agora arribava todas as noites em seu quarto, procurando sair do bar o mais cedo possível.

Tempo bom, meses de vida alegre, de carne satisfeita, boa mesa, suculenta; de alma contente, cama de felizardo. No rol das virtudes de Gabriela, mentalmente estabelecido por Nacib na hora da sesta, contavam-se o amor ao trabalho e o senso de economia. Como arranjava tempo e forças para lavar a roupa, arrumar a casa — tão limpa nunca estivera! —, cozinhar os tabuleiros para o bar, almoço e jantar para Nacib? Sem falar que à noite estava fresca e descansada, úmida de desejo, não se dando apenas mas tomando dele, jamais farta, sonolenta ou saciada. Parecia adivinhar os pensamentos de Nacib, adiantava-se a suas vontades, reservava-lhe surpresas: certas comidas trabalhosas das quais ele gostava — pirão de caranguejo, vatapá, viúva de carneiro —, flores num copo ao lado de seu retrato na mesinha da sala de visitas, troco do dinheiro dado para fazer a feira, essa ideia de vir ajudar no bar.

Antes era Chico Moleza, ao voltar do almoço, quem trazia para Nacib a marmita preparada por Filomena. A barriga a dar horas, o árabe esperava impaciente. Ficava só, com Bico-Fino, a servir os últimos fregueses do aperitivo. Um dia, sem prevenir, Gabriela aparecera com a marmita, vinha lhe pedir licença para ir à sessão espírita, dona Arminda a convidara. Ficou ajudando a servir, passou a vir todos os dias. Naquela noite lhe dissera:

— É melhor eu levar a comida pro moço. Assim come mais cedo, posso ajudar também. Importa não?

Como ia importar se a presença dela era mais uma atração para a freguesia? Nacib logo se deu conta: demoravam-se mais, pedindo outro trago, os ocasionais passavam a permanentes, vindo todos os dias. Para vê-la, dizer-lhe coisas, sorrir-lhe, tocar-lhe a mão. Afinal que lhe importava, era apenas sua cozinheira com quem dormia sem nenhum compromisso. Ela servia-lhe a comida, armava-lhe a cadeira de lona, deixava a rosa com seu perfume. Nacib, satisfeito da vida, acendia o charuto, tomava dos jornais, adormecia na santa paz de Deus, a brisa do mar a acariciar-lhe os bigodões florescentes.

Mas nesse começo de tarde não conseguia dormir. Fazia mentalmente o balanço daqueles três meses e dezoito dias, agitados para a cidade, calmos para Nacib. Gostaria, no entanto, de cochilar pelo menos uns dez minutos, em vez de deter-se a relembrar coisas à toa, sem maior importância. De repente, sentiu que algo lhe faltava, talvez por isso não conseguisse dormir. Faltava-lhe a rosa, cada tarde encontrada caída no bojo da espreguiçadeira. Ele vira quando o juiz de direito, sem dar-se o respeito devido ao seu cargo, a furtara da orelha de Gabriela e a pusera em sua botoeira... Um homem idoso, de seus cinquenta anos, aproveitando-se da confusão em torno do engenheiro para roubar a rosa, um juiz... Ficara com medo de um gesto brusco de Gabriela, ela fez como se não tivesse percebido. Esse juiz estava saindo do sério. Antigamente nunca vinha ao bar na hora do aperitivo, aparecendo apenas, de quando em vez, à tardinha, com João Fulgêncio ou com o dr. Maurício. Agora esquecia todos os preconceitos e, sempre que podia, lá estava no bar, bebendo um vinho do Porto, rondando Gabriela.

Rondando Gabriela... Nacib ficou a pensar. Sim, rondando, de súbito dava-se conta. E não era só ele, muitos outros também... Por que se demoravam além da hora do almoço, criando problemas em casa? Senão para vê-la, sorrir para ela, dizer-lhe gracinhas, roçar-lhe a mão, fazer-lhe propostas, quem sabe? De propostas Nacib sabia apenas de uma feita por Plínio Araçá. Mas aquela dirigia-se à cozinheira. Fregueses do Pinga de Ouro haviam-se mudado para o Vesúvio, Plínio mandara oferecer um ordenado maior a Gabriela. Apenas escolhera mal o mediador, confiando a mensagem ao negrinho Tuísca, fiel do Bar Vesúvio, leal a Nacib. Assim, fora o próprio árabe quem dera o recado a Gabriela. Ela sorrira:

— Quero não... Só se seu Nacib me botar pra fora...

Ele a tomara nos braços, era de noite, envolveu-se em seu calor. E aumentou-lhe em dez mil-réis o ordenado:

— Tou pedindo não... — disse ela.

Por vezes comprava-lhe um brinco para as orelhas, um broche para o peito, lembranças baratas, algumas nem lhe custavam nada, trazia da loja do tio. Entregava-as à noite, ela enternecia-se, agradecia-lhe humilde, beijando-lhe a palma da mão num gesto quase oriental:

— Moço bom, seu Nacib...

Broches de dez tostões, brincos de mil e quinhentos, com isso lhe agradecia as noites de amor, os suspiros, os desmaios, o fogo a crepitar inextinguível. Cortes de fazenda vagabunda duas vezes lhe dera, um par de chinelos, tão pouco para as atenções, as delicadezas de Gabriela: os pratos de seu agrado, os sucos de frutas, as camisas tão alvas e bem passadas, a rosa caída dos cabelos na espreguiçadeira. De cima, superior e distante, ele a tratara como se estivesse a pagar-lhe regiamente o trabalho, a fazer-lhe um favor deitando-se com ela.

Os outros no bar a rondá-la. A rondá-la talvez na ladeira de São Sebastião, a mandar-lhe recados, a fazer-lhe propostas, por que não seria assim? Nem todos haviam de usar Tuísca de portador, como ele, Nacib, iria saber? Que vinha fazer no bar o juiz de direito senão tentá-la? A rapariga do juiz, uma jovem cabrocha da roça, aparecera alastrada de doenças feias, ele a largara.

Quando Gabriela começara a vir ao bar, ele — idiota! — alegrara-se interessado apenas nos vinténs a mais das rodadas repetidas, sem pensar no perigo dessa tentação diariamente renovada. Impedi-la de vir não devia fazê-lo, deixaria de ganhar dinheiro. Mas era preciso trazê-la de olho, dar-lhe mais atenção, comprar-lhe um presente melhor, fazer-lhe promessas de novo aumento. Boa cozinheira era coisa rara em Ilhéus, ninguém o sabia melhor do que ele. Muita família rica, donos de bares e de hotéis deviam estar cobiçando sua empregada, dispostos a fazer-lhe escandalosos ordenados. E como iria continuar o bar sem os doces e os salgados de Gabriela, sem o seu sorriso diário, sua momentânea presença ao meio-dia? E como iria ele viver sem o almoço e o jantar de Gabriela, os pratos perfumados, os molhos escuros de pimenta, o cuscuz pela manhã?

E como viver sem ela, sem seu riso tímido e claro, sua cor queimada de canela, seu perfume de cravo, seu calor, seu abandono, sua voz a dizer-lhe "moço bonito", o morrer noturno nos seus braços, aquele calor do seio, fogueira de pernas, como? E sentiu então a significação de Gabriela. Meu Deus!, que se passava, por que aquele súbito temor de perdê-la, por que a brisa do mar era vento gelado a estremecer-lhe as banhas? Não, nem pensar em perdê-la, como viver sem ela?

Jamais poderia gostar de outra comida, feita por outras mãos, temperada por outros dedos. Jamais, ah!, jamais poderia querer assim, tanto desejar, tanto necessitar sem falta, urgente, permanentemente, uma outra mulher, por mais branca que fosse, mais bem-vestida e bem tratada, mais rica ou bem casada. Que significavam esse medo, esse terror de perdê-la, a raiva repentina contra os fregueses a fitá-la, a dizer-lhe coisas, a tocar-lhe a mão, contra o juiz ladrão de flores, sem respeito ao cargo? Nacib perguntava-se ansioso: afinal que sentia por Gabriela, não era uma simples cozinheira, mulata bonita, cor de canela, com quem deitava por desfastio? Ou não era tão simples assim? Não se animava a procurar a resposta.

A voz de Tonico Bastos veio — "Felizmente!", respirou aliviado — arrancá-lo desses pensamentos confusos e assustadores. Mas para outra vez neles mergulhá-lo, neles afundá-lo violentamente.

Pois apenas haviam-se encostado no balcão, servindo-se Tonico do amargo, e já Nacib, para varrer suas melancolias, lhe foi dizendo:

— Então, o homem chegou finalmente... Mundinho lavrou um tento, essa é a verdade.

Tonico, sorumbático, botou-lhe uns olhos maus:

— Por que você não cuida de sua vida, seu turco? Quem avisa amigo é. Em vez de ficar falando tolices, por que não toma conta do que é seu?

Queria Tonico apenas evitar o assunto do engenheiro, ou sabia de alguma coisa?

— Que quer você dizer com isso?
— Cuide do seu tesouro. Tem gente querendo roubar.
— Tesouro?
— Gabriela, bestalhão. Até casa querem botar pra ela.
— O juiz?
— Ele também? Ouvi falar de Manuel das Onças.

Não seria intriga de Tonico? O velho coronel estava muito do lado de Mundinho... Mas, também era verdade, agora aparecia em Ilhéus constantemente, não arredava do bar. Nacib estremeceu, viria do mar aquele vento gelado? Apanhou no escondido do balcão uma garrafa de conhaque sem mistura, serviu-se um trago respeitável. Quis puxar mais por Tonico, porém o tabelião arrenegava de Ilhéus:

— Merda de terra atrasada que se alvoroça toda com a presença de um engenheiro. Como se fosse coisa do outro mundo...

DE CONVERSAS & ACONTECIMENTOS COM AUTO DE FÉ

COM O CORRER DA TARDE CRESCERAM NOSTALGIAS NO PEITO DE NACIB, COMO se Gabriela já não estivesse, inevitável fosse sua partida. Decidiu comprar-lhe uma lembrança, necessitada estava de um par de sapatos. Andava descalça o tempo todo em casa, vinha de chinelas ao bar, não ficava bem. Uma vez Nacib já reclamara: — "Arranje uns sapatos", brincando na cama, coçando seus pés. Os tempos na roça, a caminhada do sertão para o sul, o hábito de andar de pés no chão, não os haviam deformado, ela calçava número trinta e seis, eram apenas um pouco esparramados, o dedo grande, engraçado, para um lado. Cada detalhe recordado enchia-o de ternura e de saudade, como se a houvesse perdido.

Vinha com o embrulho rua abaixo, uns sapatos amarelos, pareciam-lhe lindos, avistou a Papelaria Modelo em efervescência. Não pôde resistir, estava mesmo precisando de distrações, para lá se dirigiu. As poucas cadeiras em frente ao balcão todas ocupadas, havia gente em pé. Nacib sentiu dentro de si renascer, ainda indecisa chama, a curiosidade. Comentariam sobre o engenheiro, fariam previsões acerca da luta política. Apressou o passo, viu o dr. Ezequiel Prado agitando os braços. Escutou, ao chegar, suas últimas palavras:

— ...falta de respeito à sociedade e ao povo...

Estranho! — não falavam do engenheiro. Comentavam a volta à cidade, inesperada, do coronel Jesuíno Mendonça, recolhido à sua fazenda desde o assassinato da esposa e do dentista. Ainda há pouco ele passara em frente à intendência, entrara em casa do coronel Ramiro Bastos. Contra esse regresso, por ele considerado ofensivo aos brios ilheenses, clamava o advogado. João Fulgêncio ria:

— Ora, Ezequiel, quando você já viu a gente daqui ofender-se com assassinos soltos na rua? Se todos os coronéis criminosos de morte tivessem que viver nas fazendas, as ruas de Ilhéus ficariam desertas, os cabarés e bares cerrariam suas portas, nosso amigo Nacib, aqui presente, ia ter prejuízo.

O advogado não concordava. Afinal, não concordar era sua obrigação, fora contratado pelo pai de Osmundo para acusar Jesuíno no júri, o comerciante não confiava no promotor. Em casos de crime como aquele, mortes por adultério, a acusação não passava de simples formalidade.

O pai de Osmundo, abastado comerciante, com poderosas relações, na Bahia, movimentara Ilhéus durante uma semana. Dois dias depois dos enterros saltara de um navio, envergando luto fechado. Adorava aquele filho, o mais velho, cuja formatura recente fora motivo de grandes festas. Sua esposa estava inconsolável, entregue aos médicos. Ele vinha a Ilhéus disposto a todas as providências para não deixar o assassino sem castigo. De tudo isso logo se soube na cidade, a figura dramática do pai enlutado comoveu muita gente. E ocorreu um fato curioso: no enterro de Osmundo não houvera quase ninguém, mal chegavam para as alças do caixão. Uma das primeiras medidas do pai fora organizar uma visita ao túmulo do filho. Encomendara coroas, um desparrame de flores, fizera vir um pastor protestante de Itabuna, saíra convidando todos aqueles que, por um ou outro motivo, haviam mantido relações com Osmundo. Até em casa das irmãs Dos Reis foi bater, de chapéu na mão, a dor estampada nos olhos secos. Quinquina, numa noite de terrível dor de dentes, de enlouquecer, fora socorrida pelo dentista.

Na sala, o comerciante contara às solteironas pedaços da infância de Osmundo, sua aplicação aos estudos, falara da pobre mãe desfeita, perdida a alegria de viver, andando pela casa como uma demente. Terminaram chorando os três e mais a velha empregada a escutar na porta do corredor. As Dos Reis mostraram-lhe o presépio, elogiaram o dentista:

— Moço bom, tão delicado.

E não é que a romaria ao cemitério foi todo um sucesso, o oposto do enterro? Muita gente: comerciantes, o Grêmio Rui Barbosa em peso, diretores do Clube Progresso, o professor Josué, vários outros. As irmãs Dos Reis lá estavam, muito empertigadas, cada uma com seu ramalhete de flores. Haviam consultado o padre Basílio: não seria pecado visitar o túmulo de um protestante?

— Pecado é não rezar pelos mortos... — respondera o apressado sacerdote.

É verdade que o padre Cecílio, com sua magreza e seu ar místico, reprovara-lhes o gesto. O padre Basílio, ao saber, comentara:

— Cecílio é um pernóstico, gosta mais das penas do inferno que dos gozos do céu. Não se importem, eu as absolvo, minhas filhas.

Em torno do pai desconsolado e ativo iam o dr. Ezequiel, o Capitão, Nhô-Galo, o próprio Mundinho Falcão. Não fora ele quase vizinho do dentista, seu companheiro nos banhos de mar? Coroas mortuárias, as que haviam faltado no enterro; flores em profusão, as que haviam recusado ao esquife. Mármore mortuário cobria agora a cova rasa, uma inscrição com o nome de Osmundo, data de nascimento e morte, e, para que o crime não fosse esquecido, duas palavras gravadas a buril: COVARDEMENTE ASSASSINADO. O dr. Ezequiel começara a agitar o caso. Requerera a prisão preventiva do fazendeiro, o juiz recusara, ele apelara para o tribunal da Bahia onde o recurso esperava julgamento. Diziam ter-lhe o pai de Osmundo prometido cinquenta contos de réis, uma fortuna!, se ele conseguisse botar o coronel na cadeia.

Pouco duraram os comentários sobre Jesuíno Mendonça. A sensação do dia era o engenheiro. Ezequiel não conseguia transmitir ao auditório sua indignação bem paga, terminou ele também na conversa sobre o caso da barra e suas consequências:

— Bem feito, para quebrar o topete desse velho jagunço.

— Não me diga que você também vai apoiar Mundinho Falcão? — perguntou João Fulgêncio.

— E o que me impede? — replicava o advogado. — Acompanhei os

Bastos um horror de tempo, advoguei várias causas para eles, e que recompensa tive? A eleição para conselheiro? Com eles ou sem eles, me elejo quantas vezes quiser. Na hora de escolher o presidente do conselho municipal preferiram Melk Tavares, analfabeto de pai e mãe. Isso que meu nome já estava falado, era coisa assente.

— E faz você muito bem — a voz fanhosa de Nhô-Galo. — Mundinho Falcão tem outra mentalidade. Com ele no governo muita coisa vai mudar em Ilhéus. Se eu fosse homem de influência, estava nessa panela.

Nacib comentou:

— O engenheiro é simpático. Tipo do atleta, hein? Parece mais artista de cinema... Vai virar a cabeça de muita menina...

— É casado — informou João Fulgêncio.

— Separado da mulher... — completou Nhô-Galo.

Como já sabiam aquelas intimidades do engenheiro? João Fulgêncio explicava: ele próprio contara, depois do almoço, quando o Capitão o trouxera à papelaria. A mulher era maluca, estava num sanatório.

— Sabe quem está neste momento conversando com Mundinho? — perguntou Clóvis Costa, até então calado, os olhos na rua, esperando ver os moleques a vozear o *Diário de Ilhéus*.

— Quem?

— O coronel Altino Brandão... Vende sua safra esse ano a Mundinho. E pode ser que negocie seus votos também... — Mudava o tom de voz. — Por que diabo o jornal não está ainda circulando?

O coronel Brandão, do Rio do Braço... O maior fazendeiro da zona depois do coronel Misael. Com ele votava todo o distrito, era carta importante na vida política.

Clóvis Costa dizia a verdade. No escritório de Mundinho, afundado na poltrona de couro, macia, o fazendeiro, de botas e esporas, saboreava um licor francês, servido pelo exportador.

— Pois, seu Mundinho, esse ano é cacau de dar gosto. O que vosmicê precisa é aparecer lá na fazenda. Passar uns dias com a gente. É casa de pobre, mas, se vosmicê quiser dar a honra, não vai morrer de fome, graças a Deus. Pra ver as roças carregadinhas, tudo luzindo nos pés. Tou começando a colher... Dá alegria aos olhos ver essa fartura de cacau.

O exportador batia na perna do fazendeiro:

— Pois aceito seu convite. Vou passar um desses domingos com o senhor...

— Venha no sábado, domingo os homens não trabalham. Volta na segunda-feira. Se quiser, é claro, a casa é sua...

— Trato feito, sábado lá estarei. Agora já posso sair um pouco, estava amarrado aqui com essa história da vinda do engenheiro.

— Diz que o moço chegou, é mesmo verdade?

— Verdade verdadeira, coronel. Amanhã já estará mexendo na barra. Prepare-se para ver em breve o cacau de suas fazendas saindo direto de Ilhéus para a Europa, para os Estados Unidos...

— Sim, senhor... Quem houvera de dizer... — Sorveu outro gole de licor, espiava Mundinho com seus olhos sabidos. — De primeira, essa cachaça, coisa fina. Não é daqui, pois não? — Mas sem esperar resposta continuou: — Diz que também vosmicê vai ser candidato nas eleições? Me contaram essa novidade, fiquei sem acreditar.

— E por que não, coronel? — Mundinho estava contente com o velho ter entrado no assunto. — Será que não tenho nenhuma qualidade? Pensa assim tão mal de mim?

— Eu? Pensar mal de vosmicê? Deus me livre e guarde. Vosmicê é mais que merecedor. Só que... — Suspendia o cálice de licor, expondo-o ao sol. — Só que vosmicê, como essa cachaça, não é daqui... — Elevava os olhos para Mundinho, a espiá-lo.

O exportador balançou a cabeça: aquele argumento não era novo, já se acostumara. Rebatê-lo tornara-se um hábito, uma espécie de exercício intelectual:

— O senhor nasceu aqui, coronel?

— Eu? Sou de Sergipe, sou "ladrão de cavalo" como dizem esses moleques daqui. — Examinava os reflexos do cristal ao sol. — Só que já faz mais de quarenta anos que arribei em Ilhéus.

— Eu tenho somente quatro anos, quase cinco. E sou tão grapiúna como o senhor. Daqui não vou mais sair...

Desenvolvia sua argumentação, ia citando de passagem todos os interesses a ligá-lo à zona, os variados empreendimentos em que se metera ou que propiciara. Para terminar com o caso da barra, a vinda do engenheiro.

O fazendeiro escutava, a preparar um cigarro de palha de milho e fumo de rolo, de quando em vez os olhos vivos a perscrutarem a face de Mundinho como a pesar sua sinceridade.

— Vosmicê tem muito merecimento... Tem outros que chegam aqui, só visam ganhar dinheiro, não pensam em mais nada. Vosmicê pensa em tudo, nas necessidades da terra. Pena vosmicê não ser casado.

— Por quê, coronel? — Tomava da garrafa, quase uma obra de arte, ia servir novamente.

— Vosmicê me adesculpe... Coisa fina essa bebida. Mas, pra ser franco com vosmicê, prefiro uma cachacinha... Esse trago é enganador: cheiroso, açucarado, parece até bebida pra mulher. E é forte como o cão, embebeda sem a gente se dar conta. Cachaça não, a gente sabe logo, não engana ninguém.

Mundinho tirou do armário uma garrafa de cachaça:

— Como prefira, coronel. Mas por que eu devia ser casado?

— Pois, se vosmicê me consente, vou lhe dar um conselho: case com moça daqui, filha da gente. Não tou lhe oferecendo filha minha: estão as três casadas e bem casadas, graças a Deus. Mas tem muita moça prendada aqui e em Itabuna. Assim todo mundo vê que vosmicê não está aqui de visita, só pra se aproveitar.

— Casamento é coisa séria, coronel. Primeiro é preciso encontrar a mulher com quem se sonha, o casamento nasce do amor.

— Ou da necessidade, não é? Nas roças, trabalhador casa até com toco de pau, se vestir saia. Pra ter mulher em casa com quem deitar, também pra conversar. Mulher tem muita serventia, o senhor nem imagina. Ajuda até na política. Dá filho pra gente, impõe respeito. Pro resto, tem as raparigas...

Mundinho ria:

— O senhor está querendo fazer-me pagar um preço muito alto pelas eleições. Se depender de casar-me, temo estar desde já derrotado. Não quero ganhar assim, coronel. Quero ganhar com meu programa.

Falou-lhe então, como já o fizera com tantos outros, sobre os problemas da região, apresentando soluções, rasgando estradas e perspectivas num entusiasmo contagiante.

— Vosmicê está coberto de razão. Tudo que vosmicê disse é como as tábuas da lei: verdade pura. Quem pode contradizer? — Agora fitava o chão, muitas vezes sentira-se magoado contra o abandono em que vivia o interior, esquecido pelos Bastos. — Se o povo daqui tiver juízo o senhor vai ganhar. Se o governo lhe reconhece, não sei, isso já é outra conversa...

Mundinho sorriu, pensando ter convencido o coronel.

— Só que tem uma coisa: o senhor tem a razão, mas o coronel Ramiro tem as amizades, fez benefício a muita gente, tem muito parente e compadre, todo mundo tá acostumado a votar com ele. Vosmicê me adesculpe: por que vosmicê não faz um arranjo com ele?

— Que arranjo, coronel?

— Se juntar os dois? Vosmicê com sua cabeça, seus olhos de ver, ele com o prestígio, os eleitor. Ele tem uma neta bonita, vosmicê não conhece? A outra ainda é muito menina... Filhas do doutor Alfredo.

Mundinho enchia-se de paciência:

— Não se trata disso, coronel. Eu penso de uma forma, o senhor conhece minhas ideias. O coronel Ramiro pensa de outra, para ele governar é somente calçar rua e ajardinar a cidade. Não vejo acordo possível. Eu estou lhe propondo um programa de trabalho, de administração. Não é para mim que peço seus votos, é para Ilhéus, para o progresso da região do cacau.

O fazendeiro coçou a cabeça de cabelos mal penteados:

— Vim aqui para lhe vender meu cacau, seu Mundinho, vendi bem vendido, estou contente. Tou contente da conversa também, fiquei sabendo do pensar de vosmicê. — Fitava o exportador. — Voto com Ramiro há bem vinte anos. Não precisei dele nos barulhos. Quando cheguei em Rio do Braço não tinha ainda ninguém, os que apareceu depois era uns bunda-suja, corri com eles sem precisar ajuda. Mas tou acostumado a votar com Ramiro, nunca me fez mal. Uma vez que buliram comigo, ele me deu razão.

Mundinho ia falar, um gesto do coronel o impediu:

— Não prometo nada pra vosmicê, só prometo pra cumprir. Mas a gente ainda volta a conversar. Isso eu garanto a vosmicê.

Retirou-se deixando o exportador irritado, a lastimar o tempo perdido, uma boa parte da tarde. Assim disse ao Capitão, que apareceu momentos após a partida do senhor indiscutido de Rio do Braço:

— Um velho imbecil a querer casar-me com uma neta de Ramiro Bastos. Gastei meu latim inutilmente. "Não prometo nada, mas volto pra conversar outra vez" — imitava o acento cantado do fazendeiro.

— Disse que ia voltar? Excelente sinal — animava-se o Capitão. — Meu caro, você ainda não conhece os nossos coronéis. E sobretudo não conhece Altino Brandão. Não é homem de meias conversas. Teria lhe dito na cara que ficaria contra nós se sua lábia não o tivesse impressionado. E se ele nos apoiar...

Na papelaria prolongava-se a conversa. Clóvis Costa cada vez mais inquieto: passava das quatro horas e não apareciam os jornaleiros com o *Diário de Ilhéus*:

— Vou à redação ver que diabo é isso.

Moças do colégio das freiras, Malvina entre elas, interrompiam o disse que disse, folheavam livros da Biblioteca Cor de Rosa, João Fulgêncio as atendia. Malvina corria com os olhos a prateleira de livros, folheava romances de Eça, de Aluísio Azevedo. Iracema aproximava-se, risinhos maliciosos:

— Lá em casa tem *O crime do padre Amaro*. Peguei pra ler, meu irmão tomou, disse que não era leitura pra moça... — O irmão era acadêmico de medicina na Bahia.

— E por que ele pode ler e você não? — Cintilaram os olhos de Malvina, aquela estranha luz rebelde. — Tem *O crime do padre Amaro*, seu João?

— Tem, sim. Quer levar? Um grande romance...

— Vou levar, sim senhor. Quanto custa?

Iracema impressionava-se com a coragem da amiga:

— Você vai comprar? O que é que não vão dizer?

— E que me importa?

Diva comprava um romance para moças, prometia emprestar às demais. Iracema pedia a Malvina:

— Depois você me empresta? Mas não conta a ninguém. Vou ler em sua casa mesmo.

— Essas moças de hoje... — comentou um dos presentes. — Até livro imoral elas compram. É por isso que há casos como o de Jesuíno.

João Fulgêncio cortava a conversa:

— Não diga besteira, Maneca, você não entende disso. O livro é muito bom, não tem nada de imoral. Essa moça é inteligente.

— Quem é inteligente? — quis saber o juiz de direito abancando-se na cadeira deixada por Clóvis.

— Falávamos de Eça de Queirós, ilustríssimo — respondeu João Fulgêncio apertando a mão do magistrado.

— Um autor muito instrutivo... — Para o juiz todos os autores eram "muito instrutivos". Comprava livros às bateladas, misturando jurisprudência e literatura, ciência e espiritismo. Segundo diziam, comprava para enfeitar a estante, impor-se na cidade, não lia nenhum deles. João Fulgêncio costumava perguntar-lhe:

— Então, digníssimo, gostou de Anatole France?

— Um autor muito instrutivo... — respondia imperturbável o juiz.

— Não o achou um tanto quanto irreverente?

— Irreverente? Sim, um tanto quanto. Porém muito instrutivo...

Com a presença do juiz retornaram as penas de Nacib. Velho debo-

chado... Que fizera da rosa de Gabriela, onde a deixara abandonada? Era hora de crescer o movimento no bar, bastava de conversas.
— Já vai, meu caro amigo? — interessou-se o juiz. — Boa empregada você arranjou... Eu lhe dou meus parabéns. Como é mesmo o nome dela?

Saiu. Velho debochado... E ainda por cima a perguntar-lhe o nome de Gabriela, velho cínico, sem respeito ao cargo que ocupava. E ainda falavam nele para desembargador...

Ao despontar na praça, divisou Malvina a conversar com o engenheiro na avenida da praia. A moça sentada num banco, Rômulo de pé a seu lado. Ela ria numa gargalhada solta, Nacib nunca a escutara rir assim. O engenheiro era casado, a mulher estava louca num hospício. Malvina não tardaria a saber. Do bar, Josué também olhava a cena, acabrunhado, ouvia a cristalina gargalhada a ressoar na doçura da tarde. Nacib sentou-se a seu lado, simpatizante de sua tristeza, solidário. O jovem professor nem buscava esconder a dor de cotovelo a roer-lhe a alma. O árabe pensou em Gabriela: o juiz, o coronel Manuel das Onças, Plínio Araçá, muitos outros a rondá-la. O próprio Josué não fazia por menos, a escrever-lhe rimas. Uma calma infinita cobria a praça, tépida tarde de Ilhéus. Glória debruçava-se na janela. Josué, enfurecido de ciúmes, levantava-se, voltado para a janela proibida de rendas e seios. Tirava o chapéu para cumprimentar Glória, num gesto irrefletido e escandaloso.

Malvina ria na praia, doce tarde de sossego.

Correndo pela rua, arauto de boas e más novas, o negrinho Tuísca, arquejante, parava junto à mesa:
— Seu Nacib! Seu Nacib!
— O que é, Tuísca?
— Tocaram fogo no *Diário de Ilhéus*.
— O quê? No prédio? Nas máquinas?
— Não, senhor. Nos jornais, juntaram num monte na rua, jogaram querosene, foi uma fogueira que nem noite de São João...

DO FOGO & DA ÁGUA
EM JORNAIS E CORAÇÕES

ALGUNS FELIZARDOS CONSEGUIAM RETIRAR DAS CINZAS MOLHADAS EXEMPLARES quase perfeitos do jornal. O que o fogo não consumira, empapara-se de água, trazida em latas e baldes por operários, empregados e voluntários, de boa vontade, para apagar a fogueira. As cinzas espalhavam-se pela rua, voavam à brisa da tarde, um cheiro de papel queimado.

Trepado numa mesa transportada da redação, o Doutor, pálido de revolta, a voz embargada, discursava para os curiosos amontoados ante o *Diário de Ilhéus*:

— Almas de Torquemada, Neros de fancaria, cavalos de Calígula, apetece-lhes combater e vencer ideias, derrotar a luz do pensamento escrito com o fogo criminoso de incendiários, obscuros obscurantistas!

Algumas pessoas aplaudiam, a multidão de moleques em festa clamava, batia palmas, assoviava. O Doutor, ante tanto entusiasmo, o *pince-nez* perdido no paletó, estendia os braços para os aplausos, vibrante e comovido:

— Povo, ó meu povo de Ilhéus, terra de civilização e liberdade! Jamais permitiremos, a não ser que passem sobre os nossos cadáveres, venha aqui instalar-se a negra inquisição a perseguir a palavra escrita. Ergueremos barricadas nas ruas, tribunas nas esquinas...

Do Pinga de Ouro, nas imediações, em mesa junto a uma das portas, o coronel Amâncio Leal ouvia o discurso inflamado do Doutor, brilhava-lhe o olho são, comentou sorrindo para o coronel Jesuíno Mendonça:

— O Doutor está inspirado hoje...

Jesuíno estranhou:

— Ainda não falou dos Ávilas. Discurso dele sem Ávila, não presta.

Dali, daquela mesa, haviam assistido todo o desenrolar dos acontecimentos. A chegada dos homens armados, jagunços trazidos das fazendas, postando-se nas imediações do jornal, esperando a hora. O cerco perfeito aos moleques saindo das oficinas com os exemplares. Alguns ainda tinham chegado a vozear:

— *Diário de Ilhéus*! Olha o *Diário*... A chegada do engenheiro, o governo de cara no chão...

Os jornais sendo sequestrados dos moleques em pânico. Alguns jagunços entraram na redação e nas oficinas, saíram com o resto da edição. Contava-se depois que o velho Ascendino, pobre professor de português a ganhar uns cobres extras na revisão dos artigos de Clóvis Costa, dos tópicos e notícias, borrara-se todo, de medo, as mãos juntas numa súplica:

— Não me matem, tenho família...

As latas de querosene estavam num caminhão parado junto ao passeio, tudo tinha sido previsto. O fogo crepitou, cresceu em labaredas altas, lambendo ameaçador as fachadas das casas, parava gente a olhar a cena sem compreender. Os jagunços, para não perder o costume e garantir a retirada, deram umas descargas para o ar, dissolvendo o ajuntamento. Embarcaram no caminhão, o chofer atravessou as ruas centrais a buzinar, quase atropelando o exportador Stevenson. Ia numa disparada de louco, sumiu em direção à estrada de rodagem.

Curiosos aglomeravam-se nas portas das lojas, dos armazéns, andavam para o jornal. Amâncio e Jesuíno não se haviam levantado sequer, a mesa em posição estratégica. A um tipo que se colocou na porta, impedindo-lhes a visão, Amâncio solicitou, sua voz macia:

— Saia da frente, faz favor...

Como o homem não ouviu, apertou-lhe o braço:

— Sai, já disse...

Depois do caminhão ter passado, Amâncio suspendeu o copo de cerveja, sorriu para Jesuíno:

— Operação de limpeza...

— Bem-sucedida...

Continuaram no bar, sem dar importância à curiosidade a cercá-los, gente parando no passeio do outro lado da rua para vê-los. Diversas pessoas haviam reconhecido jagunços de Amâncio, de Jesuíno, de Melk Tavares. E quem dirigira tudo, mandando os homens, fora um certo Loirinho, afilhado de Amâncio, desordeiro profissional, que vivia a fazer baderna em casas de mulheres.

Clóvis Costa chegara quando as chamas começavam a ser contidas. Sacou do revólver, postou-se heroico na porta da redação. Da mesa do bar, Amâncio comentou com desprezo:

— Nem sabe segurar o revólver...

Começaram a acorrer os amigos, improvisaram aquele comício. Durante o resto da tarde vieram personalidades emprestar seu apoio.

Mundinho apareceu com o Capitão, abraçava Clóvis Costa. O jornalista repetia:

— São os ossos do ofício...

Naquela tarde quem parou sob a janela de Glória, a satisfazer-lhe a fome de notícias, não foi o negrinho Tuísca, extremamente ocupado a comandar o bando de moleques em frente à redação. Foi o professor Josué, perdida toda a prudência e respeitabilidade, a face mais pálida que nunca, cobertos de crepe os olhos românticos, de luto o coração. Malvina passeava com o engenheiro pela avenida, Rômulo apontava o mar, talvez a informasse sobre sua profissão. A moça ouvindo interessada, de quando em vez a rir. Nacib arrastara Josué até o jornal, o professor demorara apenas uns minutos, o que realmente lhe interessava eram os acontecimentos da praia, a conversa de Malvina e do engenheiro. Já as solteironas corvejavam na porta da igreja, em torno do padre Cecílio, comentando o incêndio. A risada de Malvina ante o mar, desinteressada de jornais queimados, acabou de enfurecer Josué. Afinal não era o engenheiro o responsável? O recém-chegado nem se dignava interessar-se pela brusca agitação da cidade, indiferente, a conversar com Malvina. Josué atravessou a praça, passou entre as solteironas, aproximou-se da janela de Glória, os lábios carnudos da mulata abriram-se num sorriso.

— Boa tarde.

— Boa tarde, professor. Que foi que houve?

— Tocaram fogo na edição do *Diário*. Gente dos Bastos. Por causa desse palerma de engenheiro que chegou hoje...

Glória olhou para a avenida na praia:

— O moço que está conversando com sua namorada?

— Minha namorada? Engano. Simples conhecimento. Em Ilhéus, só tem uma mulher que me tira o sono...

— E quem é, se pode saber?

— Posso dizer?

— Não se acanhe...

Na porta da igreja as solteironas arregalavam os olhos, na avenida Malvina nem se dera conta.

GABRIELA NA BERLINDA

ERA UM GATO VADIO DO MORRO, QUASE SELVAGEM. O PELO SUJO DE BARRO com tufos arrancados, a orelha despedaçada, corredor de gatas da vizinhança, lutador sem rival, visagem de aventureiro. Roubava em todas as cozinhas da ladeira, odiado pelas donas de casa e empregadas, ágil e desconfiado, jamais tinham conseguido pôr-lhe a mão. Como fizera Gabriela para conquistá-lo, obter que ele a acompanhasse miando, viesse deitar-se no regaço de sua saia? Talvez porque não o enxotasse com gritos e vassouras quando ele aparecia, audaz e prudente, em busca das sobras da cozinha. Atirava-lhe pedaços de pelanca, rabos de peixe, tripas de galinha. Ele foi-se habituando, agora passava a maior parte do dia no quintal, dormindo à sombra das goiabeiras. Já não parecia tão magro e sujo, se bem conservasse a liberdade de suas noites, correndo morro e telhados, devasso e prolífero.

Quando, de volta do bar, sentava-se Gabriela para o almoço, vinha ele roçar-se em suas pernas, a ronronar. Mastigava enfarado os bocados que ela lhe dava, miando agradecido quando Gabriela estendia a mão e lhe acariciava a cabeça ou a barriga.

Para dona Arminda aquilo era um verdadeiro milagre. Nunca imaginara possível amansar-se animal tão arisco, fazê-lo vir comer na mão, deixar-se tomar ao colo, adormecer nos braços de alguém. Gabriela apertava o gato contra os seios, empurrava-lhe o rosto na cara selvagem, ele apenas miava em surdina, os olhos semicerrados, rascando-a levemente com as unhas. Para dona Arminda só havia uma explicação: Gabriela era médium, de poderosos eflúvios, não desenvolvida nem mesmo descoberta, diamante bruto a lapidar nas sessões para que fosse perfeito aparelho às comunicações do além-túmulo. Que outra coisa senão seus fluidos poderia domar animal tão bravio?

Sentadas as duas no batente da porta, a viúva a remendar meias, Gabriela a brincar com o gato, dona Arminda tratava de convencê-la:

— Menina, o que você tem a fazer é não perder sessão. Ainda outro dia o compadre Deodoro me perguntou por você. "Por que aquela irmã não voltou? Ela tem um espírito-guia de primeira. Estava por detrás dela na cadeira." Foi isso que ele disse, palavra por palavra. Uma coincidência, eu tinha pensado a mesma coisa. E olha que compadre Deodoro é entendido no assunto. Não parece, tão moço que é. Mas aquilo, minha filha, é uma intimidade com os espíritos que só vendo. Manda e desmanda neles. Você pode vir a ser até médium vidente...

— Quero não... Quero não, dona Arminda. Pra quê, não é? É melhor não bulir com os mortos, deixar eles em paz. Gosto disso não... — Coçava a barriga do gato, o ronronar crescia.

— Pois faz muito mal, minha filha. Assim seu guia não pode lhe aconselhar, você não entende o que ele diz. Vai andando na vida como uma cega. Porque espírito é mesmo que guia de cego. Vai mostrando o caminho pra gente, evitando os tropeços...

— Tenho não, dona Arminda. Que tropeço?

— Não são só os tropeços, são os conselhos que ele dá. Outro dia tive um parto difícil, o de dona Amparo. O menino atravessado, não queria sair. Eu sem saber que fazer, seu Milton já com história de chamar o médico. Quem me valeu? O finado meu marido que me acompanha, não me larga. Lá em cima — apontava o céu — eles sabem de um tudo, até de medicina. Ele foi me dizendo no ouvido, eu fui fazendo. Nasceu um bitelo de menino!...

— Deve ser bom ser parteira... Ajudar os inocentinhos nascer.

— Quem vai lhe aconselhar? Logo você que tanto precisa...

— Preciso, dona Arminda, por quê? Sabia não...

— Você, minha filha, é uma tola, desculpe que lhe diga. Tolona. Nem sabe aproveitar o que Deus lhe deu.

— Não diga, dona Arminda, tou até sem entender. Tudo que tenho, eu aproveito. Mesmo o sapato que seu Nacib me deu. Vou com ele pro bar. Mas, não gosto não, gosto mais de chinelos. Andar de sapato, não gosto não...

— Quem está falando de sapato, boba? Então você não vê como seu Nacib está babado, caidinho, vive num pé e noutro...

Gabriela riu, apertando o gato contra o peito:

— Seu Nacib é moço bom, vou ter medo de quê? Ele não pensa me mandar embora, só quero lhe dar satisfação...

Dona Arminda picava o dedo com a agulha ante tanta cegueira:

— Até me piquei... Você é mais tola do que eu pensava. Seu Nacib podendo lhe dar de um tudo... Tá rico, seu Nacib! Se pedir seda, ele dá; se pedir moleca pra ajudar no trabalho, ele contrata logo duas; se pedir dinheiro, é o dinheiro que quiser, ele dá.

— Preciso não... Pra quê?

— Você pensa que vai ser bonita a vida toda? Se não aproveitar agora, depois é tarde. Sou capaz de jurar que você não pede nada a seu Nacib. Não é mesmo?

— Pra ir ao cinema quando a senhora vai. Que mais vou pedir?

Dona Arminda perdia a calma, atirava a meia com o ovo de madeira, o gato assustava-se e punha-lhe uns olhos malignos:

— Tudo! Tudo, menina, tudo que quiser que ele dá. — Baixava a voz num sussurro. — Se você souber fazer, ele pode até casar com você...

— Casar comigo? Por quê? Precisa não, dona Arminda, por que vai casar? Seu Nacib é pra casar com moça direita, de família, de representação. Por que havia de casar comigo? Precisa não...

— E você não tem vontade de ser uma senhora, mandar numa casa, sair de braço com seu marido, vestir do bom e do melhor, ter representação?

— Era capaz de ter de calçar sapato todo dia... Gosto não... De calçar sapato. De casar com seu Nacib, era até capaz de gostar. Ficar a vida toda cozinhando pra ele, ajudando ele... — Sorria, ronronava para o gato, tocava-lhe o nariz molhado e frio. — Mas qual, seu Nacib tem mais que fazer. Não vai querer casar com uma qualquer como eu, que ele já encontrou perdida... Quero pensar nisso não, dona Arminda. Nem que ele fosse maluco.

— Pois eu lhe digo, minha filha: é só você querer, saber levar as coisas com jeito, dando e negando, deixando ele com água na boca. Ele já anda assustado. Meu Chico me contou que o juiz fala em botar casa pra você. Ele ouviu seu Nhô-Galo dizer. Seu Nacib anda com o coração na mão.

— Quero não... — Morria o sorriso em seus lábios. — Gosto dele não. Velho sem graça esse tal de juiz.

— Lá está outro... — sussurrou dona Arminda.

O coronel Manuel das Onças, com seu andar de roceiro, subia a rua. Parava ante as mulheres, tirava o chapéu-panamá, com um lenço de cor limpava o suor.

— Boas tardes.

— Boa tarde, coronel — respondia a viúva.

— Essa é a casa de Nacib, não é? Conheci pela moça — apontava Gabriela. — Ando procurando empregada, vou trazer a família pra Ilhéus... Não sabem de nenhuma?

— Empregada pra quê, coronel?
— Hum... pra cozinhar...
— É difícil por aqui.
— Quanto Nacib lhe paga?
Gabriela levantava os olhos cândidos:
— Sessenta mil-réis, sim senhor...
— Paga bem, não há dúvida.
Fez-se um silêncio prolongado, o fazendeiro olhava o corredor, dona Arminda recolheu seus remendos, cumprimentou, ficou ouvindo por detrás da porta de sua casa. O coronel abriu-se num sorriso satisfeito:
— Pra lhe falar a verdade, de cozinheira não preciso. Quando a família vier trago uma, da roça. Mas é pena um morenão como você metida na cozinha.
— Por quê, seu coronel?
— Estraga as mãos. Depende só de você largar as panelas. Se quiser posso lhe dar de um tudo, casa decente, empregada, conta aberta na loja. Gosto da estampa da menina.
Gabriela levantava-se, não deixava de sorrir, quase a agradecer.
— Que me diz de minha proposta?
— Quero não, o senhor me adesculpa. Não é por nada, não leve a mal. Tou bem aqui, não me falta nada. Me dê licença, seu coronel...
Sobre o muro baixo, no fundo do quintal, aparecia a cabeça de dona Arminda a chamar por Gabriela:
— Viu que coincidência? Eu não tava lhe falando? Também quer botar casa pra você...
— Gosto dele não... Nem que tivesse morrendo de fome.
— É o que lhe digo: é só você querer...
— Quero nada não...
Estava contente com o que possuía, os vestidos de chita, as chinelas, os brincos, o broche, uma pulseira, dos sapatos não gostava, apertavam-lhe os pés. Contente com o quintal, a cozinha e seu fogão, o quartinho onde dormia, a alegria cotidiana do bar com aqueles moços bonitos — o professor Josué, seu Tonico, seu Ari — e aqueles homens delicados — seu Felipe, o Doutor, o Capitão —, contente com o negrinho Tuísca seu amigo, com seu gato conquistado ao morro.
Contente com seu Nacib. Era bom dormir com ele, a cabeça descansando em seu peito cabeludo, sentindo nas ancas o peso da perna do homem gordo e grande, um moço bonito. Com os bigodes fazia-lhe

cócegas no cangote. Gabriela sentiu um arrepio, era tão bom dormir com homem, mas não homem velho por casa e comida, vestido e sapato. Com homem moço, dormir por dormir, homem forte e bonito como seu Nacib.

Essa dona Arminda, com tanto espiritismo, estava era ficando maluca. Que ideia sem pés nem cabeça, aquela do casamento com seu Nacib. Que era bom de pensar, ah! era bom... Dar o braço a ele, sair andando na rua. Mesmo que fosse de sapato apertado. Entrar no cinema, sentar junto dele, encostar a cabeça no ombro macio como um travesseiro. Ir a uma festa, dançar com seu Nacib. Aliança no dedo...

Pensar, para quê? Valia a pena não... Seu Nacib era para casar com moça distinta, toda nos trinques, calçando sapato, meia de seda, usando perfume. Moça donzela, sem vício de homem. Gabriela servia para cozinhar, a casa arrumar, a roupa lavar, com homem deitar. Não velho e feio, não por dinheiro. Por gostar de deitar. Clemente na estrada, Nhozinho na roça, Zé do Carmo também. Na cidade Bebinho, moço estudante, casa tão rica! Vinha mansinho, na ponta dos pés, com medo da mãe. Primeiro de todos, ela era menina, foi mesmo seu tio. Ela era menina, de noite seu tio, velho e doente.

DA LUZ DO FIFÓ

SOB O SOL ARDENTE, O DORSO NU, AS FOICES PRESAS EM VARAS LONGAS, os trabalhadores colhiam os cocos de cacau. Caíam num baque surdo os frutos amarelos, mulheres e crianças os reuniam e partiam, com tocos de facão. Amontoavam-se os grãos de cacau mole, brancos de mel, eram metidos nos caçuás, levados para os cochos no lombo dos burros. O trabalho começava com o raiar do dia, terminava com o chegar da noite — um pedaço assado de charque com farinha, uma jaca madura, comidos às pressas na hora do sol a pino. As vozes das mulheres se elevavam nos dolentes cantos de trabalho:

Dura vida, amargo fel,
sou negro trabalhador.
Me diga, seu coronel,
Me diga, faça o favor;
quando é que eu vou colher
as penas do meu amor.

O coro dos homens nas roças respondia:

Vou colher cacau
no cacaueiro...

O grito dos tropeiros apressava os burros, apenas a tropa de cacau mole atingia a estrada: Eh! mula danada! Depressa Diamante! Montado em seu cavalo, seguido do capataz, o coronel Melk Tavares atravessava as roças, fiscalizando o trabalho. Desmontava, reclamava das mulheres e crianças:

— Que moleza é essa? Mais depressa, sinhá-dona, devagar se cata é piolho.

Mais rápidas as pancadas a partir em duas a casca dos frutos de cacau colocados sobre a palma da mão, o toco afiado de facão a ameaçar os dedos a cada vez. Tornava-se mais rápido também o ritmo da canção enchendo as roças, ativando os colhedores:

No cacau tem tanto mel,
ai na roça tanta flor.
Me diga, seu coronel,
me diga, faça o favor:
quando é que eu vou dormir
na cama do meu amor?

Por entre as árvores, nos caminhos das cobras, pisando as folhas secas, crescia a voz dos homens colhendo mais depressa:

Vou colher cacau
no cacaueiro...

O coronel examinava as árvores, o capataz gritava com os trabalhadores, prosseguia a dura faina diária. Melk Tavares imobilizava-se de repente, perguntava:

— Quem colheu aqui?

O capataz repetia a pergunta, trabalhadores voltavam-se para ver, o negro Fagundes respondia:

— Fui eu.

— Venha cá!

Apontava os cacaueiros: por entre as folhas cerradas, nos galhos mais altos, viam-se cocos esquecidos:

— Você é protetor dos macacos? Pensa que é para eles que eu planto cacau? Saco de preguiça, só serve mesmo pra arruaça...

— Inhô, sim. Não arreparei...

— Não reparou por que não é roça sua, quem perde dinheiro não é você. Preste atenção, de agora em diante.

Prosseguia seu caminho, o negro Fagundes elevava a foice, os olhos mansos e bons a acompanhar o coronel. Que podia responder? Melk o arrancara das mãos da polícia quando ele, bêbedo, numa ida ao povoado, pusera em polvorosa a casa das putas. Não era homem para ouvir calado mas ao coronel não podia responder. Não o levara ele, não fazia muito tempo, a Ilhéus para tocar fogo numas gazetas, coisa engraçada, não lhe recompensara bem? E não lhe dissera que o tempo dos barulhos estava voltando, tempos bons para homem de coragem, de certeira pontaria, assim como o negro Fagundes? Enquanto esperava, ia colhendo cacau, dançando sobre os grãos a secar nas barcaças, suando, na estufa, cobrindo de mel os pés, nos cochos. Estavam tardando esses anunciados barulhos, aquela fogueira na cidade nem dera para esquentar. Ainda assim fora bom, vira o movimento, andara de caminhão, sapecara uns tiros pra cima só pra enganar, e pusera os olhos em Gabriela apenas chegara. Ia passando na frente de um bar, ouvira rir, só podia ser ela. Estava sendo conduzido para uma casa onde iam ficar até a hora da ocupação. O moço que os levava, de apelido Loirinho, respondera à sua pergunta:

— É cozinheira do árabe, um torrão de açúcar.

O negro Fagundes diminuía o passo, atrasava-se para espiá-la. Loirinho dava pressa, zangado:

— Vamos, moreno. Não se mostre assim, senão estraga o plano. Vamos embora.

Ao voltar à fazenda, na noite imensa de estrelas, quando o som da harmônica chorava a solidão, contara a Clemente. A luz vermelha do fifó criava imagens no negrume das roças, eles viam o rosto de Gabriela, seu corpo de dança, as pernas altas, os pés caminheiros.

— Tava bonita que só vendo...

— Trabalha num bar?

— Cozinha pro bar. Trabalha pra um turco, um gordo com cara de boi. Tava nos trinques, metida em chinelos, lavada de fresco.

Mal enxergava Clemente à luz do fifó, curvado a ouvir, calado a pensar.

— Tava rindo quando eu passei. Rindo pra um tipo, um ricaço qualquer. Tu sabe, Clemente? Tinha uma rosa na orelha, num vi coisa igual.

Rosa na orelha, Gabriela perdida na luz do fifó. Clemente se fecha como num casco de tartaruga.

— Me metero nos fundos da casa do coronel. Vi a mulher dele, criatura doente, parece u'a imagem. Vi a filha também, esparrama beleza, mas orgulhosa, passava pela gente sem reparar. Lindeza de moça, mas te digo, Clemente, cumo Gabriela não tem mesmo não. Que é que ela tem, Clemente? Me diga...

O que é que ela tem? Como ia saber? Não adiantara dormir com ela, deitada em seu peito, nas noites do caminho, do sertão, da caatinga, dos prados verdes depois. Não aprendera, nunca soubera. Uma coisa tinha, impossível esquecê-la. A cor de canela? O perfume de cravo? O modo de rir? Como ia saber? Um calor possuía, queimando na pele, queimando por dentro, um fogaréu.

— Foi um fogaréu de papel, queimou num instante. Eu tava querendo ir ver Gabriela, dar uma prosa com ela. Num deu jeito, tanto eu queria.

— Tu num viu mais?

A luz do fifó lambia a sombra, a noite aumentava sem Gabriela. Uivos de cães, piar de corujas, silvos de cobras. No silêncio, a cismar, a saudade dos dois. Negro Fagundes pegou o fifó, foi embora dormir. Na sombra da noite, imensa e sozinha, o mulato Clemente recolheu Gabriela. Seu rosto sorrindo, seus pés andarilhos, suas coxas morenas, os seios erguidos, o ventre noturno, seu perfume de cravo, sua cor de canela. Tomou-a nos braços, levou-a pra cama feita com varas. Deitou-se com ela, reclinada em seu peito.

DO BAILE COM HISTÓRIA INGLESA

UM DOS MAIS IMPORTANTES SUCESSOS DAQUELE ANO EM ILHÉUS FOI a inauguração da nova sede da Associação Comercial. Nova sede que era em realidade a primeira, pois a associação, fundada há uns quantos anos, funcionara até então no escritório de Ataulfo Passos, seu presidente e representante de firmas do sul do país. Nos últimos tempos vinha-se tornando, a associação, poderoso elemento na vida da cidade, fator de progresso, promovendo iniciativas, exercendo influência. A nova sede, sobrado de dois andares, ficava nas vizinhanças do Bar Vesúvio, na rua que ligava a praça São Sebastião ao porto. A Nacib foram encomendadas as bebidas, os doces e salgados, para a festa de inauguração, dessa vez não teve jeito senão contratar duas cabrochas para ajudar Gabriela, a encomenda era grande.

As eleições para a diretoria precederam a festa da mudança. Antes era preciso adular comerciantes, importadores e exportadores, para que consentissem figurar seus nomes na mesa diretora. Agora disputavam os cargos, dava prestígio, crédito nos bancos, direito a opinar sobre a administração da cidade. Duas chapas foram apresentadas, uma pela gente dos Bastos, outra pelos amigos de Mundinho Falcão. Atualmente era assim a propósito de cada coisa: de um lado os Bastos, de outro lado Mundinho. Manifesto assinado por exportadores, vários comerciantes, donos de escritórios de importação, apareceu no *Diário de Ilhéus* apresentando uma chapa, encabeçada por Ataulfo Passos, candidato à reeleição, com Mundinho para vice-presidente e o Capitão para orador oficial. Nomes conhecidos a completavam. Manifesto semelhante publicou o *Jornal do Sul*, assinado igualmente por diversos sócios importantes da associação, patrocinando outra chapa. Para presidente, Ataulfo Passos, em torno de seu nome não havia dúvidas. Não era político, a ele se devia o progresso da associação. Para vice-presidente o sírio Maluf, dono da maior loja de Ilhéus, íntimo de Ramiro Bastos, em cujas terras, muitos anos antes, começara com uma tenda de mantimentos. Para orador oficial o dr. Maurício Caires. Além do nome de Ataulfo Passos, um outro se repetia nas duas chapas, indicado para o mesmo modesto cargo de quarto-secretário: o do árabe Nacib A. Saad. Previa-se uma disputa acirrada, as forças se equilibravam. Mas Ataulfo, homem hábil e bem-visto, declarou que só aceitaria sua candidatura se os adversários se entendessem, entrassem em acordo para a composição de uma chapa única reunindo figuras dos dois grupos. Não foi fácil convencê-los. Ataulfo, porém, era maneiroso, visitou Mundinho, louvou-lhe o civismo, o constante interesse pela terra e pela associação, disse-lhe de como se sentiria honrado de tê-lo como vice-presidente. Mas não acreditava o exportador ser uma obrigação manter a Associação Comercial equidistante das lutas políticas, exatamente como um terreno neutro onde as forças opostas pudessem colaborar para o bem de Ilhéus e da pátria? O que ele propunha era fundir as duas chapas, criando duas vice-presidências, dividindo as secretarias e os dois lugares de tesoureiro, os de orador e bibliotecário. A associação, fator de progresso, com um grande programa a cumprir para fazer de Ilhéus uma verdadeira cidade, devia pairar sobre as lamentáveis divisões políticas.

Mundinho concordou, disposto mesmo a abrir mão de sua candidatura a vice-presidente, proposta à sua revelia. No entanto, devia consultar os amigos, ao contrário do coronel Ramiro ele não ditava ordens, nada decidia sem ouvir seus correligionários.

— Creio que ficarão de acordo. Já falou com o coronel?

— Quis ouvir primeiro o senhor. Vou visitá-lo à tarde.

Com o coronel Ramiro foi mais difícil. O velho mostrou-se a princípio insensível a qualquer argumentação, encolerizado:

— Forasteiro sem raízes na terra. Não tem nem pé de cacau...

— Eu também não tenho, coronel.

— Com o senhor é outra coisa. Já está aqui há mais de quinze anos. É homem de bem, pai de família, não veio para aqui virar a cabeça de ninguém, não trouxe homem casado para namorar as filhas da gente, não quer mudar tudo como se nada prestasse.

— Coronel, o senhor sabe que não sou político. Não sou nem eleitor. Quero viver bem com todos, trato com uns e com outros. Mas é certo que muitas coisas devem mudar em Ilhéus, já não vivemos naqueles tempos do passado. E quem tem mudado mais coisas em Ilhéus do que o senhor?

O velho, cuja cólera ia em aumento, pronta para explodir, abrandou-se com as últimas palavras do negociante em grosso.

— Sim, quem mudou mais coisas em Ilhéus?... — repetiu. — Isso aqui era um fim de mundo, uma tapera, o senhor deve se lembrar. Hoje não tem cidade no estado igual a Ilhéus. Por que não esperaram pelo menos eu morrer? Estou a um passo da cova. Por que essa ingratidão no fim de minha vida? Que mal eu fiz, em que ofendi esse senhor Mundinho que quase nem conheço?

Ataulfo Passos não sabia como responder. Agora a voz do coronel era trêmula, voz de homem velho, terminado.

— Nem pense que sou contra mudar certas coisas, fazer outras. Mas por que essa pressa, esse desespero como se o mundo fosse acabar? Tem tempo pra tudo — novamente erguia-se o dono da terra, o invencível Ramiro Bastos. — Não estou me queixando. Sou homem de luta, não tenho medo. Esse senhor Mundinho pensa que Ilhéus começou quando ele desembarcou aqui. Quer tapar o dia de ontem, isso ninguém pode fazer. Vai amargar uma derrota, vai me pagar caro essa patifaria... Venço ele nas eleições, depois boto pra fora de Ilhéus. E ninguém vai me impedir.

— Nisso, coronel, não me meto. Tudo que desejo é resolver o caso da associação. Por que envolvê-la nessas disputas? Afinal a associação é coisa à toa, só cuida de negócios, dos interesses do comércio. Se passar a servir causa política vai por água abaixo. Por que gastar forças agora com essa besteira?

— Qual é sua proposta?

Explicou, o coronel Ramiro Bastos ouvia, o queixo apoiado na bengala, o fino rosto rugoso bem barbeado, um resto de cólera a cintilar nos olhos.

— Pois bem, não quero que digam que arruinei a associação. E o senhor me merece muito. Vá descansado, eu mesmo explico ao compadre Maluf. Ficam os dois iguaizinhos, não tem negócio de primeiro e segundo vice-presidente?

— Iguaizinhos. Obrigado, coronel.

— Já conversou com esse senhor Mundinho?

— Ainda não. Primeiro quis ouvir o senhor, agora vou lá falar com ele.

— É capaz de não aceitar.

— O senhor, que é o senhor, aceitou, por que ele vai recusar?

O coronel Ramiro Bastos sorriu, era ele o primeiro.

Assim viu-se eleito Nacib quarto-secretário da Associação Comercial de Ilhéus, companheiro de Ataulfo, Mundinho, Maluf, do joalheiro Pimenta, de outros tipos importantes, inclusive do dr. Maurício e do Capitão. Quase dera mais trabalho a Ataulfo Passos resolver o problema do orador oficial que todo o resto. Muito custou convencer o Capitão a conformar-se com o cargo de bibliotecário, o último da lista. Mas já não era ele orador oficial da Euterpe 13 de Maio? Dr. Maurício não era orador de nenhuma sociedade. Além disso, com a substanciosa verba vota-

da para a biblioteca, quem senão o Capitão com suficiente competência para escolher e adquirir os livros? Aquela seria, em realidade, a biblioteca pública de Ilhéus, onde moços e velhos viriam ler e instruir-se, aberta a toda a população.
— Bondade sua. Tem João Fulgêncio, tem o Doutor. Elementos ótimos...
— Mas não são candidatos. O Doutor nem é sócio da associação, o nosso caro João não aceita cargos... Só mesmo você, senão quem iríamos botar? Orador, o maior da cidade, você é de qualquer maneira.

A festa de instalação da sede e de posse da nova diretoria foi digna de ver-se e comentar-se. À tarde, com champanha e discursos na grande sala — ocupando todo o andar térreo, onde deveria funcionar a biblioteca, realizar-se reuniões e conferências (no segundo andar ficavam os diversos serviços e a secretaria) — empossaram-se os novos diretores. Nacib mandara fazer roupa nova, especialmente para o ato. Flamante gravata, sapatos lustrosos, um solitário no dedo, até parecia coronel dono de fazendas.

À noite foi o baile, com o *buffet* fornecido por ele (Plínio Araçá andou espalhando ter-se Nacib aproveitado do cargo para cobrar um dinheirão, mentira injusta), variado e gostoso. Havia bebidas a escolher, à exceção de cachaça. Nas cadeiras encostadas às paredes, num rebuliço de risos, as moças esperavam ser tiradas para dançar. Nas salas do segundo andar, abertas e iluminadas, senhoras e cavalheiros mastigavam os doces e salgados de Gabriela, conversando, diziam que nem na Bahia se via uma festa assim tão distinta.

A orquestra do Bataclan atacava valsas, tangos, foxtrotes, polcas militares. Naquela noite não se dançava no cabaré. Mas também não estavam na associação todos os coronéis, comerciantes, exportadores, rapazes do comércio, médicos e advogados? O cabaré dormitava deserto, uma ou outra mulher numa espera inútil.

Velhas e jovens cochichavam na sala de baile, detalhando vestidos, joias, enfeites, maliciando namoros, prevendo noivados. No mais belo vestido da noite, mandado vir da Bahia, Malvina era o vivo e comentado escândalo. Ninguém mais desconhecia na cidade a condição de homem casado do engenheiro da barra, separado da mulher. Louca incurável internada em hospício, é bem verdade. Mas isso que importava, era um homem sem direito a olhar para moça solteira, casadoira. Que tinha ele para lhe oferecer além da desonra, no mínimo deixá-la falada, na boca do mundo, sem nunca mais conseguir casamento. No entanto, não se largavam, o par mais constante do baile, sem perder uma valsa, uma polca, um foxtrote. Rômulo dançava o tango argentino ainda melhor que o finado Osmundo. Malvina, as faces rosadas, os olhos profundos, parecia envolta num sonho, leve, quase a voar, nos braços atléticos do engenheiro. Um cochicho corria pelas cadeiras encostadas nas paredes, subia as escadas, espalhava-se nas salas. Dona Felícia, mãe de Iracema, a fogosa morena dos namoros no portão, proibia a filha de andar com Malvina. O professor Josué misturava bebidas, falava alto, representava indiferença e alegria. Os sons da música iam morrer na praça, entravam pela janela de Glória, deitada com o coronel Coriolano que viera assistir o ato da tarde. Bailes não frequentava, era coisa para moços. Seu baile era aquele na cama de Glória.

Mundinho Falcão descia para a sala de dança. Dona Felícia beliscava Iracema, segredava:

— Seu Mundinho está olhando pra você. Vem tirar pra dançar.

Quase empurrava a filha nos braços do exportador. Que partido melhor em todo Ilhéus? Exportador de cacau, milionário, chefe político e moço solteiro. Sim, solteiro, capaz de casar.

— Permite-me a honra? — perguntava Mundinho.

— Com prazer... — soerguia-se dona Felícia num cumprimento.

Iracema de pujante carnação, langorosa e fingida, encostava-se nele. Mundinho sentia os seios da moça, a coxa a tocá-lo, apertou-a de manso.

— É a rainha da festa... — disse-lhe.

Mais se encostou Iracema, respondendo:

— Pobre de mim... Ninguém me olha.

Dona Felícia sorria na cadeira, Iracema concluiria o curso no colégio das freiras no fim do ano, chegava o tempo de casar.

O coronel Ramiro Bastos fizera-se representar no ato da tarde por Tonico. O outro filho, Alfredo, estava na Bahia, ocupado na Câmara. À noite, no baile, Tonico acompanhava dona Olga, de banhas esmagadas num vestido rosa e juvenil, ridículo! Com eles viera a sobrinha mais velha, de desmaiados olhos azuis e pele fina de madrepérola. Muito compenetrado e respeitável, Tonico nem olhava as mulheres, ocupado em fazer rodopiar aquela montanha de carnes que Deus e o coronel Ramiro lhe haviam dado por esposa.

Nacib bebia champanha. Não para aumentar o consumo da bebida cara e ganhar mais dinheiro, como rosnara o despeitado Plínio Araçá. Para esquecer padecimentos, afugentar o medo que não o largava mais, temores a persegui-lo dia e noite. O cerco em derredor de Gabriela crescia e se apertava. Mandavam-lhe recados, propostas, bilhetinhos de amor. Ofereciam mirabolantes salários à incomparável cozinheira; casa posta, luxo das lojas à rapariga incomparável.

Ainda há poucos dias, quando Nacib se sentia menos triste devido àquela eleição de quarto-secretário, sucedera um caso a lhe mostrar até onde ia a audácia dessa gente.

A esposa de Mr. Grant, diretor da estrada de ferro, não se pejara de ir à casa de Nacib fazer propostas a Gabriela. Era esse Grant um inglês idoso, magro e calado, habitando Ilhéus desde 1910. Conheciam-no e tratavam--no simplesmente por Mister. A esposa, uma gringa alta e loiríssima, de modos livres e um tanto masculinos, não suportava Ilhéus, vivia na Bahia há vários anos. Dos seus tempos na cidade ficara a lembrança de sua figura então extremamente jovem e de uma quadra de tênis que fizera construir nuns terrenos da estrada, invadida pelo capim após sua partida. Na Bahia dava grandes jantares em sua casa da Barra Avenida, corria de automóvel, fumava cigarros, constava que recebia os amantes em plena luz do dia. O Mister não saía de Ilhéus, adorando a boa cachaça ali fabricada, jogando pôquer de dados, embriagando-se indefectivelmente todos os sábados no Pinga de Ouro, indo todos os domingos caçar nas redondezas. Vivia numa bela casa cercada de jardins, sozinho com uma índia que dele tivera um filho. Quando a esposa aparecia em Ilhéus, duas, três vezes por ano, trazia presentes para a índia grave e silenciosa como um ídolo. E apenas o menino completara seis anos, a inglesa o levara consigo para a Bahia, onde o educava como se fora seu filho. Nos dias feriados, num mastro plantado no jardim do Mister, tremulava a bandeira da Inglaterra pois Grant era, em Ilhéus, vice-cônsul de sua graciosa majestade britânica.

Desembarcara recentemente a gringa no porto, como soubera de Gabriela? Mandara comprar salgados e doces no bar, um dia subiu a ladeira de São Sebastião, bateu palmas à porta de Nacib, demorou-se examinando a risonha empregada:

— *Very well!*

Mulher sem compostura, dela diziam horrores: bebia tanto ou mais que um homem, ia à praia seminua, adorava adolescentes quase meninos, corria até que gostava de mulheres. Propôs a Gabriela levá-la para a Bahia, dar-lhe salário impossível em Ilhéus, vesti-la com elegância, folga todos os domingos. Não fizera cerimônias, fora bater em casa de Nacib. Gringa mais descarada...

E o juiz não dera agora para passear, após as audiências, na ladeira? Quantos sonhavam botar casa para ela, tê-la de manceba? Outros, mais modestos, suspiravam apenas por uma noite com Gabriela, por detrás dos rochedos na praia, onde iam passear na escuridão casais suspeitos. Tornavam-se a cada dia mais atrevidos, perdiam a cabeça no bar a segredar-lhe palavras, fizera-se movimentado o passeio da casa de Nacib. Notícias chegavam ao balcão do árabe, a seus ouvidos. Cada tarde tinha Tonico uma novidade a contar, também Nhô-Galo já lhe falara do perigo aumentando:

— Toda mulher, a mais fiel, tem um limite...

Dona Arminda, com seus espíritos e suas coincidências, já lhe dissera ser Gabriela uma tola ao recusar tantas ofertas tentadoras.

— Também o senhor não está fazendo caso se ela for embora, não é, seu Nacib?

Não estava fazendo caso... Não pensava noutra coisa, buscava soluções, perdia o sono, não mais dormia a sesta, a ruminar temores na espreguiçadeira. Meu Deus, até o apetite começava a perder, emagrecia! Recebendo os parabéns na festa, pancadinhas nas costas, abraços, felicitações, afogava em champanha seus temores, as perguntas que lhe enchiam o peito. Que significava Gabriela em sua vida, até onde devia ir para guardá-la? Buscava a companhia melancólica de Josué, o professor naufragava em vermute, reclamando:

— Por que diabo não tem cachaça na merda dessa festa? — Onde estavam suas palavras bonitas, seus versos rimados?

Houve ainda duas sensações no baile. Uma foi quando Mundinho Falcão, rapidamente farto da fácil Iracema (não era homem para ir namorar nos portões ou nas matinês dos cinemas, para beijinhos e esfregações), reparou na moça loira de pele fina de madrepérola, de olhos cor do azul-celeste.

— Quem é? — perguntara.

— A neta do coronel Ramiro, Jerusa, filha do doutor Alfredo.

Sorriu Mundinho, parecia-lhe divertida ideia. Ela estava, adolescente formosura, ao lado do tio e de dona Olga.

Mundinho esperou a orquestra começar, encaminhou-se, tocou o braço de Tonico:

— Permita-me cumprimentar sua senhora e sua sobrinha.

Tonico gaguejou apresentações, logo dominou-se, homem do mundo. Trocaram umas palavras amáveis. Mundinho perguntou à jovem:

— Dança?

Respondeu com um breve aceno de cabeça, sorridente. Saíram dançando, foi tamanha a emoção na sala que certos pares perderam o passo, voltados a olhar. Cresceu o cochichar das senhoras, desceu gente do andar de cima para ver.

— Então é o senhor o bicho-papão? Não parece...

Mundinho riu:

— Sou um simples exportador de cacau.

Era a vez da moça rir, a conversa continuou.

A outra sensação foi Anabela. Ideia de João Fulgêncio que jamais a vira dançar, não frequentava os cabarés. À meia-noite, quando a festa ia mais animada, apagaram-se quase todas as luzes, ficou a sala na penumbra, Ataulfo Passos anunciou:

— A bailarina Anabela, conhecida artista carioca.

Para moças e senhoras, a aplaudir entusiastas, ela dançou com as plumas e com os véus. Ribeirinho, ao lado da esposa, triunfava. Os homens presentes sabiam pertencer-lhe aquele corpo delgado e ágil, para ele dançava sem malha, sem plumas e sem véus.

O Doutor, solene, deixava tombar a afirmação:

— Civiliza-se Ilhéus a passos de gigante. Ainda há poucos meses a arte estava expulsa dos salões. Essa talentosa Terpsícore era relegada aos cabarés, exilava-se a arte nas sarjetas.

A Associação Comercial retirava a arte das sarjetas, trazia-a para o seio das melhores famílias. Estrugiam aplausos.

DOS VELHOS MÉTODOS

MUNDINHO FALCÃO CUMPRIRA FINALMENTE A PROMESSA FEITA AO CORONEL ALTINO, fora visitar suas fazendas. Não no sábado marcado. Mais de um mês depois e por insistência do Capitão. O coletor emprestava grande importância à conquista de Altino dizendo que, se o ganhassem, obteriam a adesão de vários fazendeiros, vacilantes mesmo após o começo dos estudos da barra.

Não há dúvida ter sido a chegada do engenheiro — derrota do governo do estado — um impacto, um tento lavrado por Mundinho. A própria reação dos Bastos, violenta, queimando uma edição do *Diário de Ilhéus*, vinha prová-lo. Nos dias que se seguiram, alguns coronéis apareceram no escritório da casa exportadora para solidarizar-se com Mundinho, oferecer-lhe seus votos. O Capitão alinhava algarismos numa coluna, somava votos no papel. Conhecendo os hábitos políticos imperantes, sabia não lhes adiantar uma vitória apertada. O reconhecimento, fosse dos deputados, na Câmara federal ou na estadual, fosse do intendente e dos conselheiros municipais, só poderia acontecer com vitória brutal, esmagadora. E ainda assim não era fácil obter o reconhecimento. Para isso ele contava com as amizades do exportador no cenário federal, o prestígio da família Mendes Falcão. Mas era preciso vencer por larga margem, sem o quê nada feito.

Voltara a calma, pelo menos aparente, após os últimos acontecimentos. Em certos círculos, em Ilhéus, crescia a simpatia em torno de Mundinho. Gente assustada com o retorno dos métodos violentos, com a fogueira dos jornais. Enquanto os Bastos mandassem, diziam, não se veria o fim do reino dos jagunços. Mas o Capitão sabia que esses comerciantes, esses moços das lojas e dos armazéns, esses trabalhadores do porto, significavam poucos votos. Os votos pertenciam aos coronéis, sobretudo aos grandes fazendeiros, donos de distritos, compadres de meio mundo, donos também da máquina eleitoral. Esses, sim, decidiam.

A casa do coronel Altino Brandão, em Rio do Braço, ficava ao lado da estação, ladeada de varandas, trepadeiras a subir pelas paredes, flores variadas no jardim, quintal de árvores frutíferas. Admirara-se Mundinho a pensar se não tinha razão o coletor quando dizia ser o fazendeiro um tipo raro em Ilhéus, de mentalidade aberta. Não se conservara naquela zona a tradição das confortáveis casas-grandes da lavoura de açúcar, seus requintes, seus luxos. Nas roças e povoados, as casas dos coronéis careciam por vezes do mais rudimentar conforto. Nas fazendas erguiam-se sobre estacas, embaixo das quais dormiam os porcos. Quando não, próximo ficava sempre o chiqueiro, numa defesa contra as cobras inúmeras, de veneno mortal. Os porcos as matavam, protegidos contra o veneno pela grossa camada de gordura a envolvê-los. Ficara da época dos barulhos uma certa sobriedade no viver, que só de algum tempo para cá ia-se perdendo em Ilhéus e Itabuna, onde começavam os coronéis a comprar e a construir boas moradias, bangalôs — e mesmo palacetes. Eram os filhos, estudantes nas faculdades da Bahia, que os obrigavam a abandonar os hábitos frugais.

— É uma honra que nos faz... — dissera o coronel ao apresentá-lo à esposa na sala de visitas bem mobiliada, em cuja parede viam-se retratos coloridos de Altino e da mulher quando jovens.

Levou-o depois ao quarto de hóspedes, régio, colchão de lã de barriguda, lençóis de linho, colcha bordada, um cheiro de alfazema queimada perfumando o ar.

— Se vosmicê estiver de acordo, proponho a gente montar logo depois do almoço. Pra ter tempo de ver o trabalho nas roças. Dormir nas Águas Claras, de manhã tomar banho no rio, dar uma volta a cavalo pra ver a fazenda. Almoçar umas caças por lá, voltar pra jantar aqui.

— Ótimo. Completamente de acordo.

A Fazenda Águas Claras, do coronel Altino, imensa extensão de terras, ficava perto do povoado, a menos de uma légua. Possuía ele outra fazenda mais distante, onde ainda havia mata por derrubar.

Os pratos sucederam-se na mesa, peixes do rio, aves diversas, carnes de boi, de carneiro, de porco. E isso que almoçavam em família — era no domingo o jantar com convidados.

À noite, na fazenda (após Mundinho ter visto os trabalhadores na colheita, nos cochos de cacau mole, nas barcaças, numa dança de passos miúdos revolvendo o cacau ao sol), conversaram à luz das lâmpadas de querosene. Altino contava casos de jagunços, falava dos tempos antigos quando haviam conquistado a terra. Alguns trabalhadores, sentados no chão, participavam da conversa, relembravam detalhes. Altino apontava um negro:

— Esse está comigo há uns vinte e cinco anos. Apareceu por aqui fugido, era cabra dos Badarós. Se tivesse que cumprir pena pelos homens que despachou, a vida inteira não chegava.

O negro sorria mostrando os dentes alvos, mascava um pedaço de fumo, as mãos calosas, os pés cobertos com a crosta formada pelo mel seco do cacau:

— O que é que o moço vai pensar de eu, seu coronel?

Mundinho queria conversar política, ganhar o rico fazendeiro para sua causa. Mas Altino evitava o assunto, apenas se referira — e isso durante o almoço em Rio do Braço — à fogueira erguida com a edição do *Diário de Ilhéus*. Para reprová-la:

— Muito malfeito... Isso foi coisa de outro tempo que já passou, graças a Deus. Amâncio é homem de bem mas violento como o diabo, nem sei como ainda está vivo. Foi ferido três vezes nos barulhos, ficou com um olho vazado, um braço esquecido. E não se emenda. Melk Tavares também não foi de brincadeira, sem falar em Jesuíno, coitado... Ninguém está livre de ter de cometer uma desgraça, Jesuíno não tinha outro jeito. Mas por que ainda vem se meter a queimar jornal? Muito malfeito...

Catava espinhas no peixe:

— Mas vosmicê, me desculpe se lhe digo, também não agiu direito. Esse é meu pensar.

— Por quê? Por que o jornal estava violento? Campanha política não se faz com elogios aos adversários.

— Que o seu jornal está danado, isso está. Cada artigo que dá gosto ler... Ouvi dizer que é o Doutor que escreve, aquele tem mais tutano na cabeça que Ilhéus inteiro. Eta hominho inteligente... Gosto de ouvir ele falar, parece um sabiá. Nisso vosmicê tem razão. Jornal é pra meter o pau, rachar o inimigo. Tá no certo, eu até tomei uma assinatura. Não falo disso, não.

— De quê, então?

— Seu Mundinho, foi malfeito queimar o jornal. Não aprovo, não. Mas já que eles queimaram, então o senhor estava na casa do sem-jeito. Como Jesuíno. Ele queria matar a mulher? Não queria. Mas ela lhe meteu os chifres, ele teve que matar senão ficava mais desmoralizado que capão de terreiro, boi de carro. Por que vosmicê não queimou o jornal deles, não os números, mas a casa, não rebentou as máquinas? Me desculpe, era o que vosmicê tinha que fazer senão ficam dizendo que vosmicê é muito bom e tal, mas pra governar Ilhéus e Itabuna é preciso ser macho, não baixar a cabeça.

— Coronel, não sou covarde, pode crer. Mas como o senhor mesmo disse esses métodos correspondem a um tempo passado. É exatamente para mudá-los, terminar com eles, para fazer de Ilhéus terra civilizada, que me meti em política. Além do mais, onde ia arranjar os jagunços, não os possuo...

— Ora por isso não... Vosmicê tem amigos, gente decidida como Ribeirinho. Eu mesmo preveni uns homens, pensando: quem sabe seu Mundinho vai precisar, manda me pedir emprestado...

Sobre política fora tudo que conversara, Mundinho não sabia o que pensar. Tinha a impressão de que o coronel o tratava como a uma criança, se divertia com ele. Na noite da roça, Mundinho tentara conduzir a conversa para a política, Altino não respondia, falava de cacau. Voltaram para Rio do Braço, após um almoço delicioso: carne de caças diversas, cotias, pacas, veados, e uma mais gostosa que todas, Mundinho soube depois ser carne de macaco jupará. No povoado houve um jantar de estrondo, com fazendeiros, comerciantes, o médico, o farmacêutico, o padre, quantos possuíam alguma importância na localidade. Altino fizera vir tocadores de harmônica e violão, improvisadores de desafios, tinha um cego assombroso na rima. O farmacêutico perguntara certa hora a Mundinho como ia a política. Nem teve tempo de responder, Altino atalhara, brusco:

— Seu Mundinho veio aqui foi visitar, não veio politicar — e falou de outra coisa.

Na segunda-feira, o exportador voltou, que diabo queria esse coronel Altino Brandão? Viera ele próprio lhe vender seu cacau, mais de vinte mil arrobas, abandonando Stevenson. Para Mundinho era um negócio de primeira. Não tinha o coronel maiores compromissos com os Bastos e, no entanto, nem queria ouvir falar em política. Ou ele, Mundinho, não entendia nada ou o velho era maluco. A querer que ele tocasse fogo em prédios, empastelasse máquinas, matasse gente talvez...

O Capitão afirmava que ele não compreendia os coronéis, sua maneira de ser, de agir. Sobre aquela ideia de vingar no *Jornal do Sul* o incêndio idiota dos exemplares do *Diário de Ilhéus*, o Capitão dissera, pensativo:

— Ele não deixa de ter razão. Também pensei nisso. A verdade é que essa gente dos Bastos precisa de uma lição. Alguma coisa que mostre ao povo daqui que eles não são mais os donos da terra como antigamente. Tenho pensado muito nisso. Até já conversei com Ribeirinho.

— Cuidado, Capitão! Não vamos fazer besteira. Às violências vamos responder com os rebocadores, as dragas para a barra.

— Afinal, quando é que esse seu engenheiro vai concluir os estudos, mandar vir as dragas? Nunca vi demorar tanto...

— Não é coisa fácil, de poucos dias. Ele está trabalhando o dia inteiro. Não perde um minuto. Mais rápido não pode ser.

— Trabalha dia e noite — riu o Capitão. — De dia na barra, de noite no portão de Melk Tavares. Se enrabichou com a filha dele, é um namoro agarrado...

— O rapaz tem que se divertir...

Mais ou menos uma semana depois da visita a Rio do Braço, Mundinho, saindo do Clube Progresso, de uma reunião de diretoria, avistou o coronel Altino, de costas, nas proximidades da casa de Ramiro Bastos. Enxergou também, na janela, a loira Jerusa, tirou-lhe o chapéu, ela acenou adeus com a mão. O que revelava pelo menos senso de humor, já que nas vésperas Ribeirinho expulsara de Guaraci, um povoado próximo de sua fazenda, a um preposto dos Bastos, funcionário da intendência. O homem chegara a Ilhéus em petição de miséria, quebrado de pau, vestido com umas roupas emprestadas, enormes para seu corpo, pois fora nu em pelo que tivera de ganhar a estrada, a pé, na noite da surra...

DO PÁSSARO SOFRÊ

JÁ NÃO PODIA MAIS NACIB, PERDIDOS O SOSSEGO, A ALEGRIA, O GOSTO DE VIVER. Deixara até de enrolar a ponta dos bigodes, murchos agora sobre a boca de riso perdido. Era um pensar sem fim, nada igual para consumir um homem, tirar-lhe o sono e o apetite, emagrecê-lo, deixá-lo sem graça, melancólico.

Tonico Bastos debruçava-se no balcão, servia-se do amargo, olhava irônico a figura abatida do dono do bar:

— Você está decaindo, árabe. Nem parece o mesmo.

Nacib assentia com a cabeça, num desânimo. Seus grandes olhos arregalados pousavam-se no elegante tabelião. Tonico crescera em sua estima nesses tempos. Sempre tinham sido amigos, porém de relações superficiais, conversas sobre mulheres da vida, idas ao cabaré, tragos tomados juntos. Ultimamente, no entanto, desde a aparição de Gabriela, estabelecera-se entre eles uma intimidade mais profunda. De todos os frequentadores diários do aperitivo era Tonico o único a manter-se discreto na hora do meio-dia, quando ela chegava de flor atrás da orelha. Apenas a cumprimentava delicadamente, perguntava-lhe pela saúde, elogiava-lhe o tempero sem igual. Nem requebros de olhos, nem palavrinhas sussurradas, nem tentava tomar-lhe da mão. Tratava-a como se ela fora respeitável senhora, bela e desejável porém inacessível. De nenhum outro temera tanto Nacib a concorrência, desde que contratara Gabriela, quanto de Tonico. Não era ele o conquistador sem rival, o tombador de corações? O mundo é assim, surpreendente e difícil: mantinha Tonico a máxima discrição e respeito na presença excitante de Gabriela. Todos sabiam das relações do árabe com a formosa empregada. É verdade que, oficialmente, ela não passava de sua cozinheira, nenhum outro compromisso entre eles. Pretexto para cobrirem-na, mesmo na sua vista, de palavras doces, envolverem-na em frases melosas, meter-lhe bilhetinhos na mão. Os primeiros ele os lera displicente, fizera bolinhas de papel e os atirara ao lixo. Agora despedaçava-os raivoso, eram tantos, alguns até indecentes. Tonico, não. Dava-lhe prova de verdadeira amizade, a respeitá-la como se ela fosse senhora casada, esposa de coronel. Era ou não era amizade, sinal de consideração? Nacib não o ameaçava como fizera o coronel Coriolano a propósito de Glória. No entanto, só de Tonico não tinha queixas e somente para ele abria seu coração doloroso como túmida espinha.

— A pior coisa do mundo é um homem não saber como agir.
— Onde está a dificuldade?
— Você não vê? Fico me roendo por dentro, isso me come as carnes. Ando apalermado. Basta lhe dizer que outro dia me esqueci da pagar um título, veja como ando...
— Paixão não é brincadeira...
— Paixão?
— E não é? Amor, a melhor e a pior coisa do mundo.

Paixão... Amor... Lutara contra aquelas palavras durante dias e dias, a pensar na hora da sesta. Não querendo medir a extensão dos seus sentimentos, não querendo encarar de face a realidade das coisas. Pensava ser um xodó, mais forte que os outros, mais longo de passar. Mas nunca penara tanto por um xodó, jamais sentira tais ciúmes, esse medo, esse pavor de perdê-la. Não era o temor irritante de ficar sem a cozinheira afamada, em cujas mãos mágicas assentava grande parte da atual prosperidade do bar. Nem pensara mais nisso, essas preocupações duraram pouco tempo. Se ele próprio perdera o apetite, andava num fastio medonho... O que acontecia era ser-lhe impossível imaginar uma noite sequer sem Gabriela, sem o calor do seu corpo. Mesmo nos dias impossíveis, deitava em seu leito, ela aninhava-se em seu peito, o perfume de cravo a penetrar-lhe o nariz. Eram então noites maldormidas, de desejo contido, acumulando-se para verdadeiras noites de núpcias, a renovarem-se a cada mês. Se isso não era amor, desesperada paixão, o que seria, meu Deus? E se era amor, se a vida fazia-se impossível sem ela, qual a solução? "Toda mulher, mesmo a mais fiel, tem seu limite", dissera-lhe Nhô-Galo, homem de bom conselho. Outro que era seu amigo. Não tão discreto quanto Tonico, botocava em Gabriela um olho comprido, súplice. Mas não passava disso, não lhe fazia propostas.

— Deve ser isso mesmo. Vou lhe dizer, Tonico, sem essa mulher não posso viver. Vou ficar maluco se ela me deixar...

— O que é que você vai fazer?

— Sei lá. — O rosto de Nacib era triste de ver-se. Perdera aquela jovialidade esparramada nas bochechas gordas. Parecia alongar-se sorumbático, quase fúnebre.

— Por que você não casa com ela? — soltou de repente Tonico como a adivinhar o que ia por dentro do peito do amigo.

— Você está brincando? Com isso não se brinca...

Tonico levantava-se, mandava botar os amargos na conta, atirava uma moeda a Chico Moleza que a aparava no ar:

— Pois, se eu fosse você, era o que eu faria...

No bar vazio, Nacib pensava. Que mais podia fazer? Estava longe o tempo quando ia ao seu quarto por desfastio, cansado de Risoleta, de outras mulheres. Quando, como pagamento, lhe levava broches de dez tostões, anéis baratos de vidro. Agora lhe dava presentes, um, dois por semana. Cortes para vestidos, frascos de perfume, lenços para a cabeça, caramelos do bar. Mas que valia tudo aquilo ante as propostas de casa montada, de vida de luxo, sem trabalhar, assim como Glória gastando nas lojas, vestindo-se melhor que muita senhora casada com marido rico? Era preciso oferecer-lhe algo superior, alguma coisa maior, capaz de tornar irrisórias as ofertas do juiz, de Manuel das Onças, agora também de Ribeirinho, subitamente sem Anabela. A dançarina fora embora, aquela terra lhe metia medo. O rumor levantado pela surra no empregado da intendência, envolvendo Ribeirinho, anunciando fatos ainda mais graves, a decidira. Preparou sua bagagem em segredo, comprou às escondidas passagem num baiano, só se despediu de Mundinho. Foi à sua casa na véspera, ele ainda lhe deu um conto de réis. Ribeirinho estava na roça, quando chegou encontrou a notícia. Ela levara anel de brilhante, *pendentif* de ouro, mais de vinte contos em joias. Tonico comentara no bar:

— Ficamos viúvos, eu e Ribeirinho. Afinal, está em tempo de Mundinho nos arranjar outra coisa...

Ribeirinho voltara-se para Gabriela, já tinha a casa pronta, era só ela decidir-se. Também a ela daria anel de brilhante, *pendentif* de ouro. De tudo isso Nacib sabia, dona Arminda lhe contava, gabando a vizinha:

— Nunca vi tão direita... Olhe que é de deixar qualquer mulher de cabeça virada. É preciso gostar mesmo de alguém, ter mais amor por um cujo que por si mesma. Outra qualquer já tava por aí, coberta de luxo que nem uma princesa...

Dos sentimentos de Gabriela, ele não duvidava. Não resistia ela, como se em nada lhe importassem, a todas as propostas, a todas as ofertas? Ria para eles, não se zangava quando um mais ousado lhe tocava a mão, pegava-lhe no queixo. Não devolvia os bilhetes, não era grosseira, agradecia as palavras de gabo. Mas a ninguém dava trela, jamais se queixava, nunca lhe pedira nada, recebia os presentes batendo as mãos, numa alegria. E não morria ela a cada noite em seus braços, ardente, insaciável, renovada, a chamá-lo "seu moço bonito, minha perdição"?

"Se eu fosse você era o que eu faria..." Fácil de dizer quando se trata dos outros. Mas como casar com Gabriela, cozinheira, mulata, sem família, sem cabaço, encontrada no "mercado dos escravos"? Casamento era com senhorita prendada, de família conhecida, de enxoval preparado, de boa educação, de recatada virgindade. Que diria seu tio, sua tia tão metida a sebo, sua irmã, seu cunhado engenheiro-agrônomo de boa família? Que diriam os Ashcar, seus parentes ricos, senhores de terra, mandando em Itabuna? Seus amigos do bar, Mundinho Falcão, Amâncio Leal, Melk Tavares, o Doutor, o Capitão, dr. Maurício, dr. Ezequiel? Que diria a cidade? Impossível sequer pensar nisso, um absurdo. No entanto, pensava.

Apareceu no bar um roceiro vendendo pássaros. Numa gaiola, um sofrê partia num canto triste e mavioso. Belo e inquieto, em negro e amarelo, não parava um instante. Seu trinado crescia, era doce de ouvir. Chico Moleza e Bico-Fino extasiavam-se.

Uma coisa era certa, ia fazer. Acabar com as vindas de Gabriela, ao meio-dia. Prejuízo pro bar? Paciência...

Perdia dinheiro, pior seria perdê-la. Era uma tentação diária para os homens, presença embriagadora. Como não querê-la, não desejá-la, não suspirar por ela, depois de vê-la? Nacib a sentia na ponta dos dedos, nos bigodes caídos, na pele das coxas, na planta dos pés. O sofrê parecia cantar para ele, tão triste era o canto. Por que não o levaria para Gabriela? Agora proibida de vir ao bar, necessitava de distrações.

Comprou o sofrê. Já não podia de tanto pensar, já não podia de tanto penar.

GABRIELA COM PÁSSARO PRESO

— OH! QUE BELEZA! — MUSICOU GABRIELA VENDO O SOFRÊ.

Nacib depositou a gaiola numa cadeira, o pássaro se batia contra as grades.

— Pra você... Pra lhe fazer companhia.

Ele se havia sentado, Gabriela acomodou-se no chão a seus pés. Tomou-lhe da mão grande e peluda, beijou-lhe a palma naquele gesto que recordava a Nacib, nem mesmo sabia por quê, a terra de seus pais, as montanhas da Síria. Depois encostou a cabeça em seus joelhos, ele passou-lhe a mão nos cabelos. O pássaro sossegara, soltou seu trinado.

— Dois presentes de uma vez... Moço tão bom!

— Dois?

— O passarinho e, mais bom ainda, ter vindo trazer. Todo dia o moço só chega de noite...

E ia perdê-la... "Cada mulher, por mais fiel, tinha seu limite", Nhô-Galo queria dizer seu preço. Refletiu-se-lhe a amargura no rosto e Gabriela, que levantara os olhos ao falar, constatou:

— Seu Nacib anda triste... Era assim não... Era faceiro, risonho, agora anda triste. Por quê, seu Nacib?

Que lhe podia dizer? Que não sabia como guardá-la, como prendê-la a si para sempre? Aproveitou para falar nas idas diárias ao bar.

— Tenho uma coisa para lhe falar.

— Pois fale, meu dono...

— Não estou gostando de uma coisa, está me preocupando.

Ela assustou-se:

— A comida tá ruim? A roupa mal lavada?
— Não é nada disso. É outra coisa.
— E o que é?
— Tuas idas ao bar. Não gosto, não me agradam...
Arregalaram-se os olhos de Gabriela:
— Vou pra ajudar, pra comida não esfriar. Por isso que vou.
— Eu sei. Mas os outros não sabem...
— Já sei. Não pensei não... Fica feio eu no bar, não é? Os outros não gostam, uma cozinheira no bar... Não pensei não.
Oportunista, respondeu:
— É isso mesmo. Alguns não se importam mas outros reclamam.
Tristes os olhos de Gabriela. O sofrê rompia o peito, canto de rasgar o coração. Tão tristes os olhos de Gabriela:
— Que mal eu fazia?
Por que fazê-la sofrer, por que não dizer a verdade, contar-lhe de seus ciúmes, gritar-lhe seu amor, chamá-la Bié como tinha vontade, como a chamava em seu pensamento?
— Faço assim a partir de amanhã: entro pelos fundos só pra servir a comida. Não ando na sala nem do lado de fora.
E por que não? Assim não a deixava de ver ao meio-dia, de tê-la junto a si, de tocar-lhe a mão, a perna, o seio. E sua presença semiescondida não valeria como resposta negativa às ofertas tentadoras, às palavras melosas?
— Você gosta de ir?
Fez que sim com a cabeça. Era sua livre hora de passeio, como gostava! De atravessar sob o sol, a marmita na mão. De andar entre as mesas, de ouvir as palavras, de sentir os olhos carregados de intenções. Dos velhos não. Das propostas de casa montada feitas por coronéis, disso não. De sentir-se mirada, festejada, desejada. Era como uma preparação para a noite, deixava-a como que envolta numa aura de desejo, e nos braços de Nacib ela revia os moços bonitos: seu Tonico, seu Josué, seu Ari, seu Epaminondas, caixeiro de loja. Teria sido algum deles o autor do fuxico? Pensava que não. Um daqueles velhos feios, com certeza, danado por ela não lhe dar atenção.
— Está bem, então pode ir. Mas não vai mais servir, fica sentada atrás do balcão.
Teria os olhares pelo menos, os sorrisos, algum haveria de vir ao balcão lhe falar.

— Vou voltar... — anunciou Nacib.
— Tão cedo...
— Nem podia ter vindo...
Os braços de Gabriela cingiram-lhe as pernas, prendendo-o. Nunca a tivera de dia, fora sempre de noite. Queria levantar-se, ela o retinha, calada e agradecida.
— Vem cá... Aqui mesmo...
Arrastou-a consigo. Era a primeira vez que ia possuí-la em seu quarto de dormir, em seu leito, como se ela fosse sua mulher e não sua cozinheira. Quando lhe arrancou o vestido de chita e o corpo nu rolou convidativo na cama, enxutas nádegas, duros seios, quando ela tomou sua cabeça e beijou-lhe os olhos, ele lhe perguntou e era a primeira vez que o fazia:
— Me diga uma coisa: tu me quer bem?
Ela riu no canto do pássaro, era um trinado só:
— Moço bonito... Gosto é demais...
Estava sentida, aquela história das idas ao bar. Por que fazê-la sofrer, não lhe dizer a verdade?
— Ninguém reclamou tuas idas no bar. Sou eu que não quero. Vivo triste é por isso. Todo mundo te fala, dizem besteira, pegam tua mão, só faltam te agarrar ali mesmo, te derrubar no chão...
Ela riu, achando engraçado:
— Importa não... Não ligo pra eles...
— Não liga mesmo?
Gabriela o puxou para si, mergulhando-o nos seios. Nacib murmurou: Bié... E em sua língua de amor, que era o árabe, lhe disse a tomá-la: "De hoje em diante és Bié e essa é tua cama, aqui dormirás. Cozinheira não és apesar de cozinhares. És a mulher desta casa, o raio de sol, a luz do luar, o canto dos pássaros. Te chamas Bié...".
— Bié é nome de gringa? Me chame Bié, fale mais nessa língua... Gosto de ouvir.
Quando Nacib partiu, ela sentou-se ante a gaiola. Seu Nacib era bom, pensava ela, tinha ciúmes. Riu, enfiando o dedo por entre as grades, o pássaro assustado a fugir. Tinha ciúmes, que engraçado... Ela não tinha, se ele sentisse vontade podia ir com outra. No princípio fora assim, ela sabia. Deitava com ela e com as demais. Não se importava. Podia ir com outra. Não pra ficar, só pra dormir. Seu Nacib tinha ciúmes, era engraçado. Que pedaço tirava se Josué lhe tocava na mão?

Se seu Tonico, beleza de moço!, tão sério na vista de seu Nacib, nas suas costas tentava beijar-lhe o cangote? Se seu Epaminondas pedia um encontro, se seu Ari lhe dava bombons, pegava em seu queixo? Com todos eles dormia cada noite, com eles e com os de antes também, menos seu tio, nos braços de seu Nacib. Ora com um, ora com outro, o mais das vezes com o menino Bebinho e com seu Tonico. Era tão bom, bastava pensar.

Tão bom ir ao bar, passar entre os homens. A vida era boa, bastava viver. Quentar-se ao sol, tomar banho frio. Mastigar as goiabas, comer manga-espada, pimenta morder. Nas ruas andar, cantigas cantar, com um moço dormir. Com outro moço sonhar.

Bié, gostava do nome. Seu Nacib, tão grande, quem ia dizer? Mesmo na hora, falava língua de gringo, tinha ciúmes... Que engraçado! Não queria ofendê-lo, era homem tão bom! Tomaria cuidado, não queria magoá-lo. Só que não podia ficar sem sair de casa, sem ir à janela, sem andar na rua. De boca fechada, de riso apagado. Sem ouvir voz de homem, a respiração ofegante, o clarão dos seus olhos. "Peça não, seu Nacib, não posso fazer."

O pássaro se batia contra as grades, há quantos dias estaria preso? Muitos não eram com certeza, não dera tempo de acostumar-se. Quem se acostuma com viver preso? Gostava dos bichos, tomava-lhes amizade. Gatos, cachorros, mesmo galinhas. Tivera um papagaio na roça, sabia falar. Morrera de fome, antes do tio. Passarinho preso em gaiola não quisera jamais. Dava-lhe pena. Só não dissera pra não ofender seu Nacib. Pensara lhe dar um presente, companhia pra casa, sofrê cantador. Canto tão triste, seu Nacib tão triste! Não queria ofendê-lo, tomaria cuidado. Não queria magoá-lo, diria que o pássaro tinha fugido.

Foi pro quintal, abriu a gaiola em frente à goiabeira. O gato dormia. Voou o sofrê, num galho pousou, para ela cantou. Que trinado mais claro e mais alegre! Gabriela sorriu. O gato acordou.

DAS CADEIRAS
DE ALTO ESPALDAR

PESADAS CADEIRAS AUSTRÍACAS, DE ALTO ESPALDAR, NEGRAS E TORNEADAS, o couro trabalhado a fogo. Pareciam colocadas ali para serem olhadas e admiradas, não para nelas sentar-se. A outro qualquer intimidariam. De pé, o coronel Altino Brandão admirava mais uma vez a sala. Na parede, como em sua casa, retratos coloridos — confeccionados por florescente empresa paulista — do coronel Ramiro e de sua falecida esposa, um espelho entre os dois. Num ângulo, um nicho com santos. Em lugar de velas, minúsculas lâmpadas elétricas, azuis, verdes, vermelhas, uma boniteza. Na outra parede, pequenas esteiras japonesas de bambu, onde se viam cartões-postais, retratos de parentes, estampas. Um piano ao fundo, coberto com um xale negro de ramagens cor de sangue.

Quando Altino, do passeio, cumprimentara Jerusa e perguntara se o coronel Ramiro Bastos estava e lhe podia conceder dois minutos, a moça o fizera entrar para o corredor a separar as duas salas de frente. Ouvira dali o movimento crescer na casa: puxavam ferrolhos das janelas, desvestiam as cadeiras protegidas com invólucros de pano, a vassoura e o espanador. Aquela sala se abria apenas nos dias de festa: aniversário do coronel, posse de novo intendente, recepção a políticos importantes da Bahia. Ou para visita inabitual e muito considerada. Jerusa apareceu na porta, convidou-o:

— Quer entrar, coronel?

Raras vezes viera à casa de Ramiro Bastos. Quase sempre em dias de festa. Novamente admirava a sala luxuosa, prova inequívoca da riqueza e do poder do coronel.

— Vovô já vem... — sorria Jerusa e retirava-se com uma inclinação de cabeça. "Linda moça, parecia até estrangeira de tão loira, a pele tão branca chegava a azular. Esse Mundinho Falcão era um tolo. Por que tanta briga se podia tudo resolver facilmente?"

Ouviu os passos arrastados de Ramiro. Sentou-se.

— Ora, viva! Que milagre é esse? A que devo o prazer?

Apertavam-se as mãos. Altino impressionava-se com o velho: como quebrara naqueles meses, desde que o vira pela última vez. Antes parecia um tronco de árvore, como se a idade não lhe fizesse mossa, indiferente às tempestades e aos ventos, plantado em Ilhéus como para mandar por toda a eternidade. Dessa imponência só conservava o olhar dominador. Tremiam-lhe ligeiramente as mãos, os ombros curvavam-se, o passo tornara-se vacilante.

— Vosmicê, cada vez mais rijo — mentiu Altino.
— Fazendo das fraquezas forças. Vamos sentar.

O espaldar reto da cadeira. Bonita podia ser, mas era incômoda. Preferia as poltronas macias de couro azul do escritório de Mundinho, estofadas, o corpo se afundando molemente, tão cômodas, tiravam a vontade de levantar-se e ir embora.

— Me desculpe a pergunta: com que idade vosmicê está?
— Ando nos oitenta e três.
— Bonita idade. Pois que Deus lhe dê ainda muitos anos de vida, coronel.
— Na minha família se morre tarde. Meu avô viveu oitenta e nove anos. Meu pai, noventa e dois.
— Me lembro dele.

Jerusa entrava na sala trazendo xícaras de café numa bandeja.

— As netas estão ficando moças...
— Casei já com idade, o mesmo sucedeu com Alfredo e Tonico. Senão já tinha bisneto, até tataraneto podia ter.
— Bisneto não vai demorar. Com essa lindeza de neta...
— É capaz.

Jerusa retornava, retirava as xícaras, dava um recado:

— Avô, tio Tonico chegou, pergunta se pode vir aqui.

Ramiro olhou para Altino:

— Que diz, coronel? Conversa particular?
— Pra seu Tonico não, é seu filho.
— Diga a ele que venha...

Tonico surgia de colete e polainas. Altino levantou-se, foi envolvido num abraço cordial, caloroso. "Um vira-bosta", pensou o fazendeiro.

— Pois coronel, é com muita satisfação que vejo o senhor nessa casa. Quase nunca aparece...
— Sou homem do mato, só saio do Rio do Braço quando não tenho outro jeito. É de lá pras Águas Claras...
— Que safra esse ano, hein, coronel? — atalhava Tonico.
— Deus seja louvado. Nunca vi tanto cacau... Pois vim a Ilhéus e re-

solvi: vou fazer uma visita ao coronel Ramiro. Conversar umas coisas que ando pensando. Na roça a gente fica matutando, de noite... Vosmicê sabe como é, a gente pega a pensar, depois quer dizer.

— Sou todo ouvidos, coronel.

— Vosmicê sabe que nessa coisa de política nunca quis me meter. Só uma vez, fui mesmo obrigado. Vosmicê deve se lembrar: quando seu Firmo era intendente. Quiseram fuçar em Rio do Braço, nomear autoridade pra lá. Vim falar com vosmicê naquela ocasião...

Ramiro recordava o incidente. O delegado de polícia, homem seu, demitira o subdelegado de Rio do Braço, um protegido de Altino, nomeara um cabo da polícia militar. Altino aparecera em Ilhéus, viera à sua casa reclamar, fazia disso uns doze anos. Queria a remoção do cabo, a volta de seu protegido ao cargo. Ramiro concordara. Aquela troca de autoridades fora feita sem que o houvessem consultado, sem sua aprovação, quando, na Bahia, funcionava no Senado.

— Vou mandar chamar o cabo — prometera.

— Não precisa. Voltou no mesmo trem que foi, parece que teve medo de ficar. Não sei bem por quê, não tou muito informado. Ouvi dizer que andaram fazendo umas graças com ele, rapaziadas. Penso que não há de querer voltar. É preciso é desnomear, botar meu compadre de novo. Autoridade sem força não vale nada...

E assim fora feito. Ramiro recorda a conversa difícil. Altino ameaçara romper, apoiar a oposição. Que queria ele agora?

— Hoje tou vindo de novo. Pode ser até que pra me meter onde não me chamaram. Ninguém me encomendou sermão. Mas fico na roça pensando nas coisas que tão acontecendo em Ilhéus. Mesmo que a gente não se meta, as coisas se metem com a gente. Porque, afinal, quem termina pagando as despesas da política é mesmo os fazendeiros, os que vivem na roça colhendo cacau. Dei de ficar preocupado...

— O que é que o senhor pensa da situação?

— Penso que é ruim. Vosmicê sempre foi respeitado, faz muitos anos que é o chefe político, e disso é merecedor. Quem pode negar? Não hei de ser eu, Deus me livre.

— Agora estão negando. E nem que fosse gente daqui. Um forasteiro, veio se meter em Ilhéus ninguém sabe por quê. Os irmãos, que são homens direitos, botaram pra fora da firma deles, não querem nem ver a cara do arrenegado. Veio dividir o que estava unido, veio separar o que estava junto. Que o Capitão me combata, tá certo, combati o pai dele, derrubei do governo. Ele tem sua razão, por isso nunca deixei de me dar com ele, de lhe ter consideração. Mas esse senhor Mundinho devia se contentar com o dinheiro que ganha. Por que se intromete?

Altino acendia o cigarro de palha, espiava as lâmpadas do nicho de santos:

— Iluminação de primeira. Lá em casa tem uns santos, devoção da patroa. Gasta vela que é um horror. Vou mandar botar umas luz igual a essas. Ilhéus é uma terra de forasteiro, seu coronel. A gente mesmo o que é? Nenhum nasceu aqui. A gente daqui o que é que vale? Tirante o Doutor, homem ilustrado, os outros são uns restos, só serve pro lixo. Por assim dizer, a gente é os primeiros grapiúnas. Os filhos da gente é que são ilheenses. Quando a gente chegou nessa mata medonha, eles não podia também dizer que nós não passava de forasteiros?

— Não falo pra lhe ofender. Sei que o senhor vendeu seu cacau a ele. Não sabia que eram amigos, por isso falei. Mas também não retiro. O que eu disse está dito. Não se compare com ele, coronel, não me compare com ele. A gente veio quando isso aqui ainda não era nada. Foi diferente. Quantas vezes a gente arriscou a vida, escapou de morrer? Pior do que isso, quantas vezes a gente não teve que mandar tirar a vida dos outros? Isso então não vale nada? Não se compare com ele, coronel, nem me compare — a voz do ancião, por um esforço de vontade, perdia o tremor, a vacilação, era aquela voz antiga de mando. — Que vida ele arriscou? Desembarcou com dinheiro, montou escritório, compra e exporta cacau. Que vida ele tirou? Onde foi buscar o direito de mandar aqui? Nosso direito a gente conquistou.

— Tá certo, coronel. Tudo isso tá certo mas é de outro tempo. A gente vive penando no trabalho, não se dá conta, o tempo vai passando, as coisas vão mudando. De repente, a gente abre os olhos e tudo tá diferente.

Tonico, silencioso e alarmado, escutava. Quase arrependido de ter vindo à sala. No corredor, Jerusa dava ordens às empregadas.

— Qual é a diferença? Não tou lhe entendendo...

— Vou dizer a vosmicê. Dantes, era fácil mandar. Bastava ter força. Governar era fácil. Hoje, tudo mudou. A gente ganhou o mando, vosmicê já disse, derramando sangue. Ganhou pra garantir a posse das terras, era preciso. Mas a gente já fez o que tinha que fazer. Tudo cresceu. Itabuna tá tão grande como Ilhéus. Pirangi, Água Preta, Macuco, Guaraci tão virando cidades. Tá tudo entupido de doutor, de agrônomo, de médico, de advogado. Tudo reclamando. Será que a gente ainda sabe mandar, ainda pode mandar?

— E por que está assim, tanto doutor, tanto progresso? Quem fez? Foi o senhor, coronel, e foi esse seu criado. Não foi nenhum forasteiro. E, agora que está feito, com que direito se voltam contra quem fez?

— A gente planta pé de cacau, cuida pra crescer, colhe os cocos, parte, mete os grãos no cocho, seca nas barcaças, nas estufas, bota no lombo dos burros, manda pra Ilhéus, vende pros exportadores. O cacau está seco, cheirando, o melhor do mundo, foi a gente quem fez. Mas será que a gente pode fazer chocolate, a gente sabe fazer? Foi preciso vir seu Hugo Kaufmann lá das Europas. E assim mesmo só faz cacau em pó. Vosmicê, coronel, fez tudo isso. O que Ilhéus tem, o que Ilhéus vale, deve a vosmicê. Deus me livre de negar, sou o primeiro a reconhecer. Mas vosmicê já fez tudo que sabe, tudo que pode fazer.

— E o que é que Ilhéus está pedindo, além do que estamos fazendo? Que é que é preciso fazer? Pra falar a verdade, não vejo essas necessidades. Só o senhor botando o dedo em cima pra eu enxergar.

— Vosmicê vai enxergar. Ilhéus tá bonito que nem um jardim. Mas Pirangi, Rio do Braço, Água Preta? O povo tá reclamando, tá exigindo. A gente abriu os caminhos com os trabalhador, os jagunços. Agora se precisa de estradas, jagunços não pode fazer. O pior de tudo é a barra, essa história do porto. Por que vosmicê ficou contra, coronel Ramiro Bastos? Porque o governador pediu? O povo todo tá querendo, é uma grandeza pra terra: o cacau saindo daqui pro mundo inteiro. E a gente deixando de pagar o transporte pra Bahia. Quem paga? Os exportadores e os fazendeiros.

— A gente tem compromissos. Cada um cumpre os seus. Por que se não cumprir, se termina o respeito. Sempre cumpri, o senhor sabe disso. O governador me pediu, me explicou. Os filhos da gente depois fazem o porto, fora da barra, no Malhado. Tudo tem seu tempo.

— O tempo chegou, vosmicê não quer se dar conta. No tempo da gente não tinha cinema, os costumes eram outros. Tão mudando também, é tanta novidade que a gente nem sabe pra onde se virar. Antigamente pra governar bastava mandar, cumprir compromisso com o governo. Hoje não basta. Vosmicê cumpre com o governador, é seu amigo, por isso não fica mais respeitado. O povo não quer saber. Quer governo que atenda suas precisões. Por que seu Mundinho tá dividindo, tem tanta gente com ele?

— Por quê? Porque ele tá comprando gente, oferecendo mundos

e fundos. E tem sujeitos sem-vergonha que não cumprem seus compromissos.

— Me desculpe, seu coronel, não é isso não. Que é que ele pode oferecer e vosmicê não pode? Lugar em chapa, influência, nomeação, prestígio? Vosmicê pode mais. O que ele oferece e está fazendo é governar de acordo com o tempo.

— Governar? Desde quando ganhou eleição?

— Nem precisa ganhar. Abriu rua na praia, fundou jornal, ajudou a comprar as marinetes, trouxe agência de banco, engenheiro pra barra. Que é isso, não é governar? Vosmicê manda no intendente, no delegado, nas autoridades dos povoados. Mas quem tá governando, já faz tempo, é Mundinho Falcão. Por isso vim aqui: porque uma terra não pode ter dois governos. Saí do meu canto pra falar com vosmicê. Se isso continuar, vai malsuceder. Já começou: vosmicê mandou tocar fogo em gazeta, quase mataram um homem de vosmicê em Guaraci. Isso foi bom noutro tempo, não podia ser de outra forma. Pra hoje é ruim. Por isso vim lhe falar, bati palmas na porta de sua casa.

— Pra que coisa vir me dizer?

— Que só há um jeito de arrumar a situação. Um só, outro eu não vejo.

— E qual é, me diga? — a voz do coronel soava ríspida, agora pareciam quase dois inimigos face a face.

— Sou seu amigo, coronel. Voto em vosmicê há vinte anos. Nunca lhe pedi nada, só uma vez reclamei, eu tava com a razão. Venho aqui como amigo.

— E eu lhe agradeço. Pode falar.

— Só há um jeito, é entrar num acordo.

— Quem? Eu? Com esse forasteiro? O que é que pensa de mim, coronel? Não fiz acordo quando era moço e corria perigo de vida. Sou homem de bem, não é quando tou pra morrer que vou me dobrar. Nem fale nisso.

Mas Tonico intervinha. Aquela ideia de acordo era-lhe grata. Há alguns dias, Mundinho andara na fazenda de Altino. Certamente partia dele a proposta.

— Deixe o coronel falar, pai. Ele veio como amigo, o senhor deve ouvir. Aceita ou não, isso é outra coisa.

— Por que vosmicê não toma a direção do caso da barra? Não chama Mundinho pra seu partido? Não junta tudo, vosmicê na frente? Ninguém lhe quer mal em Ilhéus, nem o Capitão. Mas se vosmicê continuar como vai, vosmicê vai perder.

— Alguma proposta concreta, coronel? — perguntou Tonico.

— Proposta, não. Com seu Mundinho nem quis conversar coisas de política. Apenas lhe disse que eu só via um caminho: um acordo entre os dois.

— E ele, que disse? — Tonico, atento e curioso, queria saber.

— Não disse nada, também não pedi resposta. Mas se o coronel Ramiro quiser, como é que ele vai ficar se não aceitar? Se o coronel estender a mão como é que ele pode recusar?

— Quem sabe o senhor tem razão... — Tonico puxava a cadeira pesada, aproximava-se de Altino.

A voz do coronel Ramiro Bastos, alterada, interrompia o diálogo:

— Coronel Altino Brandão, se foi só isso que lhe trouxe aqui, sua visita tá terminada...

— Meu pai! Que é isso?

— E você, cale a boca. Se quiser minha bênção nem pense em acordo. Coronel, me desculpe, não quero lhe ofender, sempre me dei bem com o senhor. Nessa casa o senhor manda como se fosse na sua. Vamos falar de outra coisa, se quiser. De acordo, não. Escute o que vou lhe dizer: posso até ficar sozinho, podem até meus filhos me abandonar, se unir a esse forasteiro. Posso ficar sem um amigo, ou só com um, porque compadre Amâncio, esse não me abandona, tenho certeza. Posso ficar sozinho, não faço acordo. Antes que eu morra, ninguém vai tomar conta de Ilhéus. O que serviu ontem pode servir hoje. Nem que eu tenha que morrer de arma na mão. Nem que tenha outra vez, Deus me perdoe, de mandar matar. Daqui um ano vai ter eleição. Eu vou ganhar, coronel, mesmo que esteja todo mundo contra, mesmo que Ilhéus vire outra vez coito de bandidos, terra de cangaço... — elevava a voz trêmula, punha-se de pé. — Eu vou ganhar!

Também Altino levantava-se, tomava o chapéu:

— Eu vim de boa paz, vosmicê não quer me ouvir. Não quero sair de sua casa inimigo de vosmicê, lhe tenho muita consideração. Mas saio sem compromisso, não sou seu devedor, tou livre de votar em quem quiser. Adeus, coronel Ramiro Bastos.

O velho dobrou a cabeça, seus olhos pareciam vidrados. Tonico acompanhava o coronel até a porta:

— Meu pai é cabeçudo, obstinado. Mas, talvez eu possa...

Altino apertava-lhe a mão, cortava-lhe a frase:

— Assim, ele vai terminar sozinho. Com dois ou três amigos mais

dedicados. — Olhava o moço elegante, um "vira-bosta". — Penso que Mundinho tem razão, Ilhéus precisa de nova gente pra governar. Fico com ele. Mas vosmicê, sua obrigação é ficar junto de seu pai, lhe obedecer. Outro qualquer tem direito de negociar, de pedir acordo, até misericórdia: vosmicê não, só tem uma coisa a fazer. Ficar junto dele, nem que seja pra morrer. Fora disso vosmicê não tem mais nada a fazer.
Cumprimentou Jerusa, loira e curiosa na janela da outra sala, saiu andando.

DO DEMÔNIO SOLTO NAS RUAS

— T'ESCONJURO!... ATÉ PARECE QUE O DEMÔNIO ANDA SOLTO EM ILHÉUS. Onde já se viu moça solteira namorar homem casado? — imprecava a áspera Doroteia no átrio da igreja, em meio às solteironas.

— O professor, coitadinho dele!, só falta perder o juízo. Anda tão sorumbático que dá pena... — lastimou Quinquina.

— Um moço delicado, é capaz de adoecer — apoiou Florzinha. — Já não tem muita saúde.

— Boa bisca ele não é também. A tristeza dele deu foi pra rondar a desavergonhada... Até para no passeio pra falar com ela. Eu já disse ao padre Basílio...

— O quê?

— Ilhéus está ficando uma terra de perdição, um dia Deus castiga. Manda uma praga, mata tudo que é pé de cacau...

— E ele, que foi que respondeu?

— Disse que eu era uma boca de azar. Ficou danado. Que eu estava querendo o mal.

— Também você foi falar logo com ele... Ele é dono de roça. Por que não falou com o padre Cecílio? Esse, pobrezinho, não tem pecado.

— Pois falei. E ele me disse: "Doroteia, o demônio está solto no meio de Ilhéus. Reinando sozinho". E é verdade.

Viraram o rosto para não olhar Glória na janela, iluminada em sorrisos para o bar de Nacib. Seria olhar o pecado, o próprio demônio.

No bar, o Capitão triunfante largara a notícia sensacional: o coronel Altino Brandão, o dono de Rio do Braço, homem de mais de mil votos, aderira a Mundinho. Lá estivera, na casa exportadora, para comunicar sua decisão. Mundinho lhe perguntara, surpreendido com a inesperada reviravolta do coronel:

— O que o decidiu, coronel?

Pensava nos irrespondíveis argumentos e nas convincentes conversas:

— Umas cadeiras de espaldar — respondera Altino.

Mas no bar já se sabia da entrevista malsucedida, da cólera de Ramiro. Exageravam-se os fatos: que houvera bate-boca violento, que o velho político expulsara Altino de sua casa, que este fora mandado por Mundinho propor acordos, pedir trégua e clemência. Versão nascida de Tonico, muito exaltado, anunciando nas ruas que Ilhéus ia voltar aos dias passados de tiros e mortes. Outras versões, do Doutor e de Nhô-Galo que haviam encontrado o coronel Altino, contavam ter Ramiro perdido a cabeça, quando o fazendeiro do Rio do Braço lhe dissera considerá-lo já derrotado, mesmo antes das eleições, e lhe avisara que votaria com Mundinho. Ante o quê, Tonico propusera um acordo humilhante para os Bastos. Ramiro recusara. Cruzavam-se as versões ao sabor das simpatias políticas. Uma coisa, no entanto, era certa: após a partida de Altino, Tonico correra a chamar um médico, o dr. Demóstenes, para atender o coronel Ramiro, que sofrera um desfalecimento. Dia de comentários, de discussões, de nervosismo. A João Fulgêncio, vindo da papelaria para a prosa do fim da tarde, pediram opinião:

— Penso como dona Doroteia. Ela vem de me dizer que o diabo anda solto em Ilhéus. Ela não sabe direito se ele se esconde na casa de Glória ou aqui, no bar. Onde você escondeu o maldito, Nacib?

Não só o diabo, o inferno inteiro ele o conduzia dentro de si. De nada adiantara o trato feito com Gabriela. Ela vinha e ficava por trás da caixa registradora. Frágil trincheira, curta distância para o desejo dos homens. Acotovelavam-se agora a beber de pé, junto ao balcão, quase um comício em torno dela, uma pouca-vergonha. O juiz descarara tanto que a ele próprio, Nacib, já dissera:

— Vá se preparando, meu caro, que vou lhe roubar Gabriela. Vá tratando de procurar outra cozinheira.

— Ela lhe deu esperanças, doutor?

— Mas dará... É questão de tempo e de jeito.

Manuel das Onças, que antes não saía das roças, parecia esquecido de suas fazendas, em plena época da colheita. Até pedaço de terra mandara oferecer a Gabriela. Quem tinha razão era a solteirona. O diabo se soltara em Ilhéus, virava a cabeça dos homens. Terminaria virando a de Gabriela também. Ainda há dois dias, dona Arminda lhe dissera:

— Uma coincidência: sonhei que Gabriela tinha ido embora e no mesmo dia o coronel Manuel mandou dizer que, se ela quisesse, botava no papel uma roça no nome dela.

Cabeça de mulher é fraca, bastava olhar a praça: lá estava Malvina, num banco na avenida, a conversar com o engenheiro. João Fulgêncio não dizia que era a moça mais inteligente de Ilhéus, com caráter e tudo? E não perdia a cabeça, a namorar na vista de todos um homem casado?

Nacib andara até a extremidade do largo passeio do bar. Perdido em seus pensamentos, assustou-se quando viu o coronel Melk Tavares sair de casa, marchar para a praia.

— Espiem! — exclamou.

Alguns ouviram, voltaram-se para ver.

— Vai andando para eles...

— Vai haver altercação...

A moça também vira o pai a aproximar-se, pusera-se de pé. Devia ter chegado da roça naquela hora, nem descalçara as botas. No bar, abandonavam as mesas de dentro para espiar.

O engenheiro empalidecera quando Malvina lhe avisara:

— Meu pai está vindo pra cá.

— Que vamos fazer? — a voz o traía.

Melk Tavares, a cara fechada, o rebenque na mão, os olhos na filha, parou junto deles. Como se não visse o engenheiro, nem o olhou. Disse a Malvina, a voz como uma chibatada:

— Já para casa! — O rebenque estalou seco contra a bota.

Ficou parado olhando a filha andar num passo lento. O engenheiro não se movera, um peso nas pernas, o suor na testa e nas mãos. Quando Malvina entrou no portão e desapareceu, Melk levantou o rebenque, encostou a ponta de couro no peito de Rômulo:

— Soube que o senhor terminou seus estudos da barra. Que telegrafou pedindo para continuar, ficar dirigindo os trabalhos. Se eu fosse o senhor não faria isso, não. Mandava um telegrama pedindo substituto e não esperava que ele chegasse. Tem um navio depois de amanhã. — Retirou o rebenque levantando-o, a ponta roçou de leve o rosto de Rômulo. — Depois de amanhã, é o prazo que lhe dou.

Virou-lhe as costas, voltado agora para o bar como a indagar do motivo da pequena aglomeração do lado de fora. Marchou para lá, os curiosos foram-se sentando, estabelecendo conversas rápidas, olhando de soslaio. Melk chegou, bateu nas costas de Nacib:

— Como vai essa vida? Me serve um conhaque.

Viu João Fulgêncio, sentou-se a seu lado:

— Boa tarde, seu João. Me disseram que o senhor andou vendendo uns livros ruins pra minha menina. Vou lhe pedir um favor: não venda mais nenhum. Livro só de colégio, os outros não prestam para nada, só servem para desencaminhar.

Muito calmo, João Fulgêncio respondeu:

— Tenho livros para vender. Se o freguês quer comprar não deixo de vender. Livro ruim, que é que o senhor entende por isso? Sua filha só comprou livros bons, dos melhores autores. Aproveito para lhe dizer que é moça inteligente, muito capaz. É preciso compreendê-la, não deve tratá-la como a uma qualquer.

— A filha é minha, deixe comigo o tratamento. Pra certas doenças, conheço os remédios. Quanto aos livros, bons ou ruins, ela não comprará mais.

— Isso é com ela.

— Comigo também.

João Fulgêncio levantava os ombros como se lavasse as mãos das consequências. Bico-Fino chegava com o conhaque, Melk bebia-o de um trago, ia levantar-se. João Fulgêncio segurava-lhe o braço:

— Ouça, coronel Melk: fale com sua filha com calma e compreensão, ela talvez o ouça. Se usar de violência, pode vir a se arrepender depois.

Melk parecia fazer um esforço para conter-se:

— Seu João, se não conhecesse o senhor, não tivesse sido amigo de seu pai, eu nem lhe escutava. Deixe a menina comigo. Não costumo me arrepender. De toda forma, lhe agradeço a intenção.

Batendo o rebenque na bota, atravessou a praça.

Josué o olhava de uma das mesas, veio sentar-se na cadeira que ele deixara, ao lado de João Fulgêncio:

— Que irá fazer?

— Possivelmente uma burrice. — Pousou seus olhos bondosos no professor. — O que não admira, você também não anda fazendo tantas? É uma moça de caráter, diferente. E a tratam como se fosse uma tola...

Melk transpunha o portão da casa de "estilo moderno". No bar, as conversas retornavam a Altino Brandão, ao coronel Ramiro, às agitações políticas. O engenheiro sumira do banco na avenida. Só mesmo João Fulgêncio, Josué e Nacib, esse parado na calçada, continuavam atentos aos passos do fazendeiro.

Na sala, a mulher o esperava, encolhida de medo. Parecia u'a imagem de santa macerada, o negro Fagundes tinha razão.

— Onde ela está?

— Subiu para o quarto.

— Mande descer.

Esperou na sala, a bater o rebenque contra a bota. Malvina entrou, a mãe ficou na porta de comunicação. De pé ante ele, a cabeça erguida, tensa, orgulhosa, decidida, Malvina aguardou. A mãe aguardava também, os olhos de medo. Melk andou na sala:

— Que tem a dizer?

— A respeito de quê?

— Respeito me tenha! — gritou. — Sou seu pai, baixe a cabeça. Sabe do que falo. Como me explica esse namoro? Ilhéus não trata de outra coisa, até na roça chegou. Não venha me dizer que não sabia que era homem casado, ele nem escondeu. Que tem a dizer?

— Que adianta dizer? O senhor não vai compreender. Aqui ninguém pode me compreender. Já lhe disse, meu pai, mais de uma vez: eu não vou me sujeitar a casamento escolhido por parente, não vou me enterrar na cozinha de nenhum fazendeiro, ser criada de nenhum doutor de Ilhéus. Quero viver a meu modo. Quando sair, no fim do ano, do colégio, quero trabalhar, entrar num escritório.

— Tu não tem querer. Tu há de fazer o que eu ordenar.

— Eu só vou fazer o que eu desejar.

— O quê?

— O que eu desejar...

— Cala a boca, desgraçada!

— Não grite comigo, sou sua filha, não sou sua escrava.

— Malvina! — exclamou a mãe. — Não responda assim a seu pai.

Melk segurou-lhe o pulso, bateu-lhe a mão na cara. Malvina reagiu:

— Pois vou embora com ele, fique sabendo.

— Ai, meu Deus!... — A mãe cobriu o rosto com as mãos.

— Cachorra! — Levantou o rebenque, nem reparou onde batia. Foi nas pernas, nas nádegas, nos braços, no rosto, no peito. Do lábio partido o sangue escorreu, Malvina gritou:

— Pode bater. Vou embora com ele!

— Nem que te mate...

Num repelão atirou-a contra o sofá. Ela caiu de bruços, novamente ele levantou o braço, o rebenque descia e subia, silvava no ar. Os gritos de Malvina ecoavam na praça.

A mãe suplicava, em choro a voz medrosa:

— Basta, Melk, basta...

Depois, de repente, se atirou da porta, agarrou-lhe a mão:

— Não mate minha filha!

Parou, arquejante. Malvina agora apenas soluçava no sofá.

— Pro quarto! Até segunda ordem, não pode sair.

No bar, Josué apertava as mãos, mordia os lábios, Nacib sentia-se acabrunhado, João Fulgêncio abanava a cabeça. O resto do bar estava como suspenso, em silêncio. Na sua janela, Glória sorriu tristemente.

Alguém disse:

— Parou de bater.

DA VIRGEM NO ROCHEDO

NEGROS ROCHEDOS CRESCENDO DO MAR, CONTRA SEU FLANCO DE PEDRA AS ONDAS arrebentavam em espuma branca. Caranguejos de assustadoras garras surgiam de recônditas cavidades. De manhã e de tarde moleques escalavam ágeis a penedia, brincando de jagunços e coronéis. De noite ouvia-se o barulho da água mordendo a pedra, infatigável. Por vezes uma luz estranha nascia na praia, subia pela rocha, perdia-se nos desvãos, reaparecia nas grimpas — os negros diziam ser bruxaria das sereias, das aflitas mães-d'água, dona Janaína em fogo verde transformada. Suspiros rolavam, ais de amor no escuro das noites. Os mais pobres casais, mendigos, malandros, putas sem pouso, faziam sua cama de amor na praia escondida entre os rochedos, embolavam na areia. Rugia em frente o mar bravio, dormia atrás a bravia cidade.

Um vulto, esbelto e audaz, galgava os penedos na noite sem lua. Era Malvina descalça, os sapatos na mão, o olhar decidido. Hora de moça estar na cama dormindo, a sonhar com estudos e festas, com casamento. Malvina sonhava acordada, subindo os rochedos.

Havia um lugar, cavado na pedra pelas tempestades, larga cadeira em face do oceano, sentavam-se nela os namorados, os pés no abismo. As ondas quebravam embaixo, estendiam brancas mãos de espuma, a chamar. Ali sentou-se Malvina, contando os minutos, na ansiosa espera.

O pai passara em seu quarto, silencioso e duro. Tomara-lhe os livros, as revistas, buscara cartas, papéis. Só deixara uns jornais da Bahia, e a dor, a revolta, na carne espancada, roxa dos golpes. O bilhete de amor, "És a vida que volto a encontrar, a alegria perdida, a morta esperança, és tudo para mim", ela o guardara no seio. A mãe viera também, trouxera comida, dera conselhos, falara em morrer. E seria vida, viver entre tal pai e tal filha, dois orgulhos contrários, duas rudes vontades, dois punhais levantados? Rogava aos santos que lhe permitissem morrer. Ah! para não ver cumprir-se o inelutável destino, acontecer a inexorável desgraça.

Abraçara-se com a filha, Malvina lhe disse:

— Infeliz como você não serei, minha mãe.

— Não diga loucuras.

Não disse mais nada, chegara a hora da decisão. Partiria com Rômulo, iria viver.

Duro como a pedra mais dura — podia romper-se, não dobrar-se —, seu pai. Menina na roça, ouvira histórias, casos contados. Dos tempos das lutas, das noites nas estradas com cabras armados, seu pai a mandar. Depois ela vira. Por uma tolice, gado fugido rompendo cercas, invadindo os pastos, brigaram com os Alves, vizinhos de terras. Palavras trocadas, vaidades feridas, começaram a lutar. Emboscadas, jagunços, tiroteios, sangue de novo. Malvina ainda via seu tio Aluísio encostado no muro da casa, o ombro a sangrar. Muito mais moço que Melk, franzino e alegre, era um homem bonito. Gostava dos bichos, dos cavalos, das vacas, criava cachorros, cantava na sala, carregava Malvina, brincava com ela, amava viver. Era no mês de junho. Em vez de fogueiras, de busca--pés e rojões, os tiros na estrada, tocaias nas árvores. A face macerada da mãe, assim Malvina a conhecera sempre. Das noites sem dormir. Dos tempos, antes dela nascer, dos grandes barulhos. De tremer ante Melk,

suas ordens gritadas, sua imposta vontade. Curava o ombro do tio onde a bala raspara. Melk apenas dissera:
— Por tão pouco voltou? E os cabras?
— Voltaram comigo...
— O que foi que eu te disse?
Aluísio o fitou, seus olhos súplices, não respondeu.
— O que foi que eu te disse? Aconteça o que acontecer, não largue a clareira. Por que tu largou?
Tremia a mão da mãe no curativo, franzino era o tio, não nascera para brigas, tiroteios na noite. Curvou a cabeça.
— Tu vai voltar. Tu e os cabras. Agora mesmo.
— Eles vão atacar novamente.
— Não quero outra coisa. Quando atacarem, vou com mais cabras, cerco por trás, acabo com eles. Se tu não tivesse fugido com o primeiro tiro, eu já tinha acabado.

O tio assentiu, Malvina assistira: Aluísio montara a cavalo, olhara a casa, a varanda, o curral adormecido, os cachorros latindo. Um olhar derradeiro, de última vez. Saíra com os cabras, os outros estavam no terreiro esperando. Quando os tiros soaram, seu pai ordenou:
— Vamos!
Regressou com a vitória, acabara com os Alves. No cavalo, de bruços, o corpo do tio. Era um homem bonito, cheio de alegria.

De quem herdara Malvina esse amor à vida, essa ânsia de viver, esse horror à obediência, a curvar a cabeça, a falar baixo na presença de Melk? Dele mesmo talvez. Odiara desde cedo a casa, a cidade, as leis, os costumes. A vida humilhada da mãe a tremer ante Melk, a concordar, sem ser consultada para os negócios. Ele chegava, dizia ordenando:
— Te prepara. Hoje nós vamos no cartório de Tonico assinar uma escritura.

Ela nem perguntava escritura de quê, se comprava ou vendia, nem procurava saber. Sua festa era a igreja. Melk com todos os direitos, de tudo decidindo. A mãe cuidando da casa, era seu único direito. O pai nos cabarés, nas casas de mulheres, gastando com raparigas, jogando nos hotéis, nos bares, com os amigos bebendo. A mãe a fenecer em casa, a ouvir e a obedecer. Macilenta e humilhada, com tudo conforme, perdera a vontade, nem na filha mandava. Malvina jurara, apenas mocinha, que com ela não seria assim. Não se sujeitaria. Melk fazia-lhe vontades, por vezes ficava a estudá-la, cismando. Reconhecia-se nela, em certos detalhes, no desejo de ser. Mas a exigia obediente. Quando ela lhe dissera querer estudar ginásio e depois faculdade, ele decretara:

— Não quero filha doutora. Vai pro colégio das freiras, aprender a costurar, contar e ler, gastar seu piano. Não precisa de mais. Mulher que se mete a doutora é mulher descarada, que quer se perder.

Dera-se conta da vida das senhoras casadas, igual à da mãe. Sujeitas ao dono. Pior do que freira. Malvina jurava para si mesma que jamais, jamais, nunca jamais se deixaria prender. Conversavam no pátio do colégio, juvenis e risonhas, filhas de pais ricos. Os irmãos na Bahia, nos ginásios e faculdades. Com direito a mesadas, a gastar dinheiro, a tudo fazer. Elas só tinham para si aquele breve tempo de adolescência. As festas do Clube Progresso, os namoros sem consequência, os bilhetinhos trocados, tímidos beijos furtados nas matinês dos cinemas, por vezes mais fundos nos portões dos quintais. Chegava um dia o pai com um amigo, acabava o namoro, começava o noivado. Se não quisesse, o pai obrigava. Acontecia uma casar com o namorado, quando os pais faziam gosto no rapaz. Mas em nada mudava a situação. Marido trazido, escolhido pelo pai, ou noivo mandado pelo destino, era igual. Depois de casada, não fazia diferença. Era o dono, o senhor, a ditar as leis, a ser obedecido. Para ele os direitos, para elas o dever, o respeito. Guardiãs da honra familiar, do nome do marido, responsáveis pela casa, pelos filhos.

Mais velha que ela, mais adiantada no colégio, fizera-se Clara íntima de Malvina. Riam as duas a cochichar no pátio. Jamais houvera moça mais alegre, mais cheia de vida, formosura sadia, dançarina de tangos, a sonhar aventuras. Tão apaixonada e romântica, tão rebelde e atirada! Casou por amor, assim pelo menos pensava. Não era o noivo fazendeiro, de mentalidade atrasada. Era um doutor, formado em direito, recitava versos. E foi tudo igual. Que acontecera com Clara, onde ela estava, onde escondera sua alegria, seu ímpeto, onde enterrara seus planos, tantos projetos? Ia à igreja, cuidava da casa, paria filhos. Nem se pintava, o doutor não queria.

Assim fora sempre, assim continuava a ser, como se nada se transformasse, a vida não mudasse, não crescesse a cidade. No colégio emocionavam-se com a história de Ofenísia, a virgem dos Ávilas, morta de amor. Não quisera o barão, recusara o senhor de engenho. Seu irmão Luiz Antônio chegava com pretendentes. Ela sonhava com o imperador.

Malvina odiava aquela terra, a cidade de cochichos, do disse que disse. Odiava aquela vida e contra ela passara a lutar. Começara a ler, João Fulgêncio a encaminhava, recomendando-lhe livros. Descobriu outro mundo mais além de Ilhéus onde a vida era bela, onde a mulher não era escrava. As grandes cidades onde podia trabalhar, ganhar o seu pão e a sua liberdade. Não olhava para os homens de Ilhéus, Iracema a chamava de "virgem de bronze", o título de um romance, porque ela não tinha namorados. Josué a rondava, viera de fora, escrevia sonetos, publicava em jornais. "Dedicado à indiferente M...", Iracema lia alto no pátio do colégio. Um dia, quando um marido enganado matou a esposa, Malvina conversara com ele, namoraram uns dias. Talvez, quem sabe, fosse diferente? Era igual. Logo quisera lhe proibir pintura no rosto, amizade com Iracema — "É falada por todos, não é amiga pra você" —, ir a uma festa em casa do coronel Misael para a qual ele não fora convidado. Tudo isso em menos de um mês.

De Ilhéus só gostava da casa nova, cujo modelo escolhera numa revista do Rio. O pai fizera-lhe a vontade, para ele era indiferente. Mundinho Falcão tinha trazido aquele arquiteto maluco, sem trabalho no Rio, ela adorara a casa de Mundinho. Sonhara com ele também. Esse, sim, era diferente, esse podia arrancá-la dali, levá-la para outras terras, aquelas faladas nos romances franceses. Para Malvina, não se tratava de amor, de paixão a explodir. Amaria quem lhe oferecesse o direito a viver, quem a libertasse do medo do destino de todas as mulheres de Ilhéus. Era preferível envelhecer solteirona, de negro na porta das igrejas. Se não quisesse morrer como Sinhazinha, de tiro de revólver.

Mundinho afastara-se dela, apenas sentira seu interesse. Malvina sofreu, era uma esperança gorada. Josué fazia-se impossível, exigente e mandão. Foi quando Rômulo chegou e atravessou a praça de malha de banho, cortou as ondas em braçadas largas. Esse, sim, pensava de outro modo. Fora infeliz, a mulher era louca. Falava-lhe do Rio, que importava casamento, simples convenção? Ela poderia trabalhar, ajudá-lo, ser amante e secretária, cursar faculdade se bem entendesse, fazer-se independente, só o amor a ligá-los. Ah! como viveu ardentemente esses meses... Sabia que a cidade toda comentava, que no colégio não se falava de outra coisa, algumas amigas afastavam-se dela, Iracema fora a primeira. Que lhe importava? Encontrava-se com ele na avenida da praia, inesquecíveis conversas. Nas matinês do cinema beijavam-se com fúria, ele dizia ter renascido ao conhecê-la. Melk na roça, certas noites Malvina viera — a casa a dormir — encontrá-lo nos rochedos. Sentavam-se na cadeira cavada na pedra, as mãos do engenheiro percorriam seu corpo. Ele sussurrava pedidos, a respiração arfante. Por que não seria logo, ali mesmo na praia? Malvina queria ir embora de Ilhéus. Quando partissem seria dele. Faziam planos de fuga.

No quarto, espancada e presa, leu no jornal da Bahia:

Um escândalo abalou a alta sociedade da Itália. A princesa Alexandra, filha da infanta dona Beatriz da Espanha e do príncipe Vitório, saiu da casa dos pais e foi viver sozinha, indo trabalhar como caixeira numa casa de modas. Isso porque seu pai queria que ela casasse com o rico duque Umberto Visconti de Modrome, de Milão, e ela está apaixonada pelo plebeu Franco Martini, industrial.

Parecia escrito para ela. Com um toco de lápis, no papel da beira do jornal, redigiu o bilhete para Rômulo marcando o encontro. A empregada levou ao hotel, entregara em mão própria. Naquela noite, se ele quisesse, seria dele. Porque agora definitivamente decidira: iria dali, iria viver. A única preocupação a contê-la — só naquele dia se dera conta — era evitar que o pai sofresse. E como ele ia sofrer! Agora já não lhe importava.

Sentada na pedra úmida, os pés sobre o abismo, Malvina espera. Na praia escondida, gemem casais. Salta o fogo-fátuo nas grimpas. Todo um plano formado, estudado em cada detalhe, Malvina impaciente espera. As ondas rebentam embaixo, a espuma voa. Por que ele não vinha? Deveria ter chegado antes dela, no bilhete Malvina marcara hora certa. Por que não vinha?

No Hotel Coelho, a porta trancada, o sono impossível, Rômulo Vieira, competente engenheiro do Ministério da Viação e Obras Públicas, treme de medo. Sempre fora idiota em se tratando de mulheres. Metia-se em encrencas, dava-se mal. Não se emendava. Vivia a namorar moças solteiras, já no Rio escapara por pouco da fúria dos irmãos violentos de uma Antonieta com quem andou se encontrando. Juntaram-se os quatro para dar-lhe uma lição, por isso aceitara vir para Ilhéus. Jurando nunca mais olhar sequer para jovens casadoiras. Essa comissão em Ilhéus era uma verdadeira mamata. Estava juntando dinheiro, e, além disso, Mundinho Falcão lhe garantira uma boa bolada, se ele andasse depressa e concluísse o relatório reclamando o urgente envio das dragas. Assim o fizera e combinara com Mundinho solicitar do ministério a direção do serviço de retificação e dragagem da barra. O exportador lhe prometera quantia ainda maior para quando o primeiro navio estrangeiro entrasse no porto. E se empenhar por sua promoção. Que mais podia desejar? No entanto, fora meter-se com moça solteira, a bolinar nos cinemas, a fazer-lhe promessas impossíveis. Resultado: tivera de telegrafar pedindo substituto, fora desagradável a conversa com Mundinho. Garantira que, ao chegar ao Rio, não deixaria o ministro em paz enquanto as dragas e os rebocadores não fossem enviados. Era tudo quanto podia fazer. O que não podia era ficar em Ilhéus, para apanhar de chicote na rua ou levar um tiro na calada da noite. Trancou-se depois no quarto, dali só sairia para o navio. E a louca a marcar encontro nos rochedos, ele nem acreditava que Melk houvesse em seguida voltado para a roça onde a colheita findava. Uma louca, ele tinha a mania das doidas, se metia com elas...

Malvina esperava no alto dos penedos. Embaixo, as ondas chamavam. Ele não viria, de tarde quase morrera de medo, ela agora compreendia. Fitou a espuma a voar, as águas chamavam, por um instante pensou em se atirar. Acabaria com tudo. Mas ela queria viver, queria ir-se de Ilhéus, trabalhar, ser alguém, um mundo a conquistar. Que adiantava morrer? Nas ondas atirou os planos feitos, a sedução de Rômulo, suas palavras e o bilhete que ele lhe escrevera dias depois de desembarcar. Dava-se conta Malvina do erro cometido: para sair dali só vira um caminho, apoiada no braço de um homem, marido ou amante. Por quê? Não era ainda Ilhéus agindo sobre ela, levando-a a não confiar em si própria? Por que partir pela mão de alguém, presa a um compromisso, a dívida tão grande? Por que não partir com seus pés, sozinha, um mundo a conquistar? Assim sairia. Não pela porta da morte, queria viver e ardentemente, livre como o mar sem limites. Segurou os sapatos, desceu dos rochedos, começou a esboçar um plano. Sentia-se leve. Melhor do que tudo fora ele não ter vindo, como poderia viver com um homem covarde?

DO AMOR ETERNO OU
DE JOSUÉ TRANSPONDO
MURALHAS

NAQUELA SÉRIE DE SONETOS, DEDICADOS "À INDIFERENTE, À INGRATA, À SOBERBA, à orgulhosa M...", impressos em grifo no alto da lida coluna de aniversários, batizados, falecimentos e matrimônios do *Diário de Ilhéus*, Josué afirmara em esforçadas rimas, repetidamente, a eternidade de seu amor desprezado. Múltiplas qualidades, cada qual mais magnífica, caracterizavam a paixão do professor, mas, de todas elas, era o seu caráter eterno a mais trombeteada, em corpo dez, nas páginas do jornal. Suada eternidade, o professor a contar alexandrinos e decassílabos, a procurar rimas. Crescera ainda o amor, passara a eterno e imortal, em apaixonada redundância, quando finalmente, na excitação do assassinato de Sinhazinha e Osmundo, quebrara-se o orgulho de Malvina e o namoro começara. Foi a temporada dos poemas longos, de exaltação daquele amor que nem a morte e nem mesmo o passar dos séculos destruiriam jamais. "Eterno como a própria eternidade, maior que os espaços conhecidos e desconhecidos, mais imortal do que os deuses imortais", escrevia o professor e poeta.

Por convicção, e também por conveniência — poemas longos, se fosse rimá-los e metrificá-los não havia tempo que chegasse —, aderira Josué à famosa Semana de Arte Moderna de São Paulo, cujos ecos revolucionários chegavam a Ilhéus com três anos de atraso. Agora jurava por Malvina e pela poesia moderna, liberta da cadeia da rima e da métrica, como dizia ele nas discussões literárias na Papelaria Modelo, com o Doutor, João Fulgêncio e Nhô-Galo, ou no Grêmio Rui Barbosa, com Ari Santos. E, além de tudo, não era em "estilo moderno" a casa de Malvina? Almas gêmeas até no gosto, pensava ele.

O extraordinário é que essa eternidade do tamanho da própria eternidade, essa imortalidade maior que a imortalidade de todos os deuses reunidos, conseguiu ainda crescer, agora numa prosa panfletária, quando a moça rompeu o namoro e começou o escândalo com Rômulo. Largo era o peito compreensivo de Nacib, a acompanhar no bar as melancolias do professor. Solidários, os amigos da papelaria e do grêmio, um tanto curiosos também. Mas foi a dor de Josué debruçar-se, inexplicavelmente, sobre o ombro castelhano e anarquista do sapateiro Felipe. O remendão espanhol era o único filósofo da cidade, de conceito formado sobre a sociedade e a vida, as mulheres e os padres. Péssimo conceito, aliás. Josué devorou-lhe os folhetos de capa encarnada, abandonou a poesia, iniciou fecunda carreira de prosador. Era uma prosa melosa e reivindicativa: Josué aderira ao anarquismo de corpo e alma, passara a odiar a sociedade constituída, a fazer o elogio das bombas e da dinamite regeneradoras, a clamar vingança contra tudo e contra todos. O Doutor elogiava-lhe o estilo condoreiro. No fundo, toda essa exaltação tenebrosa dirigia-se contra Malvina. Dizia-se para sempre desiludido das mulheres, sobretudo das belas filhas de fazendeiros, cobiçados partidos matrimoniais. "Não passam de putinhas...", cuspia ao vê-las passar, juvenis nos uniformes do colégio das freiras ou tentadoras nos vestidos elegantes. Mas o amor que dedicara a Malvina, ah!, esse continuava eterno na prosa exaltada, jamais morreria em seu peito e só não o matava de desespero porque ele se propunha, com sua pena, a modificar a sociedade e o coração das mulheres.

Logicamente, o ódio concebido contra as moças de sociedade, alicerçado na ideologia confusa dos folhetos, aproximou-o das mulheres do povo. Quando se dirigiu a primeira vez para a solitária janela de Glória — num esplêndido gesto revolucionário, único ato militante de sua fulminante carreira política, concebido e executado, aliás, antes de haver aderido ao anarquismo — fizera-o com o intuito de marcar para Malvina o grau de loucura em que o afundava aquela desavergonhada conversa da moça com o engenheiro. Sem nenhum efeito sobre Malvina, ela nem chegara a se dar conta, tão embevecida nas palavras de Rômulo... — mas de intensa repercussão em meio à sociedade. Gesto temerário e indecoroso, só não se fizera o centro de todos os comentários devido a fatos como o próprio namoro de Malvina e Rômulo, o incêndio dos exemplares do *Diário de Ilhéus*, a surra no empregado da intendência.

Felipe dera-lhe os parabéns pelo ato corajoso. Assim se iniciara sua amizade com o remendão. Josué levava os folhetos para o quarto em cima do Cinema Vitória. Desprezou Malvina, conservando-lhe, no entanto, amor eterno e imortal, era uma indigna. Exaltou Glória, vítima da sociedade, de pureza conspurcada, certamente violentada à força, expulsa do convívio social. Era uma santa. Tudo isso escrevia — sem os nomes, é claro — numa prosa veemente a encher cadernos. E como nada disso era representação, Josué sofria realmente, imaginou levar Ilhéus aos supremos escândalos. Gritar nas ruas seu interesse por Glória, o desejo que ela lhe inspirava — o amor ainda era de Malvina —, o respeito que lhe merecia. Conversar em sua janela, sair de braço dado na rua, levá-la a habitar o quartinho modesto onde escrevia e repousava. Viver com ela, numa vida de réprobos, rompido com a sociedade, expulso dos lares. E atirar esse horror no rosto de Malvina, clamando: "Vês a que me reduzi? És tu a culpada!".

Tudo isso disse a Nacib, bebendo no bar. O árabe arregalou os olhos, acreditava piamente. Ele mesmo não estava pensando em mandar tudo para o inferno e casar-se com Gabriela? Não aconselhou nem desaconselhou, apenas previu:

— Vai ser uma revolução.

Era o que Josué desejava. Glória porém retirou-se sorrindo da janela quando, pela segunda vez, ele para ali se dirigiu. Mandou-lhe depois um bilhete, de péssima letra e pior ortografia, por uma empregada. Molhado de perfume, dizia no fim: "Disculpe os borrões". Realmente eram muitos, faziam a leitura difícil. Da janela ele não devia aproximar-se, o coronel acabaria sabendo, era perigoso. Ainda mais naqueles dias, pois estava para chegar e se hospedava com ela. Logo depois que o velho partisse, ela lhe faria saber como poderiam se encontrar.

Novo golpe em Josué. Juntou então num mesmo desprezo moças da sociedade e mulheres do povo. Sua sorte foi Glória não ler o *Diário de Ilhéus*. Pois ali escarrou sobre a prudência de Glória: "Escarro sobre as mulheres, ricas e pobres, nobres e plebeias, virtuosas e fáceis. Só as move o egoísmo, o vil interesse".

Durante certo tempo, ocupado a espionar o namoro de Malvina, dedicado a sofrer, a escrever, a xingar, a viver o papel tão romântico do amor desprezado, não voltou sequer a olhar a janela solitária. Cercava Gabriela, escrevia-lhe versos num provisório retorno à poesia rimada, propunha-lhe o quartinho pobre de conforto mas rico de arte. Gabriela sorria, gostava de ouvir.

Mas, na tarde em que Melk espancara Malvina, Josué vira o rosto triste de Glória, triste pela moça surrada, triste por Josué abandonado, triste por ela mesma em sua solidão renovada. Escreveu-lhe em seguida um bilhete, passou junto à janela e ali o deixou.

Algumas noites depois entrava ele, quando o silêncio envolvia a praça e os últimos notívagos haviam-se recolhido, pela pesada porta entreaberta. Uma boca esmagou sua boca, uns braços cercaram seus ombros magros, arrastaram-no para dentro. Esqueceu Malvina, seu amor eterno, imortal.

Quando a aurora chegou e com ela a hora de partir, antes que os madrugadores começassem a se dirigir para a banca de peixe, quando ela lhe estendeu os lábios ávidos para os últimos beijos da noite de fogo e de mel, ele lhe disse de seus planos: com ela de braço dado na rua, afrontando a sociedade, morando os dois no quartinho sobre o Cinema Vitória, numa pobreza de ascetas mas milionários de amor... Casa como aquela, luxo e criadas, perfumes e joias, não lhe podia oferecer, não era fazendeiro de cacau. Modesto professor de parcos vencimentos. Mas, amor...

Glória nem o deixara terminar a romântica proposta:

— Não, meu filho, não. Assim não pode ser.

Ela queria as duas coisas: o amor e o conforto, Josué e Coriolano. Sabia de um saber vivido a significação da miséria, o gosto amargo da pobreza. Sabia também da inconstância dos homens. Queria tê-lo mas escondido, que o coronel Coriolano não viesse a saber nem a desconfiar. Chegando pela noite alta, saindo de madrugada. Fazendo que não a via na janela, sem cumprimentá-la sequer. Era até melhor assim, tinha um sabor de pecado, um ar de mistério.

— Se o velho souber, tou perdida. Todo cuidado é pouco.

Apaixonada, sim, como duvidar após a noite de égua e cadela, de brasa a queimar? Calculista, porém, e prudente, arriscando o mínimo possível, desejando tudo guardar. Risco havia sempre, mas deviam reduzi-lo o quanto pudessem.

— Vou fazer meu filhinho esquecer a moça malvada.

— Já me esqueci...

— Volta de noite? Vou lhe esperar...

Não sonhara assim seu caso com Glória. Mas que adiantava lhe dizer que não voltaria? Mesmo naquele instante, ainda ferido pela sabedoria com que ela calculava os riscos do amor e como vencê-los, a fria esperteza com que o fazia aceitar as sobras do coronel, Josué sentia inevitável a volta. Estava amarrado àquele leito de espantos e fulgurações. Outro amor começava.

Era hora de sair, esgueirar-se pela porta, dormir uns minutos antes de enfrentar os meninos, às oito, na aula de geografia. Ela destrancou uma gaveta, tirou uma nota de cem mil-réis:

— Queria lhe dar uma coisa, uma coisa que você usasse pra se lembrar de mim todo o dia. Não posso comprar, iam desconfiar. Compre por mim...

Quis recusar num gesto altivo. Ela mordeu-lhe a orelha:

— Compre uns sapatos, quando andar você pensa que está pisando em cima de mim. Não diga não, eu estou pedindo. — Tinha visto a sola furada do sapato preto.

— Não custa mais de trinta mil-réis...

— Compre meias também... — gemia em seus braços.

Na papelaria, à tarde, morto de sono, Josué anunciara definitiva volta à poesia, agora sensual, a cantar os prazeres da carne. E acrescentara:

— O amor eterno não existe. Mesmo a mais forte paixão tem o seu tempo de vida. Chega seu dia, se acaba, nasce outro amor.

— Por isso mesmo o amor é eterno — concluiu João Fulgêncio. — Porque se renova. Terminam as paixões, o amor permanece.

Na sua janela, triunfante e dengosa, Glória sorria para as solteironas, condescendente. Já não invejava ninguém, a solidão acabara.

CANÇÃO DE GABRIELA

ASSIM, VESTIDA DE FUSTÃO, ENFIADA EM SAPATOS, COM MEIAS E TUDO, até parecia filha de rico, de família abastada. Dona Arminda aplaudia:

— Não tem em Ilhéus quem chegue a teus pés. Nem casada, nem moça, nem rapariga. Não vejo nenhuma.

Gabriela rodopiava em frente ao espelho, admirando-se. Era bom ser bonita: os homens enlouqueciam, murmuravam-lhe frases com voz machucada. Gostava de ouvir, se era um moço a dizer.

— Seu Josué queria que eu fosse morar com ele, a senhora imagine! É um moço tão lindo...

— Não tem onde cair morto, professor de menino. Nem pense nisso, você pode escolher.

— Penso não. Morar com ele, quero não. Ainda se fosse...

— Tá assim de coronel querendo, sem contar o juiz. Sem falar em seu Nacib, esse anda morrendo...

— Por quê, não sei não... — sorriu. — Tão bom, seu Nacib. Agora não para de me dar presente. Presente demais... Não é velho nem nada... Tanta coisa, pra quê? De bom que ele é...

— Não se espante quando ele lhe pedir em casamento...

— Não tem precisão, por que há de pedir? Precisa não.

Nacib descobrira-lhe um dente furado, mandara-o tratar, botar dente de ouro. Escolhera ele mesmo o dentista (lembrava-se de Osmundo e Sinhazinha), um velho magrela na rua do porto. Duas vezes por semana, após enviar os tabuleiros, preparado o jantar de Nacib, ia ao dentista vestida de fustão. Já estava no fim, o dente curado, era uma pena. Atravessava a cidade, o corpo a gingar, olhava as vitrines, as ruas entupidas de gente, roçando ao passar. Ouvia palavras, ditos galantes, via seu Epaminondas medindo fazenda, vendendo pano. De volta parava no bar, cheio àquela hora do aperitivo. Nacib zangava-se:

— Que veio fazer?

— Passei só pra ver...

— Pra ver quem?

— Pra ver seu Nacib...

Dizer mais não precisava, derretia-se todo. As solteironas olhavam, os homens olhavam, o padre Basílio vinha da igreja, a bênção lhe dava:

— Deus te abençoe, minha rosa de Jericó.

Não sabia o que era, mas era bonito. Dia gostoso, o de ir ao dentista. Na sala de espera se punha a pensar. Seu coronel Manuel das Onças, apelido engraçado, velho teimoso, mandara um recado: se ela quisesse no nome dela botava uma roça plantada, preto no branco, no cartório. Uma roça... Não fosse seu Nacib tão bom, e o velho tão velho, e ela aceitava. Não para ela, de que lhe servia? Roça pra quê? Para ela mesmo queria não... Mas para dar pra Clemente, ele tanto queria... Onde andava Clemente? Ainda estaria na roça do pai da moça bonita, a do engenheiro? Malfeito bater de chicote na pobre. Que fizera de mais? Se tivesse uma roça, daria a Clemente. Que bom que seria... Mas seu Nacib não entenderia, não ia deixá-lo sem cozinheira. Se não fosse por isso, podia aceitar. O velho era feio, mas passava na roça um mundo de tempo e, nesse tempo, seu Nacib podia vir consolar, com ela deitar...

Tanta bobagem para pensar. Pensar, umas vezes era bom, outras não era. Pensar em defunto, em tristeza, gostava não. Mas de repente pensava. Nos que tinham morrido na estrada, seu tio entre eles. Coitado do tio, lhe batia em pequena. Se meteu em sua cama, ela ainda menina. A tia arrancava os cabelos, xingava nomes, ele a empurrava, lhe dava tabefes. Mas não era ruim, era pobre demais, não podia ser bom. Pensar coisa alegre, isso gostava. Pensar nas danças da roça, os pés descalços batendo no chão. Na cidade iluminada onde estivera quando a tia morrera, na casa, tão rica, de gente orgulhosa. Pensar em Bebinho. Isso era bom.

Certa gente também só conversava tristezas. Que coisa mais tola... Dona Arminda tinha dias: amanhecia amuada, lá vinham tristezas, amarguras, doenças. Não falava outra coisa. Amanhecia contente, sua prosa era um pão. Um pão com manteiga, gostosa, só vendo. Falava das coisas, contava dos partos, os meninos nascendo. Isso era bom.

O dente curado, que pena!, dente de ouro. Seu Nacib era um santo, pagava o dentista sem ela pedir. Um santo ele era, a dar-lhe presentes, tantos pra quê?

Quando a visse no bar, reclamaria. Tinha ciúmes... Que engraçado...

— Que fazes aqui? Vai andando pra casa...

Ia andando para casa. Vestida de fustão, enfiada em sapatos, com meias e tudo. Em frente à igreja, na praça, crianças brincavam brinquedos de roda. As filhas de seu Tonico, cabelos tão loiros, pareciam de milho. Os meninos do promotor, o doentinho do braço, aqueles sadios de João Fulgêncio, os afilhados do padre Basílio. E o negrinho Tuísca, no meio da roda, a cantar e a dançar:

A rosa ficou doente,
o cravo foi visitar,
a rosa teve um desmaio,
o cravo pôs-se a chorar.

Gabriela ia andando, aquela canção ela cantara em menina. Parou a escutar, a ver a roda rodar. Antes da morte do pai e da mãe, antes de ir para a casa dos tios. Que beleza os pés pequeninos no chão a dançar! Seus pés reclamavam, queriam dançar. Resistir não podia, brinquedo de roda adorava brincar. Arrancou os sapatos, largou na calçada, correu pros meninos. De um lado Tuísca, de outro lado Rosinha. Rodando na praça, a cantar e a dançar.

Palma, palma, palma.
Pé, pé, pé.
Roda, roda, roda.
Caranguejo peixe é.

A cantar, a rodar, a palmas bater, Gabriela menina.

DAS FLORES & DOS JARROS

ATINGIRA A LUTA POLÍTICA TAMBÉM AS ELEIÇÕES DA CONFRARIA DE SÃO JORGE, em plena catedral. Muito desejara o bispo conciliar as correntes, repetir o tento lavrado por Ataulfo Passos. Gostaria de ver reunidos em torno do altar do santo guerreiro os fiéis dos Bastos e os entusiastas de Mundinho. Todo bispo que era, de barrete vermelho, não conseguiu.

A verdade é que Mundinho não levava a sério aquela história de confraria. Pagava por mês e acabou-se. Disse ao bispo estar disposto a votar, se lá fosse votar, no nome que ele indicasse. Mas o Doutor, de olho na presidência, fez pé firme. Começou a cabalar. Dr. Maurício Caires, devoto e devotado, era candidato à reeleição. E a deveu sobretudo ao engenheiro.

Repercutira intensamente na cidade o agitado fim do namoro. Apesar do diálogo na praia, entre Melk e Rômulo, não ter sido ouvido por ninguém, existiam dele pelo menos umas dez versões, cada qual mais violenta, menos simpática ao engenheiro. Até de joelhos o puseram, junto ao banco na avenida, a suplicar piedade. Transformaram-no num monstro moral, de vícios inconfessáveis, aliciando mulheres, pavoroso perigo para a família ilheense. O *Jornal do Sul* dedicou-lhe um dos seus artigos mais longos — toda a primeira página continuando pela segunda — e mais grandiloquentes. A moral, a Bíblia, a honra das famílias, a dignidade dos Bastos, sua vida exemplar, a devassidão de todos os oposicionistas, a começar de seu chefe, Anabela e a necessidade de conservar

Ilhéus à margem da degradação de costumes que ia pelo mundo, faziam desse artigo uma página antológica. Aliás, várias páginas.

— Para a Antologia da Imbecilidade... — dissera o Capitão.

Paixão política. Porque em Ilhéus o saborearam sobretudo as solteironas, quando o dr. Maurício Caires repetiu grandes trechos do artigo como discurso de posse, reeleito que fora para a presidência da confraria: "...aventureiros, vindos dos centros de corrupção a pretexto de discutíveis e inúteis trabalhos, querem perverter a alma incorruptível do povo de Ilhéus...". O engenheiro passara a símbolo de devassidão, de descalabro moral. Talvez isso se devesse sobretudo ao fato de ter ele fugido, acovardado, a tremer de medo no quarto do hotel, embarcando às escondidas, sem se despedir sequer dos amigos.

Houvesse ele reagido, lutado, e encontraria certamente quem o apoiasse. A antipatia a cercá-lo não atingira Malvina. É claro que cochichavam sobre o namoro, os beijos no cinema e no portão, havia até quem apostasse sobre sua virgindade. Mas, talvez porque se sabia ter a moça enfrentado de cabeça erguida o pai em fúria, a gritar-lhe enquanto ele baixava o rebenque, sem dobrar o cangote, a cidade simpatizou com ela. Quando, umas duas semanas depois, Melk a levou para a Bahia, para interná-la no Colégio das Mercês, várias pessoas acompanharam-na ao porto, mesmo algumas colegas do colégio das freiras. João Fulgêncio trouxe-lhe um saco de bombons, apertou-lhe a mão e lhe disse:

— Coragem!

Malvina sorrira, quebrou-se seu olhar glacial e altivo, sua pose de estátua. Jamais estivera tão bela. Josué não viera ao porto, mas confidenciara a Nacib, junto ao balcão do bar:

— Eu a perdoei. — Andava saltitante e conversador se bem de faces ainda mais cavadas, com olheiras negras, enormes.

Nhô-Galo, presente, olhava a janela risonha de Glória:

— Você, professor, anda escondendo leite. Ninguém lhe vê no cabaré, eu conheço tudo que é mulher em Ilhéus e sei com quem cada uma está de xodó. Nenhuma com você... Onde vossa senhoria está arranjando essas olheiras?

— No estudo e no trabalho...

— Estudando anatomia... Trabalho desse também quero... — Seus olhos indiscretos iam de Josué para a janela de Glória.

Nacib também andava desconfiado. Josué aparentava uma indiferença excessiva em relação à mulata e deixara completamente de pilheriar com Gabriela. Ali havia coisa...

— Esse engenheiro prejudicou um bocado Mundinho Falcão...
— Nada disso tem maior importância. Mundinho vai ganhar na certa. Sou capaz de apostar.
— Não é tão certo assim. Mas, mesmo que ganhe, o governo não reconhece, você vai ver...

A adesão do coronel Altino à causa de Mundinho, seu rompimento com os Bastos, arrastara vários outros. Durante uns dias as notícias sucederam-se: o coronel Otaviano, de Pirangi, o coronel Pedro Ferreira, de Mutuns, o coronel Abdias de Souza, de Água Preta. Tinha-se a impressão de que se o prestígio dos Bastos não ruíra completamente pelo menos sofrera profundo abalo.

O aniversário do coronel Ramiro, ocorrido semanas após o incidente com Rômulo, veio provar o exagero dessas conclusões. Nunca fora festejado com tanto ruído. Foguetório pela manhã, acordando a cidade, salvas e rojões em frente à sua casa e à intendência. Missa cantada pelo bispo, a Confraria de São Jorge em peso, a igreja cheia, sermão do padre Cecílio celebrando, com sua voz ardente e efeminada, as virtudes do coronel. Tinham vindo fazendeiros de toda a região, Aristóteles Pires, intendente de Itabuna. Era uma demonstração de força. A continuar pelo dia afora, as visitas sucedendo-se na casa em festa, aberta a sala das cadeiras de alto espaldar. O coronel Amâncio Leal mandava descer cerveja nos bares, anunciava a vitória eleitoral fosse a que preço fosse, custasse o que custasse. Mesmo alguns oposicionistas foram levar os parabéns a Ramiro Bastos, entre eles o Doutor. O coronel os recebia de pé, querendo exibir-lhes não só o seu prestígio mas também sua saúde de ferro. A verdade, porém, é que nos últimos tempos quebrara muito. Antes parecia um homem de avançada idade mas forte e rijo, hoje era um ancião de mãos a tremer.

Mundinho Falcão não fora à missa nem lhe levara pessoalmente o seu abraço. Mandara, porém, um grande ramalhete de flores para Jerusa, com um cartão onde escrevera: "Peço-lhe, minha jovem amiga, transmitir a seu digno avô meus votos de felicidade. Em campo oposto ao dele, sou, no entanto, seu admirador". Foi um sucesso. As moças todas de Ilhéus ficaram excitadíssimas. Aquilo lhes parecia o suprassumo do chique, coisa nunca vista em terra onde oposição política significava inimizade mortal. Além disso, que superioridade, que requinte! O próprio coronel Ramiro Bastos, ao ler o cartão e olhar as flores, comentou:

— É sabido esse senhor Mundinho! Se me manda o abraço por minha neta, não posso deixar de receber...

Por um curto espaço de tempo chegou-se a pensar num acordo. Tonico, de cartão em punho, sentia novas esperanças nascendo. Mas tudo ficara naquilo, a disputa cada vez mais acirrada. Jerusa esperou que Mundinho viesse ao baile com que se encerraram as festas, no salão nobre da intendência. Não se animara a convidá-lo mas insinuara ao Doutor que a presença de Mundinho seria bem recebida.

O exportador não veio. Chegara-lhe mulher nova da Bahia, festejava em casa.

Tudo aquilo se comentava no bar, de tudo aquilo Nacib participava. O serviço de doces e salgados para o baile da intendência lhe fora encomendado, a menina Jerusa conversara mesmo pessoalmente com Gabriela para explicar-lhe o que desejava. E ao voltar dissera a Nacib:

— Sua cozinheira é uma beleza, seu Nacib, e tão simpática... — frase que a fez sagrada para o árabe.

As bebidas foram compradas a Plínio Araçá, o velho Ramiro não queria desagradar ninguém.

Comentava e participava, porém, sem entusiasmo. Nenhum acontecimento da cidade, sucesso político ou social, nem mesmo a marinete que virara na estrada ferindo quatro pessoas — uma das quais morrera —, nada podia arrancá-lo de seu problema. A ideia de casar-se com Gabriela, lançada certa vez por Tonico, displicentemente, fizera seu caminho. Não via outra solução. Ele a amava, era certo. De um amor sem limites, precisando dela como da água, da comida, da cama para dormir. E o bar também, não podia passar sem ela. Toda essa prosperidade — o dinheiro a juntar-se no banco, a roça de cacau a aproximar-se — viria abaixo se ela se fosse. Casando-se, já não teria mais medo, que coisa maior poderia ninguém jamais lhe oferecer? E com ela dona do bar, à frente de uma cozinha de três ou quatro cozinheiras, dirigindo apenas os temperos, poderia Nacib realizar um projeto que vinha alimentando há tempo: fundar um restaurante. Fazia falta na cidade, Mundinho Falcão já dissera e repetira: Ilhéus estava a reclamar um bom restaurante, a comida nos hotéis era ruim, os homens solteiros tinham que se sujeitar a pensões vagabundas, marmitas frias. Quando chegavam os navios, os visitantes não encontravam onde comer bem. Onde oferecer um jantar de cerimônia, de comemoração, grande, extralimitando das salas das casas de família? Ele próprio, Mundinho, seria capaz de entrar com parte do capital. Corria que o casal de gregos pensava nisso, buscava local. Com a certeza de ter Gabriela dirigindo a cozinha, Nacib montaria o restaurante.

Mas, que certeza podia ter? Pensava, na espreguiçadeira, na hora da sesta, hora de seu pior martírio, o charuto apagado e amargo, um travo na boca, os bigodes murchos. Ainda há pouco tempo, dona Arminda, cassandra sarará, deixara-o num alarme medonho. Pela primeira vez, Gabriela sentira-se seduzida por uma proposta. Dona Arminda descrevera em detalhes, num prazer quase sádico, as vacilações da rapariga ao receber a oferta do coronel Manuel das Onças. Uma roça de cacau, de duzentas arrobas, não era pra menos, quem não vacilaria?

De Clemente nada sabiam, nem ele nem dona Arminda, de Gabriela pouco sabiam...

Andara uns dias feito louco, por mais de uma vez ia abrindo a boca para lhe falar em casamento. Mas a própria dona Arminda afirmava ter Gabriela recusado a proposta:

— Nunca vi nada igual... Merece aliança, lá isso merece.

Aquele não fora ainda o seu limite. "Toda mulher, por mais fiel, tem seu limite", a voz fanhosa de Nhô-Galo. Não fora seu limite, seu preço, mas bem próximo estava, não ficara ela tentada a aceitar? E se aos pés de cacau o coronel Manuel das Onças juntasse uma casa de rua de canto, com escritura passada? Nada influi tanto as mulheres como ter casa própria. Bastava ver as irmãs Dos Reis a recusar um dinheirão por suas casas, a de moradia, as de aluguel. E Manuel das Onças bem podia fazê-lo. Dinheiro era cama de gato em sua fazenda e, com a safra desse ano — um despropósito! —, enriquecera ainda mais. Estava construindo em Ilhéus um verdadeiro palácio para a família, tinha até uma torre de onde se podia avistar a cidade inteira, os navios no porto, a estrada de ferro. E doido por Gabriela, chamego de velho, chegaria a seu preço por mais alto que fosse.

Dona Arminda a apertá-lo na ladeira, Tonico a perguntar a cada dia, no princípio da tarde, no bar:

— E o casório, árabe? Já decidiu?

No fundo, já decidira, estava resolvido. Adiava com medo do que iriam dizer. Poderiam eles, seus amigos, compreender? Seu tio, sua tia, a irmã, o cunhado, os parentes ricos de Itabuna, esses Ashcar orgulhosos? Afinal, que lhe importava? Os parentes de Itabuna nem ligavam para ele, montados em seu cacau. Ao tio nada devia, o cunhado que se danasse. Quanto aos amigos, seus fregueses do bar, parceiros de gamão e de pôquer, tinham-lhe por acaso eles, exceto Tonico, demonstrado consideração? Não cercavam Gabriela, não a disputavam em sua cara? Que tamanho respeito lhes devia?

Naquele dia muito se havia discutido, antes do almoço, no bar, sobre as coisas políticas, o caso da barra. Circulavam boatos, espalhados pela gente dos Bastos: o relatório do engenheiro fora arquivado, o caso da barra mais uma vez enterrado. Era inútil insistir, problema sem solução. Muitos acreditavam. Já não viam o engenheiro com seus instrumentos, num bote, a cutucar a areia da barra. Além disso Mundinho Falcão embarcara para o Rio. Os partidários dos Bastos resplandeciam. Amâncio Leal propusera outra aposta a Ribeirinho. Vinte contos como os rebocadores, as dragas nunca viriam. Novamente Nacib fora chamado de testemunha.

Talvez por isso, na hora habitual do amargo, Tonico se encontrava de tão bom humor. Voltara a aparecer nos cabarés, enrabichado agora com uma cearense de tranças negras.

— A vida é gostosa...
— Você tem razão para estar contente. Com mulher nova...
Tonico palitava as unhas, condescendeu:
— Ando mesmo contente... Os trabalhos da barra foram para o balacobaco... A cearense é fogosa...

Não seria o coronel Manuel das Onças, finalmente, quem decidiria Nacib. Seria mesmo o juiz.

— E você árabe, sempre triste?
— O que vou fazer?
— Ficar ainda mais triste. Notícia ruim para você.
— O que é? — a voz alarmada.
— O juiz, meu caro, alugou casa no beco das Quatro Mariposas...
— Quando?
— Ontem de tarde...
— Pra quem?
— Pra quem pode ser?

Um silêncio tão grande, de se ouvir o voar das moscas. Chico Moleza voltava do almoço, completava:
— Siá Gabriela mandou dizer ao senhor que vai sair mas volta logo.
— Pra que vai sair?
— Não sei, não senhor. Parece que pra comprar umas coisas que faltam.

Tonico olhava irônico. Nacib lhe perguntou:
— Quando você fala essa coisa de casamento, você fala sério? Acha mesmo?

— É claro que sim. Já lhe disse, árabe: se fosse eu...
— Tenho pensado. Acho que sim...
— Se decidiu?
— Mas tem uns problemas, você pode ajudar.
— Venha de lá um abraço, meus parabéns! Turco feliz!
Depois dos abraços, Nacib, ainda encabulado, continuou:
— Ela não tem papéis, tive sondando. Nem registro de nascimento, nem sabe quando nasceu. Nem sobrenome de pai. Morreram quando ela era pequena, não sabe nada. Seu tio era Silva, mas era irmão da mãe. Não sabe idade, não sabe nada. Como fazer?
Tonico aproximou a cabeça:
— Sou seu amigo, Nacib. Vou lhe ajudar. Pelos papéis, não se preocupe. Arranjo tudo no cartório. Certidão de nascimento, nome inventado pra ela, pro pai e pra mãe. Só tem uma coisa: quero ser o padrinho do casório...
— Já está convidado... — E de repente Nacib viu-se liberto, toda sua alegria voltara, sentia o calor do sol, a doce brisa do mar.
João Fulgêncio entrava pontual, estava na hora de abrir a papelaria. Tonico exclamava:
— Sabe da nova?
— São tantas... Qual delas?
— Nacib se casa...
João Fulgêncio, tão calmo sempre, surpreendeu-se:
— É verdade, Nacib? Não estava noivo que eu soubesse. Quem é a felizarda, pode-se saber?
— Quem pode ser? Adivinhe... — sorria Tonico.
— Com Gabriela — disse Nacib. — Gosto dela, vou casar com ela. Não me importa o que digam...
— Só se pode dizer que você é um coração nobre, um homem de bem. Outra coisa ninguém pode dizer. Meus parabéns...
João Fulgêncio o abraçava mas seus olhos estavam preocupados. Nacib insistiu:
— Me dê um conselho: acha que vai dar certo?
— Nesses assunto não se dá conselhos, Nacib. Se vai dar certo, quem pode adivinhar? Eu desejo que dê, você merece. Só...
— Só, o quê?
— Tem certas flores, você já reparou?, que são belas e perfumadas enquanto estão nos galhos, nos jardins. Levadas pros jarros, mesmo jarros de prata, ficam murchas e morrem.

— Por que havia ela de morrer?
Tonico atalhava:
— Que nada, seu João! Deixe de poesia... Vai ser o casamento mais animado de Ilhéus.
João Fulgêncio sorria, concordava:
— Besteira minha, Nacib. De coração lhe felicito. É um gesto de grande nobreza, esse seu. De homem civilizado.
— Vamos brindar — propôs Tonico.
A brisa marinha, o sol a brilhar, Nacib ouvia o canto dos pássaros.

DAS DRAGAS COM NOIVA

FOI O CASAMENTO MAIS ANIMADO DE ILHÉUS. O JUIZ (DE RAPARIGA NOVA, para quem alugara casa no beco das Quatro Mariposas quando se desiludira de esperar Gabriela) pronunciou umas palavras para desejar felicidades àquele novo casal, que um amor verdadeiro unira acima das convenções sociais, das diferenças de posição e classe.

Gabriela, de azul-celeste, de olhos baixos, sapatos a apertá-la, tímido riso nos lábios, era uma sedução. Entrara na sala pelo braço de Tonico, o tabelião numa elegância de grandes dias. A casa da ladeira de São Sebastião estava repleta. Viera todo mundo, convidado ou não, ninguém queria perder o espetáculo. Desde que lhe falara em casamento, Nacib mandara Gabriela para a casa de dona Arminda. Não ficava bem ela dormindo sob o mesmo teto que o noivo.

— Por quê? — perguntou Gabriela. — Importa não...

Importava, sim. Agora era sua noiva, seria sua esposa, todo o respeito era pouco. Quando lhe dera a notícia, quando pedira sua mão, ela ficara a pensar:

— Por quê, seu Nacib? Precisa não...

— Não aceita?

— Aceitar, eu aceito. Mas, precisava não. Gosto sem isso.

Contratara empregadas, por ora duas: uma para arrumar, outra, meninota, para aprender a cozinhar. Depois pensaria nas outras, no restaurante. Mandou pintar a casa, comprou novos móveis. Enxoval para ela a tia ajudou a escolher. Vestidos, anáguas, sapatos e meias. Os tios, passada a surpresa, foram gentis. Até a casa ofereceram para hospedá-la. Não aceitou, como iria ficar aqueles dias sem ela? O muro era baixo a separar o seu quintal do de dona Arminda. Como um cabrito montês, Gabriela saltava, as pernas à mostra. Vinha de noite dormir com ele. A irmã e o cunhado não quiseram saber, ficaram de mal. Os Ashcar de Itabuna mandaram presentes: um abajur, todo feito de conchas, coisa de ver-se.

Viera todo mundo para espiar Nacib de azul-marinho, os bigodões florescentes, cravo na lapela, sapatos de verniz. Gabriela a sorrir, de olhos no chão. O juiz os declarou casados: Nacib Ashcar Saad, de trinta e três anos, comerciante, nascido em Ferradas, registrado em Itabuna; Gabriela da Silva, de vinte e um anos, de prendas domésticas, nascida em Ilhéus, ali registrada.

A casa entupida de gente, muitos homens, poucas mulheres: a mulher de Tonico que foi testemunha, a loira Jerusa, sua sobrinha, a senhora do Capitão, tão boa e tão simples, as irmãs Dos Reis com muitos sorrisos, a esposa de João Fulgêncio, alegre mãe de seis filhos. Outras não quiseram vir, que casamento era aquele tão diferente? As mesas servidas, bebidas à vontade. Não cabiam na casa, tantos que eram, enchiam o passeio. Foi o casamento mais animado de Ilhéus. Até Plínio Araçá, esquecida a rivalidade dos bares, trouxera champanha. Casamento religioso, que seria ainda melhor, não houve. Só então se soube que Nacib era maometano, se bem em Ilhéus tivesse perdido Alá e Maomé. Sem ganhar, no entanto, Cristo e Jeová. Nem por isso o padre Basílio deixou de vir, de abençoar Gabriela:

— Que desabroches em filhos, minha rosa de Jericó.

Ameaçava Nacib:

— Os meninos eu batizo, você queira ou não queira...

— De acordo, seu padre...

A festa entraria pela noite, certamente, se no longo crepúsculo não houvesse alguém gritado, do passeio:

— Olha as dragas chegando...

Foi uma corrida para a rua. Mundinho Falcão, de volta do Rio, viera ao casório trazendo flores para Gabriela, rosas vermelhas. Cigarreira de prata para Nacib. Precipitou-se para a rua, o rosto a sorrir. Embicando para a barra, dois rebocadores a puxar quatro dragas. Um viva ressoou, outros muitos responderam, as despedidas começaram. Mundinho foi o primeiro, saiu com o Capitão e o Doutor.

A festa se transportou para o cais, para as pontes de desembarque. Apenas as senhoras ficaram mais um pouco, também Josué e o sapateiro Felipe. Glória espiava da calçada, mesmo ela abandonara sua janela naquele dia. Quando dona Arminda por fim desejou boa noite e saiu, a casa vazia e revolta, garrafas e pratos esparramados, Nacib falou:

— Bié...

— Seu Nacib...

— Por que *seu* Nacib? Sou seu marido, não seu patrão...

Ela sorriu, arrancou os sapatos, começou a arrumar, os pés descalços. Ele tomou-lhe da mão, repreendeu:

— Não pode mais não, Bié...

— O quê?

— Andar sem sapatos. Agora você é uma senhora.

Assustou-se:

— Posso não? Andar descalça, de pé no chão?

— Pode não.

— E por quê?

— Você é uma senhora, de posses, de representação.

— Sou não, seu Nacib. Sou só Gabriela...

— Vou te educar. — Tomou-a nos braços, levou-a pra cama.

— Moço bonito...

No porto, a multidão gritava, aplaudia. Desencavaram foguetes ninguém sabe de onde. Subiam no céu, a noite caía, a luz dos foguetes iluminava o caminho das dragas. O russo Jacob, de tão excitado, falava numa língua desconhecida. Os rebocadores apitaram, entravam no porto.

CAPÍTULO QUARTO

O LUAR DE GABRIELA
(talvez uma criança, ou o povo, quem sabe?)

*Transformaram-se não apenas
a cidade, o porto, as vilas e povoados.
Modificaram-se também
os costumes, evoluíram os homens...*
(da acusação do dr. Ezequiel Prado, no júri do coronel Jesuíno Mendonça)

CANTAR DE AMIGO DE GABRIELA

*Oh!, que fizeste, sultão,
de minha alegre menina?*

Palácio real lhe dei
um trono de pedrarias
sapato bordado a ouro
esmeraldas e rubis
ametistas para os dedos
vestidos de diamante
escravas para servi-la
um lugar no meu dossel
e a chamei de rainha.

*Oh!, que fizeste, sultão,
de minha alegre menina?*

Só desejava a campina
colher as flores do mato.
Só desejava um espelho
de vidro, pra se mirar.
Só desejava do sol
calor, para bem viver.
Só desejava o luar
de prata, pra repousar.
Só desejava o amor
dos homens, pra bem amar.

*Oh!, que fizeste, sultão,
de minha alegre menina?*

No baile real levei
a tua alegre menina
vestida de realeza
com princesas conversou
com doutores praticou
dançou a dança estrangeira
bebeu o vinho mais caro
mordeu uma fruta da Europa
entrou nos braços do rei
rainha mais verdadeira.

*Oh!, que fizeste, sultão,
de minha alegre menina?*

Manda-a de volta ao fogão
a seu quintal de goiabas
a seu dançar marinheiro
a seu vestido de chita
a suas verdes chinelas
a seu inocente pensar
a seu riso verdadeiro
a sua infância perdida
a seus suspiros no leito
a sua ânsia de amar.
Por que a queres mudar?

Eis o cantar
de Gabriela
feita de cravo
e de canela.

DO INSPIRADO VATE ÀS VOLTAS COM MÍSERAS PREOCUPAÇÕES MONETÁRIAS

— DOUTOR ARGILEU PALMEIRA, NOSSO EMINENTE E INSPIRADO POETA, honra das letras baianas — o Doutor apresentava com uma ponta de orgulho na voz.

— Poeta, hum... — O coronel Ribeirinho olhava com desconfiança: esses tais poetas em geral não passavam de eméritos facadistas. — Prazer...

O inspirado vate, um cinquentão enorme e gordo, mulato bem claro e bem-apanhado, de sorriso largo e cabeleira em juba, vestido com calças de listas, paletó e colete de mescla preta apesar do calor de torrar, vários dentes de ouro e uma pose de senador em vilegiatura, estava evidentemente acostumado àquela desconfiança dos rudes homens do interior para com as musas e seus eleitos. Puxou um cartão de visita do bolso do colete, pigarreou chamando a atenção de todo o bar, largou a voz tonitruante e modulada:

— Bacharel em ciências jurídicas e sociais, ou seja, advogado de grau e capelo; e bacharel em letras. Promotor público da comarca de Mundo Novo, no sertão baiano. Para servi-lo, caro senhor.

Inclinava-se, estendia o cartão a Ribeirinho atônito. O fazendeiro buscava os óculos para ler:

> Dr. Argileu Palmeira
> Bacharéis
> (em ciências jurídicas e sociais e em ciências e letras)
> ❊
> PROMOTOR PÚBLICO
> POETA LAUREADO
> AUTOR DE SEIS LIVROS CONSAGRADOS PELA CRÍTICA
> MUNDO NOVO · BAHIA   PARNASO

Ribeirinho atrapalhava-se todo, erguia-se da cadeira, articulava frases sem seguimento:

— Pois muito bem, doutor... Às suas ordens...

Por cima do ombro do fazendeiro, Nacib lia também, também ele impressionava-se, balançando a cabeça:

— Sim, senhor. Isso é que é!

O vate não gostava de perder tempo: colocou a grande pasta de couro sobre a mesa, começou a abri-la. Para cidade de interior Ilhéus era das maiores, havia ainda muita visita a fazer. Tirou primeiro o maço de entradas para a conferência.

O ilustre habitante do Parnaso estava, infelizmente, sujeito às contingências materiais da vida neste mundo mesquinho e torpe, onde o estômago prevalece sobre a alma. Adquirira assim um senso prático bastante pronunciado e, quando saía em *tournée* de conferências, fazia cada praça conscienciosamente, tirando dela o máximo. Sobretudo ao chegar em terra rica, de dinheiro fácil, como Ilhéus, tratava de defender-se, obter alguma reserva para compensar os centros mais atrasados, onde o desprezo pela poesia e a relutância às conferências chegavam à má-educação e às batidas de porta. Armado de esplêndida caradura, não se deixava derrotar nem em tais condições extremas. Voltava à carga e quase sempre vencia: pelo menos um bilhete passava.

Os proventos de promotor davam apenas, e magramente, para as necessidades da família numerosa, a vasta filharada crescendo. Família numerosa, ou melhor: famílias numerosas, pois eram pelo menos três. Sujeitava-se a pulso o eminente vate às leis escritas, boas talvez para o comum dos mortais, mas inconfortáveis sem dúvida para os seres de exceção como o "bacharéis" Argileu Palmeira. Casamento e monogamia, por exemplo. Como podia um verdadeiro poeta sujeitar-se a tais limitações? Jamais quisera casar-se, apesar de viver há cerca de vinte anos com a outrora saltitante Augusta, hoje avelhantada, no que se pode chamar de sua casa matriz. Para ela escrevera seus dois primeiros livros: as *Esmeraldas* e os *Diamantes* (todos os seus livros tinham como títulos pedras preciosas ou semipreciosas) e ela em troca lhe dera cinco robustos filhos.

Não pode um cultor das musas cultuar uma única musa, um poeta necessita renovar suas fontes de inspiração. Ele as renovava denodadamente, mulher em seu caminho virava logo soneto na cama. Com duas outras musas inspiradoras produziu família e livros. Para Raimunda, flor de mulata adolescente e copeira, agora mãe de três filhos seus, burilou as *Turquesas* e os *Rubis*. As *Safiras* e os *Topázios* deveram-se a Clementina, viúva insatisfeita de seu estado, de quem nasceram Hércules e Afrodite. É claro que, em todos esses consagrados volumes, existiam rimas para diversas outras musas menores. É possível que também existissem outros filhos além dos dez perfilhados — registrados e batizados todos sob nomes de deuses e heróis gregos, para escândalo dos padres. Doze valentes bocas a sustentar, porque aos dez vigorosos Palmeiras, de variada idade, herdeiros do mitológico apetite do pai, somavam-se os dois do finado marido de Clementina. Eram eles sobretudo — e o gosto de mudar de paisagem, de ver terra nova — que levavam o vate àquelas peregrinações literárias durante as férias forenses. Com um estoque de livros e uma ou duas conferências na enorme mala negra, sob a qual vergavam os ombros do mais forte carregador.

— Uma só? Não faça isso... Não deixe de levar a madame. E os filhos, que idade têm? Aos quinze anos já são sensíveis à influência da poesia e das ideias contidas em minha conferência. Aliás extremamente educativas, próprias para formar a alma dos jovens.

— Não tem indecência nenhuma? — perguntava Ribeirinho a lembrar-se das conferências de Leonardo Motta, que vinha a Ilhéus uma vez por ano e obtinha casa superlotada, sem necessidade de passar bilhetes, com suas palestras sobre o sertão. — Anedotas inconvenientes?

— Por quem me toma, meu caro senhor? A mais rigorosa moralidade... Os sentimentos mais nobres.

— Não disse pra criticar, até gosto. Para falar a verdade são mesmo as únicas conferências que suporto... — novamente confundia-se. — Isso é: não se ofenda, quero dizer que são divertidas, não é? Sou um tabaréu, não tenho muitas letras, conferência me dá um sono... Só perguntei por causa da patroa e das meninas... Porque, de outro modo, não podia levar, não é? — E, para terminar com aquilo: — Quatro entradas, quanto é?

Nacib ficava com duas, o sapateiro Felipe com uma. Para a noite do dia seguinte no salão nobre da intendência, com apresentação do dr. Ezequiel Prado, colega de Argileu na faculdade.

Passava o poeta à segunda fase da operação, a mais difícil. Entrada quase ninguém recusava. Livro não tinha a mesma aceitação. Muitos torciam o nariz ante as páginas, onde os versos se alinhavam em tipo miúdo. Mesmo aqueles que se decidiam, por interesse ou gentileza, ficavam sem saber como agir quando, ao informar-se do preço, o autor respondia:

— À sua vontade... Poesia não se vende. Não devera ter de pagar impressão e papel, composição e brochura, e distribuiria gratuitamente meus livros, a mancheias, como mandava o poeta. Mas... quem pode escapar do vil materialismo da vida? Esse volume, que reúne minhas últimas e mais notáveis poesias, consagrado de norte a sul do país, com uma crítica entusiástica em Portugal, custou-me os olhos da cara. Ainda nem o paguei... Fica a seu critério, meu caro amigo...

O que era de boa técnica quando se tratava de exportador de cacau ou de grande fazendeiro. Mundinho Falcão dera cem mil-réis por um livro, além de comprar uma entrada. O coronel Ramiro Bastos dera cinquenta, em compensação comprara três entradas. E o convidara para jantar daí a dois dias. Argileu informava-se com antecedência dos particulares de cada praça a visitar. Soubera assim da luta política em Ilhéus, viera armado de cartas para Mundinho e Ramiro, de recomendações para os homens importantes de um e outro bando.

Experiente de muitos anos a colocar, com paciência e denodo, as edições de seus livros, logo se dava conta, o corpulento vate, se o comprador era capaz de resolver por si e soltar uma quantia maior, ou se devia ele insinuar-lhe:

— Vinte mil-réis e dou um autógrafo.

Quando o possível leitor ainda resistia, ele ficava magnânimo, propunha o limite extremo:

— Como sinto o seu interesse pela minha poesia, vou lhe deixar pelos dez. Para que o senhor não fique privado de seu quinhão de sonhos, de ilusões, de beleza!

Ribeirinho, de livro enfiado na mão, coçava a cabeça. Consultava o Doutor com os olhos querendo saber quanto pagar. Boa amolação tudo aquilo, dinheiro jogado fora. Meteu a mão no bolso, tirou mais vinte mil-réis, fazia-o pelo Doutor. Nacib não comprava, Gabriela mal sabia ler, e, quanto a ele, tinha poesia de sobra com as que Josué e Ari Santos declamavam no bar. O sapateiro Felipe recusou, estava bastante tocado:

— Perdoe-me *usted*, senhor poeta. Eu leio somente prosa e certa prosa — acentuava o "certa". — *Novelas, no!* Prosa de combate, *de esas* que removem montanhas e *cambiam el mundo*. O senhor já leu Kropotkine?

O poeta ilustre vacilou. Quis dizer que sim, o nome lhe era conhecido, achou melhor sair com uma grande frase:

— A poesia está acima da política.

— *Y yo me cago en la poesia, señor mio* — estendia o dedo —, *Kropotkine es el más grande poeta de todos los tiempos!* — Só muito exaltado ou muito bêbedo falava espanhol sem mistura. — *Mayor que él solo la dinamita. Viva la anarquía!*

Já chegara alterado ao bar, e ali continuara a beber. Isso se passava exatamente uma vez por ano, e só uns poucos sabiam ser a forma como ele comemorava a morte de um irmão, fuzilado numa parada em Barcelona, muitos anos atrás. Esse, sim, fora realmente um anarquista militante, cabeça de vento e fogo, coração sem medo. Felipe recolhera seus folhetos e livros mas não levantara sua bandeira rota. Preferira sair da Espanha para escapar das suspeitas a envolvê-lo, devido a seu parentesco. Ainda agora, porém, mais de vinte anos passados, fechava a oficina e embebedava-se no dia de aniversário da parada e das mortes na rua. Jurando voltar à Espanha para explodir bombas e vingar o irmão.

Bico-Fino e Nacib conduziram o comemorativo espanhol para o reservado do pôquer, onde ele podia beber à vontade, sem incomodar ninguém. Felipe apostrofava Nacib:

— *Que hiciste, sarraceno infiel, de mi flor roja, de la gracia de Gabriela? Tenia ojos alegres, era una canción, una alegria, una fiesta. Por que la robaste para ti solamente, la pusiste en prisón? Sucio burgués...*

Bico-Fino trazia-lhe a garrafa de cachaça, botava-a na mesa.

O Doutor explicava ao poeta os motivos da bebedeira do espanhol, pedia-lhe desculpas. Felipe era homem habitualmente muito educado, cidadão estimável, apenas uma vez por ano...

— Compreendo perfeitamente. Um pifãozinho de vez em quando, isso se passa com pessoas até da mais alta roda. Eu também não sou abstêmio. Tomo a minha pingazinha...

Disso Ribeirinho entendia: de bebidas. Sentiu-se em terreno familiar e iniciou uma preleção sobre os diversos tipos de cachaça. Em Ilhéus fabricavam uma, ótima, a Cana de Ilhéus, era quase toda vendida para a Suíça onde a bebiam como uísque. O Mister — "o inglês diretor da estrada de ferro", explicava a Argileu — não bebia outra coisa. E era competente na matéria...

A explanação foi diversas vezes interrompida. Com a hora do aperitivo chegavam os fregueses, iam sendo apresentados ao vate. Ari Santos envolveu-o num abraço estreito, apertando-o contra si. Muito o conhecia de nome, e de leitura, aquela visita a Ilhéus ficaria nos anais da vida cultural da cidade. O poeta, babado de gozo, agradecia. João Fulgêncio estudava-lhe o cartão, guardou-o cuidadosamente no bolso. Após fazer sua safra de entrada, de empurrar um livro a Ari, com dedicatória, outro ao coronel Manuel das Onças, Argileu sentou-se numa das mesas, com o Doutor, João Fulgêncio, Ribeirinho e Ari, para provar a louvada Cana de Ilhéus.

E, chupitando sua cachacinha, entre os recentes amigos, já um pouco despido do ar de grande personalidade, o vate revelou-se excelente prosa, contando divertidas anedotas com sua voz de trovoada, rindo alto, a interessar-se pelos assuntos locais, como se ali vivesse há muito, não houvesse desembarcado naquela manhã; apenas a cada novo freguês fazia-se apresentar, retirava da pasta entradas e livros. Finalmente, por proposta de Nhô-Galo, inventaram uma espécie de código para facilitar-lhe o trabalho. Quando a vítima tivesse capacidade para entradas e livro, seria o Doutor quem faria as apresentações. Quando fosse para várias entradas mas sem livro, Ari apresentaria. Homem solteiro ou apertado de dinheiro, uma entrada só, ele, Nhô-Galo, seria o introdutor. Ganhava-se tempo. O poeta relutou um pouco em aceitar:

— Essas coisas enganam... Eu tenho experiência. Às vezes um tipo, que a gente nem pensa, leva um livrinho... Afinal, o preço varia...

Descarava por completo, naquela roda alegre à qual haviam-se juntado Josué, o Capitão e Tonico Bastos. Nhô-Galo garantia:

— Aqui, meu caro, não pode haver engano. Nós conhecemos as possibilidades, os gostos, o analfabetismo de cada um...

Um moleque entrou no bar distribuindo prospectos de um circo, cuja estreia se anunciava para o dia seguinte. O poeta tremeu:

— Não, não posso admitir! Amanhã é dia de minha conferência. Escolhi de propósito porque nos dois cinemas dão filmes de mocinho, gente grande pouco assiste. E, de repente, cai-me em cima esse circo...

— Mas, doutor, as suas entradas não são vendidas com antecedência? Pagas à vista? Não há perigo — acalmava Ribeirinho.

— E o senhor pensa que sou homem para falar a cadeiras vazias? Dizer meus versos para meia dúzia? Caro senhor, tenho um nome a zelar, um nome com certa ressonância e uma parcela de glória no Brasil e em Portugal...

— Não se preocupe... — informava Nacib, de pé ao lado da mesa ilustre. — Esse é um cirquinho vagabundo, está vindo de Itabuna. Não vale nada. Não tem animais, artista que preste. Só mesmo menino é que vai...

O poeta estava convidado a almoçar com Clóvis Costa. Sua primeira visita fora à redação do *Diário de Ilhéus*, logo depois do desembarque. Queria saber se o Doutor poderia acompanhá-lo à tarde.

— Certamente, com o maior prazer. E agora vou levar o ilustre amigo à casa de Clóvis.

— Venha almoçar conosco, meu caro.

— Não fui convidado...

— Mas eu sou convidado e lhe convido. Esses almoços, meu caro, a gente não deve perder. São sempre melhores que o trivial de casa. Sem falar na comida dos hotéis, má e pouca, pouquíssima!

Quando saíram, Ribeirinho comentou:

— Esse doutor duplo, nem feito de encomenda... Vai arrecadando tudo: é entrada, é livro, é almoço... Isso deve comer que nem jiboia...

— É um dos maiores poetas da Bahia — afirmou Ari.

João Fulgêncio tirava do bolso o cartão de visita:

— O cartão de visita pelo menos é admirável. Jamais vi coisa igual. "Bacharéis"... Imaginem! Vive no Parnaso... Perdoe-me, Ari, mas, sem ter lido, não gosto da poesia dele. Não pode ser grande coisa...

Josué folheava o exemplar de *Topázios* comprado pelo coronel Ribeirinho, lia versos em voz baixa:

— Não tem fôlego, é um versinho anêmico. E atrasado como se a poesia não houvesse evoluído. Hoje, no tempo do futurismo...

— Não digam isso... É até um sacrilégio — Ari exaltava-se. — Ouça, João Fulgêncio, esse soneto. É divino. — Lia o título já em tom de declamação: — "O ribombar da cachoeira".

E mais não pôde ler porque o espanhol Felipe surgiu na sala, mal seguro nas pernas, tombando sobre as mesas, a voz difícil:

— *Sarraceno, burgués sucio, donde está Gabriela? Que hiciste de mi flor roja, de la gracia...*

Agora era uma cabrocha jovem, aprendiz de cozinheira, a portadora diária da marmita. Felipe, tropeçando nas cadeiras, queria saber onde Nacib enterrara a graça, a alegria de Gabriela. Bico-Fino tentava levá-lo de volta ao reservado do pôquer. Nacib fazia um gesto vago com as mãos, como a pedir desculpas, ninguém sabe se do estado de Felipe ou da ausência no bar da graça, da alegria, da flor de Gabriela. Os demais olhavam em silêncio. Onde a animação daqueles dias passados, quando ela vinha, na hora do meio-dia, uma rosa atrás da orelha? Sentiam o peso da sua ausência, como se o bar sem ela perdesse o calor, a intimidade. Tonico interrompeu o silêncio:

— Sabem o título da conferência do poeta?

— Não. Qual é?

— "A lágrima e a saudade."

— Um xarope, vocês vão ver — prognosticou Ribeirinho.

DOS EQUÍVOCOS DA SRA. SAAD

ERA O ÚLTIMO DOS CIRCOS. O NEGRINHO TUÍSCA ABANAVA A CABEÇA, parado ante o vacilante mastro, quase tão pequeno quanto um mastro de saveiro. Menor e mais vagabundo era impossível. O pano de lona do toldo esburacado como céu em noite de estrelas ou o vestido da maluca Maria Me Dá. Não era muito maior do que a banca de peixe, mal a escondia no descampado do porto. Não fora a provada lealdade a caracterizá-lo e o negrinho Tuísca ter-se-ia completamente desinteressado do Circo Três Américas. Que diferença para o Grande Circo Balcânico com seu pavilhão monumental, as jaulas das feras, os quatro palhaços, o anão e o gigante, os cavalos amestrados, os trapezistas de toda intrepidez. Fora uma festa na cidade, Tuísca não perdera espetáculo. Abanava a cabeça.

Amores e devoções abrigavam-se em seu pequeno e cálido coração. A negra Raimunda, sua mãe, agora felizmente melhorada do reumatismo, a lavar e engomar roupa; a pequena Rosinha, de cabelos de oiro, filha de Tonico Bastos, sua secreta paixão; dona Gabriela e seu Nacib; as boas irmãs Dos Reis; seu mano Filó, herói das estradas, rei do volante, majestoso na direção de caminhões e marinetes. E os circos. Desde que se entendia não se levantara em Ilhéus pavilhão de circo sem seu decidido apoio, sua prestimosa colaboração: acompanhando o palhaço nas ruas, ajudando os mata-cachorros, comandando entusiasta claque de moleques, fazendo recados, infatigável e indispensável. Não amava os circos apenas como a diversão suprema, o mágico espetáculo, a tentadora aventura. Vinha a eles como alguém que cumpre seu destino. E, se com um deles ainda não partira, devia-se ao reumatismo de Raimunda. Sua ajuda era necessária à casa, os níqueis que apurava em variados misteres: de consciencioso engraxate a esporádico garçom, de vendedor dos apreciados doces das irmãs Dos Reis a discreto portador de bilhetes amorosos, a exímio ajudante do árabe Nacib na manipulação das bebidas. Suspirou ante tanta pobreza do circo recém-chegado.

Vinha o Circo Três Américas agonizando pelos caminhos. O último animal, um velho leão desdentado, doaram-no à intendência de Conquista, agradecendo passagens fornecidas e por não poder sustentá-lo. "Presente de grego", dissera o intendente. Em cada praça desertavam artistas, sem sequer reclamar os atrasados salários. Converteram em comida tudo que puderam, até os tapetes do picadeiro. O elenco reduzira--se à família do diretor: a mulher, as duas filhas casadas, a solteira, os dois genros, e um vago parente que era bilheteiro e comandava depois os mata-cachorros. Entre os sete, revezavam-se no picadeiro em números de equilibrismo, em saltos-mortais, comendo espadas e fogo, andando no arame, fazendo truques com cartas, levantando marombas pintadas de negro, reunindo-se para as "pirâmides humanas". O velho diretor era palhaço, ilusionista e tocava música num serrote, a cujo som dançavam as três filhas. Juntavam-se na segunda parte do espetáculo para representar *A filha do palhaço*, mistura de chanchada e dramalhão, "hilariante e comovente tragicomédia, que faz o distinto público rir às gargalhadas e chorar aos soluços". Como haviam chegado em Ilhéus nem Deus sabe. Ali esperavam obter o suficiente para as passagens de navio até a Bahia, onde poderiam associar-se a circo mais próspero. Em Itabuna quase haviam mendigado. O dinheiro para o trem obtiveram-no as três filhas, as duas casadas e a solteira, ainda menor de idade, dançando no cabaré.

Tuísca foi a providência divina: levou o diretor humilde ao delegado (para obter isenção do imposto cobrado pela polícia); a seu João Fulgêncio (impressão do programa a crédito); a seu Côrtes, do Cinema Vitória (empréstimo, sem cobrança de aluguel, das velhas cadeiras encostadas desde a remodelação do cinema); ao mal-afamado botequim Cachaça Barata, na rua do Sapo (contratar, sob seu conselho, mata-cachorros entre aqueles malandros); e assumira o papel de criado na peça *A filha do palhaço* (o artista a representá-lo antes abandonara carreira e salário em Itabuna, por um balcão de armazém).

— Ficou besta quando mandou eu repetir os quedizeres e repeti tudo direitinho. E isso que não me viu dançar...

Gabriela batia palmas com as mãos ao ouvi-lo contar as peripécias do dia, as notícias do mundo mágico do circo.

— Tuísca, tu ainda vai ser um artista de verdade. Amanhã estou lá, na primeira fila. — "Vou convidar dona Arminda", pensava. — E vou falar com seu Nacib pra ele ir também. Ele bem que podia ir, deixar o bar um pouquinho. Pra te ver... Vou bater tanta palma de inchar as mãos.

— Mamãe vai ver também. Entra de graça. Pode ser que ela vendo, deixe eu ir com eles. Só que esse é um circo tão pobre... Andam ruim de dinheiro. Fazem a comida lá mesmo pra não gastar com hotel.

Gabriela tinha ideias definitivas sobre circos:

— Tudo que é circo é bom. Pode tá caindo aos pedaços, é bom. Não há coisa melhor do que função de circo. Gosto até demais. Amanhã tou lá, batendo palma. E vou levar seu Nacib. Pode contar.

Naquela noite Nacib chegou muito tarde, o movimento no bar entrara pela madrugada. Em torno do poeta Argileu Palmeira formara-se roda grande, após a sessão dos cinemas. O eminente vate jantara em casa do Capitão, fizera mais algumas visitas, vendera mais alguns exemplares dos *Topázios*, estava encantado com Ilhéus. O circo tão miserável, avistado no porto, não era concorrente. A conversa no bar prolongara-se noite adentro, o vate revelava-se valente bebedor, apelidando cachaça de "néctar dos deuses" e de "absinto caboclo". Ari Santos recitara-lhe seus versos, merecera os elogios do eminente:

— Inspiração profunda. Forma correta.

Instado, também Josué declamou. Poemas modernistas, para escandalizar o visitante. Não escandalizou:

— Belíssimo. Não rezo pela cartilha futurista mas aplaudo o talento esteja onde estiver. Que vigor, que imagens!

Josué entregava-se: Argileu, afinal de contas, era um nome conhecido. Tinha bagagem respeitável, livros consagrados. Agradeceu-lhe a opinião, pediu licença para dizer uma de suas últimas produções. No correr da velada, por mais de uma vez Glória impaciente surgira em sua janela a espiar o bar. Assim vira e ouvira Josué a declamar, de pé, estrofes onde rolavam seios e nádegas em profusão, ventres nus, beijos pecaminosos, amplexos e cópulas, bacanais incríveis. Até Nacib aplaudiu. O Doutor citara o nome de Teodoro de Castro, Argileu erguera o cálice:

— Teodoro de Castro, o grande Teodoro! Inclino-me ante o cantor de Ofenísia, bebo à sua memória.

Beberam todos. O vate recordava trechos de poemas de Teodoro, alterando-os aqui e ali:

Graciosa, na janela reclinada
Ofenísia, ao luar, aos gritos...

— "Em prantos..." — corrigia o Doutor.

A história de Ofenísia, relembrada entre brindes, puxou outras, surgiram os nomes de Sinhazinha e Osmundo, e daí partiram para as anedotas. Como Nacib rira... O Capitão desfilara seu repertório inesgotável. O augusto vate também sabia contar. Sua voz tonitruante abria-se numa gargalhada que abalava a praça, ia morrer nos rochedos. Funcionava também o reservado do pôquer: Amâncio Leal jogava alto com o dr. Ezequiel, o sírio Maluf, Ribeirinho e Manuel das Onças. Um pôquer de cinco, animado.

Nacib chegara em casa cansado, morto de sono. Atirou-se na cama, Gabriela despertou como o fazia todas as noites:

— Seu Nacib... Demorou... Já sabe do acontecido?

Nacib bocejava, seus olhos fitavam o corpo a mostrar-se entre os lençóis, aquele corpo de mistério diariamente renovado, uma chama leve de desejo nasceu entre o cansaço e o sono.

— Tou morrendo de sono. Que aconteceu?

Estendia-se, dobrava a perna sobre a anca de Gabriela.

— Tuísca agora é artista.

— Artista? Que história é essa?

— No circo. Vai representar...

A mão do árabe subia-lhe, cansada, pelas pernas.

— Representar? No circo? Não sei do que você está falando.

— Como pode saber? — Gabriela sentava-se na cama, não podiam existir notícias mais sensacionais. — Ele teve aqui depois do jantar e me contou... — Fazia cócegas em Nacib para despertá-lo e o despertou.

— Tu tá querendo? — riu debochado. — Pois vai ter...

Mas ela contava de Tuísca e do circo, convidava:

— Seu Nacib bem podia ir amanhã com eu e com dona Arminda. Pra ver Tuísca. Deixava o bar um tiquinho de tempo.

— Amanhã não dá jeito. Amanhã vamos os dois a uma conferência.

— Uma o quê, seu Nacib?

— Conferência, Bié. Chegou um doutor, um poeta. Faz cada verso que só vendo. É formidável, basta dizer que é doutor duas vezes. Um sabichão. Tava todo mundo rodeando ele, hoje. Um tal de discutir, de dizer versos... Coisa supimpa. Vai fazer conferência amanhã, na intendência. Comprei dois bilhetes, pra mim e você.

— E como é conferência?

Nacib torcia os bigodes:

— Ah! é coisa fina, Bié.

— Melhor que cinema?

— Mais rara...

— Melhor que circo?

— Não se compara. Circo é mais pra menino. Quando tem número bom, vale a pena. Mas conferência só tem uma vez ou outra.
— E como é? Tem música, dança?
— Música, dança... — riu. — Tu precisa aprender muita coisa, Bié. Não tem nada disso não.
— E o que é que tem pra ser melhor que cinema, que circo?
— Vou explicar, preste atenção. Tem um homem, um poeta, um doutor que fala sobre uma coisa.
— Fala de quê?
— De qualquer coisa. Esse vai falar de lágrima e de saudade. Ele fala, a gente escuta.
Gabriela abriu uns olhos espantados:
— Ele fala e nós ouve. E depois?
— Depois? Ele acaba, a gente bate palmas.
— Só isso? Mais nada, não?
— Só isso, mas aí é que está: o que ele diz.
— E o que é que ele diz?
— Coisas bonitas. Às vezes falam difícil, a gente não entende direito. É quando é melhor.
— Seu Nacib... O doutor falando, a gente ouvindo... E seu Nacib compara com cinema, com circo, que coisa! E logo seu Nacib, tão instruído. Melhor que circo, pode ser não.
— Ouça, Bié, já te disse: você agora não é mais uma empregadinha. É uma senhora. A senhora Saad. Precisa se compenetrar disso. Tem uma conferência, vai falar um doutor que é um colosso. Toda a nata de Ilhéus vai estar lá. Nós também. Não se pode deixar uma coisa assim, importante, para ir a um circo mais vagabundo e rastaquera.
— Pode não, seu Nacib? Pode mesmo não? Por quê?
Sua voz ansiosa buliu com Nacib. Acarinhou-a:
— Porque não pode, Bié. O que haviam de dizer? Todo mundo. Aquele idiota do Nacib, um ignorante, largou a conferência para ir ver a porcaria de um circo. E depois? Todo mundo no bar comentando a conferência do homem e eu a contar as besteiras do circo.
— Tou enxergando... Seu Nacib pode não... Pena... Coitado de Tuísca. Ele tanto gostava se seu Nacib fosse. Eu tinha prometido. Pode não, tem razão. Eu digo a Tuísca. E bato palma por mim e por seu Nacib — riu, apertou-se contra ele.
— Bié, escuta: você precisa se instruir, você é uma senhora. Tem de

viver, de se comportar, como a senhora de um comerciante. Não como uma mulherzinha qualquer. Tem que ir a essas coisas que a nata de Ilhéus frequenta. Pra ir aprendendo, se instruindo, você é uma senhora.

— Quer dizer que não posso?
— Que fazer?
— Ir no circo amanhã? Vou com dona Arminda.

Retirou a mão que acariciava:

— Já te disse que comprei entradas para nós dois.
— Ele fala, a gente ouve. Gosto não. Gosto de nata não. Gente nos trinques, mulheres enjoadas, gosto não. Circo é tão bom! Deixa eu ir, seu Nacib. Outro dia vou na conferência.
— Não pode, Bié. — Novamente a acariciava. — Não tem conferência todo dia...
— Nem circo...
— Na conferência não pode faltar. Até já perguntam por que você não vai a lugar nenhum. Todo mundo fala, não está direito.
— Mas quero ir, sim. No bar, no circo, andar na rua.
— Só quer ir onde não deve. É só o que você quer fazer. Quando é que você vai meter na cabeça que é minha mulher, que eu casei com você, que é a senhora de comerciante estabelecido, abastado? Que não é mais...
— Zangou, seu Nacib? Por quê? Fiz nada não...
— Quero fazer de você uma senhora distinta, da alta-roda. Quero que todo mundo te tenha respeito, te trate direito. Que esqueçam que foi cozinheira, que andava de pé no chão, chegou em Ilhéus de retirante. Que te faltavam o respeito no bar. É isso, entende?
— Tenho jeito não, seu Nacib, pra essas coisas. São enjoadas. Nasci mesmo pra vintém, não sirvo pra tostão. Que vou fazer?
— Vai aprender. E as outras, essas metidas a sebo, que pensa que elas são? Umas roceiras tabaroas, só que aprenderam.

Houve um silêncio, o sono voltava a dominá-lo, a mão descansava sobre o corpo de Gabriela.

— Deixa eu ir no circo, seu Nacib. Só amanhã...
— Não vai, já lhe disse. Vai comigo à conferência. E acabou-se.

Virou-se na cama, deu-lhe as costas, puxou o lençol. Sentia falta do seu calor, habituara-se a dormir com a perna sobre suas ancas. Mas precisava mostrar-lhe que estava aborrecido com tanta cabeça dura. Até quando do Gabriela persistiria recusando-se à vida social, a conduzir-se como uma senhora da sociedade de Ilhéus, como sua esposa? Afinal ele não era um pobre-diabo qualquer, era alguém, o sr. Nacib A. Saad, com crédito na praça, dono do melhor bar da cidade, com dinheiro no banco, amigo de toda gente importante, secretário da Associação Comercial. Agora falavam em seu nome até para a diretoria do Clube Progresso. E ela metida em casa, saindo apenas para o cinema com dona Arminda, ou com ele aos domingos, como se nada houvesse mudado em sua vida, fosse ainda aquela Gabriela sem sobrenome que ele encontrara no "mercado dos escravos", não fosse a sra. Gabriela Saad. Para convencê-la de não ir levar-lhe a marmita ao bar fora uma luta, ela até chorara. Para calçar sapatos era um inferno. Para não falar alto no cinema, não mostrar intimidade com as empregadas, não rir debochada, como antes, para cada freguês do bar encontrado por acaso. Para não usar, quando saíam a passear, rosa atrás da orelha! Deixar conferência por um circo mais mambembe...

Gabriela encolheu-se, perdida. Por que seu Nacib se zangara? Estava zangado, virado de costas, sem tocá-la sequer. Sentia falta do peso de sua perna na anca. E dos carinhos habituais, da festa no leito. Estaria zangado por Tuísca ter-se contratado de artista sem consultá-lo? Tuísca era parte do bar, ali tinha sua caixa de engraxate, ajudava nos dias de muita freguesia. Não era com Tuísca, não, que ele estava zangado. Era com ela. Não a queria no circo, por quê? Queria levá-la pra ouvir doutor na sala grande da intendência. Gostava não! No circo podia ir com os velhos sapatos onde cabiam seus dedos esparramados. Na intendência tinha de ser vestida de seda, de sapato novo, apertado. Toda aquela lordeza reunida, aquelas mulheres que a olhavam de cima, que riam dela. Gostava não. Por que seu Nacib fazia tanta questão? No bar ele não a queria, tanto ela gostava de ir... Tinha ciúmes, era engraçado. Não ia mais, fazia a vontade, não queria ofendê-lo, tomava cuidado. Mas por que obrigá-la a fazer tanta coisa sem graça, enjoada? Não podia entender. Seu Nacib era bom, quem podia duvidar? Quem podia negar? Por que então ficava zangado, virava de costas, só porque ela pedira pra ir ao circo? Dizia que ela era uma senhora, a sra. Saad. Não era não, era só Gabriela, de alta-roda gostava não. Dos moços bonitos da alta-roda, gostava sim. Mas não reunidos, em lugar importante. Ficavam tão sérios, não diziam gracinhas, não sorriam pra ela. Gostava de circo, não havia no mundo coisa tão boa. E mais com Tuísca contratado de artista... Morreria de pena se não fosse... Nem que fugisse.

Dormindo, inquieto, Nacib passou-lhe a perna sobre a anca. Seu sono sossegou. Ela sentiu o peso habitual. Não queria ofendê-lo.

No outro dia, ao sair, ele lhe avisou:

— Depois do aperitivo da tarde, venho jantar em casa, me preparar para a conferência. Quero te ver toda elegante, vestido bonito, de fazer inveja a qualquer outra.

Sim, porque lhe comprara e continuava a comprar seda, sapatos, chapéus, até luvas. Dera-lhe anéis, pulseiras, colares verdadeiros, não medira dinheiro. Queria-a tão bem-vestida como a senhora mais rica, como se isso apagasse seu passado, as queimaduras do fogão, o sem-jeito de Gabriela. Vestidos pendurados no armário; em casa ela andava de chita, em chinelas ou descalça, às voltas com o gato e com a cozinha. Que adiantavam as duas empregadas? A arrumadeira mandara embora, para que prestava? Consentira em entregar a lavagem da roupa a Raimunda, mas fora para ajudar a mãe de Tuísca. A menina na cozinha de pouco servia.

Não queria ofendê-lo. A conferência estava marcada para as oito horas, o circo também. Dona Arminda lhe dissera que essa tal de conferência não durava mais de uma hora. E Tuísca só aparecia na segunda parte do espetáculo. Era uma pena perder a primeira, o palhaço, o trapézio, a moça no arame. Mas não queria ofendê-lo, não queria magoá-lo.

Pelo braço de Nacib, enfiado na roupa azul do casamento, vestida como uma princesa, os sapatos doendo, atravessou as ruas de Ilhéus e subiu, desajeitada, as escadas da intendência. O árabe parava para cumprimentar amigos e conhecidos, as senhoras olhavam para Gabriela de alto a baixo, cochichavam e sorriam. Ela sentia-se sem jeito, atrapalhada, com medo. No salão nobre muitos homens de pé ao fundo, senhoras sentadas. Nacib a levou para a segunda fila de cadeiras, fê-la sentar-se, saiu para o lado onde estavam Tonico, Nhô-Galo e Ari a conversar. Ela ficou sem saber o que fazer. Perto dela, a mulher do dr. Demóstenes, empertigada, de *lorgnon* e capa de pele — com aquele calor! —, a mirou de relance, virou a cabeça.

Palestrava com a mulher do promotor. Gabriela começou a olhar o salão, era uma beleza, até doía na vista. Em certo momento voltou-se para a esposa do médico, perguntou alto:

— Que hora acaba?

Riram em redor. Ficou mais sem jeito, por que seu Nacib a fizera vir? Gostava não.

— Ainda não começou.

Finalmente um homem grandão e de peito estufado subiu, junto com o dr. Ezequiel, no estrado onde tinham posto duas cadeiras e mesa com moringa de vidro e um copo. Todo mundo bateu palmas, Nacib sentara-se a seu lado. Dr. Ezequiel levantou-se, pigarreou, encheu o copo de água.

— Excelentíssimas senhoras, meus senhores: hoje é um dia marcado com vermelho na folhinha da vida intelectual de Ilhéus. Nossa culta cidade hospeda, com orgulho e emoção, o estro inspirado do poeta Argileu Palmeira, consagrado...

E por aí foi. Ele fala, a gente ouve. Gabriela ouvia. De quando em vez batiam palmas, ela também. Pensava no circo, devia ter começado. Felizmente sempre atrasava pelo menos meia hora. Ela fora duas vezes ao Grande Circo Balcânico, com dona Arminda, antes do casamento. Marcado para as oito horas, só se iniciava depois de oito e meia. Olhava o grande relógio, como um armário, no fundo da sala. Fazia um ruído alto, distraía. O dr. Ezequiel falava bonito, ela nem distinguia as palavras, era um som redondo, embalador, dava sono. Cortado pelo tique-taque do relógio, os ponteiros andando. Muitas palmas atrapalharam-lhe o cochilo, perguntou a Nacib, animada:

— Já acabou?

— A apresentação. A conferência vai começar agora.

O grandão de peito engomado levantava-se, era aplaudido. Tirou do bolso um horror de papel, estendeu em cima da mesa, alisou com a mão, pigarreou como dr. Ezequiel, só que mais forte, bebeu um gole de água. Uma voz de trovão abalou a sala.

— Gentis senhoritas, flores dos canteiros desse florido jardim que é Ilhéus. Virtuosas senhoras que saístes do recesso sagrado do vosso lar para ouvir-me e aplaudir-me. Ilustres senhores, vós que haveis construído à beira do Atlântico essa civilização ilheense...

E por aí foi, parando para beber água, pigarreando, limpando o suor com o lenço. Nunca mais ia acabar. Tudo cheio de versos. Umas palavras trovejadas sobre a sala e a voz se adoçava, lá vinha verso:

— "Lágrima de mãe sobre o cadáver do filho pequenino chamado ao céu pelo Todo-Poderoso, a lágrima mais sagrada." Ouvi: "Lágrima materna, lágrima...".

Com ele era mais difícil madornar. Ela ia fechando os olhos na cadência do verso, desviando os olhos do relógio e o pensamento do circo, e, de repente, acabavam as estrofes, a voz clamava, Gabriela estremecia, perguntava a Nacib.

— Já vai acabar?
— Psiu! — fazia ele.
Mas também ele sentia sono, Gabriela bem percebia. Apesar do ar atento, dos olhos fitos no doutor conferencista, apesar da força que fazia, de quando em vez, nos versos compridos, as pestanas de Nacib batiam, os olhos fechavam. Acordava com as palmas, incorporava-se a elas, comentava para a esposa do dr. Demósthenes a seu lado:
— Que talento!
Gabriela via os ponteiros do relógio, nove horas, nove e dez, nove e quinze. A primeira parte do circo devia estar próxima ao fim. Mesmo que tivesse começado às oito e meia, às nove e meia terminaria. É verdade que existia o intervalo, talvez ela chegasse a tempo de ver a segunda parte onde Tuísca ia representar. Só que esse doutor não terminava nunca mais. O russo Jacob dormia em sua cadeira. O Mister, que sentara junto de uma porta, desaparecera há muito. Aqui não havia intervalo, era tudo de uma vez. Coisa mais sem gosto ela nunca assistira. O grandão bebia água, ela começava a ter sede.
— Tou com sede...
— Psiu...
— Quando é que acaba?
O tal doutor ia virando as folhas de papel. Demorava um tempão lendo cada uma. Se seu Nacib também não gostava, caía de sono, por que é que vinha? Que coisa mais esquisita, por que é que vinha, pagava entrada, largava o bar, no circo não ia? Entendia não... E se zangava, virava de costas, porque ela pedia para não vir. Coisa esquisita.
Palmas e palmas, arrastar de cadeiras, todo mundo andando para o tablado. Nacib a levou. Apertavam a mão do homem, diziam-lhe palavras de gabação:
— Formidável! Maravilhoso! Que estro! Que talento!
Seu Nacib também:
— Como gostei...
Não tinha gostado, estava mentindo, ela sabia quando ele gostava. Dormira um bocado, por que gabação? Trocavam cumprimentos com os conhecidos. O Doutor, seu Josué, seu Ari, o Capitão não soltavam o homem. Tonico, com dona Olga, tirava o chapéu, aproximava-se.
— Boa noite, Nacib. Como vai, Gabriela? — Dona Olga sorria. Seu Tonico todo circunspecto.
Esse seu Tonico, moço bonito a valer, o mais bonito de todos, era um

finório. Dona Olga presente, parecia um santo de igreja. Mal saía dona Olga, ficava meloso, derretido, encostava-se nela, chamava-a "beleza", soprava-lhe beijos. Dera para andar na ladeira, parava na sua janela quando a via, de afilhada a tratava desde o casamento. Fora ele, dizia-lhe, quem convencera Nacib a casar. Trazia bombons, botava-lhe uns olhos, tomava-lhe a mão. Um moço bonito, bonito a valer.

A rua entupida de gente andando. Nacib apressado, o bar ia encher. Ela apressada, por causa do circo. Ele nem a levou à porta, despediu-se no meio da ladeira deserta. Apenas dobrou a esquina e ela voltou, quase correndo. O difícil era evitar que a vissem do bar. Não quis ir pelo Unhão, estrada deserta. Foi pela praia, seu Mundinho ia entrando em casa, ficou a mirá-la. Evitou o bar, andando depressa, chegou ao porto. Era um circo miúdo, quase sem luzes. Levava o dinheiro apertado na mão, não tinha quem vendesse entrada. Afastou o pano da porta, entrou. A segunda parte começara mas não viu Tuísca. Sentou no galinheiro, prestou atenção. Aquilo é que era coisa de ver-se. E Tuísca chegou, tão engraçado, vestido de escravo. Gabriela aplaudiu, não se conteve, gritou:

— Tuísca!

O moleque nem ouviu. Era uma história triste, de um palhaço infeliz, a mulher ruim o havia largado. Mas tinha pedaços para rir, ria Gabriela, aplaudindo Tuísca. Uma voz por detrás, sopro de homem em seu cangote:

— Que faz aqui, afilhada?

Seu Tonico, de pé a seu lado.

— Vim ver Tuísca.

— Se Nacib descobre...

— Sabe não... Não quero que saiba. Seu Nacib é tão bom.

— Deixe estar que não digo.

Tão depressa acabava, tão gostoso que era!

— Vou lhe levar...

Na porta decidiu, era um finório o seu Tonico:

— Vamos pelo Unhão, damos a volta no morro para não passar próximo ao bar.

Andavam depressa. Mais adiante acabavam os postes, a iluminação. Seu Tonico falava, a voz machucada, o mais bonito dos moços.

DAS CANDIDATURAS
COM ESCAFANDRISTAS

ESPETÁCULO REPETIDO DURANTE MESES, QUASE COTIDIANAMENTE, nem por isso jamais se cansou o povo de admirar os escafandristas. Pareciam, assim vestidos de ferro e vidro, seres de outros planetas desembarcados na barra. Mergulhavam nas águas, ali onde o mar se unia com o rio. Nas primeiras vezes a cidade em peso deslocou-se para a ponta do Unhão a ver mais de perto. Seguiam com exclamações todos os movimentos, a entrada na água, as bombas trabalhando, os redemoinhos, as bolhas de ar. Caixeiros largavam os balcões, trabalhadores abandonavam os sacos de cacau, cozinheiras as cozinhas, costureiras a costura, Nacib o seu bar. Alguns alugavam botes, vinham rondar em torno dos rebocadores. O engenheiro-chefe, avermelhado e solteiro (Mundinho pedira ao ministro mandar homem solteiro para evitar confusões), gritava ordens.

Dona Arminda assombrava-se ante as figuras monstruosas:

— Inventam cada coisa! Quando eu contar ao finado na sessão, ele é capaz de me chamar de mentirosa. Coitado, não viveu pra ver.

— Pensei que fosse mentira, fosse verdade não. Descer no fundo do mar... Acreditava não — confessava Gabriela.

Comprimiam-se na ponta do Unhão, sob o sol cada dia mais tórrido. Chegava-se ao fim da safra, o cacau secando nas barcaças e estufas, enchendo os armazéns das casas exportadoras, os porões dos pequenos navios da Bahiana, da Costeira e do Lloyd. Quando um deles entrava ou saía do porto os rebocadores e dragas afastavam-se da barra. Para logo voltar, os trabalhos progrediam rapidamente. Os escafandristas foram a grande sensação daquela temporada.

Gabriela explicava a dona Arminda e ao negrinho Tuísca:

— Diz que no fundo do mar é mais lindo que na terra. Tem de um tudo, só vendo. Morro mais grande que a Conquista, peixes de toda cor, e pasto pra eles pastar, jardim com flor, mais bonito que o jardim da intendência. Tem pé de pau, plantação, até cidade vazia. Sem falar em vapor afundado.

O negrinho Tuísca duvidava:

— Aqui só tem mesmo areia. E baraúna.

— Tolo. Falo do meio do mar, nas profundas. Foi um moço que me contou, era estudante, vivia com os livros, sabia das coisas. Numa casa onde tive empregada, numa cidade. Contou cada coisa... — sorriu a lembrar.
— Que coincidência! — exclamou dona Arminda. — Sonhei com um moço batendo na porta de seu Nacib, com um leque na mão. Escondia a cara no leque. Perguntando por você.
— T'esconjuro, dona Arminda! Até parece assombração.
Ilhéus inteiro vivia os trabalhos da barra. Além dos escafandristas, as máquinas instaladas nas dragas causavam admiração e espanto. A remover a areia, a rasgar o fundo da barra, a abrir e ampliar canais. Num ruído de terremoto, como se estivessem revolvendo a própria vida da cidade, modificando-a para sempre.

Com a sua chegada, já se modificara a correlação das forças políticas. O prestígio do coronel Ramiro Bastos, bastante abalado, ameaçou ruir sob aquele golpe colossal: dragas e rebocadores, escavadoras e engenheiros, escafandristas e técnicos. Cada dentada das máquinas na areia, segundo o Capitão, significava dez votos a menos no coronel Ramiro. A luta política tornara-se mais aguda e áspera desde o crepúsculo em que os rebocadores haviam chegado, no dia do casamento de Nacib e Gabriela. Aquela noite fora tumultuosa: os correligionários de Mundinho a cantar vitória, os de Ramiro Bastos a rosnar ameaças. No cabaré houve pancadaria. Dora Cu de Jambo levara um tiro na coxa quando Loirinho e os jagunços entraram atirando nas lâmpadas. Se o que desejavam, como tudo indica, era surrar o engenheiro-chefe, obrigá-lo a ir-se de Ilhéus, fracassaram. Na confusão, o Capitão e Ribeirinho puderam retirar o avermelhado especialista que, aliás, demonstrou gosto pelo barulho: arrebentara a cabeça de um adversário com uma garrafa de uísque. Segundo o próprio Loirinho contou, o plano fora mal organizado, de última hora.

No outro dia, o *Diário de Ilhéus* clamou aos céus: os antigos donos da terra, derrotados por antecedência, recorriam novamente aos processos de há vinte e trinta anos passados. Ei-los sem máscara: não passariam jamais de chefes de jagunços. Mas enganavam-se ao pensar que amedrontariam os competentes engenheiros e técnicos mandados pelo governo para rasgar o canal da barra, devido aos esforços desse benemérito incentivador do progresso, Raimundo Mendes Falcão, e apesar da grita impatriótica dos cangaceiros apegados ao poder. Não, não amedrontavam ninguém. Aos partidários do desenvolvimento da região cacaueira repugnavam tais métodos de luta. Mas, se a eles fossem arrastados pelos imundos adversários, saberiam reagir à altura. Nenhum outro engenheiro seria escorraçado de Ilhéus. Desta vez falhariam os pretextos e as ameaças. O número do *Diário de Ilhéus* estava sensacional.

Das fazendas de Altino Brandão e de Ribeirinho desceram jagunços. Os engenheiros, durante algum tempo, andaram nas ruas acompanhados de estranhos guarda-costas. O mal-afamado Loirinho, com um olho amassado, era visto comandando jagunços de Amâncio Leal e Melk Tavares, inclusive um negro de nome Fagundes. Mas, descontando-se umas arruaças em casas de mulheres, em becos escuros, nada de mais grave aconteceu. Os trabalhos prosseguiam, uma admiração geral a cercar a gente dos rebocadores e das dragas.

Fazendeiros, em número cada vez maior, aderiam a Mundinho. Cumpria-se a previsão do coronel Altino: Ramiro Bastos começava a ficar sozinho. Seus filhos e seus amigos davam-se conta da situação. Concentravam agora suas esperanças na solidariedade do governo, no não reconhecimento da vitória da oposição se esta acontecesse. Disso falavam, em casa do coronel Ramiro, seus dois filhos (dr. Alfredo encontrava-se em Ilhéus) e seus dois mais devotados amigos: Amâncio e Melk. Deviam preparar eleições à moda antiga: dominando bancas e juntas eleitorais, livros de ata. Eleições a bico de pena. Com o que garantiriam o interior. Infelizmente em Ilhéus e Itabuna, cidades importantes, era difícil empregar tais métodos sem correr certos riscos. Alfredo contava ter o governador lhe oferecido garantias absolutas: jamais Mundinho e sua gente obteriam o reconhecimento mesmo que vencessem cabalmente as eleições. Não iria entregar a zona do cacau, a mais rica e próspera do estado, nas mãos de oposicionistas, de ambiciosos como Mundinho. Ideia absurda.

O velho coronel ouvia, o queixo apoiado no castão de ouro da bengala. Seus olhos, de onde a luz desaparecia, apertavam-se. Vitória assim não era vitória, era pior que derrota. Ele nunca precisara disso. Sempre ganhara na boca das urnas, os votos eram dele. Guilhotinar adversários na hora do reconhecimento de poderes, eis uma coisa que jamais necessitara fazer. Agora Alfredo e Tonico, Amâncio e Melk falavam sobre isso tranquilamente, sem dar-se conta da pesada humilhação a que o sujeitavam.

— Não vamos precisar disso. Vamos ganhar é no voto!

O fato de Mundinho Falcão candidatar-se a deputado federal era animador. O grande perigo seria ele disputar a intendência. Fizera-se popular, ganhara prestígio. Grande parte dos eleitores citadinos, se não o maior número, votaria nele, seria eleição quase certa.

— Fazer eleição aqui a bico de pena já tá meio difícil — constatava Melk Tavares.

Para deputado federal, porém, Mundinho dependeria dos votos de toda a região, do sétimo distrito eleitoral, a incluir não apenas Ilhéus, mas também Belmonte, Itabuna, Canavieiras e Una, municípios cacaueiros, elegendo dois deputados. Um deles, com os votos de Itabuna, Ilhéus e Una. Una contava pouco, ninharia de votos. Mas Itabuna pesava hoje quase tanto quanto Ilhéus e lá mandava, sem oposição, o coronel Aristóteles Pires, a dever sua carreira política a Ramiro Bastos. Não fora Ramiro quem o fizera subdelegado do antigo distrito de Tabocas?

— Aristóteles vota em quem eu mandar.

Além disso os deputados federais não dependiam da política municipal, e só para os candidatos pelas capitais não era a eleição pura formalidade. Nasciam tais deputados dos compromissos do governador e do poder federal. O atual deputado por Ilhéus e Itabuna (o outro era eleito com os votos de Belmonte e Canavieiras) aparecera na zona apenas uma vez, após as últimas eleições. Tratava-se de um médico residente no Rio, protegido de um senador federal. Para tal cargo Mundinho não tinha nenhuma possibilidade. Mesmo que ganhasse em Ilhéus, perderia em Itabuna e em Una, e no interior do município as eleições seriam fraudadas.

— Esse está no mato sem cachorro... — concluía Amâncio.

— Mas é preciso que ele perca mesmo. Que seja derrotado! A começar por Ilhéus. Quero derrota feia — exigia Ramiro.

O Capitão seria candidato a intendente, dr. Ezequiel Prado a deputado estadual. Da candidatura do advogado Ramiro debochava. Alfredo seria certamente eleito. Ezequiel servia para júri e caxixe, para fazer discurso em dia de festa. Tirando isso, era muito desmoralizado, homem de cachaçadas, de escândalos com mulheres. Além de precisar, como Mundinho, dos votos de todo o distrito eleitoral.

— Não oferece perigo — confirmava Amâncio.

— É bom pra ele aprender a não virar a casaca...

O Capitão dependia apenas dos votos do município de Ilhéus. Adversário perigoso, o próprio Ramiro reconhecia. Era preciso derrotá-lo no interior do município, na cidade era capaz de ganhar. Cazuzinha, seu pai, derrubado pelos Bastos, deixara uma legenda na vida da cidade: de homem de bem, administrador exemplar. A primeira rua calçada o fora por ele, ainda hoje chamava-se dos Paralelepípedos. A primeira praça, o primeiro jardim. Leal até o fanatismo, mantivera-se fiel aos Badarós, gastara quanto possuía a combater os Bastos, numa batalha sem perspectiva. Seu nome continuava citado como exemplo de bondade e dedicação. Não só beneficiava-se o Capitão dessa legenda a cercar a memória do pai, como era ele próprio muito simpatizado. Nascido em Ilhéus, tendo morado nos grandes centros, tinha cheiro de civilização; orador aplaudido, gozava de grande popularidade. De Cazuzinha lhe ficara o amor aos gestos românticos e heroicos.

— Candidatura perigosa... — confessava Tonico.

— É homem amigueiro e bem-visto — concordava Melk.

— Depende de quem seja nosso candidato.

Ramiro Bastos propunha o nome de Melk, não era ele já presidente do conselho municipal? O compadre Amâncio não aceitava posto político, por isso nem lhe oferecia. Melk também recusava:

— Agradeço muito mas não vou querer. No meu modo de ver, não deve ser fazendeiro...

— E por quê?

— O povo quer gente mais letrada, diz que os fazendeiros nem têm tempo de se ocupar da administração. Que não entendem muito também. Não deixam de ter razão. Tempo, a gente não tem mesmo...

— É verdade — disse Tonico. — O povo vive reclamando intendente mais habilitado. Deve ser um homem da cidade.

— Quem?

— Tonico, por que não?— propunha Amâncio.

— Eu? Deus me livre. Não nasci pra isso. Se me meto em política é por causa de papai. Deus me livre de ser intendente. Estou muito bem no meu canto.

Ramiro levantava os ombros, nem valia a pena conjecturar sobre tal hipótese. Tonico na intendência... Só se fosse para encher a sede da municipalidade de prostitutas.

— Vejo dois nomes — disse. — Ou o doutor Maurício ou o doutor Demósthenes. Fora desses, não vejo outro.

— Doutor Demósthenes chegou aqui nem faz quatro anos. Depois de Mundinho. Não é nome para fazer frente ao Capitão — opôs-se Amâncio.

— Eu ainda acho melhor do que o de Maurício. Pelo menos é médico de nomeada, está botando para frente a construção do hospital. Maurício tem muitos inimigos.

Discutiram os dois nomes, pesando vantagens e desvantagens. Decidiram-se pelo advogado. Apesar de seu conhecido amor ao dinheiro, seu puritanismo exagerado e hipócrita, sua carolice, seu agarramento aos padres em terra de pouca religião fazerem-no impopular. Dr. Demósthenes tampouco era homem de popularidade. Médico celebrado, não existia em toda a cidade pessoa mais pernóstica, mais suficiente, mais cheia de preconceitos, mais metida a lorde, como se dizia ali.

— Muito bom médico, mas um lorde pior de engolir que um purgante. — Amâncio refletia a opinião local. — Maurício tem inimigos mas também tem muita gente que gosta dele. Fala bem.

— E é homem leal — Ramiro aprendera nos últimos tempos a apreciar o valor da lealdade.

— Ainda assim pode perder.

— É preciso ganhar. E ganhar aqui em Ilhéus. Não quero recorrer ao governador para degolar ninguém. Quero ganhar! — Chegava a parecer uma criança obstinada a reclamar um brinquedo. — Sou capaz de largar tudo se tiver de me manter à custa de prestígio alheio.

— Compadre tem razão — falou Amâncio. — Mas, para isso, é preciso assustar um bocado de gente. Soltar uns cabras na cidade.

— Tudo que for preciso, menos perder nas urnas.

Estudavam os nomes para o conselho municipal. Tradicionalmente, a oposição elegia um conselheiro. Tradicionalmente também era sempre o velho Honorato, oposicionista só de nome, devendo obséquios a Ramiro. Chegava a ser mais governista que todos os seus colegas.

— Desta vez nem puseram o nome dele na chapa.

— O Doutor se elege. É quase certo.

— Deixa ele se eleger. É homem de valor. E sozinho, que oposição pode fazer?

O coronel Ramiro tinha um fraco pelo Doutor. Admirava seu saber, o conhecimento que tinha da história de Ilhéus, gostava de ouvi-lo falar do passado, contar as trapalhadas dos Ávilas. Daria lustre ao conselho, terminaria votando com os outros como dr. Honorato. Mesmo naquela hora, de cálculos eleitorais nem sempre otimistas, quando a sombra da derrota se desenhava na sala, Ramiro era o grão-senhor, magnífico, a deixar generoso uma cadeira para a oposição e a designar o mais nobre dos adversários para ocupá-la.

Quanto à vitória, Amâncio prometia:

— Deixe estar, compadre Ramiro, vou me ocupar. Enquanto Deus me der vida ninguém vai se rir de meu compadre nas ruas de Ilhéus. Ter o gosto de ganhar eleição contra ele, isso não. Deixe ficar com a gente, comigo e com Melk.

Enquanto isso, naquele tórrido verão, os amigos de Mundinho movimentavam-se. Ribeirinho não esquentava lugar, ia de distrito em distrito, propunha-se viajar toda a região. O Capitão também fora a Itabuna, a Pirangi, a Água Preta. Ao voltar, aconselhou Mundinho a ir sem tardança a Itabuna.

— Em Itabuna nem cego vota na gente.

— Por quê?

— Você já viu falar em governo com popularidade? Pois existe: o do coronel Aristóteles em Itabuna. O homem tem todo mundo na mão, desde os fazendeiros até os mendigos.

Mundinho constatou a verdade da afirmação, apesar de ser muito bem recebido na cidade vizinha. Várias pessoas foram à estação no dia anunciado para sua chegada e levaram um blefe. Mundinho veio pela rodagem, em seu novo automóvel, um sensacional carro preto que enchia as janelas de curiosos ao passar nas ruas. Seus fregueses festejaram-no com almoços e jantares, levaram-no a passeios, ao cabaré, ao Clube Grapiúna, até às igrejas. Só que não lhe falavam de política. Quando Mundinho lhes expunha seu programa, concordavam inteiramente:

— Não fosse estar comprometido com Aristóteles e meu voto era para o senhor.

O diabo é que estavam todos comprometidos com Aristóteles. No segundo dia de sua estada, o coronel Aristóteles passou no hotel para visitá-lo. Mundinho não estava, ele deixou uma palavra amável, com um convite para o exportador vir tomar café na intendência. Mundinho decidiu aceitar.

Era o coronel Aristóteles Pires um homenzarrão acaboclado, picado de varíola, de riso fácil e comunicativo. Fazendeiro de recursos médios, colhendo suas mil e quinhentas arrobas, sua autoridade era indiscutível em Itabuna. Nascera para administrar, tinha no sangue o gosto da política. Jamais, desde que fora nomeado subdelegado, ninguém pensara em disputar-lhe a chefia, nem mesmo os grandes fazendeiros do município.

Começara ao lado dos Badarós, mas soube perceber, antes que ninguém, o declínio político do antigo senhor derrotado nas lutas pelas matas de Sequeiro Grande. Deixou-os quando ainda não era feio abandoná-los. Mesmo assim quiseram matá-lo, escapou por um fio. O tiro pegou num cabra que o acompanhava. Os Bastos, agradecidos, fizeram-

-no subdelegado da então Tabocas, vilarejo nas proximidades das roças de Aristóteles. E em pouco tempo o povoado miserável começou a transformar-se numa cidade.

Alguns anos depois, levantou ele a bandeira da separação do distrito de Tabocas, desligando-o de Ilhéus, e transformando-o no município de Itabuna. Em torno dessa ideia juntou-se todo o povo. O coronel Ramiro Bastos enfureceu-se. Naquela ocasião quase se deu o rompimento entre os dois. Quem era Aristóteles, exaltava-se Ramiro, para querer amputar Ilhéus, roubar-lhe um pedaço enorme? Aristóteles, fazendo-se humilde e mais devotado que nunca, tratou de convencê-lo. O governador de então lhe havia dito, na Bahia, que só faria aprovar o decreto se ele obtivesse o consentimento de Ramiro. Foi difícil, teve de solicitar, mas obteve. Que perdia Ramiro? — perguntava ele. A formação do novo município era inevitável, viria quisessem ou não. O coronel podia adiá-la, não impedi-la. Por que Ramiro, em vez de combater a ideia, não surgia como seu patrono? Ele, Aristóteles, não pretendia, fosse subdelegado ou intendente, senão apoiar Ramiro. Esse, em vez de chefe de um município, mandaria em dois, essa a única diferença. Ramiro deixou-se finalmente convencer e compareceu às festas de instalação da novel intendência. Aristóteles cumpriu o prometido: continuou a apoiá-lo, apesar de guardar um secreto amargor das humilhações que o coronel o fizera passar. Aliás, Ramiro continuava a tratá-lo como se ele ainda fosse o jovem subdelegado de Tabocas.

    Homem de ideias e iniciativas, Aristóteles atirou-se à tarefa de fazer prosperar Itabuna. Limpou-a de jagunços, calçou as ruas centrais. Não se preocupava muito com praças e jardins, não se dedicava a embelezar a cidade. Em compensação, dera-lhe boa iluminação, ótimo serviço de esgotos, abrira estradas a ligá-la com os povoados, trouxera técnicos para a poda do cacau, fundara uma cooperativa de produtores, dera facilidades para incrementar o comércio, olhava pelos distritos, fizera da jovem urbe o ponto de convergência de todo um vasto interior até o sertão.

    Mundinho foi encontrá-lo na intendência, a estudar os planos de uma nova ponte sobre o rio, ligando as duas partes da cidade. Parecia esperar o exportador, mandou trazer café.

— Vim aqui, coronel, lhe dar meus parabéns por sua cidade. Seu trabalho é extraordinário. E conversar política. Como não gosto de ser indiscreto, caso a conversa não lhe interesse, diga-me logo. Os parabéns já lhe dei.

— E por que não, seu Mundinho? Política é minha cachaça. Veja o senhor: se não fosse a política eu seria homem rico. Só tenho feito gastar com política. Não me queixo, gosto disso. É minha fraqueza. Não tenho filhos, não jogo, não bebo... Mulheres, bem, uma vez ou outra mijo fora do caco... — Ria seu riso simpático. — Só que política pra mim quer dizer administrar. Pra outros é negócio e prestígio. Pra mim não, pode crer.

— Acredito perfeitamente. Itabuna é a melhor prova.

— O que me dá satisfação é ver Itabuna crescer. Vamos passar Ilhéus, seu Mundinho, um dia desses. Não digo a cidade, Ilhéus é porto. Mas o município. Lá é bom pra viver, aqui pra trabalhar.

— Todo mundo falou-me bem do senhor. Todos o respeitam e estimam. Oposição não existe.

— Não é tanto assim. Tem uma meia dúzia... Se o senhor procurar bem encontra uns sujeitos que não gostam de mim. Só que não dizem o porquê. Andam aí atrás do senhor. Não lhe procuraram ainda?

— Procuraram, sim. Sabe o que lhes disse? Quem quiser votar em mim que vote mas não vou servir de ponto de apoio para o combate ao coronel Aristóteles. Itabuna está bem servida.

— Eu soube... Soube logo... E lhe agradeço. — Riu novamente para Mundinho, sua larga cara acaboclada irradiava cordialidade. — Por meu lado tenho acompanhado a atuação do senhor. E aplaudido. Quando terminam as obras da barra?

— Uns meses ainda e teremos a exportação direta. Os trabalhos estão andando o mais depressa possível. Mas há muito que fazer.

— Essa história da barra tem dado que falar. É capaz de eleger o senhor. Andei estudando o assunto e vou lhe dizer uma coisa. A verdadeira solução é o porto no Malhado, não é abrir a barra. Pode dragar quanto quiser, a areia volta de novo. O que vai resolver é a construção de um novo porto em Ilhéus, no Malhado.

Se esperava que Mundinho discutisse, enganou-se:

— Sei disso perfeitamente. A solução definitiva é o porto do Malhado. Mas o senhor acha que o governo está disposto a construí-lo? E quantos anos calcula que se levará para inaugurá-lo, depois que a construção começar? O porto no Malhado vai ser uma batalha dura, coronel. E, enquanto isso, o cacau deve continuar a sair pela Bahia? Quem paga o transporte? Nós, exportadores, e os senhores, fazendeiros. Não pense que vejo a melhoria da barra como solução. Os que me combatem argumentam com o porto, mal sabem que penso como eles; apenas é melhor ter a barra praticável enquanto não se tem o porto. Vamos começar a exportação direta. Mas apenas terminem os trabalhos da barra, começarei a lutar pelo porto. Uma coisa mais: uma draga ficará permanentemente em Ilhéus para garantir o canal aberto.

— Compreendo... — Estava pensativo, não sorria.

— Desejo que o senhor saiba uma coisa: se estou fazendo política é pelo mesmo motivo que o senhor.

— Uma sorte para Ilhéus. Pena que o senhor não tenha se espalhado também por Itabuna. A não ser no caso das marinetes.

— Ilhéus é meu centro de ação. Mas, eleito ou não, pretendo estender muito meus negócios, sobretudo em Itabuna. Uma das coisas que me trouxeram aqui foi estudar a possibilidade de abrir uma filial da exportadora. Vou fazê-lo.

Bebiam o café, Aristóteles saboreava-o junto com a notícia:

— Muito bem. Itabuna precisa de gente empreendedora.

— Bem, já conversamos. Disse-lhe, coronel, o que tinha a lhe dizer. Não vim lhe pedir votos, sei que o senhor é unha e carne com o coronel Ramiro Bastos. Tive grande prazer em vê-lo.

— Por que toda essa pressa? Mal chegou... Quem disse ao senhor que eu era unha e carne com o velho Ramiro?

— Mas, todo mundo sabe disso... Em Ilhéus dizem que seus votos garantirão as eleições do deputado federal e do estadual. Ou seja, do doutor Vitor Melo e do doutor Alfredo Bastos.

Aristóteles riu como se estivesse se divertindo enormemente:

— O senhor tem mais uns minutos a perder? Vou lhe contar umas histórias, vale a pena.

Gritou pelo empregado, pediu mais café:

— Esse tal doutor Vitor, que é deputado federal, ninguém tinha visto mais gordo. O governo impôs, o coronel aceitou, que é que eu ia fazer? Não tinha nem em quem votar, mesmo se quisesse. A oposição em Ilhéus e Itabuna acabou com a morte de seu Cazuza. Pois muito bem: esse tal doutor, depois de eleito apareceu aqui. De carreira. Quando viu a cidade, torceu o nariz. Achou tudo feio. Perguntou que diabo eu estava fazendo que não ajardinava, não fazia e acontecia. Respondi que não era jardineiro, era intendente. Ele não gostou. Para falar a verdade não gostou de nada. Nem quis ver as estradas, as obras dos esgotos, nada. Não tinha tempo. Pedi verbas para várias coisas. Mandei um mundo de cartas. O senhor botou essas verbas no orçamento? Nem ele. O senhor respondeu às cartas? Nem ele. Por muito favor, cartão no fim do ano, de boas-festas. Diz que ele vai ser candidato de novo. Em Itabuna não vai ter voto.

Mundinho ia falar, o coronel riu e continuou:

— O coronel Ramiro é homem direito lá à maneira dele. Foi ele quem me fez subdelegado aqui, vai para mais de vinte anos. Diz a todo mundo que devo o que sou a ele. Quer saber a verdade? Ele só pôde derrubar os Badarós porque eu fiquei com ele. Outra coisa que dizem é que larguei os Badarós porque estavam perdidos. Larguei quando estavam de cima, ganhando. Eles estavam perdidos, é verdade, mas porque não serviam mais para governar. Política para eles era só acumular terra. Naquele tempo o coronel Ramiro estava para eles como hoje o senhor está para o coronel.

— O senhor quer dizer...

— Espere um pouco, não tardo a acabar. O coronel Ramiro concordou com a separação de Itabuna. Se não tivesse concordado, ia demorar, o governo ia ficar marombando. Por isso tenho apoiado ele. Mas ele pensa que é porque tenho obrigação. Quando o senhor começou a mexer com as coisas de Ilhéus, comecei a assuntar. Ontem, quando o senhor chegou aqui, eu disse pra mim mesmo: vai ser procurado por essa corja de vagabundos. Vamos ver o que ele vai fazer, é a prova dos nove. — Riu seu riso fácil. — Seu Mundinho Falcão, se o senhor quer meus votos, eles são seus. Não lhe peço nada, não é transação. Só uma coisa: olhe também por Itabuna, a zona do cacau é uma só. Olhe por esse interior abandonado.

Mundinho estava tão surpreso que só pôde dizer:

— Juntos, coronel, vamos fazer grandes coisas.

— E, agora, guarde a notícia só pro senhor. Quando as eleições estiverem mais perto, eu mesmo me encarrego de anunciar.

Não lhe foi possível, no entanto, esperar quanto lhe mandava a sabedoria e a prudência. Porque, dias depois, o coronel Ramiro o chamava a Ilhéus para comunicar-lhe a chapa governista. Aristóteles conversou com seus amigos mais influentes, tomou a marinete para Ilhéus.

Para ele, o coronel Ramiro não mandava abrir a sala das cadeiras de alto espaldar. Entregou-lhe um papel com os nomes: "Para deputado federal: dr. Vitor Melo". Seguia-se a lista. Aristóteles leu devagar, como se soletrasse. Restituiu a folha:

— Nesse doutor Vitor, coronel, não voto mais. Nem que o mundo venha abaixo. Não presta pra nada. Tanta coisa pedi, nada fez.

Ramiro falou com sua voz autoritária, como quem repreende um menino desobediente:

— Por que você não se dirigiu a mim para os pedidos? Se pedisse por

meu intermédio, ele não ia negar. A culpa é sua. Quanto a votar nele, é o candidato do governo, vamos elegê-lo. É compromisso do governador.
— Compromisso dele, meu não.
— Que quer você dizer?
— Já lhe disse, coronel. Nesse sujeito não voto.
— E em quem vai votar?
Aristóteles percorreu a sala com os olhos, pousando-os finalmente em Ramiro:
— Em Mundinho Falcão.
O ancião levantou-se, apoiado à bengala, pálido.
— Está falando sério?
— Como lhe digo.
— Então ponha-se fora dessa casa — esticava o dedo para a porta. — E depressa!
Aristóteles saiu calmo, não se alterou. Foi direto à redação do *Diário de Ilhéus*, disse a Clóvis Costa:
— Pode botar no jornal que aderi a seu Mundinho.
Jerusa veio encontrar o avô caído numa cadeira:
— Vovô! O que é isso? O que tem? — Gritava pela mãe, pelas empregadas, reclamava um médico.
O ancião recuperava-se, pedia:
— Médico, não. Não precisa. Mande chamar compadre Amâncio. Depressa.
Os médicos obrigaram-no a guardar o leito. Dr. Demósthenes explicava a Alfredo e Tonico:
— Deve ter sido emoção muito forte. É preciso evitar que tais coisas se repitam. Mais uma dessas e o coração não resiste.
Amâncio Leal chegava, a notícia o alcançara quando ia começar o almoço, deixara a família alarmada. Entrou no quarto de Ramiro.
Na mesma hora em que o *Diário de Ilhéus* circulava, um título em toda a largura da primeira página: ITABUNA APOIA O PROGRAMA DE MUNDINHO FALCÃO, Aristóteles, em companhia do exportador, voltava, num barco, de uma visita às dragas e aos rebocadores na barra. Vira os escafandristas descerem ao fundo das águas, assistira as escavadeiras comendo a areia como animais fabulosos. Ria seu riso fácil. "Juntos faremos o porto do Malhado", dizia a Mundinho.
O tiro o alcançou no peito quando ele e Mundinho passavam no descampado do Unhão, vindo para o bar de Nacib tomar qualquer coisa.

— Álcool não bebo... — acabava de dizer quando a bala o derrubou. Um negro saiu correndo para as bandas do morro, perseguido por dois populares testemunhas da cena. O exportador amparou o intendente de Itabuna, o sangue quente sujava-lhe a camisa. Chegavam pessoas, aglomeravam-se.
Ouviam-se gritos ao longe:
— Pega! Pega o assassino! Não deixa fugir!

DA GRANDE CAÇADA

TARDE AINDA MAIS AGITADA QUE A DO ASSASSINATO DE SINHAZINHA E OSMUNDO. Talvez desde o fim dos barulhos, há mais de vinte anos, acontecimento algum houvesse tanto comovido e emocionado a cidade — não só a cidade, mas os municípios limítrofes, todo o interior. Em Itabuna foi um fim de mundo.

Poucas horas depois do atentado começaram a chegar a Ilhéus automóveis procedentes da cidade vizinha, a marinete da tarde veio superlotada, e dois caminhões desembarcaram jagunços. Parecia uma guerra a começar.

— A guerra do cacau. Durará trinta anos — previu Nhô-Galo.

O coronel Aristóteles Pires fora levado para a casa de saúde, ainda em obras, do dr. Demósthenes. Apenas alguns quartos e a sala de cirurgia estavam funcionando. Em torno do ferido reuniram-se as sumidades médicas locais. Dr. Demósthenes, amigo político do coronel Ramiro, não quis assumir a responsabilidade da operação. O estado de Aristóteles era grave, o que não diriam se o homem morresse em suas mãos? Foi o dr. Lopes, médico de grande fama, negro como a noite e boníssima pessoa, quem operou com a assistência de dois colegas. Quando chegaram os médicos de Itabuna, enviados às pressas por parentes e amigos, a intervenção terminara, dr. Lopes lavava as mãos com álcool:

— Agora depende dele. De sua resistência.

Os bares cheios, as ruas cheias, um nervosismo geral. A edição do *Diário de Ilhéus*, com a entrevista sensacional de Aristóteles, fora arrancada, em poucos minutos, aos moleques, o exemplar estava sendo vendido a dez tostões. O negro que desfechara o tiro homiziara-se nos bosques do morro do Unhão, não fora identificado. Uma das testemunhas da ocorrência, pedreiro numa obra, afirmava já o ter visto, mais de uma vez, em companhia de Loirinho, nas ruas de canto e no Bate-Fundo, cabaré de última ordem. O outro popular, que correra em perseguição ao assassino e quase recebe um tiro, nunca o tinha visto antes mas descreveu sua roupa: calça porta-de-loja, camisa de bulgariana xadrez. Quanto aos mandantes, ninguém punha dúvidas, murmuravam-se os nomes em voz baixa.

Mundinho manteve-se no hospital enquanto durou a operação. Despachara seu automóvel a buscar a esposa de Aristóteles em Itabuna. Enviou depois uma série de telegramas para a Bahia e para o Rio. Alguns jagunços de Altino Brandão e Ribeirinho, na cidade desde a chegada dos rebocadores, batiam o morro, com ordens de trazer o negro morto ou vivo. A polícia local aparecera, ouvira Mundinho, o delegado mandara dois soldados darem uma busca nos arredores. O Capitão, também no hospital, acusara aos gritos os coronéis Ramiro, Amâncio e Melk de mandantes. O delegado recusou-se a tomar suas declarações, ele não era testemunha. Mas perguntou a Mundinho se fazia suas aquelas acusações do Capitão:

— Que adianta? — disse o exportador. — Não sou menino, sei que o senhor, tenente (o delegado era um tenente da polícia militar), não vai tomar providência nenhuma. O importante é prender o jagunço, ele nos dirá quem o armou; e isso nós mesmos vamos fazer.

— O senhor está me insultando.

— Insultar o senhor? Para quê? O senhor, vou é mandar embora de Ilhéus. Pode ir preparando a bagagem — falava agora quase com o mesmo tom de voz de um coronel dos outros tempos.

No bar de Nacib, o árabe corria de mesa em mesa a ouvir os comentários. João Fulgêncio anunciava:

— Nenhuma mudança na sociedade é feita sem sangue. Esse crime é mau sinal para Ramiro Bastos. Ainda se houvesse liquidado o homem, poderia talvez dividir Itabuna. Mas agora é que o prestígio de Aristóteles vai crescer. É o fim do longo império de Ramiro I, o Jardineiro. E não vamos ser súditos de Tonico, o Bem-amado. Vai começar o reinado de Mundinho, o Alegre.

Cochichava-se também acerca do estado de saúde do coronel Ramiro, apesar do segredo que a família tentava guardar. Tonico e Alfredo não arredavam pé de seu lado. Dizia-se estar o velho à morte. Notícia desmentida à noite pelo Doutor e por Josué.

O sucedido com o Doutor foi curioso. Líder importante da campanha de Mundinho, jantara, no entanto, cordialmente, com Ramiro e sua família na tarde do atentado. Havia sido convidado na véspera, com Ari e Josué, para um jantar em casa do combatido adversário, em homenagem ao vate Argileu. Aceitou: a oposição política não alterara suas boas relações pessoais com os Bastos. Apesar dos artigos violentos, de sua autoria, no *Diário de Ilhéus*. Nesse dia, haviam ido, de passeio, ele, o poeta e Josué, almoçar num sítio de coqueiros além do Pontal, deliciosa moqueca regada a cachaça, oferecida pelo dr. Helvécio Marques, advogado e boêmio. Demoraram-se por lá. Voltaram correndo ao hotel para o poeta botar uma gravata e partiram diretos para a casa de Ramiro. Josué bem que chamou a atenção para o movimento inabitual das ruas, mas não lhe deram maior importância. Enquanto isso, Ari Santos, no bar, calculou que o convite houvesse sido cancelado e lá não foi.

Alegre não se pode dizer que tivesse transcorrido o jantar. Havia uma atmosfera apreensiva e tensa. Atribuíram a não ter o coronel passado bem pela manhã. Os filhos até não queriam que ele viesse à mesa, mas Ramiro fez questão, se bem nada comesse. Tonico estava estranhamente calado, Alfredo não conseguia manter-se atento à conversa. Sua esposa, dirigindo as copeiras, tinha os olhos pisados como se houvesse chorado. Era Jerusa quem animava a mesa, cutucando o pai para que respondesse quando lhe falavam, conversando com o poeta e o Doutor, enquanto Ramiro, imperturbável, interrogava Josué sobre os alunos do colégio de Enoch. De quando em vez a conversa morria, Ramiro ou Jerusa novamente a animavam. Foi numa dessas vezes que se travou, entre a moça e o vate, um diálogo glosado depois nos bares:

— O senhor é casado, doutor Argileu? — perguntou, amável, Jerusa.
— Não, senhorita — respondeu o poeta com sua voz de trovão.
— Viúvo? Coitado... Deve ser triste.
— Não, senhorita. Não sou viúvo...
— Ainda é solteiro? Doutor Argileu, já é tempo de casar.
— Não sou solteiro, senhorita.
Confusa, e sem malícia, Jerusa forçou:
— Então, o que é que o senhor é, doutor Argileu?
— Amancebado, senhorita — respondeu, inclinando a cabeça.
Foi tão inesperado que Tonico, silencioso e triste naquela noite,

prorrompeu numa gargalhada. Ramiro olhou-o severo. Jerusa baixava os olhos sobre o prato, o vate comia. Josué dominava com esforço a vontade de rir. O Doutor salvou a situação contando uma história dos Ávilas.

No fim do jantar, chegou Amâncio Leal. O Doutor sentiu que alguma coisa extraordinária acontecia. Amâncio surpreendera-se evidentemente ao vê-lo ali. Ficara calado, esperava. Toda a família esperava. Finalmente Ramiro não se conteve e perguntou:

— Soube o resultado da operação?
— Parece que se salva. É o que dizem.
— Quem? — quis saber o Doutor.
— Não soube de nada?
— Viemos diretos do sítio de Helvécio.
— Atiraram no coronel Aristóteles.
— Em Itabuna?
— Aqui em Ilhéus.
— E por quê?
— Quem sabe?...
— Quem atirou?
— Ninguém sabe. Um jagunço, parece. Fugiu.

O Doutor, que não lera o jornal e de nada sabia, lastimou:
— Que coisa... Ele é muito seu amigo, não é coronel?

Ramiro baixou a cabeça. O jantar terminou desanimado, depois o poeta declamou uns versos para Jerusa. Mas o silêncio na sala era tão pesado que Josué e o Doutor decidiram partir. O vate, bem alimentado, queria demorar mais, bebia conhaque. Mas os outros o forçaram, saiu reclamando:

— Por que essa pressa? Gente distinta, conhaque soberbo.
— Eles queriam estar a sós.
— Que diabo é que há?

Só no bar foram saber, o Doutor correu para o hospital. O ilustre vate não se conformava:

— Por que diabo mandaram matar gente logo hoje que me davam um jantar? Não podiam escolher outro dia?
— Necessidade urgente — esclareceu João Fulgêncio.

Gente entrava e saía do bar. Traziam notícias do cerco do morro do Unhão, das batidas efetuadas, da grande caçada organizada para trazer o negro morto ou vivo. O pessoal chegado de Itabuna — os jagunços desembarcados dos caminhões — afirmava que não regressariam sem a cabeça do bandido. Para mostrá-la na cidade. Chegava gente também do hospital. Aristóteles dormia, dr. Lopes dizia ser muito cedo para qualquer prognóstico. A bala atravessara o pulmão.

Nacib também fora espiar o cerco do morro, do fim da ladeira. Contara as novidades a Gabriela e a dona Arminda, que estranhavam o movimento de gente.

— Mandaram matar o intendente de Itabuna, coronel Aristóteles. Mas só feriram. Está morre, não morre, no hospital. Tão dizendo que foi gente do coronel Ramiro Bastos, dele, de Amâncio ou de Melk, o que é a mesma coisa. O cabra se escondeu no morro. Mas não vai escapar, tem mais de trinta homens dando caça. E se pegarem...

— O que é que vai ter? Levam preso? — quis saber Gabriela.

— Preso? Pelo que tão falando vão é levar a cabeça dele para Itabuna. Até já correram com o delegado.

O que era verdade. O delegado, com um praça, aparecera no Unhão vindo pelo lado do porto, onde o negro atirara. Homens armados guardavam as subidas. O delegado quis subir, não deixaram.

— Aqui ninguém passa.

Estava fardado, as divisas de tenente. Quem lhe proibia a passagem era um jovem, de ar petulante e revólver em punho.

— Quem é o senhor?

— Sou o secretário da intendência de Itabuna. Américo Matos, se quer saber meu nome.

— E eu sou o delegado de Ilhéus. Vou prender o criminoso.

Em torno do rapaz, cinco jagunços com repetições:

— Prender? Não me faça rir. Se o senhor quer prender alguém, não precisa subir o morro. Prenda o coronel Ramiro, esse canalha que se chama Amâncio Leal, Melk Tavares ou o tal de Loirinho. Não precisa subir, tem muito que fazer na cidade.

Fez um gesto, os jagunços levantaram as armas. O rapaz disse:

— Seu delegado, vá embora se não quiser morrer.

O tenente relanceou o olhar, o praça havia desaparecido.

— Você terá notícias minhas. — Deu meia-volta.

Todas as subidas estavam guardadas, eram três, duas do lado do porto, uma do lado do mar aberto, onde ficava a casa de Nacib. Mais de trinta homens armados, jagunços de Itabuna e de Ilhéus, batiam o morro, varando os bosques ralos de árvores, densos de mato, entrando nas casas pobres, vasculhando-as de alto a baixo. Na cidade, a boataria atingia o máximo. No

Vesúvio, de quando em quando surgia alguém a contar mais uma novidade: a polícia estava garantindo a casa do coronel Ramiro onde se encontravam ele, seus filhos, seus amigos mais devotados, inclusive Amâncio e Melk, entrincheirados — notícia inventada, o próprio Amâncio passou no bar minutos depois e Melk estava na roça; duas vezes circulou a notícia da morte de Aristóteles; contavam ter Mundinho mandado pedir reforço de homens ao coronel Altino Brandão e ter despachado um próprio, de carro, em busca de Ribeirinho. Boatos cada qual mais absurdo, existindo durante uns minutos, aumentando a excitação, substituídos por outros, logo depois.

A entrada de Amâncio causou certa sensação. Ele disse: "Boa noite, senhores", como o fazia habitualmente, com sua voz macia. Andou para o balcão, pediu um conhaque, perguntou se não havia parceiros para um pôquer. Não havia. Andou por entre as mesas, trocou palavras com uns e outros, todos sentiam estar o coronel a desafiar uma acusação. Ninguém se atreveu sequer a tocar no assunto. Amâncio cumprimentou outra vez, subiu a rua Coronel Adami em direção à casa de Ramiro.

Os homens no morro haviam já varejado todas as bibocas, procurado na gruta, batido os bosques. Por mais de uma vez estiveram a poucos passos do negro Fagundes.

Subira o morro empunhando ainda o revólver. Desde que Aristóteles saltara da canoa, ele esperava o bom momento para atirar. Com o descampado do Unhão quase deserto àquela hora, decidiu-se, alvejou o coração. Viu o coronel caindo, o mesmo que lhe fora mostrado por Loirinho no porto, abalou. Um tipo o perseguiu, ele o pôs a fugir com um tiro. Meteu-se entre as árvores, a esperar a chegada da noite. Mascava um pedaço de fumo. Ia ganhar um dinheiro grande. Finalmente os barulhos estavam começando. Clemente sabia de pedaços de terra para vender, não tirava a cabeça daquilo, imaginavam botar uma rocinha juntos. Se os barulhos esquentassem, um homem como ele, Fagundes, de coragem e pontaria, com pouco tempo se arranjaria na vida. Loirinho tinha-lhe dito que o encontrasse no Bate-Fundo, no começo da noite, antes do movimento iniciar-se. Fagundes estava calmo. Descansou um pouco, começou a andar para o alto, com ideias de descer pelo outro lado apenas a noite caísse, entrar pela praia, ir ao encontro de Loirinho. Passou tranquilo ante várias casinholas, chegou a dar boa-noite a uma rendeira. Meteu-se no mato, procurou um lugar abrigado, deitou-se a pensar, esperando o escurecer. Dali enxergava a praia. O crepúsculo prolongava-se, Fagundes podia ver, levantando um pouco a cabeça, o sol abrindo um leque vermelho cor de sangue no extremo do mar. Pensava no desejado pedaço de terra. Em Clemente, coitado, ainda a falar em Gabriela, não a podia esquecer. Nem sabia que ela tinha casado, agora era uma dona rica, na cidade lhe haviam contado. Lentamente as sombras cresceram. Um silêncio no morro. Quando se encaminhou para a descida, enxergou os homens. Quase se encontrou com eles. Recuou para os bosques. Dali observou-os entrarem nas casas. Seu número crescia. Dividiam-se em grupos. Um mundo de gente armada. Ouviu pedaços de conversas. Queriam pegá-lo vivo ou morto, levá-lo para Itabuna. Coçou a carapinha. Era assim importante o cujo em quem atirara? A essa hora estaria estendido, no meio de flores. Fagundes estava vivo, não queria morrer. Havia um pedaço de terra, ia ser dele e de Clemente. Os barulhos estavam apenas começando, muito dinheiro a ganhar. Os homens, em grupos de quatro e cinco, andavam para os bosques.

O negro Fagundes entrou para onde o mato era mais denso. Os espinhos rasgavam-lhe as calças e a camisa. O revólver na mão. Ficou uns minutos acocorado entre os arbustos. Não tardou a ouvir vozes:

— Alguém passou por aqui. O mato está pisado.

Esperava ansioso. As vozes se afastaram, ele prosseguiu pelo mato cerrado. Sua perna sangrava, um talho grande, espinho mais brabo. Um animal fugiu ao vê-lo, assim descobriu um buraco profundo, tapado pelos arbustos. Ali se meteu. Era tempo. As vozes novamente próximas:

— Aqui teve gente. Veja...

— Espinhos desgraçados...

Aquela agonia continuou enquanto a noite chegava. Em certos momentos as vozes estavam tão vizinhas que ele esperava ver um homem atravessar a frágil cortina de arbustos, entrar no buraco. Enxergava, por entre os galhos, um vaga-lume a voar. Não sentia medo mas começava a impacientar-se. Assim chegaria atrasado ao encontro. Ouvia conversas: falavam em cortá-lo a faca, queriam saber quem o mandara. Não tinha medo mas não queria morrer. Logo agora, quando os barulhos estavam começando e havia aquele pedaço de terra a comprar, de sociedade com Clemente.

O silêncio durou certo tempo, a noite caíra rápida como cansada de esperar. Ele também estava cansado de esperar. Saiu do buraco, dobrado para a frente, os arbustos eram baixos. Espiava cautelosamente. Ninguém nas proximidades. Teriam desistido? Era capaz, com a chegada da noite. Ergueu-se, olhou, não enxergava senão as árvores próximas, o resto era negrume. Fácil orientar-se. Em sua frente, o mar; atrás era o porto. Para frente devia ir, sair próximo à praia, rodear os rochedos, procurar o Loirinho. Já não estaria no Bate-Fundo. Receber seu dinheiro bem ganho, merecia até um agrado a mais, por aquela perseguição. À sua direita a luz de um poste, marcando o fim de uma subida, outro no meio. Mais além, fracas e raras, luzes de casas. Começou a andar. Mal deu dois passos, afastando o mato, e a primeira tocha apareceu subindo a estrada. Um rumor de vozes chegou no vento. Estavam voltando com tochas acesas, não haviam desistido como ele pensara.

As primeiras tochas chegavam ao alto, onde estavam as casas. Paravam à espera dos outros, conversando com os moradores. Perguntando se ele não se mostrara.

— A gente quer ele vivo. Pra judiar.
— Vamos levar a cabeça pra Itabuna.

Pra judiar... Sabia o que isso significava. Se tivesse de morrer, era matando uns dois que ia suceder. Tomou novamente do revólver, esse finado devia ser mesmo importante. Se saísse com vida, exigiria um agrado maior.

De súbito, a luz de uma lanterna elétrica cortou a escuridão, bateu no rosto do negro. Um grito:

— Ali!

Um movimento de homens a correr. Abaixou-se, rápido, entrou pelo mato. Ao sair do buraco, rebentara galhos de arbustos, já não servia como esconderijo. Os perseguidores aproximavam-se. O negro atirou-se para a frente, animal acuado, rompendo espinheiros, rasgando a carne das espáduas pois ia curvado. A descida era em rampa, o mato mais cerrado, arbustos virando árvores, os pés topavam contra pedras. O barulho indicava muitos homens. Desta vez não se haviam dividido, marchavam juntos. Estavam perto. Cada vez mais perto. O negro rompia com dificuldades o mato grosso, duas vezes caiu, agora muito ferido em todo o corpo, o rosto a sangrar. Ouviu golpes de facão cortando o mato, uma voz comandando:

— Não pode escapar. Na frente é o precipício. Vamos fazer um cerco — e dividia os homens.

A rampa fazia-se mais acentuada. Fagundes andava de gatinhas. Tinha medo agora. Não podia escapar. E ali era difícil atirar, matar dois ou três, como desejava, para que também o matassem sem sofrimento, com umas quantas balas no corpo. Morte para um homem como ele. Uma voz avisou, por entre os golpes de facão:

— Vai te preparando, assassino, vamos te picar a punhal! Queria morrer de descarga de bala, de uma vez, sem sentir. Se o pegassem vivo, iriam judiar... Estremecia, arrastando-se dificilmente pelo chão. De morrer não tinha medo. Um homem nasce para morrer quando seu dia chega. Mas, se o pegassem vivo, iriam judiar, matá-lo aos pouquinhos, querendo o nome do mandante. Uma vez, no sertão, ele e uns outros haviam matado assim um trabalhador de roça, querendo saber onde estava escondido um cujo qualquer. Picado de faca, de punhal afiado. Cortaram-lhe as orelhas, arrancaram os olhos do desgraçado. Assim não queria morrer. Tudo que desejava agora era uma clareira onde os pudesse esperar, de arma na mão. Para matar e morrer. Para não ser judiado como aquele infeliz no sertão.

E encontrou-se ante o precipício. Só não caiu porque havia uma árvore bem na margem, nela se segurou. Olhou para baixo, impossível enxergar. Ladeou para a esquerda, descobriu uma rampa quase a pique, adiante. O mato fazia-se mais ralo, algumas árvores cresciam. O bater de facões distanciava-se. Os perseguidores entravam agora no mato grosso, antes do precipício. Adiantou-se para a rampa, começou a descê-la avançando para a frente num esforço de desespero. Não sentia os espinhos rasgando-lhe a pele, sentia, isso sim, a ponta dos punhais no peito, nos olhos, nas orelhas. A rampa terminou, a uns dois metros do chão firme. Agarrou-se nuns galhos, deixou-se cair. Ouvia ainda o ruído dos golpes de facão. Caiu sentado sobre o mato alto, sem quase fazer barulho. Machucou-se no braço a segurar o revólver. Pôs-se de pé. Ante ele, o muro de um quintal, baixo. Saltou. Um gato assustou-se ao vê-lo, fugiu para o morro. Ele esperou, encostado à sombra do muro. Nos fundos da casa havia luzes. Suspendeu o revólver, atravessou o quintal. Viu uma cozinha iluminada. E Gabriela lavando uns pratos. Sorriu, não havia outra igual, mais bonita no mundo.

DE COMO A SRA. SAAD ENVOLVEU-SE EM POLÍTICA, ROMPENDO A TRADICIONAL NEUTRALIDADE DE SEU MARIDO, & DOS ATREVIDOS & PERIGOSOS PASSOS DESSA SENHORA DA ALTA-RODA EM SUA NOITE MILITANTE

O NEGRO FAGUNDES RIU, O ROSTO INCHADO DOS ESPINHOS VENENOSOS, a camisa suja de sangue, as calças rotas:

— Eles vai passar a noite caçando o negro. E o negro aqui bem do seu, tirando prosa com Gabriela.

Riu também Gabriela, serviu mais cachaça:

— O que tem de fazer?

— Tem um moço de nome Loirinho. Tu conhece ele?

— Loirinho? Já ouvi nomear. Faz tempo, no bar.

— Tu percura ele. Marca um lugar pra mim encontrar.

— Onde vou achar?

— Ele tava no Bate-Fundo, lugar bom pra dançar. Na rua do Sapo. Não deve tá mais. Marcou oito horas. Que horas é?

Foi ver no relógio da sala, conversavam na cozinha:

— As nove passadas. E se não tiver?

— Se não tiver? — Coçou a carapinha. — O coronel tá na roça, a mulher é ruim da cabeça, num vale a pena.

— Que coronel?

— Seu Melk. Tu cunhece coronel Amâncio? Um do olho cego?

— Conheço demais. Vai muito no bar.

— Pois também serve. Se não encontrar o dito Loirinho, tu percura o coronel, que ele dá um jeito.

A sorte era a meninota não dormir no emprego. Ia para casa após o jantar. Gabriela levou o negro Fagundes para o quarto dos fundos, onde tantos meses vivera. Ele pediu:

— Me dá mais um trago?

Entregou-lhe a garrafa de cachaça:

— Não beba demais.

— Vá sem susto. Só mais um trago pra terminar de esquecer. Morrer matado de bala, não faço questão. A gente morre brigando, rindo contente. Judiado de faca, quero não. É morte cum raiva, triste e ruim. Vi um homem morrer assim. Coisa feia de ver.

Gabriela quis saber:

— Por que tu atirou? Que necessidade tinha? Que mal te fez?

— Pra mim não fez nada. Foi pro coronel. Loirinho mandou, que podia fazer? Cada um tem seu ofício, esse é o meu. Também pra comprar um pedaço de terra, eu e Clemente. Já tá apalavrado.

— Mas o homem escapou. Vai ver, tu nem ganha nada.

— Como escapou, eu num sei. Não era o dia dele morrer.

Recomendou-lhe não fazer barulho, não acender a luz, não sair do quartinho dos fundos. No morro, a caçada continuava. O gato, passando veloz por entre o mato, enganara os jagunços. Batiam os bosques, palmo a palmo. Gabriela calçou uns velhos sapatos amarelos. O relógio marcava pouco mais de nove e meia. Àquela hora mulher casada já não saía sozinha nas ruas de Ilhéus. Só prostituta. Nem pensou nisso. Não pensou tampouco na reação de Nacib se viesse a saber, nos comentários dos que a vissem passar. O negro Fagundes fora bom para ela na caminhada, junto com os retirantes. Carregara seu tio nas costas, pouco antes dele morrer. Quando Clemente a derrubara com raiva, ele surgira para defendê-la. Não ia deixá-lo sem ajuda, com risco de cair na mão dos jagunços. Matar era ruim, gostava não! Mas negro Fagundes outra coisa não sabia fazer. Não tinha aprendido, só sabia matar.

Saiu, trancou a porta da rua, levou a chave. Na rua do Sapo nunca estivera, ficava para os lados da estrada de ferro. Desceu para a praia. Via o bar animado, muita gente de pé. Nacib passava, parava nas mesas. Na praça Rui Barbosa quebrou caminho, cortou para a praça Seabra. Havia gente na rua, alguns a olhavam curiosos, dois outros a cumprimentaram. Conhecidos de Nacib, fregueses do bar. Mas estavam tão empolgados com o acontecimento da tarde que não ligaram. Atingiu os trilhos da estrada de ferro, chegava às casas pobres das ruas de canto. Mulheres-damas, de última classe, passavam por ela e a estranhavam. Uma a puxou pelo braço:

— Tu é nova por aqui, nunca te vi... De onde tu veio?

— Do sertão — respondeu automaticamente. — Onde é que fica a rua do Sapo?

— Mais adiante. — Tu vai pra lá? Pra casa da Mé?

— Não. Pro Bate-Fundo.

— Tu vai lá? Tu tem coragem. Lá eu não vou. Hoje ainda menos, tá um fuzuê dos diabos. Tu quebra a direita e chega lá.

Quebrou à direita na esquina. Um negro a segurou:
— Onde vai, dengosa? — Olhou-a no rosto, achou-a bonita, beliscou-lhe a face com os dedos fortes. — Onde tu mora?
— Longe daqui.
— Não faz mal. Vamos, dengosa, fazer um neném.
— Agora não posso. Tou apressada.
— Tá com medo que te passe o calote? Olha aqui... — Metia a mão no bolso, tirava algumas notas miúdas.
— Tou com medo não. Tou com pressa.
— Com mais pressa tou eu. Saí mesmo pra isso.
— E eu pra outra coisa. Me deixa ir embora. Volto mais logo.
— Tu volta mesmo?
— Juro que volto.
— Vou te esperar.
— Aqui mesmo, pode esperar.

Saiu, apressando o passo. Já perto do Bate-Fundo — de onde vinha barulhenta música de pandeiros e violão — um bêbado atracou-se com ela, queria abraçá-la. Empurrou-lhe o cotovelo, ele perdeu o equilíbrio, agarrou-se a um poste. Da porta do Bate-Fundo, na rua pouco iluminada, saía um rumor de conversas, de gargalhadas e gritos. Ela entrou. Uma voz chamou, ao vê-la:
— Pra cá, morena, beber uma pinga.

Um velho tocava violão, um rapazola batia pandeiro. Mulheres envelhecidas, demasiadamente pintadas, algumas bêbedas. Outras eram cabrochas de extrema juventude. Uma delas, de cabelos escorridos e face magra, não devia ter ainda quinze anos completos. Um homem insistia para que Gabriela viesse sentar-se a seu lado. As mulheres, as velhas e as mocinhas, olhavam-na com desconfiança. De onde vinha aquela concorrente, bonita e excitante? Outro homem também a chamava. O dono do bar, um mulato perneta, andava para ela, a perna de pau fazendo um ruído seco ao pisar. Um tipo vestido de marinheiro, de um baiano talvez, passou o braço em torno à sua cintura, murmurou-lhe:
— Tá livre, meu bem? Vou contigo...
— Tou livre não...

Sorriu para ele, era um moço simpático, com cheiro de mar. Ele disse "que pena", apertou-a um pouco contra o peito e foi para dentro, em busca de outra. O perneta parava em frente a Gabriela:
— Onde eu vi tua cara? Já vi, com certeza. De onde?

Ficou pensando, ela perguntava:

— Está aí um moço de nome Loirinho? Quero falar com ele. Coisa de pressa.

Uma das mulheres ouvira a pergunta, gritara para outra:

— Edith! A madama tá querendo Loirinho!

Risos na sala, a menina de uns quinze anos saltou:

— Que é que essa vaca tá querendo com meu Loirinho? — Veio andando para a porta, as mãos nas ancas, num desafio.

— Hoje, não vai encontrar ele — riu um homem. — Capou o gato.

A meninota, o vestido acima do joelho, postava-se diante de Gabriela:

— Que é que tu quer, pedaço de bosta, com meu homem?

— É só pra falar...

— Pra falar... — Cuspiu. — Te conheço, bunda-suja. Tu tá é com rabicho por ele. Tudo que é mulher tem rabicho por ele. Tudo umas vacas.

Não tinha mais de quinze anos. Gabriela lembrou-se do tio, sem saber por quê. Outra mulher, idosa, intervinha:

— Larga isso, Edith. Ele nem te liga.

— Me deixa. Vou ensinar essa vaca...

Avançou suas mãos pequenas de menina para o rosto de Gabriela que, atenta, segurou-lhe os pulsos magros, baixou-lhe os braços. "Vaca!", gritou Edith e atirou-se para a frente. A sala em peso levantou-se para ver, de nada gostavam tanto como de briga de mulheres. Mas o perneta se meteu, separando. Empurrou a meninota para um lado:

— Sai daqui, senão te parto as fuças! — Tomou Gabriela pelo braço, levou-a para fora da porta. — Me diga uma coisa: tu não é a mulher de seu Nacib, do bar?

Concordou com a cabeça.

— E que diabo tá fazendo aqui? Rabicho com Loirinho?

— Nem conheço. Mas preciso falar com ele. Coisa de muita precisão.

O perneta pensava, olhava-a nos olhos:

— Algum recado? Do negócio de hoje?

— Sim, senhor.

— Venha comigo. Mas não fale nada, deixe eu falar...

— Sim, moço. É coisa de pressa, de muita pressa.

Dobraram uma rua, mais outra, chegaram a um beco sem luz. O perneta ia um pouco na frente, parou a esperá-la ante uma casa. Bateu na porta entreaberta, como a avisar, foi entrando:

— Venha comigo...
Surgiu uma rapariga em combinação, despenteada:
— Quem é essa, Perna de Pau? Comida nova?
— Cadê Teodora?
— Tá no quarto, não quer ver ninguém.
— Diga a ela que preciso falar.
A rapariga mediu Gabriela de alto a baixo. Saiu dizendo:
— Já andaram por aqui.
— A polícia?
— Uns jagunços. Procurando, tu sabe quem.
Daí a uns minutos, depois de cochichar na porta encostada de um quarto, voltou com outra mulher, de cabelos pintados.
— Que é que tu quer? — perguntou a oxigenada.
A primeira olhava Gabriela, parada a escutar. Mas o perneta aproximou-se de Teodora, encostou-a à parede, segredou-lhe ao ouvido, olhavam os dois para Gabriela.
— Não sei onde está. Passou aqui, pediu um dinheiro, saiu disparado. Saiu na horinha. Logo depois, nem queira saber, entraram uns jagunços caçando ele. Se tivessem encontrado, matavam ele...
— Pra onde foi, tu não sabe?
— Por Deus que não sei.
Voltaram para a rua. O perneta disse-lhe, na porta:
— Não tando aqui, ninguém sabe onde está. Mais certo que tenha ganhado o mato. Saído em canoa ou a cavalo.
— Não tem jeito de saber? É de precisão.
— Não vejo não.
— Onde mora o coronel Amâncio?
— Amâncio Leal?
— Esse mesmo.
— Perto do grupo escolar. Sabe onde é?
— Pro lado da praia, no fim. Sei. Muito obrigada.
— Vou lhe levar um pedaço.
— Precisa não...
— Pra sair desses becos. Senão pode nem chegar lá.
Acompanhou-a até a praça Seabra. Alguns curiosos espiavam da esquina do Clube Progresso a casa do coronel Ramiro, ainda iluminada. O perneta fizera-lhe muitas perguntas. Respondera ao acaso, nada dissera. Entrou em ruas desertas, chegou ao grupo escolar, localizou a re-

sidência de Amâncio, uma de portão azul, como o dono do Bate-Fundo lhe informara. Tudo em silêncio, as luzes apagadas. Agora uma lua tardia subia no céu, iluminava a praia larga, os coqueiros no caminho do Malhado. Bateu palmas. Sem resultado. Novamente. Cachorros latiram na vizinhança, outros mais longe responderam. Gabriela gritou: "Ó de casa!". Bateu as mãos outra vez com toda a força, chegava a doer. Finalmente houve movimento nos fundos da casa. Acenderam uma luz, perguntaram:

— Quem é?
— É de paz.
Um mulato surgiu, nu da cintura para cima, arma na mão.
— Seu coronel Amâncio está?
— Que quer com ele? — olhava-a desconfiado.
— É coisa de precisão e de muita pressa.
— Não tá, não.
— E onde está?
— Pra que quer saber? Que quer com ele?
— Já disse...
— Não disse nada. De precisão e de pressa... Só isso?
Que podia fazer? Devia arriscar:
— Tenho um recado pra ele.
— De quem?
— De Fagundes...
O homem recuou um passo, adiantou-se depois, fitou-a:
— Tá falando a verdade?
— Pura verdade...
— Olhe bem pra mim: se não for verdade...
— Depressa, faz o favor.
— Espera aí.
Entrou na casa, demorou uns minutos, voltou, havia vestido uma camisa e apagado a luz.
— Venha comigo — enfiou o revólver entre a calça e a barriga, a coronha aparecia.
Voltaram a andar. Este não lhe fez senão uma pergunta:
— Ele conseguiu escapar?
Respondeu com a cabeça. Entraram na rua do coronel Ramiro. Pararam em frente à casa tão conhecida. Na esquina, próximos à intendência, dois soldados de polícia olharam e deram alguns passos em direção a

eles. O homem do revólver batia na porta. Pelas janelas abertas saía um rumor abafado de vozes. Jerusa apareceu na janela, olhou Gabriela num espanto tão grande que ela sorriu. Tanta gente se espantara ao vê-la naquela noite... Mais do que todos, o negro Fagundes.

— Pode chamar o coronel Amâncio? Diga que é Altamiro.

O coronel surgiu na porta, apressado:

— Alguma coisa?

Os soldados estavam chegando na porta da casa. O homem os olhou, ficou calado, um dos soldados perguntou, vendo Amâncio:

— Alguma novidade, coronel?

— Nada, obrigado. Vão ficar onde estavam.

Depois que eles andaram, o homem do revólver contou:

— Essa aí... Quer falar com o senhor. Da parte de Fagundes.

Só então Amâncio reparou em Gabriela. Logo a reconheceu:

— Não é Gabriela? Quer me falar? Entre, faça o favor.

O homem também entrou. Do corredor, Gabriela enxergou a sala de jantar, viu Tonico e dr. Alfredo a fumar, havia mais gente. Amâncio esperava, ela apontou o homem:

— O recado é só pro senhor.

— Vá lá pra dentro, Altamiro. Fale, minha filha — sua voz macia.

— Fagundes está lá em casa. Mandou lhe prevenir. Quer saber o que deve fazer. E tem de ser logo, daqui a pouco seu Nacib está de volta.

— Em sua casa? Como foi parar lá?

— Fugindo do morro. O quintal lá de casa começa no morro.

— É verdade, nem tinha pensado. E por que você escondeu ele?

— Conheço Fagundes faz tempo. Do sertão...

Amâncio sorriu. Tonico aparecia no corredor, curioso.

— Muito obrigado, nunca hei de esquecer. Entre comigo.

Tonico recuou para a sala. Ela entrou com Amâncio. E viu toda a família reunida: o velho Ramiro, numa cadeira de balanço, pálido, como se já houvesse morrido, mas de olhos brilhantes, iguais aos de um jovem.

Na mesa ainda havia pratos servidos, xícaras de café e garrafas de cerveja. Nas cadeiras, num canto da sala, dr. Alfredo, a esposa e Jerusa. Tonico de pé, bestificado, a mirá-la de soslaio. Dr. Demósthenes, dr. Maurício, uns três coronéis, sentados. A cozinha e o pátio ao fundo cheios de homens armados. Para mais de quinze jagunços. As empregadas serviam de-comer em pratos de flandres. Amâncio disse:

— Todos conhecem, não é? Ga... Dona Gabriela, senhora de Nacib do bar. Veio aqui nos fazer um favor. — E, como se fosse o dono da casa, a ela se dirigiu. — Sente, por obséquio.

Então todos lhe deram boa-noite, Tonico aproximou uma cadeira. Amâncio dirigia-se para o velho coronel, falava-lhe em voz baixa. O rosto de Ramiro animou-se, sorriu para Gabriela:

— Bravos, menina. De hoje em diante, sou seu devedor. Se precisar de mim alguma vez é só vir aqui. De mim ou dos meus... — Apontava a família no canto da sala, três sentados, um de pé, parecia um retrato, só faltavam dona Olga e a neta mais moça. — É bom que fiquem sabendo... — disse para os filhos, a nora e a neta. — Se dona Gabriela algum dia recorrer a nós, ela manda, não pede. Venha, compadre.

Levantava-se, saía com Amâncio para outra sala. O homem do revólver passava por eles, dava boa-noite, ia embora. Gabriela ficou sem saber o que fazer, o que dizer, onde botar as mãos. Jerusa então lhe sorriu e falou:

— Uma vez conversei com a senhora, se lembra? Por causa da festa do aniversário do avô... — começou Jerusa, mas logo silenciou: não estaria sendo indelicada, ao recordar o tempo quando ela ainda era cozinheira do árabe?

— Tou lembrada, sim. Cozinhei um horror de doces. Tava bom?

Tonico se animou:

— Gabriela é nossa velha amiga. Afilhada minha e de Olga. Fomos padrinhos de seu casamento.

A esposa do dr. Alfredo dignou-se sorrir. Jerusa perguntou:

— Não quer se servir de um doce? Tomar um licor?

— Obrigada. Não se incomode.

Aceitou uma xícara de café. A voz de Amâncio veio da sala chamando dr. Alfredo. O deputado não demorou a voltar, convidava:

— Quer vir comigo, por favor?

Quando Gabriela entrou na outra sala, Ramiro lhe disse:

— Minha filha, foi um grande favor o que nos fez. Só que ainda queria lhe dever mais. Pode ser?

— Se tiver em minhas mãos...

— É preciso tirar o negro de sua casa. Sem ninguém saber. E isso só pode ser pela madrugada. Ele precisa ficar lá, escondido, ninguém deve saber. Desculpe lhe dizer, nem Nacib pode se inteirar.

— Ele vai chegar depois de fechar o bar.

— Não diga nada a ele. Deixe ele dormir. Lá pras três horas, às três em ponto, se levante, chegue na janela. Repare na rua se tem uns homens. Compadre Amâncio estará com eles. Se estiverem, abra a porta, deixe Fagundes sair, a gente cuida dele.

— Não vão prender ele? Fazer nenhum mal?
— Pode ficar descansada. Vamos evitar que o matem.
— Pois não. Agora vou embora, me dê licença. Já é tarde.
— Não irá sozinha. Vou mandar lhe acompanhar. Alfredo, leve dona Gabriela até em casa.

Gabriela sorriu.

— Não sei, não senhor... De noite sozinha na rua com doutor Alfredo... Tenho de passar pela praia pra não ser notada pelo pessoal do bar... Se alguém ver, que é que vai pensar? Pensar e dizer? Amanhã seu Nacib já será sabedor.

— Tem razão, minha filha. Desculpe, não pensei. — Voltou-se para o filho. — Diga a tua mulher e a Jerusa pra se aprontarem. Vão os três levar a moça. Depressa.

Alfredo abriu a boca, ia falar, Ramiro repetiu:

— Depressa!

Foi assim que, aquela noite, ela chegou em casa acompanhada por um deputado, sua esposa e sua filha. A mulher de Alfredo ia calada, roendo-se por dentro. Mas Jerusa lhe dera o braço, falava mil coisas. A sorte era a casa de dona Arminda estar fechada. Dia de sessão, a parteira ainda não chegara. Raros curiosos subiam a rua, a caçada prosseguia.

Nacib veio pouco depois de meia-noite e ainda ficou na janela a ver a passagem dos jagunços, de volta do morro. Apenas as subidas ficaram guardadas. Havia quem dissesse ter o negro caído no precipício. Finalmente foram deitar-se. Há muito tempo não estivera Gabriela tão carinhosa e ardente, tão se entregando e tanto dele tomando, como naquela noite. Ultimamente, até ele já se queixara, ela andava arredia, esquiva, como se estivesse sempre cansada. Nunca se recusava quando ele a queria. Não mais o espicaçava, porém, como antes — a fazer-lhe cócegas, a exigir carinho e posse — quando ele chegava fatigado e se atirava com sono na cama. Ria somente, deixava-o dormir, a perna de Nacib sobre sua anca. Quando ele a buscava, entregava-se risonha, chamava-o "moço bonito", gemia em seus braços, mas onde estava aquela fúria de outrora? Como se agora fosse agradável brinquedo o que antes era uma loucura de amor, um nascer e morrer, um mistério cada noite desvendado e renovado, todas as vezes sendo igual à primeira, num espanto de descoberta, parecendo ser a última, num desespero de fim.

Ele até já se queixara a Tonico, seu antigo confidente. O tabelião lhe explicara que assim se passava em todos os casamentos: o amor se acalmava, doce amor de esposa, discreto e espaçado, não mais a violência da amante, exigente e lasciva. Boa explicação, verdadeira talvez, mas não consolava. Andava pensando em falar a Gabriela.

Naquela noite, porém, ela voltara a ser a mesma de outrora. Seu calor o queimava, fogueira ardente, chama impossível de apagar, fogo sem cinza, incêndio de suspiros e ais. A pele de Gabriela queimava sua pele. Aquela sua mulher, ele não a tinha apenas na cama. Estava para sempre cravada em seu peito, cosida em seu corpo, na sola dos pés, no couro da cabeça, na ponta dos dedos. Pensava que seria doce morte morrer em seus braços. Feliz adormeceu, a perna sobre a anca cansada de Gabriela.

Às três horas, Gabriela enxergou, pela frincha entreaberta, Amâncio a fumar junto ao poste. Jagunços mais abaixo. Foi buscar Fagundes. Ao passar frente ao quarto de dormir, viu Nacib agitado no sono, sentindo falta de sua anca.

Entrou, pôs um travesseiro sob a perna inquieta. Nacib sorria, era um moço tão bom!

— Deus um dia te paga — Fagundes se despedia.
— Compra a roça com Clemente.
Amâncio apressava:
— Vamos. Depressa! — E, para Gabriela: — Ainda uma vez, obrigado.

Fagundes voltou-se mais adiante e a viu parada à porta. Não havia no mundo nada igual. Quem podia com ela se comparar?

DOS SABORES & DISSABORES DO MATRIMÔNIO

AQUELA NOITE DOS ELEMENTOS DESENCADEADOS NA CAMA, NOITE DE INESQUECÍVEL lembrança — Gabriela a consumir-se como um fogo, Nacib a nascer e morrer nessa terrível e doce labareda — teve melancólicas consequências.

Nacib pensara, feliz, ser o retorno às noites de outrora, após um longo hiato de serenas águas de rio. Hiato devido a tolos e pequenos aborrecimentos. Tonico, consultado em encabuladas confidências, atribuía a mudança ao matrimônio, diferenças sutis e complicadas entre o amor de esposa e o amor de amante. Podia ser, mas Nacib duvidava. Por que então não sucedera logo após o casamento? Continuaram por algum tempo as mesmas noites alucinadas de antes, ele acordando tarde no dia seguinte, chegando ao bar fora do horário. A mudança fizera-se visível quando começaram os desentendimentos. Gabriela devia ter-se zangado bem mais do que demonstrava em aparência. Talvez ele houvesse exigido em demasia, sem levar em conta a maneira de ser de sua mulher, querendo transformá-la de um dia para outro numa senhora de alta-roda, da nata ilheense, arrancando-lhe quase à força hábitos arraigados. Sem paciência para educá-la aos poucos. Ela queria ir ao circo, ele a arrastava à conferência enfadonha, soporífera. Não a deixava rir por um tudo e por um nada como era seu costume. Repreendia-a a todo momento, por ninharias, no desejo de torná-la igual às senhoras dos médicos e advogados, dos coronéis e comerciantes. "Não fale alto, é feio", cochichava-lhe no cinema. "Sente-se direito, não estenda as pernas, feche os joelhos." "Com esses sapatos, não. Bote os novos, para que tem?" "Ponha um vestido decente." "Vamos hoje visitar minha tia. Veja como se comporta." "Não podemos deixar de ir à sessão do Grêmio Rui Barbosa" (poetas a declamar, a ler papéis que ela não entendia, um xarope medonho). "Hoje doutor Maurício vai falar na Associação Comercial, temos que ir" (ouvir a Bíblia inteirinha, xaropada!). "Vamos visitar dona Olga, se é aborrecida não sei, é nossa madrinha." "Por que não usa suas joias, comprei para quê?"

 Terminara certamente por magoá-la, se bem ela não o demonstrasse no rosto e no trato diário. Discutia, isso sim. Sem alterar a voz, querendo saber o porquê de cada exigência, um pouco triste talvez, pedindo por vezes que não a obrigasse. Mas terminando sempre por fazer-lhe a vontade, ceder às suas ordens, cumprir suas determinações. Não falava mais nisso, depois. Apenas mudara na cama, como se aquelas discussões — nem chegavam a ser brigas — e exigências refreassem seu ardor, contivessem seu desejo, esfriassem seu peito. Se ele a procurava, para ele se abria como a corola de uma flor. Mas não vinha sedenta e esfomeada como antes. Só naquela noite, quando ele voltara de tarde tão fatigante, no dia do tiro no coronel Aristóteles, ela estivera como antes, quem sabe ainda mais apaixonada? Depois retornara à água mansa, o tranquilo sorrir, o entregar-se gostosa e passiva, se ele tomava a iniciativa. De propósito passou três dias seguidos sem procurá-la. Ela acordava ao senti-lo chegar, beijava-o no rosto, metia a anca sob sua perna, dormia a sorrir. No quarto dia, ele não pôde mais, lhe atirou na cara:

— Tu nem liga...
— Pra que eu não ligo, seu Nacib?
— Pra mim. Eu chego e é como se não chegasse.
— Precisa comida? Refresco de manga?
— Refresco que nada! Acabou com os agrados, antes tu me puxava.
— Seu Nacib chega cansado, não sei se me quer, fico sem jeito. Vira pra dormir, não quero abusar.

Torcia a ponta do lençol, olhava para baixo, tão triste nunca a vira. Nacib enternecia-se. Então era para não incomodá-lo, não aumentar seu cansaço, deixá-lo repousar das fadigas do dia? A sua Bié...

— Que pensas de mim? Posso chegar cansado, mas para isso estou sempre pronto, não sou nem velho nem nada...
— Quando seu Nacib me acena com o dedo, não estou junto dele? Quando vejo que quer...
— Mas tem outra coisa, também. Antigamente tu era um facho de fogo, um vento furioso. Agora é uma aragem, uma viração.
— Não gosta mais do meu gosto? Tá enjoado de sua Bié.
— Cada vez gosto mais, Bié. Sem tu não posso passar. É tu que parece ter enjoado. Perdeu aquela alucinação.

Ela olhava os lençóis, não olhava para ele:
— Não é por nada, não. Também gosto demais. Pode crer, seu Nacib. Mas se dá que ando cansada, por isso é que é...
— E quem é a culpada? Botei empregada pra arrumar, você despediu. Botei moleca pra cozinhar, você só tinha que temperar. E quem é que cozinha? Quer fazer tudo como se ainda fosse criada?
— Seu Nacib é tão bom, é mais que marido.
— Às vezes não sou. Ralho contigo. Pensei que fosse por isso que tu andava assim. Mas é pra teu bem que reclamo. Quero te ver fazendo figura.
— Gosto de fazer a vontade de seu Nacib. Só que tem coisa que não sei fazer, não. Por mais que eu queira não chego a gostar. Tenha paciência com sua Bié. Tem muito que me desculpar...

Ele a tomou nos braços. Ela enfiou a cabeça em seu peito, estava chorando.

— Que foi que te fiz, Bié, por que tá chorando? Não falo mais nisso, não foi por querer.

Os olhos dela fitos no lençol, enxugava as lágrimas com as costas da mão, novamente encostava a cabeça em seu peito:

— Fez nada, não... Eu é que sou ruim, seu Nacib é tão bom...

E novamente passou a esperá-lo com o ardor de antes, para noites insones. A princípio ele ficou empolgado.

Gabriela era melhor do que ele pensava. Bastara falar e agora ela arrancava-lhe o sono, o cansaço. O cansaço dela, porém, era evidente, ia em aumento. Uma noite lhe disse:

— Bié, isso precisa acabar. E vai acabar.

— O quê, seu Nacib?

— Tu tá te matando de tanto trabalho.

— Tou não, seu Nacib.

— Tu nem aguenta, de noite... — Sorriu. — Não é mesmo?

— Seu Nacib é homem de força...

— Vou te contar: já contratei o andar de cima do bar. Pro restaurante. Agora é só o tempo de sair os inquilinos, de limpar e pintar, arrumar direitinho. Penso que no princípio do ano pode se abrir. Seu Mundinho até quer se associar. Mandar buscar muita coisa no Rio, geladeira, fogão não sei como, prato e copo que não quebra. Vou aceitar.

Ela bateu as mãos num contentamento.

— Vou mandar buscar duas cozinheiras seja onde for. Em Sergipe, talvez. Tu vai ficar só dirigindo. Escolhe os pratos, explica o tempero. Cozinhar mesmo, só para mim. E amanhã tu vai contratar arrumadeira, tu fica somente com a cozinha, até a cabrocha aprender. Quero ver amanhã arrumadeira nova nesta casa.

— Pra quê, seu Nacib? Precisa não. Tou cansada porque andei ajudando na casa de dona Arminda.

— Ainda por cima?

— Ela teve doente, o senhor sabe. Não ia deixar a pobre sozinha. Mas já tá melhor, precisa arrumadeira não. Gosto não.

Não discutiu, não impôs. Estava com a cabeça voltada para o restaurante. Conseguira alugar o andar superior do sobrado onde ficava, no térreo, o Bar Vesúvio. Tinha sido um cinema antes de Diógenes construir o Cine-Teatro Ilhéus. Dividiram-no depois em salas e quartos, onde moravam rapazes do comércio. Nas duas salas maiores funcionava o jogo do bicho. O proprietário do prédio, o árabe Maluf, preferia alugar a um inquilino só. Melhor ainda a Nacib que já ocupava o outro andar. Deu um mês aos demais para a mudança. Nacib mantivera longa conversa com Mundinho Falcão. O exportador era partidário da ideia, estudaram uma sociedade. Puxou uma revista da gaveta, mostrou-lhe geladeiras e frigoríficos, novidades de espantar, em restaurantes estrangeiros. É claro que aquilo era demais para Ilhéus. Mas iam fazer coisa boa, melhor que qualquer da Bahia. Naqueles dias de tantos projetos esquecia até o cansaço de Gabriela na hora do amor.

Tonico, infalível após a sesta, pouco antes das duas da tarde, a beber seu amargo para ajudar a digestão (não mandava mais botar na conta, agora bebia sem pagar, era padrinho de casamento do dono do bar), perguntava-lhe em voz baixa:

— Como vão as coisas em casa?

— Melhor. Só que Gabriela anda muito cansada. Não quer mesmo botar arrumadeira, quer fazer tudo sozinha. E ainda ajudar a vizinha. De noite está rebentada, morrendo de sono.

— Você não deve forçar a natureza dela. Se você botar alguém pra arrumar, sem ela querer, vai lhe dar um desgosto. Por outro lado, árabe, você parece não entender que esposa não é mulher-dama. Amor de esposa é recatado. Não é mesmo você que quer minha afilhada como uma senhora de respeito? Comece na cama, meu caro. Pra se esparramar tem mulher sobrando em Ilhéus... Até demais. E algumas são do outro mundo. Você virou monge, nem vai mais ao cabaré...

— Não quero outra mulher...

— E depois se queixa que a sua está cansada...

— Ela precisa botar empregada. Nem fica bem minha mulher arrumando casa.

Tonico batia-lhe a mão no ombro, ultimamente demorava menos, nem esperava João Fulgêncio:

— Deixe estar, um dia desses vou dar uns conselhos à minha afilhada. Dizer a ela pra botar empregada. Deixe estar.

— Dê mesmo. Ela lhe ouve muito. A você e a dona Olga.

— Sabe quem gosta um bocado de Gabriela? Jerusa, minha sobrinha. Fala sempre nela. Diz que Gabriela é a mulher mais bonita de Ilhéus.

— E é mesmo... — suspirou Nacib.

Tonico ia embora, Nacib pilheriava:

— Você agora deu de sair cedo... Isso tem coisa... mulher nova, não é? E guardando segredo pra seu velho Nacib...

— Um dia eu lhe conto...

Saía para os lados do porto. Nacib pensava no restaurante. Que nome iria botar? Mundinho propunha O Garfo de Prata. Nome mais sem graça, que queria dizer? Ele gostava de Restaurante do Comércio, um nome distinto.

SUSPIROS DE GABRIELA

POR QUE CASARA COM ELA? PRECISAVA NÃO... BEM MELHOR ERA ANTES. Seu Tonico influíra, com o olho nela, dona Arminda botara fogo, adorava fazer casamento. Seu Nacib estava querendo, com medo de perdê-la, dela ir embora. Besteira de seu Nacib. Por que ir embora, se estava contente a mais não poder? Com medo dela trocar a cozinha, a cama e seus braços por casa posta, em rua deserta, por um fazendeiro. Conta na loja e no armazém. Cada velho horroroso, calçado de botas, revólver na cinta, dinheiro no bolso. Bom tempo era aquele... Cozinhava, lavava, a casa arrumava. Ia ao bar levando a marmita. Uma rosa na orelha, um riso nos lábios. Brincava com todos, sentia o desejo boiando no ar. Piscavam-lhe o olho, diziam-lhe gracejos, tocavam-lhe a mão, por vezes o seio. Seu Nacib tinha ciúmes, era engraçado.

Seu Nacib vinha de noite. Ela esperando, dormia com ele, com os moços todos, bastava pensar, bastava querer. Lhe trazia presentes: coisas da feira, baratezas da loja do tio. Broches, pulseiras, anéis de vidro. Um pássaro lhe trouxe que ela soltou. Sapato apertado, gostava não... Andava em chinela, vestida de pobre, um laço de fita. Gostava de tudo: do quintal de goiaba, mamão e pitanga. De sol esquentar com seu gato matreiro. De conversar com Tuísca, de fazê-lo dançar, de dançar para ele. Do dente de ouro que seu Nacib mandou lhe botar. De cantar de manhã, a trabalhar na cozinha. De andar pela rua, de ir ao cinema com dona Arminda. De ir no circo quando, no Unhão, circo se armava. Bom tempo era aquele. Quando ela não era a sra. Saad, era só Gabriela. Só Gabriela.

Por que casara com ela? Era ruim ser casada, gostava não... Vestido bonito, o armário cheio. Sapato apertado, mais de três pares. Até joias lhe dava. Um anel valia dinheiro, dona Arminda soubera: custara quase dois contos de réis. Que ia fazer com esse mundo de coisas? Do que gostava, nada podia fazer... Roda na praça com Rosinha e Tuísca, não podia fazer. Ir ao bar, levando a marmita, não podia fazer. Rir pra seu Tonico, pra Josué, pra seu Ari, seu Epaminondas? Não podia fazer. Andar descalça no passeio da casa, não podia fazer. Correr pela praia, todos os ventos em seus cabelos, descabelada, os pés dentro d'água? Não podia fazer. Rir quando tinha vontade, fosse onde fosse, na frente dos outros, não podia fazer. Dizer o que lhe vinha na boca, não podia fazer. Tudo quanto gostava, nada disso podia fazer. Era a sra. Saad. Podia não. Era ruim ser casada.

Nunca pensou ofendê-lo, jamais magoá-lo. Seu Nacib era bom, melhor não podia ser, no mundo não havia. Gostava dela, benquerer de verdade, loucura de amor. Um homem tão grande, dono de bar, com dinheiro no banco. E doido por ela... Era engraçado! Os outros, todos os outros, não era por amor, só queriam com ela dormir, apertá-la em seus braços, beijar sua boca, suspirar em seu seio. Os outros, todos os outros, sem exceção. Velhos ou moços, bonitos ou feios, ricos ou pobres. Os de agora, os de antes, todos os outros. Sem exceção? Menos Clemente. Bebinho talvez, mas era um menino, que sabia de amor? Seu Nacib, ah! esse sabia de amor. Também ela sentia por ele uma coisa por dentro, diferente da que sentia por todos os outros. Com todos os outros, sem exceção, nenhuma exceção, nem mesmo Clemente, nem mesmo Bebinho, era só para dormir. Quando pensava num moço, para ele se ria, Tonico ou Josué, Epaminondas, Ari, só pensava tê-lo na cama, em seus braços gemer, morder sua boca, seu corpo fruir. Por seu Nacib sentia tudo isso também e mais do que isso: dele gostava, de ficar junto, de ouvi-lo falar, de cozinhar comida picante para ele comer, de sentir sua perna pesada na anca, de noite. Dele gostava na cama para aquilo que na cama se faz em vez de dormir. Mas não só na cama nem só para isso. Para o resto também. E, para o resto, só dele gostava. Para ela seu Nacib era tudo: marido e patrão, família que nunca tivera, o pai e a mãe, o irmão que morrera apenas nascido. Seu Nacib era tudo, tudo que possuía. Ruim ser casada. Besteira casar. Bem melhor fora antes. A aliança no dedo em nada mudara seus sentimentos por seu Nacib. Apenas, casada, vivia a brigar, a ofendê-lo, todo dia a magoá-lo. Gostava não, de ofendê-lo. Mas, como evitar? Tudo quanto Gabriela amava, ah! era proibido à sra. Saad. Tudo quanto a sra. Saad devia fazer, ah! essas coisas Gabriela não as tolerava. Mas terminava cedendo para não magoar seu Nacib tão bom. As outras, fazia escondido, sem ele saber. Para não ofendê-lo.

Bem melhor era antes, tudo podia fazer, ele tinha ciúmes mas eram ciúmes de homem solteiro, logo passavam, passavam na cama. Podia tudo fazer sem medo dele ficar ofendido. Antes cada minuto era alegre, vivia a cantar, os pés a dançar. Agora cada alegria custava tristeza. Não tinha ela de visitar as famílias de Ilhéus? Ficava sem jeito, vestida de seda, sapato doendo, em dura cadeira. Sem abrir a boca para não dizer inconveniência. Sem rir, parecendo de pau, gostava não. Para que lhe servia tanto vestido, tanto sapato, joias, anéis, colares e brincos, tudo de ouro, se não podia ser Gabriela? Não gostava de ser a sra. Saad.

Agora não tinha mais jeito, por que aceitara? Para não ofendê-lo? Quem sabe com medo de um dia perdê-lo? Fez mal em aceitar, agora era triste, vivia fazendo o que não lhe agradava. E pior do que tudo, para ser Gabriela, alguma coisa ainda possuir, sua vida viver, ah! fazia escondido, ofendendo, magoando. Seu amigo Tuísca nem vinha mais vê-la. Adorava seu Nacib e tinha por quê. Raimunda doente, seu Nacib mandava em sua casa levar dinheiro para a feira. Era bom seu Nacib. Tuísca achava que ela devia ser a sra. Saad, não mais Gabriela. Por isso não vinha, porque Gabriela ofendia seu Nacib, magoava seu Nacib. Seu amigo Tuísca, nem ele entendia.

Ninguém entendia. Dona Arminda pasmava, dizia que eram os maus espíritos, ela não quisera se desenvolver. Onde se via ter de um tudo, e viver com a cabeça em tanta tolice? Nem mesmo Tuísca podia entender, quanto mais dona Arminda.

Ainda agora, que podia fazer?, o fim do ano estava chegando. Com bumba meu boi, com terno de reis, pastorinhas, presépios, ah! disso gostava. Na roça saíra de pastorinha. Terno mais pobre, nem tinha lanternas, mas era tão bom! Bem perto dali, na casa de Dora (na última casa na subida da rua, onde ela ia provar seus vestidos, pois era Dora sua costureira), começavam os ensaios de um terno de reis. Com pastorinhas, lanternas e tudo. Dora dissera:

— Pra levar a bandeira, o estandarte dos reis, só dona Gabriela. As três ajudantes estavam de acordo. Iluminou-se Gabriela, bateu as mãos de contente. Nem tivera coragem de falar com Nacib. Ia de noite, escondida, ensaiar o reisado. Todo dia era pra lhe falar, adiava para o outro. Dora costurava sua roupa de cetim, com lentejoulas e miçangas brilhantes. Pastora dos reis, dançando nas ruas, levando o estandarte, cantando cantigas, puxando o terno mais belo de Ilhéus. Disso gostava, para isso nascera, ah! Gabriela! A sra. Saad não podia sair de pastora no terno. Ensaiava escondido, iria sair, pastora dos reis, a dançar pelas ruas. Iria ofendê-lo, iria magoá-lo. Que podia fazer? Ah! que podia fazer?

DAS FESTAS DE FIM DE ANO

CHEGAVA O FIM DE ANO, OS MESES DAS FESTAS DE NATAL, DE ANO-BOM, dos Reis Magos, das festas de formatura, das festas de igreja, com quermesses armadas na praça do Bar Vesúvio, a cidade cheia de estudantes em férias, petulantes e realizadores, vindos dos colégios e faculdades da Bahia. Danças em casas de família, sambas de umbigada nas casas pobres dos morros, da ilha das Cobras. A cidade festiva e festeira, cachaçadas e brigas nos cabarés e botequins das ruas de canto. Cheios os bares e os cabarés do centro. Passeios no Pontal, piqueniques no Malhado e no morro de Pernambuco para ver os trabalhos das dragas. Namoros, noivados, os recentes doutores recebendo, ante os olhares úmidos de pais e mães, as visitas de felicitações. Os primeiros ilheenses de anel de grau, filhos de coronéis. Advogados e médicos, engenheiros, agrônomos, professoras formadas ali mesmo, no colégio das freiras. O padre Basílio, contente da vida, a batizar o sexto afilhado, nascido por obra de Deus do ventre de Otália, a sua comadre. Farto material para os comentários das solteironas.

Fim de ano tão animado jamais transcorrera. A safra fora muito além de quanto se pudera imaginar. O dinheiro rolava fácil, nos cabarés corria o champanha, nova carga de mulheres em cada navio, os estudantes fazendo concorrência aos moços do comércio e aos caixeiros-viajantes no xodó das raparigas. Os coronéis pagando, pagando com largueza, rasgando dinheiro, notas de quinhentos mil-réis. A casa nova do coronel Manuel das Onças, quase um palácio, inaugurada com uma festa de arromba. Muitas casas novas, ruas novas, a avenida da praia crescendo no caminho dos coqueirais do Malhado. Os navios chegando da Bahia, do Recife e do Rio entupidos de encomendas: o conforto crescendo dentro das casas. Lojas e lojas, as vitrines convidativas. A cidade aumentando, se transformando.

No colégio de Enoch realizaram-se os primeiros exames sob fiscalização federal. Veio do Rio o fiscal, jornalista de órgão do governo, pegara aquele bico. Era cronista citado, deitou conferência, os meninos do colégio passaram os bilhetes. Foi muita gente, o rapaz tinha fama de grande talento. Apresentado por Josué, falou sobre "As novas correntes na literatura moderna — de Marinetti a Graça Aranha". Um xarope tremendo, só mesmo quatro ou cinco conseguiram entender: João Fulgêncio, Josué, um pouco Nhô-Galo e o Capitão. Ari entendia mas era contra. Faziam comparações com o sempre lembrado dr. Argileu Palmeira, duas vezes formado, com sua voz de trovão. Aquilo é que era conferencista! Besteira querer comparar. Sem falar que o moço do Rio nem sabia beber. Bastava dois tragos da boa cachaça local e ele ficava caindo de bêbedo. Dr. Argileu podia encostar com os mais famosos cachaceiros de Ilhéus, era um gambá para beber, um Rui Barbosa para falar. Aquele sim, um talento.

No entanto, a discutida conferência tivera sua nota animada, seu pitoresco. Envolta em perfume tão forte que encheu toda a sala, trajando melhor que qualquer das senhoras, vestido de rendas mandado buscar na Bahia, abanando-se com um leque, verdadeira matrona — não pela idade, pois era tão jovem, mas pela pose, os modos sérios, o recato dos olhos, por sua extrema dignidade uma verdadeira matrona —, fez sua inesperada aparição na sala a proibida Glória, antiga solidão a suspirar na janela, consolada carnação magnífica, sem suspiros agora. Foi um zum-zum entre as senhoras. A do dr. Demósthenes, largando o *lorgnon*, rosnou:

— Atrevida!

A do dr. Alfredo, mulher de deputado (estadual, é verdade, mas mesmo assim importante), levantou-se quando Glória, gloriosa, pedindo licença, no salão nobre, a seu lado, a cobiçada bunda numa cadeira sentou. Arrastando Jerusa, mais adiante foi instalar-se a ofendida senhora. Glória sorriu, arrebanhando as voltas da saia. Quem junto dela sentou foi o padre Basílio, a quanto o obrigava a caridade cristã! Os homens lançavam olhares medrosos, sob vigilante controle das esposas. "Josué felizardo!", invejavam arriscando uma olhadela furtiva. Por mais precauções, cuidadosos cuidados, quem não sabia, na cidade de Ilhéus, da desvairada paixão do professor do colégio pela manceba do coronel? Só mesmo Coriolano ainda estava por descobrir.

Josué levantou-se, pálido e magro, enxugou inexistente suor com lenço de seda, presente de Glória (aliás por Glória estava vestido da cabeça aos pés, da brilhantina cheirosa à pasta dando lustro aos sapatos), cantou suas palavras bonitas, chamando o jornalista do Rio de "fulgurante talento da nova geração, a dos antropófagos e futuristas". Elogiou o rapaz, mas sobretudo combateu a hipocrisia reinante na literatura anterior e na sociedade de Ilhéus. A literatura era para cantar as belezas da vida, o prazer de viver, o corpo formoso das mulheres. Sem hipocrisias. Aproveitou para declamar um poema nascido de Glória, um horror de imoral. Glória, orgulhosa, aplaudia.

A esposa de Alfredo quis retirar-se, só não o fez porque Josué acabara, desejava ouvir o doutor. O doutor ninguém entendeu, mas não era imoral.

Coisas que quase já não escandalizavam ninguém, tanto mudara Ilhéus, "paraíso das mulheres de má vida, de costumes corruptos, perdendo aquela sobriedade, aquela simplicidade, aquela decência dos tempos de antanho", como discursava o dr. Maurício, candidato a intendente, disposto a restaurar a austera moral. Como escandalizar-se com a presença de Glória numa conferência, quando circulava a notícia, logo confirmada, da fuga de Malvina? Chegavam estudantes em todos os navios. Só não desembarcava Malvina, interna no Colégio das Mercês. Primeiro pensaram que Melk Tavares, aumentando o castigo, resolvera privá-la de férias.

Mas quando Melk viajou inesperadamente para a capital e voltou sozinho como partira, o rosto sombrio, envelhecido dez anos, se soube a verdade. Malvina fugira sem deixar rastro, aproveitando a confusão da partida para as férias, o colégio em desordem. Melk chamara a polícia, na Bahia não estava. Comunicou-se com o Rio, não a encontraram. Todos pensaram que fora amigar-se com Rômulo Vieira, o engenheiro da barra. Outro motivo não podia explicar a fuga sensacional, prato suculento para as solteironas. Até João Fulgêncio assim pensou. E só veio a alegrar-se quando soube que o engenheiro, chamado à polícia no Rio, provara nada saber de Malvina, não ter nenhuma notícia da moça desde sua volta de Ilhéus. Não sabia nem queria saber. Foi então o mistério completo, ninguém entendia, profetizavam sua volta próxima, arrependida.

João Fulgêncio não acreditava no regresso da moça a solicitar perdão:

— Não volta, tenho certeza. Esta vai longe, sabe o que faz.

Muitos meses depois, em plena safra do ano seguinte, noticiou-se que ela trabalhava em São Paulo, num escritório, estudando de noite, vivendo sozinha. A mãe reviveu, nunca mais saíra de casa. Melk recusou-se a ouvir uma palavra sequer:

— Não tenho mais filha!

Mas tudo isso sucedeu tempos depois. Naquele fim de ano Malvina era somente escândalo indecente, mau exemplo citado, a dar razão aos veementes discursos do dr. Maurício, em antecipada campanha eleitoral.

As eleições seriam em maio, mas já o causídico aproveitava todas as ocasiões para deitar o verbo, conclamando o povo a restaurar a perdida decência de Ilhéus. No entanto pouca gente parecia disposta a fazê-lo, os novos costumes penetravam em toda parte, mesmo dentro dos lares, agravavam-se no fim do ano com a vinda dos estudantes. Todos eles aderiam ao Capitão. Até um jantar lhe ofereceram no bar de Nacib, ao "futuro intendente" — como o saudou o terceiranista de direito Estevão Ribeiro, filho do coronel Coriolano, apesar de seu pai ser dos fiéis de Ramiro Bastos —, "que irá libertar Ilhéus do atraso, da ignorância e dos costumes de aldeia, candidato à altura do progresso, a iluminar com o raio da cultura a capital do cacau". Pior ainda era o filho de Amâncio Leal: enfrentou-se com o pai, em intermináveis discussões:

— Não tem jeito, meu pai, o senhor deve entender. Mundinho Falcão é o futuro, padrinho Ramiro é o passado. — Estudava engenharia em São Paulo, só falava em estradas, em máquinas, em progresso. — O senhor tem razão em ficar com ele. Razão sentimental, afetiva, que eu respeito. Eu não posso acompanhá-lo. O senhor deve também compreender. — E metia-se com os engenheiros e técnicos da barra, vestiu escafandro, desceu ao fundo do canal.

Amâncio ouvia, opunha argumentos, deixava-se vencer. Orgulhoso daquele filho, aluno brilhante, com notas altas nos exames:

— Quem sabe tu tem razão, os tempos são outros. Só que eu comecei junto com compadre Ramiro. Tu nem tinha nascido. A gente correu perigo junto, eu era um rapaz, ele era um senhor. Junto a gente derra-

mou sangue, junto enricou. Não vou largar ele nessa hora, o homem morrendo, cheio de desgosto.
— O senhor tem razão. Eu também tenho. Gosto do padrinho mas, se eu votasse, não votava com ele.

Para Amâncio eram horas felizes aquelas, pela manhã cedinho, quando ia saindo para a banca de peixe e Berto, o filho, vinha chegando da farra noturna. Ficavam conversando. Seu filho mais velho, tanto gosto lhe dava, aplicado nos estudos. Aproveitava para lhe avisar, num conselho:

— Tu anda metido com a mulher de Florêncio — um coronel idoso que casara com fogosa filha de sírios, na Bahia, ainda moça e dona de imensos olhos langorosos. — Entrando de noite na casa dele, pela porta do fundo. Tem tanta mulher em Ilhéus, nos cabarés. Não te chega? Por que tu te mete com mulher casada? Florêncio não nasceu pra chifrudo. Se chega a saber... Não tou com vontade de botar jagunço pra te seguir. Acaba com isso, Berto. Tu me tira o sossego. — Ria-se por dentro, era um danado seu filho, botando chifres no pobre Florêncio.

— Não tenho culpa, meu pai. Ela estava me dando linha demais. Não sou feito de pau. Mas fique tranquilo. Ela vai viajar pra Bahia, passar as festas. Afinal, meu pai, quando é que vai acabar em Ilhéus esse costume de matar mulher que engana marido? Nunca vi terra assim! A gente não pode se esgueirar de uma casa, às quatro da madrugada, que logo se abrem todas as janelas da rua para espiar.

Amâncio Leal fitava o filho com seu olho são, cheio de ternura:
— Oposicionista de uma figa...

Invariavelmente, todos os dias, visitava Ramiro. O velho comandava a campanha, apoiando-se nele, em Melk, em Coriolano, nuns poucos mais. Alfredo, aproveitando as férias da Câmara, viajava pelo interior, visitava eleitores. Tonico era um inútil, só pensava em mulheres. Amâncio ficava ouvindo Ramiro falar, dava-lhe notícias animadoras, chegava a mentir. Sabia que as eleições estavam perdidas. Para manter-se, Ramiro iria depender do governo, da degola dos adversários no reconhecimento de poderes. Mas nem queria que se falasse naquilo. Considerava seu prestígio inabalável, dizia que o povo estava com ele. Como prova citava a mulher de Nacib, vindo de noite, afrontando a cidade, salvar os seus nomes e o de Melk. Evitando que aparecessem publicamente envolvidos no processo do atentado a Aristóteles, o que sucederia na certa se o negro fosse apanhado pelos jagunços. Sobretudo com aquela velhacaria do tribunal de justiça designando um promotor especialmente para acompanhar o processo.

— Pois eu acho, compadre, que o negro morria e não falava. É um negro correto, pena ter errado o tiro.

Aristóteles, curado e influente, declarava que Itabuna votaria unânime em Mundinho Falcão. Engordara ao sair do hospital, fora à Bahia, dera entrevista aos jornais, o governador não pôde impedir que o tribunal interviesse no caso. Mundinho mexera com muita gente no Rio, onde o atentado repercutira. Um deputado da oposição fizera discurso na Câmara federal, falando da volta dos tempos de banditismo na zona do cacau. Muito barulho, pouco resultado. Processo difícil. Criminoso ignorado. Dizia-se ter sido um cabra de nome Fagundes, que cumpria empreitada, com um tal Clemente, nas fazendas de Melk Tavares, derrubando mata. Mas, como provar? Como provar a participação de Ramiro, de Amâncio, de Melk? O processo terminaria arquivado, com promotor especial e tudo.

— Sujeitos velhacos... — dizia Ramiro, referindo-se aos desembargadores.

Não haviam querido demitir o delegado? Fora preciso mandar Alfredo à Bahia, exigir a permanência. Não que o delegado prestasse, um molenga, um moleirão, borrando-se de medo dos jagunços, correndo até do secretário da intendência de Itabuna, um meninote. Mas, se mudassem o tenente, quem ficaria desprestigiado seria ele, Ramiro Bastos.

Conversava com Amâncio, com Tonico, com Melk. Era sua hora de animação, de verdadeiro viver. Porque agora passava parte do dia deitado na cama, só tinha osso e pele e os olhos cuja luz revivia ao falar de política. Dr. Demóstenes também o visitava todos os dias. De quando em vez auscultava-lhe o coração, tomava-lhe o pulso.

No entanto, apesar de proibido pelo médico, saíra à noite, uma vez. Para ir à inauguração do presépio das irmãs Dos Reis. Não podia faltar. E quem, na cidade, deixava de comparecer? A casa cheia, entupida.

Gabriela ajudara Quinquina e Florzinha nos trabalhos finais. Recortara figuras, colara em papelão, fizera flores. Na casa do tio de Nacib encontrou umas revistas da Síria, e foi assim que apareceram no democrático presépio alguns maometanos, paxás e sultões orientais. Para gáudio de João Fulgêncio, de Nhô-Galo e do sapateiro Felipe. Joaquim construíra hidraviões em cartolina, estavam pendurados sobre a estrebaria, era a novidade daquele ano. Para preservar sua neutralidade (o presépio, o bar de Nacib e a Associação Comercial eram as únicas coisas que continuavam neutras ante as candidaturas eleitorais) Quinquina rogou ao Doutor que falasse, Florzinha solicitou discurso ao dr. Maurício.

Um e outro cobriram de frases bonitas as cabeças prateadas das solteironas. O Capitão segredou-lhes, pedindo seus votos, a promessa de auxílio oficial, se fosse eleito. Para ver o grandioso presépio vinha gente de longe: de Itabuna, de Pirangi, de Água Preta, até de Itapira. Famílias inteiras. De Itapira vieram dona Vera e dona Ângela, batiam palmas extasiadas:

— Que maravilha!

Mas não fora apenas a fama do presépio tradicional que chegara à cidade distante. Chegara também a fama da cozinha de Gabriela. Apesar da sala tão cheia, dona Vera não descansou enquanto não conseguiu arrastar Gabriela para um canto, a pedir-lhe receitas de molhos, detalhes de pratos. Haviam chegado também de Água Preta a irmã de Nacib e seu marido. Gabriela soubera por dona Arminda. Não apareceram em casa do irmão. Na festa da inauguração do presépio, a irmã de Nacib examinava acintosa a cunhada modesta, sentada sem jeito numa cadeira. Gabriela sorriu-lhe timidamente: a Saad de Castro, orgulhosa, virou-lhe as costas. Ficou triste Gabriela. Não pelo desprezo da mulher do agrônomo. Disso a vingou pouco depois dona Vera, a quem a outra cercava, a adular com risinhos e salamaleques. Depois de apresentar dona Ângela, dona Vera dissera:

— Sua cunhada é um encanto. Tão bonita e educada... Seu irmão teve sorte, fez bom casamento.

Vingou-a ainda mais o velho Ramiro ao entrar na sala com seu andar vacilante. Abriam alas para ele passar, faziam lugar em frente ao presépio. Ele falou com as Dos Reis, elogiou Joaquim. As mãos se estendiam para cumprimentá-lo. Mas ele enxergou Gabriela, largou todo mundo, aproximou-se, apertou-lhe a mão, muito amável:

— Como vai, dona Gabriela? Faz tempo não a vejo. Por que não aparece? Quero que vá almoçar um dia lá em casa, levando Nacib.

Jerusa, ao lado do avô, sorria para ela, dizia-lhe coisas. A irmã de Nacib estremecia de raiva, o despeito a roê-la. E por fim também Nacib a vingou quando a veio buscar. Seu Nacib era bom. Fez de propósito. Iam saindo de braço dado. Passaram bem perto da irmã e do cunhado, Nacib disse alto para eles ouvirem:

— Bié, tu está mais bonita que todas, minha mulherzinha.

Gabriela baixou os olhos, estava triste. Não pelo desprezo da cunhada, mas porque, com a irmã na cidade, jamais deixaria Nacib que ela saísse no terno de reis, de pastora vestida, levando o estandarte.

Deixara para lhe falar quando estivesse mais perto do fim do ano. Ia aos ensaios, como era bom!, cantava, dançava. Quem ensaiava era aquele moço com cheiro de mar que ela encontrara no Bate-Fundo, na noite da caçada a Fagundes. Já fora marinheiro, agora trabalhava nas docas de Ilhéus, seu nome era Nilo. Um moço animado, ensaiador de primeira. Ensinava-lhe os passos, como empunhar o estandarte. Por vezes dançavam depois dos ensaios. Nos sábados, as danças se prolongavam pela madrugada. Mas Gabriela vinha cedo pra casa, não fosse seu Nacib chegar... Deixara para lhe falar quando estivesse mais perto, quase nas vésperas. Assim, se ele não consentisse, pelo menos aproveitaria os ensaios. Dora afligia-se:

— Já falou, dona Gabriela? Quer que eu fale?

Agora acabou-se, era impossível. Com a irmã na cidade, desdenhosa e arrogante, seu Nacib jamais deixaria que ela saísse com o terno nas ruas, a levar o estandarte com o Menino Jesus. E tinha razão... O pior era isso: com a irmã em Ilhéus era impossível, ele tinha razão. Tanto ofendê-lo, tanto magoá-lo, podia não...

A PASTORA GABRIELA OU DA SRA. SAAD NO RÉVEILLON

O QUE VAI DIZER MINHA IRMÃ, A BESTA DO MEU CUNHADO? NÃO, GABRIELA, como poderia Nacib consentir? Jamais poderia. E com aquilo da irmã, ele tinha razão.

Que diria o povo de Ilhéus, seus amigos do bar, as senhoras da alta-roda, o coronel Ramiro que tanto a distinguia? Impossível, Gabriela, impossível pensar em tal coisa, nunca vira absurdo maior. Bié precisa se convencer que não é mais uma pobre empregada, sem família, sem nome, sem data de nascimento, sem situação social. Como imaginar a sra. Saad na frente do terno, a trazer na cabeça coroa dourada de papelão, rebolando o corpo na dança de passos miúdos, vestida de cetim azul e vermelho, empunhando estandarte, entre vinte e duas pastoras conduzindo lanternas, a pastora Gabriela, a primeira de todas, a mais notada de todas? Impossível, Bié, que ideia mais doida...

É claro, ele gostava de ver, aplaudia no bar, mandava servir rodada de cerveja. Quem não gostava? Que era bonito, quem ia negar? Mas ela já vira alguma senhora, casada, distinta, saindo a dançar em terno de reis? Não viesse com o exemplo de Dora, por coisas assim o marido a largara, a deixara na máquina a costurar para os outros. E ainda por cima com sua irmã na cidade, um saco de empáfia, e aquele cunhado, todo cheio de vento com seu anel de doutor. Impossível, Gabriela, nem valia a pena falar.

Gabriela baixou a cabeça, concordando. Ele tinha razão, não podia ofendê-lo em presença da irmã, não podia magoá-lo na vista do cunhado doutor. Ele a tomou e sentou-a no colo.

— Não fique triste, Bié. Ria pra mim.

Riu, por dentro chorava. Chorou naquela tarde sobre o vestido de cetim, tão belo, azul e vermelho, combinação mais vistosa de cores! Sobre a coroa dourada, com uma estrela. Sobre o estandarte com as cores do terno e, pregado no meio, o Menino Jesus e o seu cordeiro. Não a consolou o presente que ele lhe trouxe, de noite, ao voltar para casa: uma écharpe cara, bordada, com franjas.

— Pra você usar no baile de Ano-bom — disse ele. — No tal de réveillon. Quero que Bié seja a mais bonita da festa.

Não se falava noutra coisa em Ilhéus senão nesse réveillon do Clube Progresso, organizado pelas moças e rapazes estudantes. As costureiras não davam conta de tanta encomenda. Vestidos chegavam da Bahia; nos alfaiates as roupas de homem, de brim branco HJ, sendo provadas; as mesas todas tomadas com antecedência. Iria até o Mister, com sua esposa que viera passar o Natal com o marido, como fazia todos os anos. Em lugar das costumeiras danças em casas particulares, a sociedade de Ilhéus se reuniria nos salões do Progresso, no baile sem precedentes.

Naquela mesma noite sairia o terno com suas lanternas, suas canções e seu estandarte. Gabriela estaria de mantilha rendada, vestida de seda, com apertados sapatos. No baile sentada, de olhos baixos, calada, sem saber como se comportar. Quem levaria o estandarte? Dora ficara desapontada. Seu Nilo, o moço com cheiro de mar, não escondera sua decepção. Somente Miquelina se mostrara contente, talvez a ela coubesse levar o estandarte.

Só veio um pouco a esquecer, a deixar de chorar, quando o parque chegou no descampado do Unhão. O Parque da China, com roda-gigante, cavalinhos, chicote e casa de loucos. Brilhante de metais, um desperdício de iluminação. Causando tanto falatório que o negrinho Tuísca, tão longe dela ultimamente, não resistiu e apareceu para comentar.

Nacib lhe disse:

— Na véspera de Natal não vou ao bar. Só passo por lá. Vamos de tarde no parque, de noite nas quermesses.

Aquilo, sim, valia a pena. Andou em tudo com seu Nacib. Na roda--gigante foi duas vezes. O chicote era gostoso demais, dava um frio embaixo do umbigo.

Saiu tonta da casa de loucos. O negrinho Tuísca calçando botinas — ele também! —, de roupa nova, andava de graça por ter ajudado a colar os cartazes nas ruas da cidade.

Foram à noite às quermesses em frente à igreja de São Sebastião. Por ali passeava Tonico com dona Olga, Nacib a deixou com eles, deu um pulo no bar para ver como marchava o movimento. Vendiam presentes nas barracas, moças estudantes tomavam conta. Rapazes compravam. Havia leilões de prendas, em benefício da igreja. Ari Santos, suando a valer, era o leiloeiro. Anunciava:

— Um prato de doces, oferta da gentil senhorita Iracema. Doces feitos com suas próprias mãos. Quanto me dão?

— Cinco mil-réis — oferecia um acadêmico de medicina.

— Oito — aumentava um empregado no comércio.

— Dez — lançava um estudante de direito.

Iracema tinha muitos apaixonados, disputado era o seu portão de namoros e, por isso mesmo, o seu prato de doces. Na hora do leilão veio gente do bar para assistir e participar. As famílias enchiam a praça, namorados trocavam sinais, noivos sorriam de braço dado.

— Um jogo de chá, prenda da jovem Jerusa Bastos. Seis xícaras, seis pires, seis pratos para doces, e outras peças. Quanto me dão?

Ari Santos exibia uma xícara pequena.

As moças entreolhavam-se numa rivalidade de preços. Cada qual desejava que seu presente a são Sebastião fosse vendido mais caro. Os namorados e noivos gastavam dinheiro, levantando as ofertas para vê-las sorrir. Por vezes, dois coronéis candidatavam-se à mesma lembrança. Crescia a animação, subiam os lances, chegando a cem e a duzentos mil-réis. Naquela noite, numa disputa com Ribeirinho, Amâncio Leal dera quinhentos mil--réis por seis guardanapos. Isso já era desperdiçar, jogar dinheiro fora. Tão farto ele andava nas ruas de Ilhéus. As moças casadoiras animavam, com os olhos, namorados e pretendentes: a ver que figura fariam quando o leiloeiro anunciasse a sua prenda. A de Iracema batera um recorde: o prato de doces fora levado por oitenta mil-réis. Lance de Epaminondas, sócio mais

jovem de uma loja de fazendas, Soares & Irmãos. Pobre Jerusa, sem namorado! Metida a emproada, não se passava para os moços de Ilhéus. Murmurava-se de um amor na Bahia, um quintanista de medicina. Se sua família não entrasse nos lances — seu tio Tonico e dona Olga, ou algum amigo de seu avô —, seu jogo de xícaras não ia dar nada. Iracema sorria, vitoriosa.
— Quanto me dão pelo jogo de chá?
— Dez mil-réis — deu Tonico.
Deu quinze Gabriela, com Nacib novamente a seu lado. O coronel Amâncio, capaz de aumentar o lance, já não estava, fora-se embora para o cabaré. Ari Santos suava, no palanque a gritar:
— Quinze mil-réis... Quem dá mais?
— Um conto de réis.
— Quanto me disse? Quem foi que falou? É favor não brincar.
— Um conto de réis — repetiu Mundinho Falcão.
— Ah! seu Mundinho... Pois não. Senhorita Jerusa, quer ter a bondade de entregar a prenda ao cavalheiro? Um conto de réis, meus senhores, um conto de réis! São Sebastião será eternamente grato a seu Mundinho. Como sabem, esse dinheiro é para a construção da futura igreja, nesse mesmo local, uma igreja enorme que substituirá a atual. Seu Mundinho, o dinheiro é mesmo comigo... Muito obrigado.

Jerusa ia buscar a caixa com as xícaras, entregava ao exportador. As moças vencidas comentavam aquela loucura. Que significava? Esse Mundinho, podre de rico, rapaz elegante do Rio, combatia num combate mortal a família dos Bastos. Uma luta com jornais queimados, homens surrados, atentados de morte. Fazia frente ao velho Ramiro, disputava-lhe os cargos, levava-o a ataques de coração. E, ao mesmo tempo, dava um conto de réis, duas reluzentes notas de quinhentos, por meia dúzia de xícaras de louça barata, prenda da neta do seu inimigo. Era mesmo maluco, como iriam entender? Todas elas, de Iracema a Diva, suspiravam por ele, rico e solteiro, elegante e viajado, indo constantemente à Bahia, tendo casa no Rio... As moças sabiam de suas histórias com raparigas. Com Anabela, com outras mandadas buscar na Bahia, no sul. Por vezes as viam passar, elegantes e livres, na avenida da praia. Mas namoro com moça solteira ele nunca tivera. Com nenhuma delas, mal as olhava. Tampouco Jerusa. Esse seu Mundinho Falcão, tão rico e elegante!

— Não valia tanto — disse Jerusa.
— Sou um pecador. Assim, por suas mãos, fico bem com os santos. Ganho um lugar no céu.

Ela sorriu, não pôde resistir, perguntou:
— Vai ao réveillon?
— Ainda não sei. Prometi ir passar o Ano-bom em Itabuna.
— Parece que lá vai ser animado. Mas aqui também.
— Desejo-lhe que se divirta e tenha um feliz Ano-novo.
— Para o senhor também. Se não nos encontrarmos até lá.
Tonico Bastos espiava a conversa. Não entendia esse tipo. Sonhava ainda com um acordo de última hora, a salvar o prestígio dos Bastos. Cumprimentou Mundinho com um sorriso. O exportador respondeu, retirava-se, ia para casa.

Na véspera de ano, Mundinho esteve em Itabuna, almoçou com Aristóteles, assistiu à inauguração da feira de gado, importante melhoramento a trazer para o município o comércio de bovinos de toda a região. Fez discurso, foi aplaudido, meteu-se no carro, voltou para Ilhéus. Não que houvesse recordado Jerusa, mas porque queria passar a noite de ano com seus amigos, no Progresso. Valeu a pena: a festa foi uma beleza, o povo dizia que só mesmo no Rio era possível ver-se baile daqueles.

O luxo, a explodir nos crepes da China, nos tafetás, nos veludos, nas joias, encobria certa falta de requinte e o ar de roceira de algumas senhoras, como as notas de quinhentos mil-réis, em maços nos bolsos, ocultavam o jeito atabalhoado dos coronéis, seu falar tabaréu. Mas os donos da festa eram os jovens. Alguns dos rapazes usavam smoking, apesar do calor. As moças riam nas salas, abanando-se com leques, namorando, tomando refrescos. Corria champanha, as bebidas mais caras. As salas caprichosamente enfeitadas com serpentinas e flores artificiais. Festa tão grande e falada, até João Fulgêncio, inimigo de bailes, compareceu. Ele e o Doutor.

Jerusa sorriu quando enxergou Mundinho Falcão a conversar com o árabe Nacib e a boa Gabriela que mal podia manter-se de pé. Sapato infeliz apertava-lhe a ponta do dedo. Não nasceram seus pés para andar calçados. Mas estava tão bonita que até as senhoras mais presunçosas — mesmo a do dr. Demósthenes, feia e pernóstica — não podiam negar ser aquela mulata a mais formosa mulher da festa.

— Gentinha do povo, mas bonita — confessavam.

Uma filha do povo perdida nesse rumor de conversas que não entendia, de luxo que não a atraía, de invejas, vaidades e disse que disse que não a tentavam. Daqui a pouquinho o terno de reis, com as pastoras alegres, o estandarte bordado, estaria nas ruas. Parando diante das casas, dos bares, cantando, dançando, pedindo licença para entrar. As portas se abriam, nas salas dançavam e cantavam, bebiam licor, comiam doces.

Nessa noite de Ano-novo e nas duas de Reis, mais de dez ternos e bumbas meu boi saíram do Unhão, da Conquista, da ilha das Cobras, do Pontal, do outro lado do rio, para brincar nas ruas de Ilhéus.

Gabriela dançou com Nacib, com Tonico, com Ari, com o Capitão. Volteava com graça mas essas danças não amava dançar. Rodando nos braços de um cavalheiro. Dança para ela era outra coisa, um coco mexido, um samba de roda, um maxixe embolado. Ou bem uma polca puxada a harmônica. Tango argentino, valsa, foxtrote, gostava não. Ainda mais com aquele sapato mordendo seu dedo espalhado.

Festa animada. Desanimado só Josué. Encostado à janela, olhando para fora, um copo na mão. No sereno repleto, ocupando a calçada e a rua, Glória espiava. A seu lado, como se fosse por acaso, Coriolano, cansado, querendo ir para a cama. Seu baile, ele mesmo dizia, era a cama de Glória. Mas Glória tardava, toda no luxo, espiando a janela, o rosto magro de Josué. Explodiam nas mesas as rolhas das garrafas de champanha. Mundinho Falcão, disputado pelas moças, dançava com Jerusa, Diva, Iracema, tirou Gabriela.

Nacib metia-se nas rodas dos homens, a conversar. Dançar não apreciava, duas, três vezes na noite arrastara o pé com Gabriela. Deixava-a depois na mesa com a boa esposa de João Fulgêncio. Por baixo da toalha, Gabriela arrancava o sapato, passava a mão no pé dolorido. Fazia esforço para não bocejar. Vinham senhoras, sentavam à mesa, tocavam a conversar animadas, a rir com a mulher de João Fulgêncio. Por muito favor lhe davam boa-noite, perguntavam como ia a saúde. Ficava calada, olhando para o chão. Tonico, como um sacerdote num rito difícil, rodava dona Olga no tango argentino. Rapazes e moças riam e brincavam, dançando sobretudo na sala de trás, onde haviam proibido a entrada dos velhos. A irmã de Nacib e seu marido dançavam também, empertigados. Aparentavam não vê-la.

Por volta das onze horas, quando já o sereno se reduzira a umas poucas pessoas — há muito Glória se retirara e com ela o coronel Coriolano —, ouviu-se, vindo da rua, música de cavaquinhos e violões, de flautas e pandeiros. E vozes a cantar cantigas de reisado. Gabriela elevou a cabeça. Enganar-se não podia. Era o terno de Dora.

Parou em frente ao Clube Progresso, silenciou a orquestra no baile, todos correram para as janelas e portas. Gabriela enfiou o sapato, foi das primeiras a chegar ao passeio. Nacib a ela se reuniu, a irmã e o cunhado estavam bem perto, simulavam não vê-la.

As pastorinhas com as lanternas, Miquelina com o estandarte. Nilo, o ex-marinheiro, com um apito na boca, comandava o cantar e o dançar. Da praça Seabra, na mesma hora, vinham o boi, o vaqueiro, a caapora, o bumba meu boi. Dançando na rua. As pastorinhas cantavam:

Sou linda pastorinha
venho Jesus adorar.
No presépio de Belém
os reis magos saudar.

Ali não pediam entrada, não se atreviam a perturbar a festa dos ricos. Mas Plínio Araçá, à frente de garçons, trouxera garrafas de cerveja, distribuía. O boi descansava um minuto, a beber. A caapora também.

Voltavam a dançar, a cantar. Miquelina, no meio, levantava o estandarte, rebolando as ancas magras, seu Nilo apitando. A rua se enchera com a gente do baile. Rapazes e moças riam, aplaudiam.

Sou linda pastorinha
de prata, ouro e luz.
Com meu canto adormeço
o Menino Jesus.

Gabriela não enxergava mais nada além do terno de reis, das pastoras com suas lanternas, Nilo com seu apito, Miquelina com o estandarte. Não via Nacib, não via Tonico, não via ninguém. Nem mesmo a cunhada de nariz insolente. Seu Nilo apitava, as pastoras formavam, o bumba meu boi já ia adiante. Outra vez apitava, as pastoras dançavam, Miquelina volteava o estandarte na noite.

As pastorinhas já vão
noutra parte cantar...

Iam noutra parte cantar, pelas ruas dançar. Gabriela descalçou os sapatos, correu para a frente, arrancou o estandarte das mãos de Miquelina. Seu corpo rodou, suas ancas partiram, seus pés libertados a dança criaram. O terno marchava, a cunhada exclamou: "Oh!".

Jerusa olhou e viu Nacib quase a chorar, a cara parada de vergonha e tristeza. E então também ela avançou, tomou a lanterna de uma pastora, se pôs a dançar. Avançou um rapaz, um outro também, Iracema tomou a lanterna de Dora. Mundinho Falcão tirou o apito da boca de Nilo. O Mister e a mulher caíram na dança. A senhora de João Fulgêncio, alegre mãe de seis filhos, a bondade em pessoa, entrava no terno. Outras senhoras também, o Capitão, Josué. O baile inteiro na rua a brincar. No rabo do terno a irmã de Nacib e seu marido doutor. Na frente Gabriela, o estandarte na mão.

DA NOBRE OFENÍSIA À PLEBEIA GABRIELA COM VARIADOS ACONTECIMENTOS & FALCATRUAS

SUCEDERAM-SE, NAQUELE COMEÇO DE ANO, REALIZAÇÕES E EMPREENDIMENTOS, conheceu Ilhéus novidades e escândalos. Os estudantes consideraram um dever transformar a singela inauguração da biblioteca da Associação Comercial numa festa de marcar época.

— O que esses meninos querem é dançar... — reclamou o presidente Ataulfo.

O Capitão, porém, organizador da biblioteca com a inestimável ajuda de João Fulgêncio, viu na ideia dos estudantes excelente oportunidade para a propaganda de sua candidatura a intendente. Além do mais tinha razão ao dizer, argumentando com Ataulfo, que os moços não queriam apenas divertir-se. Aquela biblioteca era a primeira de Ilhéus (a do Grêmio Rui Barbosa reduzia-se a pequena estante de livros, quase todos de poesias), possuía uma significação especial. Como, aliás, acentuou o jovem Sílvio Ribeiro, filho de Ribeirinho, segundanista de medicina, em seu caprichado discurso. Foi um tipo de festa antes desconhecido em Ilhéus. Os estudantes organizaram um sarau literário, do qual participaram vários deles, além de personalidades como o Doutor, Ari Santos, Josué. Falaram também o Capitão e o dr. Maurício, o primeiro como bibliotecário da associação, o segundo como orador oficial, ambos porque eram candidatos a intendente. A novidade maior constituíram-na moças do colégio das freiras e da sociedade ilheense a declamar poemas em público. Algumas tímidas e encabuladas, outras despachadas e senhoras de si. Diva, que possuía um fio de voz claro e agradável, cantou uma romança. Jerusa executou Chopin ao piano. Rolaram na sala versos de Bilac, de Raimundo Correia, de Castro Alves e do poeta Teodoro de Castro, os deste último em louvor de Ofenísia. Além dos poemas de Ari e Josué, ditos pelos próprios autores. Para o fiscal do colégio, que se demorara a visitar Itabuna, os povoados e fazendas, arranjando matéria paga para o jornal do Rio, tudo aquilo parecia uma caricatura risível. Mas para a gente de Ilhéus era uma festa encantadora.

— Uma beleza! — comentou Quinquina.

— Dá gosto assistir — concordou Florzinha.

Seguiram-se danças, é claro. A associação fez vir de Belmonte, para dirigir a biblioteca, o poeta Sosígenes Costa que iria exercer notável influência no desenvolvimento da vida cultural da cidade.

E ao falar de cultura e de livros, ao recordar versos de Teodoro para Ofenísia, como passar em silêncio a publicação em pequeno volume, composto e impresso ali mesmo em Ilhéus, na tipografia de João Fulgêncio, por mestre Joaquim, de alguns capítulos do memorável livro do Doutor: *A história da família Ávila e da cidade de Ilhéus*? Não com esse título pois, publicando apenas os capítulos referentes a Ofenísia e seu controvertido caso com o imperador Pedro II, pôs-lhe modestamente o Doutor: *Uma paixão histórica* e, como subtítulo, entre parêntesis: (*Ecos de uma velha polêmica*). Oitenta páginas em corpo sete de erudição e hipóteses, de difícil prosa quinhentista, camoniana. Ali estava a história romântica em todos os seus detalhes, com abundância de citações de autores e de versos de Teodoro. Folheto que veio coroar de glória a venerável cabeça do ilustre ilheense. É bem verdade que um crítico da capital, invejoso certamente, achou o magro volume ilegível, de "uma bestice além de todos os limites admissíveis". Mas tratava-se de indivíduo de maus bofes, esfomeado rato de redação, autor de mordazes epigramas contra as mais lídimas glórias baianas. Em compensação, de Mundo Novo onde se dedicava a construir uma quarta família, o eminente vate Argileu Palmeira escreveu para jornal, também da Bahia, seis páginas laudatórias onde cantou a paixão de Ofenísia, "precursora da ideia do amor livre no Brasil". Outra observação curiosa, apesar de seu caráter pouco literário, fez Nhô-Galo conversando, na papelaria, com João Fulgêncio:

— Já reparaste, João, que a nossa avó Ofenísia mudou um pouco de físico na brochura do Doutor? Antes, me lembro muito bem, era uma magricela parca de carnes como um pedaço de jabá. No livrinho engordou, leia a página catorze. Sabe com quem parece o retrato de agora? Com Gabriela...
Riu João Fulgêncio seu riso inteligente e sem maldade:
— Quem não se apaixonou por ela na cidade? Se ela fosse candidata a intendente derrotaria o Capitão e Maurício, até os dois juntos. Todo mundo votava nela.
— Não as mulheres...
— Mulher não tem direito a voto, compadre. Ainda assim, algumas votavam. Ela tem qualquer coisa que ninguém tem. Você não viu no baile de Ano-novo? Quem arrastou todo mundo para a rua, para dançar reisado? Creio que é essa força que faz as revoluções, que promove as descobertas. Pra mim, não há nada de que eu goste tanto como ver Gabriela no meio de um bocado de gente. Sabe no que penso? Numa flor de jardim, verdadeira, exalando perfume, no meio de um bocado de flores de papel...

Aqueles dias, porém, da publicação do livro do Doutor foram dias de Ofenísia e não de Gabriela. Uma nova onda de popularidade envolveu a memória da nobre Ávila a suspirar apaixonada pelas barbas reais. Dela falou-se nas casas, na hora do jantar, no Clube Progresso — agora em constante animação de assustados e chás dançantes —, entre rapazes e moças nos passeios vespertinos e, atualmente, habituais pela avenida na praia, nas marinetes, nos trens, em discursos e em versos, nos jornais e nos bares. Até nos cabarés. Certa espanhola novata, de nariz adunco e olhos negros apaixonou-se perdidamente por Mundinho Falcão. Mas o exportador estava ocupado com uma cantora de música popular que trouxera do Rio em sua última viagem, após o Ano-novo. Ante os suspiros da espanhola, seus perdidos olhares, logo um engraçado qualquer a apelidou de Ofenísia. E o nome pegou, ela o levou consigo mesmo após partir de Ilhéus para os garimpos de Minas Gerais.

Essas últimas coisas passaram-se no novo cabaré, o El-Dorado, instalado em janeiro, a fazer séria concorrência ao Bataclan e ao Trianon, pois importava, diretamente do Rio, atrações e mulheres. Era propriedade de Plínio Araçá, o do Pinga de Ouro, e ficava no porto. Inaugurou-se também a casa de saúde do dr. Demósthenes, com bênção do bispo e discurso do dr. Maurício. A sala de operações para onde Aristóteles fora levado, por uma coincidência que escapou a dona Arminda, teve como primeiro hóspede, após a inauguração oficial, o célebre Loirinho, com um tiro no ombro, resultado de uma briga no Bate-Fundo. Foi instalado um vice--consulado da Suécia e, no mesmo local, uma agência de companhia de navegação com nome longo e complicado. Via-se, de quando em vez, no bar de Nacib, um gringo comprido como uma vara, em companhia de Mundinho Falcão, a conversar e a beber Cana de Ilhéus. Era agente da companhia sueca e vice-cônsul. Um novo hotel estava sendo construído no porto, edifício de cinco andares, um colosso. Os estudantes dirigiram ao povo, por intermédio do *Diário de Ilhéus*, uma proclamação pedindo seus votos para o candidato que garantisse, na intendência, construir o ginásio municipal, um estádio de esportes, um asilo para velhos e mendigos, e levar a Pirangi a estrada de rodagem. No outro dia o Capitão comprometia-se, pelo mesmo jornal, a tudo isso e a muito mais.

Outra novidade foi o *Jornal do Sul* passar a diário. É verdade que durou pouco, retornou a semanário uns meses depois. Era quase exclusivamente político, descompunha Mundinho Falcão, Aristóteles e o Capitão em todos os números. O *Diário de Ilhéus* respondia.

Anunciava-se para breve o restaurante de Nacib. Já vários inquilinos se haviam mudado do andar de cima. Apenas o jogo do bicho e dois empregados no comércio continuavam em busca de outro alojamento. Nacib dava pressa. Já encomendara no Rio, por intermédio de Mundinho, seu sócio capitalista, uma quantidade de coisas. O arquiteto maluco desenhara o interior do restaurante. O árabe andava novamente alegre. Não com aquela completa alegria dos primeiros tempos de Gabriela, quando não temia ainda que ela partisse. Tampouco agora tal coisa o preocupava, mas, para ser inteiramente feliz, seria preciso que ela se decidisse de uma vez a comportar-se como uma senhora da sociedade. Já não se queixava de desinteresse na cama. Andava ele mesmo bastante cansado: na época das férias o bar dava um trabalho infernal. Acostumava-se com esse amar de esposa, menos violento, mais tranquilo e doce. Somente ela resistia, passivamente é verdade, a integrar-se na alta-roda local. Apesar do sucesso que tivera na noite de Ano-bom com a história do terno. Quando Nacib pensara que tudo fora por água abaixo, dera-se aquela beleza: até ele terminara dançando na rua. E não tinham a irmã e o cunhado vindo visitá-los depois, conhecer Gabriela? Por que então continuava ela a andar em casa vestida como uma pobretona, calçada em chinelas, a brincar com o gato, a cozinhar, a arrumar, a cantar suas modas, a rir alto para todos que com ela conversavam?

Contava com o restaurante para terminar de educá-la. O próprio

Tonico era dessa opinião. Para o restaurante teria de contratar duas ou três ajudantes de cozinheira, de tal forma que Gabriela ali aparecesse como senhora e dona, apenas dirigindo e temperando. Tratando diariamente com gente fina.

O que mais o aborrecia era ela não querer arrumadeira. A casa era pequena, porém ainda assim dava trabalho. Sobretudo levando-se em conta que ela continuava a cozinhar para ele e para o bar. A própria cabrocha se queixara que dona Gabriela não a deixava fazer nada. Apenas lavava os pratos, mexia as panelas, cortava a carne. Mas era Gabriela quem preparava a comida, não largava o fogão.

Sucedeu a desgraça numa tarde calma, quando ele gozava de perfeita tranquilidade de espírito e alegrava-se com a notícia, acabada de receber, da mudança do jogo do bicho para umas salas no centro comercial. Era só apressar a saída dos dois caixeiros de loja. Não tardariam a chegar, em navio da Costeira ou do Lloyd, as encomendas do Rio. Já tinha pedreiro e pintor contratados para transformar o andar, dividido por tabiques e sujo, num brinco, numa sala clara, com uma cozinha moderna. Gabriela não quisera ouvir falar de fogão de metal. Exigia um daqueles grandes fogões de tijolos, queimando lenha. Tudo discutido com o pedreiro, com o pintor. Pois naquela tarde pegou, em flagrante, Bico-Fino a tirar dinheiro da caixa. Não foi surpresa, Nacib vinha desconfiando desde algum tempo.

Perdeu a cabeça, deu uns sopapos no rapazola:

— Ladrão! Gatuno!

Curioso que não pensava despedi-lo. Dar-lhe uma lição para corrigi-lo, isso sim. Mas Bico-Fino, atirado atrás do balcão com a bofetada, pegou a insultá-lo:

— Ladrão é você, turco de merda! Misturador de bebidas. Roubando nas contas.

Tinha de lhe dar mais uns tabefes, porém ainda não pensava despedi-lo. Tomou de Bico-Fino pela camisa, levantou-o, aplicou-lhe com força a mão na cara:

— Para aprender a não roubar.

Soltou-o, ele saltou fora do balcão, a chorar e a insultar:

— Por que não vai bater em sua mãe? Ou em sua mulher?

— Cala a boca ou te bato de verdade.

— Venha bater!... — fugia para a porta, gritava. — Turco cabrão, filho da puta! Por que não toma conta de sua mulher? Não sente os chifres doer?

Nacib aproximou-se, conseguiu segurá-lo:
— O que é que tu tá dizendo?
Bico-Fino teve medo da cara do árabe:
— Nada, seu Nacib. Me solte...
— O que é que tu sabe? Diz ou te rebento todo.
— Foi Chico Moleza quem me contou.
— O quê?
— Que ela anda metida com seu Tonico...
— Com Tonico? Conta tudo e depressa. — Segurava-o com tanta força que lhe rasgara a camisa.
— Todo dia, depois que sai daqui, seu Tonico se mete em sua casa.
— Tu tá mentindo, desgraçado.
— Todo mundo sabe, se ri do senhor. Me solte, seu Nacib...
Largou a camisa, Bico-Fino saiu correndo. Nacib ficou parado, cego, surdo, sem ação, sem pensar. Foi assim que Chico Moleza o encontrou ao voltar da fábrica de gelo.
— Seu Nacib... Seu Nacib...
Seu Nacib estava chorando.
Botou Chico Moleza em confissão, no reservado do pôquer. Ouvia, cobrindo a cara com as mãos. Chico desfiava nomes, detalhes. Desde o tempo quando a contratara no "mercado dos escravos". Tonico era recente, já bem de depois do casamento. Apesar de tudo, ele não acreditava, por que não seria mentira? Queria ter provas, ver com seus olhos.
O pior foi a noite com ela, na mesma cama. Não podia dormir. Quando chegara, ela acordou a sorrir, beijou-o no rosto. Ele arrancou do peito ferido umas palavras:
— Estou muito cansado.
Virou-se para o lado, apagou a luz. Afastara-se do calor do seu corpo, deitado na beira da cama. Ela acercou-se, procurando colocar a anca sob sua perna. Não dormiu toda a noite, doido para interrogá-la, saber a verdade por sua boca, matá-la ali mesmo como devia fazer um bom ilheense. Será que depois de matá-la já não sofreria? Era uma dor sem limites, um vazio por dentro. Como se lhe tivessem arrancado a alma.
No outro dia foi cedo para o bar. Bico-Fino não apareceu. Chico Moleza trabalhava sem o olhar, esgueirando-se pelos cantos. Pouco antes das duas da tarde Tonico surgiu, bebeu seu amargo, achou que Nacib estava de mau humor.
— Aborrecimentos em casa?

— Não. Tudo bem.
Contou no relógio quinze minutos após a saída de Tonico. Tirou o revólver da gaveta, meteu na cinta, dirigiu-se para casa. Chico Moleza disse a João Fulgêncio, numa aflição, logo depois:
— Acuda, seu João! Seu Nacib foi matar dona Gabriela e seu Tonico Bastos.
— Que história é essa?
Contou-lhe em breves palavras, João Fulgêncio tocou-se para a ladeira. Apenas dobrou a igreja e ouviu os gritos de dona Arminda. Tonico vinha correndo pros lados da praia, descalço, o paletó e a camisa na mão, o dorso nu.

DE COMO O ÁRABE NACIB ROMPEU
A LEI ANTIGA & DEMITIU-SE COM HONRA
DA BENEMÉRITA CONFRARIA DE
SÃO CORNÉLIO OU DE COMO A SRA. SAAD
VOLTOU A SER GABRIELA

NUA, ESTENDIDA NA CAMA DE CASAL, GABRIELA A SORRIR. NU, SENTADO à beira do leito, Tonico, os olhos espessos de desejo. Por que não os matara Nacib? Não era a lei, a antiga lei cruel e indiscutida? Escrupulosamente cumprida sempre que se apresentava ocasião e necessidade? Honra de marido enganado lava-se com o sangue dos culpados. Não fazia ainda um ano que o coronel Jesuíno Mendonça a pusera em execução... Por que não os matara? Não pensara fazê-lo, à noite, na cama, quando sentia a anca em fogo de Gabriela a queimar-lhe a perna? Não jurara fazê-lo? Por que não o fizera? Não trazia o revólver na cinta, não o tomara da gaveta do balcão? Não desejava poder olhar de cabeça erguida seus amigos de Ilhéus? Não o fizera, no entanto.
Engano, se pensaram ser covardia. Não era covarde, várias vezes provara. Engano, se pensaram não ter dado tempo. Tonico saíra correndo para o

quintal, pulara o muro baixo, enfiara as calças sem cuecas pelo corredor de dona Arminda escandalizada, depois de ter balbuciado a gaguejar:

— Não me mate, Nacib! Estava só dando uns conselhos...

Nacib nem se lembrou do revólver, estendeu a mão pesada e ofendida, Tonico rolou da borda do leito, para logo pôr-se de pé num salto, arrebanhar suas coisas de uma cadeira e sumir. Tempo de sobra para atirar e não havia perigo de erro. Por que não o fizera? Por que, em vez de matá-la, apenas a surrou, silenciosamente, sem uma palavra, pancada de criar bicho, deixando manchas de um roxo escuro quase violeta, em sua carne cor de canela? Ela tampouco falou, não deu um grito, não soltou um soluço, chorava calada, apanhava calada. Ele ainda batia quando João Fulgêncio chegou e ela se cobriu com o lençol. Tempo demais para matar.

Engano, se pensaram que foi por excesso de amor, demasiado querer. Naquele momento não a amava Nacib. Não a odiava tampouco. Batia mecanicamente como a relaxar os nervos, pelo que sofrera na tarde e na noite da véspera e naquela manhã. Estava vazio, sem nada por dentro, vazio como uma jarra sem flor. Sentia doer o coração como se alguém lhe enfiasse devagar um punhal. Não sentia ódio nem amor. Uma dor tão somente.

Não matara porque não era de sua natureza matar. Todas aquelas histórias terríveis da Síria, que ele contava, eram da boca para fora. Com raiva, podia bater. E batia sem dó, como se cobrasse uma dívida, uma conta atrasada. Matar não podia.

Obedeceu silencioso, quando João Fulgêncio chegou, segurou-lhe o braço e lhe disse:

— Basta, Nacib. Venha comigo.

Na porta do quarto parou, falou em voz baixa, de costas:

— Volto de noite. Não quero lhe encontrar.

João Fulgêncio levou-o para sua casa. Ao entrar, fez um sinal à esposa que os deixasse sozinhos. Sentaram-se na sala cheia de livros, o árabe escondia a cabeça nas mãos. Ficou muito tempo calado, depois perguntou:

— Que é que eu faço, João?

— Que é que você quer fazer?

— Vou embora de Ilhéus. Aqui não posso mais viver.

— Por quê? Não vejo razão.

— Coberto de chifres. Como ia viver?

— Vai mesmo largá-la?

— Não ouviu o que eu disse? Por que me pergunta? Porque não ma-

tei? Por isso pensa que vou continuar casado com ela? Sabe por que não matei? Nunca soube matar... Nem galinha... Nem besouro do mato. Nunca pude matar nem bicho ruim.
— Acho que você fez muito bem, matar por ciúmes é uma barbaridade. Só mesmo em Ilhéus isso ainda acontece. Ou entre gente muito pouco civilizada. Você fez muito bem.
— Vou embora de Ilhéus...
A esposa de João Fulgêncio apareceu na porta da sala, avisava:
— João, tem gente te procurando. Seu Nacib, vou lhe trazer um café.
João Fulgêncio demorou um bocado. Nacib não tocou no café. Estava vazio por dentro, não tinha fome nem sede, só uma dor. O livreiro apareceu, procurou um livro na estante, disse:
— Daqui a um minuto volto.
Voltou para encontrá-lo na mesma posição, o olhar abstrato. Sentou-se a seu lado, pôs-lhe a mão na perna:
— Ir embora de Ilhéus, acho grossa besteira.
— Como posso ficar? Pra se rirem de mim?
— Ninguém vai se rir...
— Você não, que é bom. Mas, os outros...
— Me diga uma coisa, Nacib: se em vez de esposa fosse só sua rapariga, você ia embora, se importava?
Nacib pesou a pergunta, refletindo:
— Ela era tudo pra mim. Por isso casei, se lembra?
— Lembro. E até lhe avisei.
— A mim?
— Recorde-se. Eu lhe disse: tem certas flores que murcham nos jarros.
Era verdade, nunca tinha se lembrado daquilo. Não dera importância. Agora compreendia. Gabriela não nascera para jarros, para casamento e marido.
— Mas, se fosse apenas rapariga? — continuava o livreiro. — Você ia embora de Ilhéus? Não falo do sofrimento, a gente sofre porque quer bem, não porque é casado. Porque é casado, a gente mata, vai embora.
— Se fosse só rapariga ninguém ia rir de mim. Com as pancadas bastava. Você sabe tão bem como eu.
— Pois fique sabendo que você não tem nenhum motivo para ir embora. Gabriela, perante a lei, nunca passou de sua rapariga.
— Casei com ela com juiz e tudo. Você mesmo assistiu.
João Fulgêncio tinha um livro na mão, abriu numa página:

— Isso aqui é o Código Civil. Ouça o que diz o artigo 219, parágrafo primeiro, capítulo VI, do livro I. É o direito de família, na parte do casamento. O que eu vou ler refere-se aos casos de anulação de casamento. Veja: aqui diz que um casamento é nulo quando há erro essencial de pessoa.

Nacib ouvia sem grande interesse, não entendia nada daquilo.

— Seu casamento é nulo e anulável, Nacib. Basta você querer e não só deixa de ser casado, é como se nunca tivesse sido. Como se tivesse sido só amigado.

— Como é isso, explique direito — interessou-se o árabe.

— Escute. — Leu: — "Considera-se erro essencial sobre a pessoa do outro cônjuge o que diz respeito à identidade do outro cônjuge, sua honra e boa fama, sendo esse erro tal que o seu conhecimento ulterior torne insuportável a vida em comum ao cônjuge enganado". Eu me lembro que quando você me anunciou o casamento, contou que ela nem sabia o nome de família, nem data de nascimento...

— Nada. Não sabia nada...

— E Tonico se ofereceu para arranjar os papéis necessários.

— Fabricou tudo no cartório dele.

— E então? Seu casamento é nulo, houve erro essencial de pessoa. Pensei nisso quando chegamos. Depois apareceu Ezequiel, tinha um assunto a tratar. Aproveitei para consultá-lo. Eu tinha razão. É só você provar que os documentos eram falsos e já não está mais casado. Nem nunca foi casado. Não passou de amigação.

— E como vou provar?

— É preciso falar com Tonico, com o juiz.

— Nunca mais vou falar com esse tipo.

— Quer que eu me ocupe disso? De falar, quero dizer. Da parte jurídica, Ezequiel pode se ocupar, se você quiser. Até se ofereceu.

— Ele já sabe?

— Não se preocupe com isso. Quer que eu trate do caso?

— Não sei como lhe agradecer.

— Então, até logo. Fique aqui mesmo, leia um livro. — Bateu no ombro do árabe. — Ou chore, se tiver vontade. Não é vergonha nenhuma.

— Vou sair com você.

— Não senhor. Para ir onde? Fique aqui, esperando. Volto logo.

Não foi tão fácil como previra João Fulgêncio. Primeiro teve de acertar os relógios com Ezequiel. O advogado recusava-se a conversar com Tonico, fazer as coisas amigavelmente.

— Quero é botar esse sujeito na cadeia. Vou fazer ele ser demitido como falsário. Ele, o irmão e o pai andaram dizendo horrores de mim. Vai ter de sair de Ilhéus. Vai ser um escândalo...

João Fulgêncio terminou por convencê-lo. Foram juntos ao cartório. O tabelião ainda estava pálido, olhava-os inquieto, um riso amarelo, piadas sem graça:

— Se não ando depressa, o turco era capaz de me furar com os chifres... Raspei um susto danado...

— Nacib é meu constituinte, peço-lhe tratá-lo com respeito — exigiu Ezequiel, muito grave.

Discutiram o assunto. Tonico, a princípio, opôs-se categoricamente a qualquer acordo. Não era caso, dizia, de anulação. Os documentos, mesmo falsos, tinham sido aceitos como verdadeiros. Nacib estava casado há uns cinco meses sem reclamar. E como iria ele, Tonico, confessar de público ter falsificado papéis? Não se estava mais no tempo do velho Segismundo que vendia certidões de nascimento e escrituras de terras. Ezequiel suspendeu os ombros, exclamou para João Fulgêncio:

— Não lhe disse?

— Tonico, isso pode se arranjar — falou João Fulgêncio. — Vamos conversar com o juiz. Encontra-se um caminho para contornar a situação, para que a falsificação de papéis não venha a público. Ou, pelo menos, para você não aparecer como culpado. Pode-se dizer que você agiu de boa-fé, que foi enganado por Gabriela. Inventa-se uma história qualquer. Afinal, isso, que se chama de civilização ilheense, foi construído à base de documentos falsos.

Mas Tonico ainda resistia. Não desejava seu nome misturado naquilo.

— Misturado você está, meu caro — disse Ezequiel. — Enterrado de cabeça. De duas uma: ou você concorda, vai conosco ao juiz para arranjarmos tudo amigável e rapidamente, ou hoje mesmo inicio o processo, em nome de Nacib. De anulação de casamento. Por erro essencial de pessoa, devido a documentos forjados por você. Forjados para casar sua amante, de quem continuou a gozar dos favores depois, com um homem bom e ingênuo de quem você se dizia amigo. Você entra no caso por duas portas: a da falsificação e a do adultério. E, em ambas, com premeditação. É um caso bonito.

Tonico quase perdia a fala:

— Ezequiel, por favor, quer me desgraçar?

João Fulgêncio completava:

— Que dirá dona Olga? E seu pai, o coronel Ramiro? Você já pensou? Ele não resistirá ao escândalo, morrerá de vergonha, você será o culpado. Estou lhe avisando porque não quero que aconteça.
— Por que me meti nisso, meu Deus? Só arranjei os papéis para ajudar. Ainda não tinha nada com ela...
— Venha conosco ao juiz, é melhor para todo mundo. Senão, quero lhe avisar lealmente, a história sai todinha amanhã no *Diário de Ilhéus*. Escrita por mim para você não aparecer como galã. Por mim, João Fulgêncio...
— Mas, João, sempre fomos amigos...
— Eu sei. Mas você abusou de Nacib. Se fosse com a mulher de outro, não me importava. Sou amigo dele e também de Gabriela. Você abusou dos dois. Ou você concorda, ou vou lhe cobrir de vergonha, botá-lo no ridículo. Com a situação política como está, você nem poderá continuar em Ilhéus.

Toda a empáfia de Tonico vinha abaixo. O escândalo o horrorizava. Medo de dona Olga saber, do pai tomar conhecimento. O melhor era mesmo engolir a pílula, ir ao juiz, contar a falsificação dos papéis.

— Faço o que quiserem. Mas, pelo amor de Deus, vamos arranjar essa história dos papéis da melhor maneira possível. Afinal, somos amigos.

O juiz divertiu-se imensamente com tudo aquilo:

— Então, seu Tonico, tão amigo do árabe e, por detrás, a botar-lhe os cornos? Eu também andei interessado por ela, mas, depois que casou, nem pensei mais. Mulher casada, eu respeito.

No fundo, como se passava com Ezequiel, era um pouco a contragosto que concordava em conceder a anulação discretamente, sem processar Tonico, deixando-o como funcionário honesto e de boa-fé, enganado por Gabriela, aparecendo como vítima. Não simpatizava com ele, desconfiado de haver-lhe o galante tabelião ornamentado também a cabeça, nos tempos de Prudência, quase dois anos manceba do magistrado. Em compensação gostava de Nacib, e queria ajudá-lo. Quando estavam saindo, o juiz indagou:

— E ela? Que irá fazer, hein? Agora está livre e sem compromisso. Se eu não estivesse tão bem servido. Aliás, ela deve vir me falar. Agora tudo depende dela. Porque, se ela não concordar...

João Fulgêncio, antes de voltar para casa, foi procurar Gabriela. Dona Arminda a recolhera. Ela concordava com tudo, nada queria, sem se queixar sequer das pancadas, elogiando Nacib:

— Seu Nacib é tão bom... Eu não queria ofender seu Nacib.

Foi assim que, com um processo de anulação de casamento cujos trâmites correram velozes da petição inicial à sentença, em pouquíssimo tempo, o árabe Nacib encontrou-se novamente solteiro, tendo sido casado sem o ser realmente, tendo pertencido à Confraria de São Cornélio sem realmente a ela pertencer, ludibriada a benemérita sociedade dos maridos conformados. Foi assim que a sra. Saad voltou a ser Gabriela.

AMOR DE GABRIELA

NA PAPELARIA MODELO COMENTAVAM O CASO. NHÔ-GALO DIZIA:
— Solução genial. Quem podia imaginar que Nacib era um gênio? Eu já gostava dele, gosto ainda mais. Ilhéus possui, finalmente, um homem civilizado.

O Capitão perguntava:
— Como você explica, João Fulgêncio, o caráter de Gabriela? Pelo que você conta, ela gosta mesmo de Nacib. Gostava e continua a gostar. Você diz que a separação para ela é muito mais dura do que para ele. Que o fato de botar-lhe os chifres não significa nada. Como assim? Se gostava dele, por que o enganava? Que explicação você me dá?

João Fulgêncio olhava a rua movimentada, via as irmãs Dos Reis envoltas em mantilhas, sorria:
— Para que explicar? Nada desejo explicar. Explicar é limitar. É impossível limitar Gabriela, dissecar sua alma.
— Corpo formoso, alma de passarinho. Será que tem alma? — Josué pensava em Glória.
— Alma de criança, talvez — o Capitão queria entender.
— De criança? Pode ser. De passarinho? Besteira, Josué. Gabriela é boa, generosa, impulsiva, pura. Dela podem-se enumerar qualidades e defeitos, explicá-la jamais. Faz o que ama, recusa-se ao que não lhe agrada. Não quero explicá-la. Para mim basta vê-la, saber que existe.

Na casa de dona Arminda, curvada sobre a costura, ainda roxa dos golpes, Gabriela pensa. Pela manhã pulou o muro, antes da cabrocha chegar, entrou na casa de Nacib, varreu e limpou. Tão bom seu Nacib! Bateu nela, estava com raiva. A culpa era dela, por que aceitara casar? Vontade de sair com ele na rua, de braço dado, aliança no dedo. Medo talvez de perdê-lo, de um dia ele casar com outra, mandá-la embora. Foi por isso, certamente. Fez mal, não devia aceitar. Antes fora a pura alegria.

Bateu-lhe com raiva, tinha direito até de matá-la. Mulher casada que engana o marido só merece morrer. Todo mundo dizia, dona Arminda lhe disse, o juiz confirmou, era assim mesmo. Ela merecia morrer. Ele era bom, dera-lhe apenas uma surra e a expulsara de casa. Depois o juiz perguntou se ela não se importava de desfazer o casamento, como se nunca tivesse casado. Avisara-lhe que assim não teria direito a nada do bar, do dinheiro no banco, da casa na ladeira. Dependia dela. Se não aceitasse, ia demorar na justiça, ninguém podia saber como o processo terminaria. Se ela concordava... Não queria outra coisa. O juiz lhe explicara: era como se nunca tivesse sido casada. Melhor não podia ser... Porque, sendo assim, não havia motivo pra seu Nacib tanto sofrer, pra seu Nacib se ofender. Com as pancadas, importava não... Mesmo se a matasse, não morria com raiva, ele tinha razão. Mas se importava de estar expulsa da casa, de não poder vê-lo, sorrir para ele, escutá-lo falar, sentir sua perna pesada em cima das ancas, os bigodes fazendo-lhe cócegas no pescoço, as mãos tocando-lhe o corpo, os seios, a bunda, as coxas, o ventre. O peito de seu Nacib como um travesseiro. Gostava de adormecer com o rosto enfiado nos cabelos do largo peito amigo. De cozinhar para ele, de ouvi-lo elogiar a comida gostosa. De sapatos, gostava não. Nem de ir de visita às famílias de Ilhéus. Nem das festas, dos caros vestidos, das joias verdadeiras, custando tanto dinheiro. Gostava não. Mas gostava de seu Nacib, da casa na ladeira, do quintal de goiabas, da cozinha e da sala, do leito do quarto.

O juiz lhe dissera: mais uns dias e já não seria casada e nunca tinha sido. Nunca tinha sido... Que engraçado! Era o mesmo juiz que a casara, aquele que antes tanto quisera botar casa para ela. Ainda agora lhe falara nisso. Queria não, um velho sem graça. Mas boa pessoa. Se já não seria casada, e nunca tinha sido, por que não podia voltar para a casa de seu Nacib, pro quartinho dos fundos, cuidar da cozinha, da roupa lavada, da arrumação?

Dona Arminda disse que nunca mais seu Nacib tornaria a fitá-la, a dizer-lhe bom-dia, a falar com ela. Mas por que tudo isso, se já não eram casados, se nunca tinham sido? Com mais alguns dias..., dissera o juiz. Ficara pensando: agora podia voltar outra vez para seu Nacib. Não quisera ofendê-lo, não quisera magoá-lo. Mas o ofendera porque era casada, mas o magoara porque deitara com outro na sua cama, sendo casada. Um dia percebera que ele tinha ciúmes. Um homem tão grande, era engraçado. Tomara tento, desde então, muito cuidado, porque não queria que ele sofresse. Coisa mais tola, sem explicação: por que os homens tanto sofriam quando uma mulher com quem deitavam, deitava com outro? Ela não compreendia. Se seu Nacib tivesse vontade, bem que podia ir com outra deitar, nos seus braços dormir. Ela sabia que Tonico dormia com outras, dona Arminda contava que ele tinha um horror de mulheres. Mas, se era bom deitar-se com ele, brincar com ele na cama, por que exigir que fosse só ela? Entendia não. Gostava de dormir nos braços de um homem. Não de qualquer. De moço bonito, como Clemente, como Tonico, como seu Nilo, como Bebinho, ah! como seu Nacib. Se o moço também queria, se a olhava pedindo, se sorria para ela, se a beliscava, por que recusar, por que dizer não? Se estavam querendo, tanto um como o outro? Não via por quê. Era bom dormir nos braços de um homem, sentir o estremecimento do corpo, a boca a morder, num suspiro morrer. Que seu Nacib se zangasse, ficasse com raiva, sendo casado, isso entendia. Havia uma lei, não era permitido. Só o homem tinha direito, a mulher não tinha. Ela sabia, mas como resistir? Tinha vontade, na hora fazia, nem se lembrava que não era permitido. Tomava cuidado para não ofendê-lo, para não magoá-lo. Mas nunca pensara que ia tanto ofender, que ia tanto magoar. Daí a uns dias, o casamento acabado, acabado pra frente, acabado pra trás, por que seu Nacib continuaria com raiva?

    De algumas coisas ela gostava, gostava demais: do sol da manhã antes de muito esquentar. Da água fria, da praia branca, da areia e do mar. De circo, de parque de diversões. De cinema também. De goiaba e pitanga. Das flores, dos bichos, de cozinhar, de comer, de andar pela rua, de rir e conversar. Com senhoras cheias de si, gostava não. Mais do que tudo gostava de moço bonito, nos seus braços dormir, gemer, suspirar. Dessas coisas gostava. E de seu Nacib. Dele gostava de um gostar diferente. Na cama para gemer, beijar, morder, suspirar, morrer e renascer. Mas também para dormir de verdade, sonhando com o sol, com o gato bravio, com a areia da praia, a lua do céu e a comida a fazer. Sentindo em suas ancas o peso da perna de seu Nacib. Dele gostava demais, muito demais, sentia sua falta, atrás da porta se escondia para espiá-lo chegar. Muito tarde chegava, por vezes bêbedo. Tanto gostaria de tê-lo outra vez, no seu peito deitar a cabeça, de ouvi-lo dizer-lhe coisas de amor numa língua estrangeira, de ouvir sua voz murmurando: "Bié!".

Só porque a encontrara na cama a sorrir pra Tonico. Que importância tão grande, por que tanto sofrer, se ela deitava com um moço? Não tirava pedaço, não ficava diferente, gostava dele da mesma maneira, e não podia ser mais. Ah! não podia ser mais! Duvidava existisse no mundo mulher a gostar tanto de um homem, para com ele dormir ou para com ele viver, fosse irmã, fosse filha, fosse mãe, amigada ou casada, quanto ela gostava de seu Nacib. Tanta coisa, esse barulho todo, só por que a encontrara com outro? Nem por isso gostava menos, menos o queria, menos sofria porque ele não estava. Dona Arminda jurava que seu Nacib jamais voltaria, jamais a seus braços. Queria, pelo menos, cozinhar para ele. Onde ele iria comer? E o bar, quem prepararia salgados e doces? E o restaurante, que estava pra se abrir? Queria pelo menos cozinhar para ele.

E queria, como queria!, vê-lo sorrir com seu rosto tão bom, sua cara bonita. Sorrir junto dela, tomá-la nos braços, dizer-lhe Bié, enfiar os bigodes no cangote cheiroso. Não havia no mundo mulher que tanto gostasse de um homem, que com tanto amor suspirasse por seu bem-amado como suspirava, morta de amor, Gabriela por seu Nacib.

Continuava na papelaria a discussão.

— A fidelidade é a maior prova do amor — dizia Nhô-Galo.

— É a única medida com que se pode calcular as dimensões de um amor — apoiava o Capitão.

— O amor não se prova, nem se mede. É como Gabriela. Existe, isso basta — falou João Fulgêncio. — O fato de não se compreender ou explicar uma coisa não acaba com ela. Nada sei das estrelas, mas as vejo no céu, são a beleza da noite.

DA VIDA SURPREENDENTE

AQUELA PRIMEIRA NOITE NA CASA SEM GABRIELA: VAZIA DE SUA PRESENÇA, dolorosa de sua recordação. Em vez de seu sorriso a esperá-lo, a humilhação a machucar, a certeza de não se tratar de um pesadelo, de ter acontecido aquela coisa impossível, nunca imaginada. A casa vazia sem Gabriela, cheia de lembranças e sentimentos. Enxergava Tonico sentado na borda do leito. A raiva, a tristeza, o saber que tudo terminara, que ela não estava, que era de outro, que não mais a teria. Noite cansada, fatigante como se ele carregasse todo o peso da terra, longa como o fim do mundo. Nunca mais iria acabar. Aquela dor funda, aquele vazio, não saber o que fazer, não saber por que viver, para que trabalhar. Os olhos secos de lágrimas, o peito rasgado a punhal. Sentado na beira da cama, impossível dormir. Nunca mais dormiria nessa noite apenas começada, noite a durar a vida inteira. De Gabriela ficara entranhado nos lençóis, no colchão, o perfume de cravo. Dentro de suas narinas. Não podia olhar para a cama porque a via, deitada, nua, os seios erguidos, a curva das ancas, a sombra veludosa das coxas, a terra plantada do ventre. Sua cor de canela onde em violeta Nacib deixava, nos ombros, no peito, a marca dos lábios. O dia acabara para sempre, aquela noite em seu peito duraria toda a vida, murchos bigodes caídos para nunca mais, um travo amargo na boca para sempre amarga, não voltaria a sorrir, jamais!

Alguns dias depois já sorria, ouvindo, no Vesúvio, Nhô-Galo imprecar contra os padres. Foram difíceis as primeiras semanas. Semanas vazias de tudo, plenas de sua ausência. Cada coisa, cada pessoa a trazia de volta. Olhava o balcão e ela lá estava, de pé, uma flor atrás da orelha. Olhava a igreja e a via chegando, os pés nas chinelas. Olhava Tuísca e ei-la na roda a dançar, cantando cantigas. Chegava o Doutor, falava em Ofenísia, ele ouvia Gabriela. Jogavam o Capitão e Felipe, seu rir cristalino soava no bar. Pior ainda em casa: em cada canto a enxergava, a cozinhar no fogão, a sentar-se ao sol no batente da porta, a morder goiabas no quintal, a apertar a cara do gato contra seu rosto, a mostrar o dente de ouro, a esperá-lo sob o luar no quartinho dos fundos. Nem se dava conta de uma particularidade dessas lembranças, a acompanhá-lo durante semanas, no bar, na rua, em casa: é que jamais a recordava no tempo de casados (ou de amigados, como explicava aos demais: tudo não passara de amigação). Só lembrava a Gabriela de antes, daqueles primeiros tempos. Faziam sofrer mas eram doces lembranças. De quando em vez, no entanto, a feri-lo no peito, no orgulho de macho (pois já não podia feri-lo na honra de marido, marido não era, marido não fora), ele a via nos braços do outro. Difíceis primeiras semanas, vazias, ele morto por dentro. De casa para o bar, do bar para casa. Por vezes ia conversar com João Fulgêncio, ouvia-o falar de assuntos diversos.

Um dia os amigos o levaram, quase a pulso, ao novo cabaré. Bebeu muito, demais. Mas tinha uma resistência brutal, não ficou bêbedo de todo. Na outra noite voltou. Conheceu Rosalinda, uma loira do Rio, o oposto de Gabriela. Começava a viver, lentamente a esquecia. O mais trabalhoso foi dormir com outra mulher. Metida no meio, lá estava Gabriela. A sorrir. A estirar-lhe os braços, a botar a anca sob sua perna, a deitar a cabeça em seu peito. Nenhuma tinha seu gosto, seu cheiro, seu calor, seu morrer e matar. Mesmo isso, porém, foi aos poucos passando. Rosalinda lembrava Risoleta, sabida no amor. Agora todas as noites vinha buscá-la, a não ser quando ela devia dormir com o coronel Manuel das Onças, que lhe pagava o quarto e a comida em casa de Maria Machadão. Uma noite faltou um parceiro, na roda de pôquer. Tomou do baralho, jogou até tarde. Começou novamente a sentar-se às mesas, a conversar com os amigos, a disputar partidas de dama e gamão. A comentar as notícias, a discutir política, a rir de anedotas, a contá-las também. A dizer que na terra de seu pai era ainda pior, tudo que sucedia em Ilhéus lá sucedia também em ponto maior. Já não a enxergava no bar, já podia em seu leito dormir, apenas o perfume de cravo ainda sentia. Nunca fora tão convidado para almoços, jantares, ceias em casa de Machadão, farras com mulheres nos coqueirais do Pontal. Como se ainda gostassem mais dele, mais o estimassem e considerassem.

    Nunca pensara. Ele rompera com a lei. Em vez de matá-la, tinha-a deixado ir-se em paz. Em vez de atirar em Tonico, contentou-se com uma bofetada. Imaginou sua vida daí em diante como um inferno. Assim não haviam feito com o dr. Felismino? Não lhe haviam negado o cumprimento? Não o apelidaram de "boi manso"? Não o obrigaram a ir-se de Ilhéus? Porque o médico não matara a mulher e o amante, a lei não cumprira. É verdade que ele, Nacib, anulara seu casamento, borrara o presente e o passado. Mas nunca esperou que compreendessem e aceitassem. Tivera a visão do bar deserto, sem fregueses, das mãos recusadas dos amigos, dos risos de mofa, das pancadinhas nas costas de Tonico a felicitá-lo, a debochar de Nacib. Nada disso acontecera. Bem ao contrário. Ninguém lhe falava no assunto e quando, casualmente, a ele se referiam, era para louvar sua malícia, sua esperteza, a maneira como saíra daquele embrulho. Riam e debochavam mas não de Nacib, e, sim, de Tonico, ridicularizavam o tabelião, com elogios à sabedoria do árabe. Tonico mudara-se para o Pinga de Ouro, com seu amargo diário. Pois o próprio Plínio Araçá encontrou maneira de esfregar-lhe na cara a boa peça que Nacib lhe pregara. Sem falar na bofetada. Foi glosada em prosa e verso, Josué compusera um epigrama. Sobre Gabriela ninguém falava. Nem bem nem mal, como se ela estivesse mais além de todo comentário, ou como se não mais existisse. Não erguiam a voz contra ela e alguns até a defendiam. Afinal rapariga de casa montada tem um pouco o direito a divertir-se. Não fora casada, não tinha maior importância.

Ela continuava em casa de dona Arminda. Nacib não voltara a vê-la. Pela parteira soubera que ela costurava para o florescente atelier de Dora. E por outros sabia das ofertas a chover sobre ela, em recados, cartas, bilhetes. Plínio Araçá mandara lhe dizer que fizesse ordenado. Manuel das Onças novamente a rondava. Também Ribeirinho. O juiz estava disposto a romper com a rapariga, botar casa para ela. Segundo constava até o árabe Maluf, aparentemente tão sério, era candidato. Coisa esquisita: não havia proposta capaz de tentá-la. Nem casa, nem conta em loja, nem roça plantada, nem dinheiro batido. Costurava para Dora.

Fora sério prejuízo para o bar. A cabrocha fazia uma comida sem gosto. Os salgados e doces vinham mais uma vez das irmãs Dos Reis, careiras demais. Fazendo por favor, ainda por cima. Nacib não encontrava cozinheira. Pensando no restaurante, mandara encomendar uma em Sergipe, mas ainda não chegara. Engajara um outro empregado, um rapazola chamado Valter. Sem prática, não sabia servir. Fora um prejuízo danado.

Quanto ao projeto do restaurante quase leva o diabo. Durante algum tempo nem se preocupou com bar e restaurante. Os dois caixeiros mudaram-se do andar de cima quando Nacib ainda estava naquela primeira fase, de desespero, quando a ausência de Gabriela era a única realidade a encher-lhe o vazio dos dias. Mas, ao completar-se o primeiro mês do andar desocupado, Maluf mandou-lhe o recibo do aluguel. Pagou, e com isso teve de pensar no restaurante. Ainda assim, ia adiando. Certa tarde, Mundinho Falcão enviou-lhe um recado, pedindo sua presença no escritório da casa exportadora. Foi recebido com demonstração de muita amizade. Mundinho há tempos não aparecia no bar, andava pelo interior, em campanha eleitoral. Uma vez Nacib o avistara no cabaré. Apenas se falaram, Mundinho dançava.

— Então, como vai a vida, Nacib? Prosperando sempre?
— Vivendo — e, para liquidar o assunto, falou: — O senhor já deve saber o que me sucedeu. Sou um homem solteiro de novo.
— Falaram-me. Formidável o que você fez. Agiu como um europeu. Um homem de Londres, de Paris. — Olhava-o com simpatia. — Mas, me diga uma coisa, aqui para nós: ainda dói um pouco por dentro, não dói?
Sobressaltou-se Nacib. Por que lhe perguntava aquilo?
— Sei como é isso — continuava Mundinho. — Comigo sucedeu uma coisa, não digo parecida, mas, de certa maneira, semelhante. Foi por isso que vim para Ilhéus. Com o tempo, a ferida cicatriza. Mas, de vez em quando, ainda dói. Quando ameaça chuva, não é?
Nacib assentiu, confortado. Certo de que acontecera com Mundinho Falcão caso idêntico ao seu. Mulher bem-amada a traí-lo com outro. Mas teria havido casamento e descasamento? Quase pergunta. Sentia-se em boa companhia.
— Pois, meu caro, quero lhe falar do restaurante. Já devia estar inaugurado. É verdade que as coisas encomendadas no Rio ainda não chegaram. Mas estão estourando por aí. Já embarcaram num ita. Não quis lhe incomodar com isso, você andava agoniado, mas, afinal, já se vão mais ou menos dois meses que os últimos inquilinos se mudaram do andar. É tempo de pensarmos no negócio. Ou você desistiu?
— Não, senhor. Por que havia de desistir? Só que no começo não podia pensar. Mas, agora, já está tudo em ordem.
— Pois muito bem, é tocar para a frente. Mandar fazer a reforma da sala, receber as encomendas do Rio. Para ver se inauguramos no princípio de abril.
— Pode ficar descansado.
De volta ao bar, mandou chamar o pedreiro, o pintor, um eletricista. Discutiu os planos da reforma, novamente cheio de entusiasmo, pensando no dinheiro a ganhar. Se tudo marchasse bem, com um ano, no máximo, poderia adquirir a sonhada roça de cacau.
Em toda aquela história, só mesmo sua irmã e o cunhado se comportaram mal. Vieram a Ilhéus apenas souberam a notícia. A irmã o infernou: "Não te disse?". O cunhado, com seu anel de doutor, um ar de fastio, de quem sofria do estômago. A falarem mal de Gabriela, a lastimarem Nacib. Ele calado, com vontade de pô-los para fora de casa.
A irmã varejara os armários, examinando os vestidos, os sapatos, as

combinações, as anáguas, os xales. Certos vestidos jamais os pusera Gabriela. A irmã exclamava:
— Esse está novo, nunca foi usado. Dá direitinho pra mim.
Nacib rosnou:
— Deixe isso aí. Não bula nessas coisas.
— E ainda mais essa! — ofendeu-se a Saad de Castro. — Será roupa de santo?
Voltaram para Água Preta. A cobiça da irmã recordara-lhe o dinheiro gasto em vestidos, em sapatos, em joias. As joias bastava levá-las onde havia comprado, restituir com pequeno prejuízo. Os vestidos podia vender na loja do tio. Também dois pares de sapatos novos. Nunca haviam sido calçados. Era o que tinha a fazer. Mas, durante algum tempo, esqueceu a ideia, nem olhava para os armários trancados.
No dia seguinte à conversa com Mundinho, meteu as joias no bolso do paletó, fez dois embrulhos com os vestidos, os sapatos. Passou no joalheiro, depois na loja do tio.

DA COBRA-DE-VIDRO

NO FIM DA TARDE, NAQUELE CREPÚSCULO INTERMINÁVEL DAS ROÇAS, quando as sombras viravam assombrações pelas matas e cacauais, a noite chegando sem pressa como a prolongar o estafante dia de trabalho, Fagundes e Clemente terminaram de plantar.
— Tá tudo enterrado na terra — riu o negro. — Quatro mil pés de cacau pro coronel enricar mais.
— E pra gente comprar um pedaço de terra daqui a três anos — respondeu o mulato Clemente, cuja boca perdera o gosto de sorrir.
Depois do tiro falhado em Aristóteles, de escutar as recriminações de Melk ("Pensei que você sabia mesmo atirar. Não serve pra nada."), ouvidas em silêncio (que podia responder? Errara a pontaria, como tinha aquilo sucedido?), recebida a recompensa magra ("Contratei pra liquidar o homem, não pra ferir. Ainda sou bom demais em lhe pagar."),

aceitara Fagundes aquela empreitada com Clemente. Sobre o erro na pontaria, apenas explicara ao coronel:

— Não tinha chegado o dia destinado pra ele morrer. Cada um tem seu dia, marcado lá em cima — apontava o céu.

Empreitada para derrubar dez tarefas de mata, tocar-lhe fogo, roçá-la, plantar quatrocentos cacaueiros por tarefa, cuidar de seu crescimento durante três anos. Entre os pés de cacau cultivavam mandioca, milho, batata-doce, inhame. Dessa plantação miúda deveriam viver durante os três anos. No fim da empreitada, por pé de cacau que houvesse vingado, o coronel pagar-lhes-ia mil e quinhentos réis. Com esse dinheiro, Clemente sonhava comprar um pedaço de terra para eles dois botarem uma roça. Que terra poderiam comprar com tão pouco dinheiro? Uma ninharia, uma nesga de terra ruim. O negro Fagundes pensava que, se os falados barulhos não recomeçassem, seria difícil, muito difícil, chegar a comprar um pedaço de terra, mesmo ruim. Com a mandioca e o milho, a batata-doce e o aipim, não conseguiam viver. Apenas comer. Para ir ao povoado, dormir com uma quenga, fazer um fuzuê, dar uns tiros pro ar, não alcançava. Era preciso tomar dinheiro adiantado. No fim dos três anos, receberiam o saldo, talvez nem chegasse à metade do valor da empreitada. Onde se haviam metido esses barulhos tão bem começados? Uma calmaria, nem se falava. Os jagunços de Melk haviam voltado junto com Fagundes, numa canoa, de madrugada.

O coronel andava sombrio, também ele tinha perdido o gosto de rir. Fagundes sabia por quê. Na roça todos sabiam, notícias ouvidas em Cachoeira do Sul. A filha, aquela orgulhosa que Fagundes conhecera, arribara do colégio enrabichada por homem casado. Mulher é bicho desgraçado, bole com a vida de todo mundo. Se não é a mulher da gente, é a filha, é a irmã. Não vivia Clemente de cabeça baixa, a matar-se no trabalho, a ficar de noite na porta da casa de barro batido, sentado numa pedra, a olhar o céu? Desde que soubera, pelo negro Fagundes, vindo de Ilhéus, estar Gabriela casada com o dono do bar, uma senhora de anel no dedo, de dente de ouro, mandando em empregadas.

Contara-lhe o negro as peripécias da fuga, a caçada no morro, o muro pulado, o encontro com Gabriela casada e de como ela salvara sua vida. Eles queimavam a mata: corriam os animais apavorados, na frente do fogo. Porcos selvagens, caititus, pacas, veados, teiús e jacus, e um mundo de cobras: jararacas, cascavéis, surucucus. Tinham depois de roçar com cuidado, por entre as moitas escondiam-se as cabeças traiçoeiras das serpentes, com o bote armado para picar. Era morte certa.

Quando estavam começando a plantar as frágeis mudas de cacau, o coronel o mandara chamar. Batia o rebenque na bota, na varanda da casa. Com aquele rebenque a filha surrara, animando-a a partir. Olhou o negro Fagundes com seus olhos pensativos e tristes desde a fuga de Malvina, falou com sua voz de raiva concentrada:

— Vai te preparando, negro! Um dia desses te levo de novo pra Ilhéus. Vai ser preciso homem disposto na cidade.

Seria para matar o tipo que carregara sua filha? Para atirar nele e, quem sabe, na moça? Era orgulhosa, parecia imagem de santo. Mas ele, Fagundes, não matava mulher. Ou seriam os barulhos de novo a começar? Perguntou:

— É briga outra vez? — Riu. — Dessa vez não vou errar.

— Pros dias das eleições. Estão se aproximando. Precisamos ganhar. Nem que seja na boca da repetição.

Boa notícia após tanto tempo de calmaria. Retornou a plantar com novo ardor. O sol implacável era um chicote no lombo. Finalmente haviam terminado, quatro mil mudas de cacau cobriam a terra onde fora a floresta virgem, assustadora.

Voltando para casa, as enxadas ao ombro, conversavam Clemente e o negro Fagundes. O crepúsculo morria, a noite entrava por dentro das roças, trazendo consigo os lobisomens, as mulas de padre, a alma dos mortos nas tocaias antigas. Passavam sombras nos cacauais, as corujas abriam os olhos noturnos.

— Um dia desses tou voltando pra Ilhéus. Lá vale a pena. Tem tanta mulher no Bate-Fundo, cada uma mais linda de ver. Vou tomar um fartão. — Batia na barriga negra, de umbigo saltado. — Essa barriga vai clarear de tanto roçar barriga de branca.

— Tu vai pra Ilhéus?

— Falei pra tu outro dia. Que o coronel me avisou. Vai ter eleição, nós vai ganhar à custa de bala. Já tou avisado, só falta a ordem pra embarcar.

Clemente ia meditativo, como a ruminar uma ideia. Fagundes dizia:

— Dessa vez vou voltar com dinheiro. Não há negócio melhor que garantir eleição. Tem comes e bebes, festa pra festejar ter ganhado. E corre dinheiro pros bolsos da gente. Tu pode contar: dessa vez vou trazer os mil-réis pra gente meter no pedaço de terra.

Parando na sombra, o rosto no escuro, Clemente pedia:

— Tu podia falar com o coronel pra levar eu também.
— Por que tu quer ir? Tu não é homem de briga... O que tu sabe fazer é lavrar terra, é plantar, é colher. Tu quer ir pra quê?
Voltou a andar Clemente, não respondeu. Fagundes repetiu:
— Pra quê? — E se lembrou. — Pra ver Gabriela?
O silêncio de Clemente era uma resposta. As sombras cresciam, não iria tardar e a mula de padre, vinda do inferno, solta na mata, passaria a correr, os cascos batendo nas pedras, em lugar da cabeça um fogo saindo do pescoço cortado.
— Que tu vai ganhar, que serventia vai ter tu ver ela outra vez? Tá uma dona casada, mais bonita que nunca, não mudou a natureza com o casório, fala com a gente da mesma maneira. Pra que tu quer ver? Num adianta.
— Só pra ver. Pra ver uma vez, espiar a cara dela, sentir seu cheiro. Pra ver ela rir, aprender outra vez.
— Tu tem ela plantada no teu pensar. Tu só pensa nela. Eu já arreparei, tu agora só fala em pedaço de terra por falar. Depois que tu veio saber do casamento. Pra que tu quer ver?
Uma cobra-de-vidro saiu do mato, correu na estrada. Na sombra difusa, seu longo corpo brilhava, era belo de ver-se, parecia um milagre na noite da roça.
Avançou Clemente, baixou a enxada, em três pedaços partiu-se a cobra-de-vidro. Com outra pancada esmagou-lhe a cabeça.
— Por que tu fez isso? Não é venenosa... Não faz mal a ninguém.
— É bonita demais, só com isso faz mal.
Andaram em silêncio um pedaço de estrada. O negro Fagundes disse:
— Mulher a gente não deve matar. Mesmo que a desgraçada desgrace a vida da gente.
— Quem falou em matar?
Jamais o faria, não tinha coragem, forças não tinha. Mas era capaz de dar dez anos de vida, a esperança de um pedaço de terra, para vê-la mais uma vez, uma só, seu riso escutar. Era uma cobra-de-vidro, não tinha veneno, mas semeava aflições só de passar entre os homens como um mistério, um milagre. Nos tocos de pau, no fundo da mata, o pio das corujas a chamar Gabriela.

DOS SINOS A DOBRAR FINADOS

OS JAGUNÇOS NÃO CHEGARAM A DESCER DAS ROÇAS. NEM OS DE MELK, de Jesuíno, de Coriolano, de Amâncio Leal, nem os de Altino, de Aristóteles, de Ribeirinho. Não foi necessário. Também aquela campanha eleitoral tomara aspectos novos, inéditos para Ilhéus, Itabuna, Pirangi, Água Preta, para a região cacaueira. Antes, os candidatos, certos da vitória, nem apareciam. Quando muito visitavam os coronéis mais poderosos, donos de maior extensão de terra e de maior número de pés de cacau. Desta vez era diferente. Ninguém tinha certeza de ser eleito, era preciso disputar os votos. Antes os coronéis decidiam, sob as ordens de Ramiro Bastos. Agora estava tudo atrapalhado, se Ramiro ainda mandava em Ilhéus, dava ordens ao intendente, em Itabuna mandava Aristóteles, seu inimigo. Um e outro apoiavam o governo do estado. E o governo, a quem apoiaria depois das eleições? Mundinho não permitira que Aristóteles rompesse com o governador.

Nos bares, na Papelaria Modelo, nas conversas na banca de peixe, dividiam-se as opiniões. Alguns afirmavam que o governo continuaria a prestigiar Ramiro Bastos, só reconheceria seus candidatos, mesmo se eles fossem derrotados. Não era o velho coronel um dos sustentáculos da situação estadual, não a apoiara em momentos difíceis? Outros achavam que o governo ficaria com quem vencesse na boca das urnas. Estava o governador no fim do período, o novo mandatário precisaria de apoio para administrar. Se Mundinho ganhasse, diziam eles, o novo governador o reconheceria, assim contaria com Ilhéus e Itabuna. Os Bastos já não valiam mais nada, eram um bagaço, só serviam para jogar fora. Terceiros pensavam que o governo trataria de agradar às duas partes. Não reconheceria Mundinho, deixando que o médico do Rio continuasse a mamar o subsídio de deputado federal. Na Câmara estadual manteria Alfredo Bastos. Em troca reconheceria o Capitão, de cuja vitória ninguém duvidava. O intendente de Itabuna seria, é claro, o candidato de Aristóteles, um seu compadre, para que ele continuasse a administrar. Por outro lado, previam, o governo ofereceria a Mundinho a vaga de senador estadual, a abrir-se quando Ramiro morresse. Afinal, o velho já festejara oitenta e três anos.

— Esse vai aos cem...
— Vai mesmo. Essa vaga de senador, Mundinho vai ter de esperar muito tempo...
Assim o governo ficaria bem com uns e com outros, se reforçaria no sul do estado.
— Vai é ficar mal com os dois lados...
Enquanto a população conjecturava e discutia, os candidatos das duas facções se desdobravam. Visitas, viagens, batizados em profusão, presentes, comícios, discursos. Não se passava domingo sem comício em Ilhéus, em Itabuna, nos povoados. O Capitão já pronunciara para mais de cinquenta discursos. Andava de garganta rebentada, afônico, a repetir tiradas retumbantes. A prometer mundos e fundos, grandes reformas em Ilhéus, estradas, melhoramentos, para completar a obra iniciada por seu pai, o inesquecível Cazuza de Oliveira. O dr. Maurício não fazia por menos. Enquanto o Capitão falava na praça Seabra, ele citava a Bíblia na praça Rui Barbosa. João Fulgêncio afirmava:
— Já sei todo o Velho Testamento de cor. De tanto ouvir discursos de Maurício. Se ele ganhar, filhos meus, tornará a leitura da Bíblia obrigatória, em coro, diariamente, em praça pública, puxada pelo padre Cecílio. Quem vai sofrer mais é o padre Basílio. Tudo que ele sabe da Bíblia é que o Senhor disse: "Crescei e multiplicai-vos".
Mas enquanto o Capitão e o dr. Maurício Caires reduziam-se à cidade e aos povoados e vilas do município, Mundinho, Alfredo e Ezequiel viajavam Itabuna, Ferradas, Macuco, correndo a zona do cacau, pois dependiam dos votos de toda a região. Até o dr. Vitor Melo, apavorado com as notícias chegadas ao Rio, apontando sua reeleição como improvável, embarcara num ita para Ilhéus, a renegar essa insubmissa gente do cacau. Abandonando o consultório elegante, onde tratava dos nervos de senhoras *blasés*, deixando saudosas as francesas do Assírio, as coristas das companhias de revista, não sem antes reclamar, na Câmara, a Emílio Mendes Falcão, seu colega de Partido Republicano, deputado por São Paulo:
— Quem é esse seu parente que resolveu disputar minha cadeira em Ilhéus? Um tal de Mundinho, você conhece?
— É meu irmão, o mais moço. Também já soube.
Alarmou-se então o deputado pela zona do cacau. Se era irmão de Emílio e Lourival, sua eleição e — pior! — seu reconhecimento corriam realmente perigo. Emílio informava:
— É um maluco. Largou tudo aqui, foi se meter naquele fim de

mundo. De repente, aparece candidato. Anda dizendo que virá para a Câmara com o único fim de apartear meus discursos... — Riu e perguntou: — Por que você não muda de distrito eleitoral? Mundinho é um menino terrível. Capaz de se eleger. Como ia mudar? Era protegido de um senador, seu tio por parte de mãe, abocanhara aquela vaga no sétimo distrito eleitoral da Bahia. As outras estavam todas ocupadas. E quem iria querer trocar com ele, concorrer com um irmão de Lourival Mendes Falcão, grão-senhor do café, a mandar no presidente da República? Embarcou às pressas para Ilhéus.

João Fulgêncio concordava com Nhô-Galo: o maior benefício que o deputado Vitor Melo poderia fazer à sua candidatura era não ter vindo a Ilhéus. Tratava-se do tipo mais antipático do mundo.

— É um vomitório — dizia Nhô-Galo.

Falando difícil, discursos pontilhados de termos médicos ("Os discursos dele fedem a formol", explicava João Fulgêncio), com uma voz de enjoo, adamado, uns paletós esquisitos, com cintura, teria gozado fama de invertido não fosse tão atirado às mulheres.

— É Tonico Bastos elevado ao cubo — definia Nhô-Galo.

Tonico andava pela Bahia com a esposa, a passeio. Esperando que a cidade esquecesse por completo sua triste aventura. Não queria envolver-se na campanha eleitoral. Os adversários podiam explorar seu caso com Nacib. Não haviam pregado na parede de sua casa um desenho a lápis de cor, onde ele era visto correndo em cuecas — infâmia, saíra de calças! —, a gritar socorro? Com versos sujos, de pé-quebrado, embaixo:

O Tonico Penico
Don Juan de puteiro
se fudeu por inteiro.
— Tu és bem casada?
— Eu sou é amigada.
E levou bofetada
o Tonico Penico.

Quem esteve também para levar bofetadas, se não um tiro, foi o deputado dr. Vitor Melo. Com seu ar de galã, seu torcido nariz, sua experiência das senhoras do Rio, nervosas clientes, curadas no divã do consultório, apenas via mulher bonita começava a fazer-lhe propostas. Não lhe importava o mais mínimo quem fosse o marido. Houve uma festa, no Clube Progresso, onde ele só não apanhou porque Alfredo Bastos interveio a tempo, quando já o impulsivo Moacir Estrela, sócio na empresa de marinetes, ia meter o braço nas nobres fuças parlamentares de Vitor. Saíra este a dançar com a esposa de Moacir, bonitona e modesta pessoa, que começava a frequentar os salões do Progresso, devido à recente prosperidade do marido. A senhora o soltou no meio da sala, a reclamar em voz alta.

— Abusado!

Contara às amigas que o deputado estivera todo tempo a meter uma perna entre as suas, a apertá-la no peito, como se em vez de dançar quisesse outra coisa. O *Diário de Ilhéus*, pela pena agressiva e purista do Doutor, relatou o incidente sob o título de: O FUÃO EXPULSO DO BAILE POR IGNOMÍNIA. Não houvera propriamente expulsão. Alfredo Bastos levara o deputado consigo, os ânimos estavam exaltados. O próprio coronel Ramiro, ao saber dessas e outras, confessara aos amigos:

— Era Aristóteles quem tinha razão. Se eu soubesse disso antes não teria brigado com ele, perdido Itabuna.

Também no bar de Nacib houve um pega-pega com o deputado. Numa discussão, o homenzinho perdera a cabeça e dissera ser Ilhéus terra de brutos, de mal-educados, sem nenhum grau de cultura. Desta vez quem o salvou foi João Fulgêncio. Josué e Ari Santos, considerando-se pessoalmente ofendidos, quiseram dar-lhe uma surra. Foi necessário João Fulgêncio usar de toda sua autoridade para evitar a briga. O bar de Nacib agora era um reduto de Mundinho Falcão. Sócio do exportador e inimigo de Tonico, o árabe (cidadão brasileiro nato e eleitor) entrara na campanha. E, por mais espantoso que pareça, naqueles dias vibrantes de comício, no maior deles, quando dr. Ezequiel bateu todos os seus recordes anteriores de cachaça e inspiração, Nacib pronunciou um discurso. Deu-lhe uma coisa por dentro, depois de ouvir Ezequiel. Não aguentou, pediu a palavra. Foi um sucesso sem precedentes, sobretudo porque, tendo começado em português e faltando-lhe as palavras bonitas, pescadas dificilmente na memória, ele terminou em árabe, num rolar de vocábulos sucedendo-se em impressionante rapidez. Os aplausos não findavam.

— Foi o discurso mais sincero e mais inspirado de toda a campanha — classificou João Fulgêncio.

Toda essa agitação cessou numa doce manhã de luz azulada, quando os jardins de Ilhéus exalavam perfume e os passarinhos trinavam a saudar tanta beleza. O coronel Ramiro acordava muito cedo. A empregada mais antiga da casa, há cerca de quarenta anos com os Bastos, servia-lhe uma pequena xícara de café. O ancião sentava-se na cadeira de balanço, a pensar na marcha da campanha eleitoral, a fazer cálculos. Ia-se acostumando à ideia de manter-se no poder graças ao reconhecimento prometido pelo governador, à degola dos adversários eleitos. Naquela manhã, a empregada esperou com a xícara de café. Ele não apareceu. Alarmada, acordou Jerusa. Foram encontrá-lo morto, os olhos abertos, a mão direita a segurar o lençol. Um soluço cortou o peito da moça, a empregada começou a gritar: "Morreu meu padrinho!".

O *Diário de Ilhéus*, tarjado de negro, fazia o elogio do coronel:

Nesta hora de luto e dor cessam todas as divergências. O coronel Ramiro Bastos foi um grande homem de Ilhéus. A ele devem a cidade, o município e a região muito do que possuem. O progresso de que hoje nos orgulhamos e pelo qual nos batemos, sem Ramiro Bastos não existiria.

Na mesma página, entre muitos outros avisos fúnebres — da família, da intendência, da Associação Comercial, da Confraria de São Jorge, da família Amâncio Leal, da Estrada de Ferro Ilhéus-Conquista —, lia-se um, do Partido Democrático da Bahia (secção de Ilhéus), convidando todos os seus correligionários a comparecer ao enterro do "inesquecível homem público, adversário leal e cidadão exemplar". Assinavam Raimundo Mendes Falcão, Clóvis Costa, Miguel Batista de Oliveira, Pelópidas de Assunção d'Ávila e o coronel Artur Ribeiro.

Alfredo Bastos e Amâncio Leal recebiam, na sala das cadeiras de alto espaldar onde repousava o corpo, os pêsames de uma multidão a desfilar por toda a manhã e toda a tarde. Tonico fora avisado por telegrama. Ao meio-dia, acompanhado de enorme coroa, Mundinho Falcão entrou na casa, abraçou Alfredo, apertou, comovido, a mão de Amâncio. Jerusa parada junto ao caixão, orvalhada de lágrimas sua face de madrepérola. Mundinho aproximou-se, ela levantou os olhos, rebentou em soluços, fugiu da sala.

Às três horas da tarde já não cabia ninguém dentro da casa. A rua, até às vizinhanças do Clube Progresso e da intendência, estava cheia de gente. Viera Ilhéus em peso, um trem especial e três marinetes de Itabuna. Altino Brandão chegou de Rio do Braço, disse a Amâncio:

— Foi melhor assim, vosmicê não acha? Morreu antes de perder, morreu mandando como ele gostava. Era homem de opinião, dos antigos. O último que havia.

O bispo, acompanhado de todos os padres. A irmã superiora do colégio das freiras, com as freiras e as alunas formadas na rua, esperando a saída do enterro. Enoch, com todos os professores e alunos do seu ginásio. Os professores e alunos do grupo escolar, os meninos do colégio de dona Guilhermina e dos demais colégios particulares. A Confraria de São Jorge, o dr. Maurício vestido com a bata vermelha. O Mister vestido de preto, o comprido sueco da navegação, o casal de gregos. Exportadores, fazendeiros, comerciantes (o comércio cerrara suas portas em sinal de luto), e gente do povo, descida dos morros, vinda do Pontal e da ilha das Cobras.

Com dificuldade, acompanhada de dona Arminda, Gabriela abriu caminho até a sala repleta de coroas e de gente. Conseguiu aproximar-se do caixão, suspendeu o lenço de seda a cobrir o rosto do morto, fitou-o um instante. Depois debruçou-se sobre a mão de um branco de cera e a beijou. No dia da inauguração do presépio das irmãs Dos Reis o coronel fora gentil com ela. Na vista da cunhada, do cunhado doutor. Abraçou Jerusa, a moça prendeu-se em seu pescoço a chorar. Chorava também Gabriela, muita gente soluçava na sala. Os sinos de todas as igrejas dobravam Finados.

Às cinco horas o enterro saiu. A multidão não cabia na rua, espalhava-se pela praça. Já começavam os discursos na beira do túmulo — falaram dr. Maurício, dr. Juvenal, advogado de Itabuna, o Doutor, pela oposição, o bispo pronunciou umas palavras — e ainda parte do acompanhamento estava subindo a ladeira da Vitória para chegar ao cemitério. À noite, os cinemas fechados, os cabarés apagados, os bares vazios, a cidade parecia deserta como se todos houvessem morrido.

DO FIM (OFICIAL) DA SOLIDÃO

A ILEGALIDADE É PERIGOSA E COMPLICADA. REQUER PACIÊNCIA, SAGACIDADE, viveza e um espírito sempre alerta. Não é fácil manter íntegros os cuidados que ela exige. Difícil é preservá--la do desleixo, natural com o correr do tempo e o aumento insensível da sensação de segurança. De começo exageram-se as precauções mas, pouco a pouco, vão elas sendo abandonadas, uma a uma. A ilegalidade vai perdendo seu caráter, despe-se de seu manto de mistério e, de repente, o segredo de todos ignorado é notícia na boca do mundo. Foi sem dúvida o que ocorreu com Glória e Josué.

Xodó, rabicho, paixão, amor — dependia da cultura e da boa vontade do comentarista a classificação do sentimento —, era fato conhecido de todo Ilhéus o vínculo existente entre o professor e a mulata. Falava-se daquilo não apenas na cidade, mas até em fazendas perdidas para o lado da serra do Baforé. No entanto, nos dias iniciais, todos os cuidados pareciam insuficientes a Josué e, sobretudo, a Glória. Ela explicara ao amante as duas profundas e respeitáveis razões por que desejava manter o povo de Ilhéus, em geral, e o coronel Coriolano Ribeiro, em particular, na ignorância de toda aquela beleza cantada em prosa e verso por Josué, daquela santa alegria a resplandecer nas faces de Glória. Primeiro, devido ao pouco recomendável passado de violências do fazendeiro. Ciumento, não perdoava traição de rapariga. Se lhe pagava luxo de rainha, exigia direitos exclusivos sobre seus favores. Glória não desejava arriscar-se a uma surra e a cabelos raspados, como sucedera com Chiquinha. Nem arriscar os delicados ossos de Josué, pois apanhara também Juca Viana, o sedutor. E também ele tivera a cabeleira raspada a navalha. Segundo, porque não queria perder, com os cabelos e a vergonha, o conforto da casa esplêndida, da conta na loja e no armazém, da empregada para todo serviço, dos perfumes, do dinheiro guardado a chave na gaveta. Assim, Josué devia entrar em sua casa após haver-se recolhido o último notívago e sair antes de levantar-se o primeiro madrugador. Desconhecê-la por completo fora dessas horas quando, com ardor e voracidade, vingavam-se, no leito a ranger, de tais limitações.

É possível manter tão estrita ilegalidade uma semana, quinze dias. Depois, começam os descuidos, a falta de vigilância, de atenção. Um pouco mais cedo ontem, um pouco mais cedo hoje, terminou Josué por entrar na casa amaldiçoada com o Bar Vesúvio ainda cheio de gente, apenas findava a sessão do Cine-Teatro Ilhéus. Mais cinco minutos de sono hoje, mais cinco amanhã, terminou saindo diretamente do quarto de Glória para o colégio, a ditar classes. Confidência ontem a Ari Santos ("Não passe adiante..."), hoje a Nhô-Galo ("Que mulher!"), segredo ontem murmurado aos ouvidos de Nacib ("Não conte a ninguém, pelo amor de Deus"), hoje aos de João Fulgêncio ("É divina, seu João!"), a história do professor e da manceba do coronel logo se espalhou.

E não fora só ele o indiscreto — como guardar no coração esse amor a explodir de seu peito? —, o único imprudente — como esperar o meio da noite para penetrar no paraíso proibido? Não lhe cabia toda a culpa. Não começara Glória também a passear pela praça, abandonando sua janela solitária, para vê-lo mais de perto, sentado no bar, rir para ele? Não comprava gravatas, meias e camisas de homem, até cuecas, nas lojas? Não levara ao alfaiate Petrônio, o melhor e mais careiro da cidade, uma roupa de Josué, puída e cerzida, para que o mestre da agulha lhe costurasse outra, de casimira azul, surpresa para seu aniversário? Não fora aplaudi-lo no salão nobre da intendência, quando ele apresentara um conferencista? Não frequentava, única mulher entre seis gatos-pingados, as sessões dominicais do Grêmio Rui Barbosa, atravessando insolente por entre as solteironas saídas da missa das dez? Com o padre Cecílio comentavam Quinquina e Florzinha, a áspera Doroteia e a furibunda Cremildes aquele devotamento de Glória à literatura:

— Melhor que viesse confessar seus pecados...

— Um dia desses escreve nos jornais...

Culminou o desvario quando, um domingo à tarde, com a praça repleta, foi Josué entrevisto, através de uma veneziana imprudentemente aberta, a andar de cuecas na sala de Glória. As solteironas clamavam: assim era demais, uma pessoa decente nem podia passar tranquila na praça.

No entanto, com tantas novidades e acontecimentos em Ilhéus, aquela "devassidão" (como dizia Doroteia) já não constituía escândalo. Discutiam-se e comentavam-se coisas mais sérias e importantes. Por exemplo, após o enterro do coronel Ramiro Bastos, desejava-se saber quem tomaria seu lugar, assumiria o posto vago de chefe. Alguns achavam natural e justo fosse a chefia às mãos do dr. Alfredo Bastos, seu filho, ex-intendente e atual deputado estadual. Pesavam seus defeitos e qualidades. Não era homem brilhante nem primava pela energia, não nascera para mandar. Fora intendente zeloso, honesto, administrador razoável, era deputado medíocre. Bom mesmo só como médico de crianças, o primeiro a exercer a pediatria em Ilhéus. Casado com mulher enjoada, pedante, com fumaças de nobreza. Concluíam um tanto pessimistas sobre o futuro do partido governamental e do progresso da zona entregues em mãos tão débeis.

Eram uns poucos, porém, os que enxergavam em Alfredo o sucessor de Ramiro. A grande maioria punha-se de acordo em torno do nome perigoso e inquietante do coronel Amâncio Leal. Esse o real herdeiro político de Ramiro. Para os filhos ficavam a fortuna, as histórias para contar aos netos, a legenda do coronel desaparecido. Mas o comando do partido, esse só podia pertencer a Amâncio. Fora ele a segunda pessoa de Ramiro, indiferente aos postos, mas participando de todas as decisões, única opinião acatada pelo finado dono da terra. Murmurava-se ser projeto dos dois amigos unir as famílias Bastos e Leal, através do casamento de Jerusa com Berto, apenas o rapaz terminasse o curso. A velha empregada de Ramiro contava ter ouvido o ancião falar nesse plano, ainda dias antes de morrer. Sabia-se também haver o governador mandado oferecer a Amâncio a vaga aberta no Senado estadual com a morte de seu compadre.

Nas mãos violentas de Amâncio, qual o destino da zona do cacau e da força política do governo? Difícil imaginar, tratando-se de homem tão imprevisível, arrebatado, contraditório, obstinado. Duas qualidades louvavam-lhe os amigos: a coragem e a lealdade. Outros censuravam-lhe a teimosia, a intolerância. Concordavam todos na previsão de um fim agitado para a campanha eleitoral em curso, Amâncio comandando violências.

Com assuntos assim empolgantes, como iriam os ilheenses interessar--se pelo caso de Glória e Josué a prolongar-se há meses sem incidentes? Só mesmo as solteironas, invejosas agora do constante júbilo estampado no rosto de Glória, ainda lhe dedicavam seus comentários. Seria necessário algum acontecimento dramático ou pitoresco, a quebrar a feliz monotonia dos amantes, para nele novamente atentarem os ilheenses. Se Coriolano viesse a saber e fizesse uma das suas, aí, sim, valeria a pena. Para chamar Josué de "gigolô", como tanto o haviam chamado a princípio, para comentar os poemas onde ele descrevia, em escabrosos detalhes, as noites no leito, não se abalavam mais. A Josué e Glória só voltariam quando Coriolano tomasse conhecimento da traição da rapariga. Iria ser divertido.

Acontece que não foi divertido. Deu-se à noite, relativamente cedo, por volta das dez horas, quando, terminadas as sessões dos cinemas, o Bar Vesúvio encontrava-se repleto. Nacib ia de mesa em mesa anunciando para breve a inauguração do Restaurante do Comércio. Josué cruzara a porta de Glória há mais de uma hora. Abandonara as últimas precauções, não ligava para a opinião moralista das famílias e de certos cidadãos como o dr. Maurício. Aliás, atualmente, quem ligava para isso?

Houve um rumor de mesas e cadeiras arrastadas quando Coriolano apareceu na praça, vestido como um pobretão, andando para a casa onde antes habitara sua família e onde agora sua manceba regalava-se com o jovem professor. Cruzavam-se perguntas: estará armado, vai bater de chicote, vai fazer escândalo, atirar? Coriolano metia a chave na porta, a agitação crescia no bar, Nacib andou para a ponta do largo passeio. Ficaram atentos, à espera de gritos, talvez de tiros. Não houve nada disso. Da casa de Glória não chegava nenhum rumor.

Transcorreram uns minutos demorados, os fregueses do bar entreolhavam-se. Nhô-Galo, nervoso, segurava-se no braço de Nacib, o Capitão propunha a ida de um grupo até lá para evitar uma desgraça. João Fulgêncio discordou da iniciativa bisbilhoteira:

— Não é necessário. Não vai suceder nada. Aposto.

E não sucedeu. A não ser a saída, porta afora, de braço dado, de Glória e de Josué, andando pela avenida da praia para evitar a passagem ante o Vesúvio movimentado. Um pouco depois, a empregada foi trazendo e arrumando no passeio baús e malas, um violão e um urinol, único detalhe divertido em toda essa história. Sentou-se por fim em cima da mala mais alta e ficou a esperar. A porta foi trancada por dentro. Depois apareceu um carregador para apanhar as malas. Passadas as onze horas, porém, quando já havia pouca gente no bar.

Sensacional, em compensação, foi a notícia da visita de Amâncio Leal a Mundinho, dias depois. O fazendeiro viajara para suas roças em seguida ao enterro de Ramiro. Lá ficara, sem dar sinal de si, durante semanas. A campanha eleitoral sofrera brusca solução de continuidade com a morte do velho pajé, como se os oposicionistas já não tivessem a quem combater e os do governo não soubessem como agir sem seu chefe de tantos anos. Finalmente Mundinho e seus amigos voltaram a movimentar-se. Mas o faziam num ritmo lento, sem aquele entusiasmo, aquele corre-corre do início da campanha.

Amâncio Leal desceu do trem e marchou direto para o escritório do exportador. Era pouco mais de quatro horas da tarde, o centro comercial regurgitava de gente. A notícia correu célere, chegou aos quatro cantos da cidade antes mesmo da conferência haver terminado. Uns quantos basbaques juntaram-se no passeio, defronte da casa exportadora, as cabeças levantadas, espiando as janelas do escritório de Mundinho.

O coronel apertara a mão do adversário, sentara na confortável poltrona, recusara o licor, a cachaça, o charuto:

— Seu Mundinho, todo esse tempo combati o senhor. Fui eu quem mandou tocar fogo nos jornais — sua voz macia, seu único olho e as palavras claramente pronunciadas como se resultassem de longa reflexão.

— Fui eu também quem mandou atirar em Aristóteles.

Acendeu um cigarro, continuou:

— Estava preparado para virar Ilhéus pelo avesso. Pela segunda vez. Quando eu era mais moço, em companhia do compadre Ramiro, tinha virado uma primeira vez. — Parou como a recordar. — Os jagunços estavam de atalaia, prontos para descer. Os meus e os de outros amigos. Para acabar com a eleição. — Olhou com seu olho são para o exportador, sorriu. — Havia um cabra, bom na pontaria, meu conhecido velho, determinado para o senhor.

Mundinho ouvia muito sério. Amâncio pitou o cigarro:

— Agradeça estar vivo ao compadre, seu Mundinho. Se ele não tivesse morrido, quem estava no cemitério era o senhor. Mas Deus não quis, chamou ele primeiro.

Silenciou, talvez a pensar no amigo desaparecido. Mundinho esperou, um pouco pálido.

— Agora tudo acabou. Fiquei contra o senhor porque para mim o compadre era mais que um irmão, era como se fosse meu pai. Nunca me importei de saber quem tinha razão. Pra quê? O senhor estava contra o compadre, eu estava contra o senhor. E, se ele fosse vivo, eu estava com ele contra o diabo em pessoa. — Uma pausa. — Nas férias meu filho mais velho esteve aqui...

— Eu o conheci. Conversamos mais de uma vez.

— Sei disso. Ele discutia comigo: que o senhor estava com a razão. Não era por isso que eu ia mudar. Também não forcei a natureza do menino. Quero ele independente, pensando pela cabeça dele. Para isso trabalho, ganho dinheiro. Para que meus filhos não precisem de ninguém, possam tomar atitude quando quiserem.

Fez novo silêncio, fumava. Mundinho não se moveu.

— Depois o compadre morreu. Fui para a roça, comecei a pensar. Quem vai ficar no lugar do compadre? Alfredo? — Fez um gesto de pouco-caso com a mão. — É bom rapaz, cura doença de menino. Fora disso, é o retrato da mãe, uma santa mulher. Tonico? Esse não sei a quem saiu. Dizem que o pai do compadre era mulherengo. Mas não era safado. Fiquei matutando e só vi, em Ilhéus, um homem para substituir o compadre. E esse homem é o senhor. Vim aqui lhe dizer. Para mim acabou, já não combato o senhor.

Mundinho continuou ainda uns minutos em silêncio. Pensava nos irmãos, na mãe, na mulher de Lourival. Quando o empregado lhe anunciara o coronel Amâncio, ele tirara o revólver da gaveta, pusera no bolso. Até pela vida temera. Esperava tudo, menos a mão estendida do coronel.

Agora era o novo chefe da terra do cacau. No entanto não se sentiu alegre ou orgulhoso. Já não tinha com quem lutar. Pelo menos até que aparecesse alguém para lhe fazer frente, quando os tempos outra vez mudassem, ele não mais servisse para governar. Como sucedera ao coronel Ramiro Bastos.

— Coronel, eu lhe agradeço. Eu também lhe combati e ao coronel Ramiro. Não por questão pessoal. Eu admirava o coronel. Mas não concordávamos a respeito do futuro de Ilhéus.

— Sei disso.

— Nós também estávamos com nossos jagunços preparados. Não sei quem iria botar Ilhéus pelo direito depois de o termos posto pelo avesso. Também havia um homem designado para o senhor. Não era meu conhecido velho, mas de um amigo meu. Agora tudo isso acabou para mim também. Ouça uma coisa, coronel: esse pilantra de Vitor Melo não será deputado por Ilhéus. Porque Ilhéus deve ser representado por alguém daqui, interessado em seu progresso. Mas, tirando ele, pode ser qualquer um, quem o senhor quiser. Diga um nome e retiro o meu, boto o que o senhor indicar e o recomendo a meus amigos. Doutor Alfredo? O senhor mesmo? O senhor, eu o vejo melhor na cadeira que foi do coronel Ramiro, no Senado da Bahia.

— Quero não, seu Mundinho, mas lhe agradeço. Não quero nada para mim. Se eu votar será no senhor, nesse patife do doutor Vitor só votaria pelo compadre. Mas para mim a política acabou. Vou viver no meu canto. Vim só lhe dizer que não vou mais combater o senhor. Política lá em casa só depois que meu filho formar, se ele quiser se meter nisso. Mas tenho uma coisa a pedir ao senhor: não persiga os meninos do compadre, nem os amigos dele. Os meninos não são grande coisa, eu sei. Mas Alfredo é homem direito. E Tonico é um pobre de Deus. Os nossos amigos são homens de bem, ficaram com o compadre na hora ruim. É só o que eu queria lhe pedir. Pra mim não quero nada.

— Não penso perseguir ninguém, não sou disso. Ao contrário, o que desejo é discutir, com o senhor, a maneira de não prejudicar o doutor Alfredo.

— Pra ele, o melhor é voltar para Ilhéus, tratar de meninos. É disso que ele gosta. Agora, com a morte do compadre, está muito rico. Não precisa de política. Deixe Tonico com o cartório dele.

— E o coronel Melk? E os outros?

— Isso é com o senhor e com eles. Melk anda desgostoso, depois da história da filha. É bem possível que faça como eu, não se meta mais em política. Vou embora, seu Mundinho, já roubei seu tempo demais. De hoje em diante conte com um amigo. Não pra política. Quando passar a eleição, quero que o senhor venha um dia na minha rocinha. Caçar uns preás...

Mundinho acompanhou-o até a escada. Logo depois saía também, vinha sozinho e silencioso pela rua, quase sem responder aos cumprimentos numerosos, extremamente cordiais.

DAS PERDAS & LUCROS
COM *CHEF DE CUISINE*

JOÃO FULGÊNCIO MASTIGAVA UM BOLINHO, CUSPIA:

— De baixa qualidade, Nacib. A culinária é uma arte, você deve saber. Exige não só conhecimentos como, antes de tudo, vocação. E essa sua nova cozinheira não nasceu para isso. É uma charlatã.

Riram em redor, menos Nacib, preocupado. Nhô-Galo exigia uma resposta à sua pergunta anterior: "Por que Coriolano contentara-se com botar Glória e Josué porta afora e abandonar a rapariga? Logo ele, tão dado a violências, o carrasco de Chiquinha e Juca Viana, a ameaçar, ainda há uns dois anos, Tonico Bastos. Por que agiria assim?".

— Ora, porque... Por causa da biblioteca da Associação Comercial, dos bailes do Progresso, da linha de marinetes, dos trabalhos da barra... Por causa do filho quase doutor, da morte de Ramiro Bastos e por causa de Mundinho Falcão...

Silenciou um instante, Nacib atendia a outra mesa:

— Por causa de Malvina, por causa de Nacib.

As janelas fechadas da ex-casa de Glória eram uma nota melancólica na paisagem da praça. O Doutor refletiu:

— Sinto falta, devo confessar, de sua estampa emoldurada na janela. Já estávamos acostumados.

Ari Santos suspirou recordando os seios altos como uma oferta, o constante sorriso, os olhos de dengue. Quando voltasse ela de Itabuna (para onde viajara em companhia de Josué, por uns dias) onde iria morar, em que janela se debruçaria, para que olhos exibiria seios e sorrisos, lábios carnudos e olhos molhados?

— Nacib! — chamou João Fulgêncio. — Você precisa tomar providências, meu caro. Providências urgentes! Mudar de cozinheira e conseguir a casa de Coriolano, para nela novamente instalarmos Glória. Sem o quê, ó preclaro descendente de Maomé, esse bar vai à garra...

Nhô-Galo sugeriu uma subscrição dos fregueses para pagar o aluguel da casa e nela repor, em meio a grande festa, a carnação de Glória.

— E a elegância de Josué, quem vai pagar? — lançou Ari.

— Pelo que parece será o nosso Ribeirinho... — disse o Doutor.

Nacib ria mas estava preocupado. Dando um balanço em seus negócios, necessário em vista da próxima inauguração do restaurante, botara as mãos na cabeça. Talvez para constatar ainda a possuir, tanto a perdera nesses meses. Era natural que, nas semanas iniciais após a descoberta de Tonico nu em seu quarto, não ligasse para o bar, esquecesse o projeto do restaurante. Vivera aqueles dias a ganir de dor, vazio com a ausência de Gabriela, sem pensar. Mesmo depois, porém, só fizera besteiras.

Aparentemente tudo voltara ao normal. Os fregueses lá estavam, jogando dama e gamão, conversando, rindo, bebendo cerveja, bebericando aperitivos antes do almoço e do jantar. Ele se refizera por completo, a ferida cicatrizara no peito, já não cercava dona Arminda para saber de Gabriela, ouvir notícias das propostas recebidas e recusadas. Os fregueses, porém, não consumiam tanta bebida como antes, não gastavam tanto como no tempo de Gabriela. A cozinheira mandada vir de Sergipe, passagem paga por ele, era um blefe dos maiores. Não ia além do trivial, tempero pesado, comida gordurosa, doces açucarados. Os salgados para o bar, uma porcaria. E exigente, querendo ajudantes, reclamando do trabalho, uma peste. Ainda por cima um espantalho de feia, com verrugas e cabelos no queixo. Não servia, evidentemente. Nem para o bar, quanto mais para chefiar a cozinha do restaurante.

Eram os salgados e doces o incentivo à bebida, prendendo os fregueses, fazendo-os repetir as doses. O movimento no bar não decrescera, continuava intenso, a simpatia de Nacib mantinha firme a freguesia. Mas o consumo de bebidas diminuíra, e, com ele, os lucros. Muitos ficavam no primeiro cálice, outros não vinham mais todos os dias. Aquela ascensão fulminante do Vesúvio sofrera uma pausa, e houvera mesmo um decréscimo nas rendas. Isso quando o dinheiro rolava farto na cidade, todo mundo gastando nas lojas e nos cabarés. Precisava tomar uma providência, despedir a cozinheira, arranjar outra, custasse o que custasse. Em Ilhéus era impossível, ele tinha experiência. Conversara sobre o assunto com dona Arminda, a parteira tivera coragem de lhe aconselhar:

— Uma coincidência, seu Nacib. Tive pensando que boa cozinheira para o senhor é mesmo Gabriela. Não vejo outra.

Teve de conter-se para não soltar um palavrão. Essa dona Arminda andava cada vez mais maluca. Também não saía de sessão espírita, a conversar com defuntos. Contara-lhe ter o velho Ramiro aparecido na tenda de Deodoro e pronunciado comovente discurso perdoando todos seus inimigos a começar por Mundinho Falcão. Diabo da velha destramelada... Agora não passava um dia sem lhe tocar no assunto, por que não tomava Gabriela de cozinheira? Como se isso fosse coisa que se propusesse...

Ele se refizera, é verdade, tanto que podia ouvir dona Arminda falar de Gabriela, louvar-lhe o comportamento e a dedicação ao trabalho. Costurava dia e noite, pregando forro em vestido, abrindo casas para botões, alinhavando blusas, numa trabalheira difícil, pois — ela mesma dizia — não nascera para a agulha e, sim, para o fogão. Decidira, no entanto, não cozinhar para mais ninguém a não ser para Nacib. Apesar das ofertas a chover de todos os lados. Para cozinhar e para amigação, cada qual mais tentadora. Nacib ouvia dona Arminda, quase indiferente, apenas levemente orgulhoso dessa fidelidade tardia de Gabriela. Encolhia os ombros, entrava em casa.

Estava curado, conseguira esquecê-la, não a cozinheira, a mulher. Quando se recordava das noites passadas com ela, era com a mesma saudade mansa com que relembrava a sabedoria de Risoleta, as pernas altas de Regina, uma de antes, os beijos roubados à prima Munira numas férias em Itabuna. Sem dor profunda no peito, sem ódio, sem amor. Suspirava ainda mas pela cozinheira inigualável, suas moquecas, os xinxins, as carnes assadas, os lombos, as cabidelas. Refizera-se do golpe mas à custa de dinheiro. Durante semanas frequentara cada noite o cabaré, jogando roleta e bacará, pagando champanha para Rosalinda. Essa loira interesseira arrancava-lhe notas de quinhentos mil-réis, como se ele fosse um coronel do cacau a sustentar rapariga, e não seu xodó no leito pago por Manuel das Onças. Nunca vira xodó daquele tipo, estava era bancando o besta. Ao dar balanço em seus negócios teve uma ideia exata do dinheiro gasto com ela, dos desperdícios a que se entregara. Terminou por largá-la, seduzido por uma amazonense pequena, uma índia chamada Mara. Conquista menos espetacular, mais modesta, contentando-se com cerveja e alguns presentes. Mas como a índia não tinha proprietário fixo, fazia a vida em casa de Machadão, nem toda noite estava livre, e ele terminava afogando suas mágoas em ceias e pagodeiras nos cabarés ou em casas de mulheres, gastando sem conta. Pusera fora um horror de dinheiro.

Com tal vida, nesse tempo todo não·depositara dinheiro no banco. Cumprira os compromissos com seus fornecedores mas devorara os lucros numa boemia cara. Antigamente ia ao cabaré uma ou duas vezes por semana, dormia com mulher enrabichada por ele, sem gastar quase nada. Mesmo depois de casado, com tanta coisa dada a Gabriela, fora-lhe possível separar cada mês uns contos de réis, para a futura roça de cacau. Resolveu pôr fim àquela vida devassa e ruinosa. Pôde tranquilamente fazê-lo, não mais o torturava a ausência de Gabriela, o medo de ficar sozinho, já não procurava sua perna a anca redonda onde descansar. Sentia falta, e cada vez mais, era da cozinheira.

Felizmente nem tudo era negativo no balanço. O reservado do pôquer, com a dinheirama a correr naquele ano, deixava bom lucro. Agora, com a volta de Amâncio Leal e Melk às boas relações com Ribeirinho e Ezequiel, o reservado funcionava diariamente, entrando a roda de pôquer pela noite, indo, por vezes, até a manhã. Jogavam alto, o barato da casa crescia.

E havia o restaurante, no qual Mundinho pusera o dinheiro e Nacib o trabalho e a experiência. Lucros divididos e certos pois não teria concorrentes. A comida nos hotéis era infame. Além do mais, à noite, a sala do restaurante funcionaria para o pôquer, o sete e meio, a bisca, o vinte e um, os jogos de baralho aos quais os coronéis eram aficionados, preferindo-os mesmo à roleta e ao bacará dos cabarés. Ali poderiam divertir-se discretamente.

O pior mesmo era a falta de cozinheira. O andar já estava pintado, dividido em sala, copa e cozinha, as mesas e cadeiras prontas, o fogão construído, pias para lavar pratos, mictórios para os fregueses. Tudo do melhor. Do Rio haviam chegado as encomendas: máquina para fazer sorvete, frigorífico onde guardar carnes e peixes, fabricando seu próprio gelo. Coisas de luxo, nunca vistas em Ilhéus, os fregueses do bar estatelavam-se de admiração. Em breve estaria tudo montado, só faltava cozinheira. Naquele dia quando a suprema autoridade de João Fulgêncio criticara tão asperamente os salgados do bar, Nacib decidiu conferenciar com Mundinho sobre o assunto.

O exportador dedicava grande interesse ao restaurante. Era de comer bem, vivia reclamando a boia dos hotéis, mudando de um para outro. Também ele, Nacib estava a par, mandara oferecer ordenado de rei a Gabriela. Discutiu o assunto com o árabe, propôs mandar buscar um cozinheiro no Rio, experiente em restaurante. Era a única solução. Em Ilhéus arranjariam ajudantes, duas ou três cabrochas. Nacib torceu o nariz: esses cozinheiros do Rio não sabiam fazer comida baiana, cobravam um dinheirão. Mundinho, porém, estava encantado com sua ideia: um mestre-cuca vestido de branco, gorro na cabeça, como nos restaurantes do Rio. Vindo falar com os fregueses, recomendar-lhes pratos. Mandou um telegrama urgente a um amigo seu.

Nacib, ocupado com os últimos e complicados detalhes da arrumação do restaurante, voltava à sua vida antiga: ia ao cabaré raramente, dormia com a amazonense quando lhe sobrava tempo e ela estava livre. Apenas desembarcasse o cozinheiro do Rio e marcaria a data para a inauguração solene do Restaurante do Comércio. Muita gente subia, na hora do aperitivo, a escada ligando os andares, para extasiar-se ante a sala ornamentada de espelhos, o imenso fogão, o frigorífico, aquelas maravilhas.

O cozinheiro chegou, via Bahia, junto com Mundinho Falcão, no mesmo navio. O exportador fora à capital, a convite do governador, discutir a situação política e resolver problemas das eleições próximas. Levara Aristóteles, voltavam vitoriosos. O governador cedera em tudo: Vitor Melo abandonado ao seu destino, dr. Maurício igualmente. Quanto a Alfredo, retirara sua candidatura a deputado estadual, em seu lugar apresentara-se o dr. Juvenal, de Itabuna, sem nenhuma chance. Em realidade, a campanha eleitoral estava terminada, os oposicionistas passavam a ser governo.

Nacib embasbacou-se ante o cozinheiro. Estranha criatura: gordote e troncudo, com um bigodinho encerado de pontas finas, tinha uns ademanes suspeitos, uns modos afeminados. Importantíssimo, com uma arrogância de grão-duque, exigências de mulher bonita, preço alucinante.

João Fulgêncio dissera:

— Isso não é um cozinheiro, é o próprio presidente da República.

Português de nascimento, de sotaque pronunciado, muitas das palavras a caírem depreciativas de seus lábios eram francesas. Nacib, humilhado, não as entendia. Chamava-se Fernand, assim com *d* no fim. O seu cartão de visita — guardado carinhosamente por João Fulgêncio para juntá-lo ao do "bacharéis" Argileu Palmeira — dizia: FERNAND — CHEF DE CUISINE.

Acompanhado de alguns curiosos fregueses do bar, Fernand subiu com Nacib a examinar o restaurante. Balançou a cabeça ante o fogão:

— *Très mauvais...*

— O quê? — sucumbia Nacib.

— Ruim, merdoso... — traduzia João Fulgêncio.

Exigia fogão de metal, a carvão. Quanto antes. Deu prazo de um mês, sem o quê iria embora. Nacib suplicou dois meses, tinha de mandar vir da Bahia ou do Rio. Sua excelência concedeu num gesto superior, reclamando ao mesmo tempo uma série de apetrechos de cozinha. Criticou comidas baianas, indignas, segundo ele, de estômagos delicados. Criando logo profundas antipatias. O Doutor saltara em defesa do vatapá, do caruru, do efó.

— Sujeitinho armado em besta — sussurrou.

Nacib sentia-se humilhado e amedrontado. Ia dizer qualquer coisa, o *chef de cuisine* aplicava-lhe um olho crítico, superior, deixava-o gelado. Não fosse o homem ter vindo do Rio, custar tanto dinheiro e, sobretudo, ter sido ideia de Mundinho Falcão, o mandaria estourar-se no inferno com suas comidas de nomes complicados e suas palavras francesas.

Para experimentá-lo, pediu-lhe começar a fazer os salgados e doces para o bar e comida para ele, Nacib. Novamente botou as mãos na cabeça. A comida ficava caríssima, os salgados também. O *chef de cuisine* adorava latas de conservas: azeitonas, peixes, presuntos. Cada bolinho custava quase o preço de venda. E eram pesados, com muita massa. Que diferença, meu Deus!, entre as empadas de Fernand e as de Gabriela. Umas de pura massa a entrar pelos dentes, a pegar no céu da boca. As outras picantes e frágeis, dissolvendo-se na língua, pedindo bebida. Nacib balançava a cabeça.

Convidou João Fulgêncio, Nhô-Galo, o Doutor, Josué e o Capitão para um almoço preparado pelo nobre *chef*. Maioneses, caldo verde, galinha à milanesa, filé com fritas. Não é que fosse má a comida, não era. Como compará-la, porém, com os pratos da terra, temperados, cheirosos, picantes, coloridos? Como compará-la com a comida de Gabriela? Josué recordava: eram poemas de camarão e dendê, de peixes e leite de coco, de carnes e pimenta. Nacib não sabia como tudo aquilo iria acabar.

Aceitariam os fregueses esses pratos desconhecidos, esses molhos brancos? Comiam sem saber o que estavam comendo, se era peixe, carne ou galinha. O Capitão resumiu numa frase:

— Muito bom, mas não presta.

Quanto a Nacib, esse brasileiro nascido na Síria, sentia-se estrangeiro ante qualquer prato não baiano, à exceção de quibe. Era exclusivista em matéria de comida. Mas, que fazer? O homem estava ali, ganhando ordenado de príncipe, impando de importância e impertinência, a cacarejar em francês. Punha uns olhos lânguidos em Chico Moleza, o rapazola já o ameaçara com uns trancos. Nacib temia pela sorte do restaurante. No entanto havia grande curiosidade, falava-se do *chef* como de uma figura importante, dizia-se ter dirigido famosos restaurantes, inventavam-se histórias. Sobretudo a respeito das aulas de culinária, ditadas por ele às cabrochas vindas para ajudá-lo. As pobres não entendiam nada, a sergipana, enciumada, dera-lhe o apelido de "capão carijó".

Finalmente tudo ficou pronto, e a inauguração foi anunciada para um domingo. Um grande almoço seria oferecido pelos proprietários do Restaurante do Comércio às personalidades locais. Nacib convidou todos os notáveis de Ilhéus, todos os bons fregueses do bar. À exceção de Tonico Bastos, é claro. O *chef de cuisine* estudou um cardápio dos mais complicados. Nacib pensava nas insinuações de dona Arminda. Não havia cozinheira como Gabriela.

Infelizmente impossível, fora de cogitação. Uma lástima.

DO CAMARADA DO CAMPO DE BATALHA

QUANDO A LUA SURGIA POR DETRÁS DA PEDRA DO RAPA, RASGANDO o negrume da noite, as costureiras viravam pastoras, Dora se transformava em rainha, a casa de Dora em barco de vela. O cachimbo de seu Nilo era uma estrela, ele trazia na mão direita um cetro de rei, na esquerda a alegria. Atirava, ao entrar, com a mão certeira, o boné marítimo, onde escondia os ventos e as tempestades, em cima do velho manequim. Começava a magia. O manequim se animava, mulher de uma perna só, envolto num vestido por acabar, o boné na cabeça que não havia. Tomava-o pela cintura seu Nilo, dançavam na sala. Dançava engraçado o manequim com sua única perna. Riam as pastoras, Miquelina soltava sua gargalhada de louca, Dora sorria como rainha que era.

Do morro desciam as outras pastoras, vinha Gabriela da casa de dona Arminda, já não eram somente pastoras, eram filhas de santo, iaôs de Iansã. Cada noite seu Nilo soltava a alegria no meio da sala. Na pobre cozinha, Gabriela fabricava riqueza: acarajés de cobre, abarás de prata, o mistério de ouro do vatapá. A festa começava.

Dora de Nilo, Nilo de Dora, mas qual das pastoras não montara seu Nilo, pequeno deus de terreiro? Eram éguas na noite, montarias dos santos. Seu Nilo se transformava, era todos os santos, era Ogum e Xangô, Oxóssi e Omolu, era Oxalá para Dora. Chamava Gabriela de Iemanjá, dela nasciam as águas, o rio Cachoeira e o mar de Ilhéus, as fontes nas pedras. Nos raios da lua, a casa velejava no ar, subia pelo morro, partia na festa. As canções eram o vento, as danças eram os remos, Dora a figura de proa. Comandante, seu Nilo ordenava marujos.

Os marujos vinham do cais: o negro Terêncio, tocador de atabaque, o mulato Traíra, violeiro de fama, o moço Batista, cantador de modinhas, e Mário Cravo, santeiro maluco, mágico de feira. Seu Nilo apitava, a sala sumia, era terreiro de santo, candomblé e macumba, era sala da dança, era leito de núpcias, um barco sem rumo no morro do Unhão, velejando ao luar. Seu Nilo soltava cada noite a alegria. Trazia a dança nos pés, o canto na boca.

Sete Voltas era uma espada de fogo, um raio perdido, um espanto na noite, um ruído de guizos. A casa de Dora foi roda de capoeira quando ele surgiu com seu Nilo, o corpo a gingar, a navalha na cinta, sua prosápia, fascinação. Curvaram-se as pastoras, um rei mago chegava, um deus de terreiro, um cavaleiro de santos para seus cavalos montar.

Cavalo de Iemanjá, Gabriela partia por prados e montes, por vales e mares, oceanos profundos. Na dança a dançar, o canto a cantar, cavalgado cavalo. Um pente de osso, um frasco de cheiro, do rochedo atirava para a deusa do mar, fazia um pedido: o fogão de Nacib, sua cozinha, o quartinho dos fundos, os cabelos do peito, o bigode de cócegas, a perna pesada em sua anca de arreios.

Quando a viola silenciava, chegada a hora dos cafunés, desfiavam as histórias. Seu Nilo naufragara duas vezes, vira a morte de perto. A morte no mar com verdes cabelos e uma gaita de sopro. Mas era claro seu Nilo como a água da fonte. Sete Voltas era um poço sem fundo, um segredo de morte, carregava defuntos em sua navalha. Polícias de farda, polícias sem farda, corriam atrás dele. Na Bahia, em Sergipe, em Alagoas, nas rodas de capoeira, nos terreiros de santos, nos mercados e feiras, no escondido do cais, nos bares dos portos. Mesmo seu Nilo com respeito o tratava, quem podia com ele? A tatuagem no peito lembrava a solidão da cadeia. De onde vinha? De morte matada. Estava de passagem e tinha pressa. No cais da Bahia por ele esperavam os jogadores de ronda, os mestres de angola, os pais de terreiro e quatro mulheres. Era só o tempo da polícia esquecer. Aproveitem, meninas!

Nos domingos de tarde, nos fundos da casa, no limpo quintal, soava o berimbau. Vinham mulatos e negros, brincar o brinquedo. Sete Voltas tocava e cantava:

Camarada do campo de batalha.
Vamos embora
pelo mundo afora.
Eh! camarada...

Entregava o instrumento a seu Nilo, entrava na roda da capoeira. O rabo de arraia, Terêncio voava. As pernas no ar, passava por cima do mulato Traíra. O moço Batista caía no chão, Sete Voltas pegava o lenço com a boca. No campo de batalha ficava sozinho, seu peito tatuado.

Na praia junto aos rochedos, Sete Voltas mordia as areias de Gabriela, as ondas de seu mar de espumas e tempestades. Ela era a doçura do mundo, a claridade do dia, o segredo da noite. Mas a tristeza persistia, andava na areia, corria para o mar, soava no rochedo.

— Por que tu é triste, mulher?
— Sou não. Só estou.
— Não quero tristeza junto de mim. Meu santo é alegre, meu natural folgazão. Mato a tristeza com minha navalha.
— Mata não.
— E por que não?
Queria um fogão, um quintal de goiaba, mamão e pitanga, um quarto dos fundos, um homem tão bom.

— Não basta com eu? Tem mulher capaz de matar e morrer por esse moreno, tu pode agradecer tua sorte.
— Basta não. Ninguém não basta não. Tudo junto não basta.
— É assim de não poder esquecer?
— Assim.
— Então é ruim.
— É não ter gosto na boca.
— É ruim.
— É não ter alegria no peito.
— Ruim.

Uma noite a levou, na véspera fora Miquelina, no sábado Paula dos peitos de rola, era o ansiado turno de Gabriela. Na casa de Dora, seu Nilo na rede com a rainha no colo. O barco de vela arribava a seu porto.

Mas Gabriela chorava na areia, na fímbria do mar. A lua a cobria de ouro, seu perfume de cravo no vento a passar.
— Tu tá chorando, mulher.

Tocou o rosto de canela com a mão de navalha.
— Por quê? Junto de mim mulher não chora, ri de prazer.
— Se acabou, agora se acabou.
— O que se acabou?
— Pensar que um dia...
— O quê?

Que poderia voltar ao fogão, ao quintal, ao quarto dos fundos, ao bar. Não ia Nacib abrir restaurante? Não ia precisar de boa cozinheira? Quem melhor do que ela? Dona Arminda dizia para ter esperança. Só mesmo Gabriela poderia assumir cozinha tão grande e dar conta perfeita. Em vez dela, um sujeito vindo do Rio, um boneco empalhado, falando estrangeiro. Daí a três dias, a inauguração, uma festa das grandes. Agora, nem mesmo a esperança. Queria ir-se de Ilhéus. Para o fundo do mar.

Sete Voltas era uma liberdade plantada cada dia, ao amanhecer. Era uma oferta e uma decisão. Um orgulho e uma dádiva. Feria como o raio, alimentava como a chuva, camarada do campo de batalha.
— Um portuga?

Pôs-se de pé o camarada do campo de batalha. O vento arrefecia ao tocá-lo, empalidecia o luar em suas mãos, as ondas vinham lamber-lhe os pés de capoeira, criadores do ritmo.
— Não chore, mulher. Junto de Sete Voltas nenhuma mulher chora, só faz rir de prazer.

— Que posso fazer? — Pela primeira vez era uma pobre e triste e desgraçada, sem desejo de viver.

Nem mesmo o sol, nem o luar, nem a água fria, nem seu gato arisco, nem o corpo de um homem, nem o calor de um deus de terreiro, podia fazê-la rir, sentir o gosto da vida no peito vazio. Vazio de seu Nacib, tão bom, um moço bonito.

— Nada tu pode fazer. Sete Voltas é que pode fazer e vai fazer.

— Que coisa? Vejo não.

— Se o portuga sumir, quem vai cozinhar? No dia da festa, se ele sumir, que outro jeito senão te chamar? Pois vai sumir.

Por vezes era escuro como a noite sem lua e duro como a pedra do rochedo enfrentando o mar. Gabriela tremeu:

— Que tu vai fazer? Matar ele? Quero não.

Quando ele ria era a aurora surgindo, são Jorge na lua, terra encontrada por náufrago em desespero, uma âncora de barco.

— Matar o portuga? Não me fez mal. Mando ele embora um pouco depressa. Dar o fora daqui. Só maltrato um pinguinho se ele teimar.

— Tu vai fazer? De verdade?

— Junto de mim mulher é pra rir, não pra chorar.

Gabriela sorriu. O camarada do campo de batalha semicerrou os olhos de brasa e pensou ser melhor assim. Podia partir, continuar seu caminho, sua liberdade no peito, seu livre coração. Melhor que ela morresse por outro, essa única no mundo capaz de prendê-lo, de amarrá-lo àquele porto pequeno, àquele cais do cacau, de dobrá-lo e domá-lo. Nessa noite pensava dizer-lhe, contar-lhe, entregar-se rendido de amor. Melhor assim, suspirando e chorando por outro, por outro morrendo de amor, Sete Voltas podia ir-se embora. Camarada do campo de batalha, vamos embora, pelo mundo afora.

Ela puxou-lhe a mão, abriu-se a agradecer. Barca em mar sereno, navegação de recôncavo, ilha plantada de canaviais e pimenteiras. Navegava na barca de proa altaneira o camarada do campo de batalha. Eh! camarada, ardia seu peito, a dor de perdê-la. Mas era um deus de terreiro, na mão direita o orgulho, a liberdade na esquerda.

DO BENEMÉRITO CIDADÃO

NAQUELE SÁBADO, VÉSPERA DA SOLENE INAUGURAÇÃO DO RESTAURANTE do Comércio, o seu proprietário, o árabe Nacib, podia ser visto, em mangas de camisa, correndo como um louco pela rua, o volumoso ventre a balançar sobre o cinto, os olhos esbugalhados, em direção à casa exportadora de Mundinho Falcão.

Na porta da coletoria federal, o Capitão conseguiu frear a carreira ansiosa, segurando o dono do bar pelo braço:

— O que é isso, homem, onde vai com tanta pressa?

Nascido amável e amigueiro, requintava o Capitão em gentileza desde a proclamação de sua candidatura a intendente:

— Sucedeu alguma coisa? Em que posso lhe servir?

— Sumiu! Sumiu! — arfava Nacib.

— Sumiu, o quê?

— O cozinheiro, o tal de Fernand.

Não tardou e toda a cidade estava a par do intrincado mistério: desde a véspera à noite o cozinheiro vindo do Rio, o espetacular *chef de cuisine*, monsieur Fernand (como gostava de ser chamado), desaparecera de Ilhéus.

Combinara, com os dois garçons contratados para o restaurante e com as ajudantes de cozinha, um encontro pela manhã, para assegurarem as últimas disposições para o dia seguinte. Não aparecera, ninguém o vira.

Mundinho Falcão mandou chamar o delegado, explicou o caso, recomendou-lhe investigações meticulosas. Era aquele mesmo tenente que o secretário da intendência de Itabuna botara a correr. Agora todo humilde e servil ante Mundinho, a tratá-lo de doutor.

Na Papelaria Modelo, João Fulgêncio e Nhô-Galo desfilavam hipóteses. O cozinheiro, pelo jeito e pelos olhares lançados a torto e a direito, era decididamente invertido. Tratar-se-ia de um crime torpe? Andava rondando Chico Moleza. O delegado interrogou o jovem garçom que se danou:

— Gosto é de mulher!... Não sei nada desse chibungo. Outro dia quase lhe meto o braço, ele se fez de besta.

Quem sabe, talvez tivesse sido vítima de gatunos, Ilhéus hospedava numerosos malandros, vigaristas, batedores de carteira, gente pouco recomendável fugida da Bahia e de outras praças. Substituíam agora os jagunços na paisagem humana da cidade. O delegado e os soldados bateram o porto, o Unhão, a Conquista, o Pontal, a ilha das Cobras. Nacib mobilizou seus amigos: Nhô-Galo, o sapateiro Felipe, Josué, os garçons, vários fregueses. Reviraram Ilhéus, sem resultado.

João Fulgêncio concluía pela fuga:

— Minha teoria é que o nosso respeitável chibungo fez as malas e arribou por conta própria. Bateu as asas. Não sendo Ilhéus terra dada a esses requintes de bunda, bastando, para o pouco gasto, Machadinho e Miss Pirangi, sentiu-se ele desolado e mudou-se. Fez bem, aliás, livrou-nos em tempo de sua asquerosa presença.

— Mas em que viajou? Não saiu navio ontem. Hoje é que tem o *Canavieiras*... — duvidava Nhô-Galo.

— De marinete, de trem...

Nem de trem, nem de marinete, nem a cavalo, nem a pé. O delegado garantia. Por volta de quatro horas, o negrinho Tuísca apareceu excitado com uma pista. De todos os *sherlocks* revelados naquele dia, foi o único a trazer algo concreto. Um sujeito gordote e elegante — e bem podia ser o tal cozinheiro, pois usava bigodes de ponta e rebolava as nádegas — fora visto tarde da noite por uma rameira da mais baixa extração. Ela vinha do Bate-Fundo e enxergara, para os lados dos armazéns do porto, o sujeito sendo levado por três tipos suspeitos. Tudo isso contara a Tuísca, mas, ante a polícia, foi muito menos concreta. Parecera-lhe ter visto, não tinha certeza, havia bebido, não sabia quem eram os homens, ouvira falar. Em realidade reconhecera perfeitamente seu Nilo, o negro Terêncio e o chefe dos dois, cujo nome não sabia mas por quem suspiravam ela e todas as quengas do Bate-Fundo. Um perigoso na capoeira, vindo da Bahia. Com fama de mau. Sua secreta impressão, a estremecer-lhe o peito, era estar o tal cozinheiro no fundo das águas do porto. Nada disso contou à polícia, já arrependida de haver falado do caso a Tuísca.

Ninguém se lembrou de procurar na casa de Dora, onde Fernand começara por chorar e terminara por ajudar na costura, já que as auxiliares tinham sido dispensadas de vir naquele dia. Completamente conformado em viajar à tarde, na terceira classe do baiano, vestido com blusa marinheira, pois no mesmo navio ia Sete Voltas. Dora prometera despachar-lhe a bagagem diretamente para o Rio.

Assim, quando, no fim da tarde, João Fulgêncio apareceu no bar em polvorosa, encontrou Nacib na maior das desolações. Como inaugurar o restaurante no dia seguinte? Tudo pronto, mantimentos comprados, cabrochas contratadas, treinadas por Fernand, dois garçons a postos, convites feitos para o almoço solene. Vinha gente de Itabuna, inclusive Aristóteles, de Água Preta, de Pirangi, vinha Altino Brandão de Rio do Braço. Onde encontrar cozinheira para substituir o desaparecido? Sim, porque nem mesmo com a sergipana podia contar. Fora embora, brigada com Fernand, largando o quartinho dos fundos numa imundície medonha. Com as cabrochas ajudantes? Só se quisesse fechar no dia seguinte. Para cozinhar de verdade não serviam, só para cortar carne, matar galinha, limpar as tripas, tomar conta do fogo. Onde encontrar cozinheira naquele espaço de tempo? Tudo isso chorou no peito amigo do livreiro, no reservado do pôquer onde, ante uma garrafa de conhaque sem mistura, escondera sua agonia. Os fregueses e amigos comentavam nas mesas do bar nunca o terem visto tão desesperado. Nem mesmo naqueles dias do rompimento com Gabriela. Talvez então fosse mais fundo e terrível o desespero, mas era silencioso, soturno e sombrio, enquanto agora Nacib clamava aos céus, gritava sua ruína e sua desmoralização. Quando vira João Fulgêncio, arrastara-o para o reservado do pôquer:

— Estou perdido, João. Que posso fazer? — Desde que o livreiro o descasara, depositava nele ilimitada confiança.

— Calma, Nacib, busquemos uma solução.

— Qual? Onde vou arranjar cozinheira? As irmãs Dos Reis não aceitam uma encomenda assim, de um dia para outro. E, mesmo que aceitassem, quem iria cozinhar na segunda-feira para a freguesia?

— Eu podia lhe emprestar a Marocas por uns dias. Só que ela só cozinha muito bem se minha mulher está ao lado para o tempero.

— Por uns dias, de que serve?

Nacib engolia o conhaque, tinha vontade de chorar:

— Ninguém me dá solução. Cada conselho mais sem pé nem cabeça. A maluca de dona Arminda me propôs contratar Gabriela de novo. Imagine!

Levantou-se João Fulgêncio, num entusiasmo:

— Está salva a pátria, Nacib! Sabe quem é dona Arminda? Pois é Colombo, o do ovo e da América. Ela resolveu o problema. Veja você: a solução em nossa frente, a boa, a justa, a perfeita solução e nós não a víamos. Tudo resolvido, Nacib.

Nacib perguntava cauteloso e desconfiado:

— Gabriela? Você acha? Não está brincando?

— E por que não? Não já foi sua cozinheira? Por que não pode voltar a ser? Que tem de mais?

— Foi minha mulher...

— Amigação, não foi? Porque o casamento era falso, você sabe... E por isso mesmo. Contratando outra vez de cozinheira você liquida por completo esse casamento, ainda mais do que com a anulação. Não lhe parece?

— Era uma boa lição... — refletiu Nacib. — Voltar de cozinheira depois de ter sido a dona...

— E então? O único erro em toda essa história foi você ter casado com ela. Foi ruim para você, pior para ela. Você quer, eu falo com ela.

— Será que aceita?

— Garanto que aceita. Vou agora mesmo.

— Diga que é só por uns tempos...

— Por quê? É uma cozinheira, você a empregará enquanto ela lhe servir bem. Por que por uns tempos? Volto já com a resposta.

Foi assim que nessa mesma noite, nadando em alegria, Gabriela limpou e ocupou o quartinho dos fundos. Antes agradecera a Sete Voltas em casa de Dora. Da janela de Nacib, abanou o lenço quando, depois das seis da tarde, o *Canavieiras* atravessou a barra e rumou para a Bahia.

No outro dia, na hora do almoço, os convidados, mais de cinquenta, encontraram de novo os pratos de todo sabor, a comida sem igual, o tempero entre o sublime e o divino.

Sucesso grande o almoço de inauguração. Com o aperitivo foram servidos aqueles salgados e doces de outrora. Na mesa, os pratos sucederam-se num desfile de maravilhas. Nacib, sentado entre Mundinho e o juiz de direito, ouviu comovido os discursos do Capitão e do Doutor. "Benemérito filho de Ilhéus", dissera o Capitão, "devotado ao progresso de sua terra." "Digno cidadão Nacib Saad, dotando Ilhéus de um restaurante à altura das grandes capitais", louvara o Doutor. Josué respondeu em nome de Nacib, agradecendo e elogiando, ele também, o árabe. Era uma consagração, culminando com as palavras de Mundinho, desejoso, como disse, de "dar a mão à palmatória". Fizera vir cozinheiro do Rio, Nacib fora contra. Tinha razão. Não havia no mundo comida capaz de comparar-se com essa da Bahia.

E então todos quiseram ver o artista daquele almoço, as mãos de fada criadoras de tais gostosuras. João Fulgêncio levantou-se, foi buscá-la na cozinha. Ela apareceu sorrindo, calçada em chinelas, um avental branco sobre o vestido de fustão azul, uma rosa rubra atrás da orelha. O juiz gritou: "Gabriela!".

Nacib anunciou em voz alta:

— Contratei outra vez de cozinheira...

Josué bateu palmas, Nhô-Galo também, todos aplaudiram, alguns levantaram-se para cumprimentá-la. Ela sorria, os olhos baixos, uma fita amarrada nos cabelos.

Mundinho Falcão murmurou para Aristóteles a seu lado:

— Esse turco é um mestre do bom-viver...

CHÃO DE GABRIELA

DIVERSAS VEZES RETARDADOS, TERMINARAM POR FIM OS TRABALHOS DA BARRA. Um novo canal, profundo e sem desvios, fora estabelecido. Por ele podiam passar sem perigo de encalhe os navios do Lloyd, do Ita, da Bahiana e, sobretudo, podiam entrar no porto de Ilhéus os grandes cargueiros, para ali receber diretamente os sacos de cacau.

Como explicou o engenheiro-chefe, a demora na conclusão das obras deveu-se a inúmeras dificuldades e entraves. Não se referia aos barulhos cercando a chegada dos rebocadores e técnicos, àquela noite de tiros e garrafadas no cabaré, às ameaças de morte iniciais. Aludia às inconstantes areias da barra: com as marés, os ventos, os temporais, moviam-se elas, mudavam o fundo das águas, cobriam e destruíam em poucas horas o trabalho de semanas. Era preciso começar e recomeçar, pacientemente, mudando vinte vezes o traçado do canal, buscando os pontos mais defendidos. Chegaram os técnicos, em determinado momento, a duvidar do sucesso, tomados de desânimo, enquanto a gente mais pessimista da cidade repetia argumentos da campanha eleitoral: a barra de Ilhéus era um problema insolúvel, não tinha jeito.

Partiram os rebocadores e dragas, os engenheiros e técnicos. Uma das dragas ficou permanente no porto, para atender com presteza às movimentadas areias, para manter o novo canal aberto à navegação de maior calado.

Uma grande festa de despedida, cachaçada monumental, iniciando-

-se no Restaurante do Comércio, terminando no El-Dorado, celebrou o feito dos engenheiros, sua pertinácia, sua capacidade profissional. O Doutor esteve à altura de sua fama no discurso de saudação onde comparou o engenheiro-chefe a Napoleão, mas "um Napoleão das batalhas da paz e do progresso, vencedor do mar aparentemente indomável, do rio traiçoeiro, das areias inimigas da civilização, dos ventos tenebrosos", podendo contemplar com orgulho, do alto do farol da ilha de Pernambuco, o porto de Ilhéus por ele "libertado da escravidão da barra, aberto a todas as bandeiras, a todos os navios, pela inteligência e dedicação dos nobres engenheiros e competentes técnicos".

Deixavam saudades e raparigas. No cais de despedidas, choravam mulheres dos morros, abraçando os marinheiros. Uma delas estava grávida, o homem prometia voltar. O engenheiro-chefe levava preciosa carga da boa Cana de Ilhéus, além de um macaco jupará para recordar-lhe, no Rio, essa terra de dinheiro farto e fácil, de valentias e duro trabalho.

Partiram eles quando começavam as chuvas, pontuais naquele ano, caindo bem antes da festa de São Jorge. Nas roças floriam os cacaueiros, milhares de árvores jovens davam seus primeiros frutos, anunciava-se ainda maior a nova safra, subiriam ainda mais os preços, aumentaria o dinheiro a correr nas cidades e povoados, não havia lavoura igual em todo o país.

Do passeio do Bar Vesúvio Nacib via os rebocadores, como pequenos galos de briga, cortando as ondas do mar, arrastando as dragas, no caminho do sul. Quanta coisa se passara em Ilhéus entre a chegada e a partida dos engenheiros e escafandristas, dos técnicos e marinheiros... O velho coronel Ramiro Bastos não veria os grandes navios entrarem no porto. Andava aparecendo nas sessões espíritas, virara missionário após desencarnar, dava conselhos ao povo da zona, pregava a bondade, o perdão, a paciência. Assim pelo menos afirmava dona Arminda, competente em matéria tão discutida e misteriosa. Ilhéus mudara muito nesse tempo curto de meses e longo de acontecimentos. Cada dia uma novidade, uma nova agência de banco, novos escritórios de representação de firmas do sul e até do estrangeiro, lojas, residências. Há poucos dias, no Unhão, num velho sobrado, instalara-se a União de Artistas e Operários, com seu Liceu de Artes e Ofícios, onde estudavam rapazes pobres aprendendo a arte de carpina, de pedreiro, de sapateiro, com escola primária para adultos, destinada aos carregadores do porto, ensacadores de cacau, operários da fábrica de chocolate. O sapateiro Felipe falara na instalação, à qual compareceram as pessoas mais gradas de Ilhéus. Exclamara, numa mistura de português e espanhol, ser chegado o tempo dos trabalhadores, nas suas mãos estava o destino do mundo. Tão absurda parecera a afirmação que todos os presentes a aplaudiram automaticamente, mesmo o dr. Maurício Caires, mesmo os coronéis do cacau, donos de imensas extensões de terra e da vida dos homens sobre a terra curvados.

Também a existência de Nacib fora movimentada e plena nesses meses: casara e descasara, conhecera a prosperidade e temera a ruína, teve o peito cheio de ânsia e alegria, depois vazio de vida, só o desespero e a dor. Fora feliz demais, infeliz demais, agora novamente tudo era tranquilo e doce. Retomara o bar seu ritmo antigo, dos primeiros tempos de Gabriela: demoravam-se os fregueses na hora do aperitivo, tomando mais um cálice, alguns subiam para almoçar no restaurante. Prosperava o Vesúvio, Gabriela descia ao meio-dia da cozinha no andar de cima e passava entre as mesas a sorrir, a rosa atrás da orelha. Diziam-lhe graçolas, lançavam-lhe olhares de cobiça, tocavam-lhe a mão, um mais ousado dava-lhe um tapa nas ancas, o Doutor a chamava "minha menina". Louvavam a sabedoria de Nacib, a maneira como soubera sair, com honra e proveito, do labirinto de complicações em que se envolvera. O árabe circulava entre as mesas, detendo-se a ouvir e conversar, sentando-se com João Fulgêncio e o Capitão, com Nhô-Galo e Josué, com Ribeirinho e Amâncio Leal. Era como se, por um milagre de são Jorge, houvessem recuado no tempo, como se nada de errado e triste tivesse sucedido. A ilusão seria perfeita, não fosse o restaurante e a ausência de Tonico Bastos, definitivamente ancorado no Pinga de Ouro, com seu amargo e suas polainas de conquistador.

O restaurante revelara-se apenas razoável emprego de capital, dando lucro certo porém modesto. Não o negócio excepcional imaginado por Nacib e Mundinho. A não ser quando havia navios em trânsito no porto, o movimento era pequeno, tanto que só serviam almoço. A gente da terra habitualmente fazia as refeições em casa. Apenas de quando em vez, tentados pelos pratos de Gabriela, vinham, os homens sós ou com a família, ali almoçar. Para variar do trivial cotidiano. Fregueses permanentes contavam-se nos dedos: Mundinho, quase sempre com convidados, Josué, o viúvo Pessoa. Em compensação o jogo, à noite, na sala do restaurante, conhecia o maior dos sucessos. Formavam-se cinco e seis rodas para o pôquer, o sete e meio, a bisca. Gabriela preparava de tarde salgados e doces, a bebida corria, Nacib recolhia o barato da casa.

A propósito do jogo, Nacib quase tivera uma crise de consciência:

devia ou não considerar Mundinho sócio nessa parte do negócio? Certamente não, pois o exportador entrara com capital para restaurante e não para tavolagem. Talvez sim, refletia a contragosto, levando-se em conta o aluguel da sala pago pela sociedade, proprietária também das mesas e cadeiras, dos pratos nos quais serviam, dos copos em que bebiam. Ali o lucro era grande, compensava a freguesia pouco numerosa e pouco assídua do almoço. Gostaria Nacib de guardá-lo todo para si, mas temia represálias do exportador. Decidiu falar-lhe no assunto.
Mundinho tinha uma simpatia especial pelo árabe. Costumava afirmar, após as complicações matrimoniais de seu atual sócio, ser Nacib o homem mais civilizado de Ilhéus. Aparentando grande compenetração, escutou-o falar, expondo o problema. Nacib desejava saber a opinião do exportador: considerava-se ele sócio ou não do jogo?
— E qual é sua opinião, mestre Nacib?
— Veja o senhor, seu Mundinho... — Enrolava a ponta dos bigodes.
— Pensando como homem direito, acho que o senhor é sócio, deve ter metade dos lucros como tem no restaurante. Pensando como grapiúna, podia dizer que não há papel assinado, que o senhor é homem rico, não precisa disso. Que a gente nunca falou de jogo, que eu sou pobre, tou juntando um dinheirinho para comprar uma rocinha de cacau, essa renda extra me serve muito. Mas, como diria o coronel Ramiro, compromisso é compromisso mesmo quando não está no papel. Trouxe as contas do jogo pro senhor examinar...
Ia colocar uns papéis em cima da mesa de Mundinho. O exportador afastou-lhe a mão, bateu-lhe no ombro:
— Guarde suas contas e seu dinheiro, mestre Nacib. No jogo não sou seu sócio. Se quiser ficar completamente tranquilo com sua consciência, pague-me um pequeno aluguel pela utilização da sala à noite. Qualquer cem mil-réis. Ou melhor: dê cem mil-réis por mês para a construção do asilo dos velhos. Onde já se viu um deputado federal ter casa de jogo? A não ser que você duvide de minha eleição...
— Não há coisa mais certa no mundo. Obrigado, seu Mundinho. Sou seu devedor.
Levantava-se para sair, Mundinho lhe perguntou:
— Diga-me uma coisa... — E, baixando a voz, tocando com o dedo o peito do árabe: — Ainda dói?
Sorriu Nacib, a face resplandecente:
— Não, senhor. Nem mais um pingo...

Baixou Mundinho a cabeça, murmurou:
— Eu lhe invejo. Em mim, ainda dói.
Tinha vontade de perguntar-lhe se voltara a dormir com Gabriela, achou indelicado fazê-lo. Nacib saiu nadando em gozo, a depositar dinheiro no banco. Realmente nada sentia, acabara-se todo vestígio de dor, de sofrimento. Temera, ao contratar novamente Gabriela, sua presença a recordar-lhe o passado, medo de sonhar com Tonico Bastos nu, em sua cama. Mas nada sucedera. Era como se tudo aquilo tivesse sido um pesadelo longo e cruel. Voltaram às relações dos primeiros tempos, de patrão e cozinheira, ela muito despachada e alegre, a arrumar a casa, a cantar, a vir ao restaurante preparar os pratos do almoço, a descer ao bar na hora do aperitivo para anunciar o menu de mesa em mesa, obtendo fregueses para o andar de cima. Quando o movimento terminava, por volta de uma e meia da tarde, Nacib sentava-se a almoçar, servido por Gabriela. Como antigamente. Ela rodava em torno da mesa, trazia-lhe a comida, abria a garrafa de cerveja. Comia depois com o único garçom (Nacib despedira o outro, era desnecessário ante o movimento reduzido do restaurante) e com Chico Moleza, enquanto Valter, o substituto de Bico-Fino, olhava pelo bar. Nacib tomava um velho jornal da Bahia, acendia o charuto de São Félix, no fundo da espreguiçadeira encontrava a rosa caída. Nos primeiros dias jogara-a fora, depois passara a guardá-la no bolso. O jornal rolava no chão, o charuto apagava-se, Nacib dormia sua sesta, na sombra e na brisa. Acordava com a voz de João Fulgêncio vindo para a papelaria. Gabriela preparava os salgados e doces para a tarde e a noite, ia depois para casa, ele a via cruzar a praça, em chinelas, desaparecer atrás da igreja.

Que lhe faltava para ser completamente feliz? Comia a inigualável comida de Gabriela, ganhava dinheiro, juntava no banco, em breve procuraria terra para comprar. Haviam-lhe falado de uma nova faixa desbravada, mais além da serra do Baforé, terra assim tão boa para o cacau nunca existira. Ribeirinho propunha-se levá-lo até lá, era perto de suas fazendas. Os amigos e fregueses diariamente no bar, por vezes no restaurante. As partidas de dama e gamão. A boa prosa de João Fulgêncio, do Capitão, do Doutor, de Nhô-Galo, de Amâncio, de Ari, de Josué, de Ribeirinho. Esses dois sempre juntos, desde que o fazendeiro montara casa para Glória, perto da estação. Por vezes até comiam os três no restaurante, davam-se bem.

Que lhe faltava para ser completamente feliz? Nenhum ciúme a comer seu peito, nenhum receio de perder a cozinheira, onde ela iria arranjar melhor ordenado e posto mais seguro? Além do mais era insensível às ofertas de casa montada e conta na loja, aos vestidos de seda, aos sapatos, ao luxo das mancebas. Por quê, Nacib não sabia, era um absurdo, sem dúvida, mas nem lhe interessava descobrir o motivo. Cada um com sua loucura. Talvez fosse aquela história de flor dos campos não servindo para jarros, de que falara uma vez João Fulgêncio. Isso pouco lhe afetava, como não mais o irritavam as palavras sussurradas quando ela vinha ao bar, os sorrisos, os olhares, as palmadas na bunda, a mão, o braço ou o seio tocados de leve. Tudo aquilo prendia a freguesia, um cálice a mais, um novo trago.

O juiz tentava roubar-lhe a rosa da orelha, ela fugia, Nacib contemplava indiferente. Que lhe faltava para ser completamente feliz? A amazonense, aquela índia da casa de Maria Machadão, perguntava-lhe nas noites em que se encontravam, rindo com uns dentes selvagens:

— Tu gosta de tua Mara? Acha ela gostosa?

Achava gostosa. Parecia, pequena e gorducha, a cara larga e redonda, sentada sobre as pernas no leito, uma estátua de cobre. Ele a via pelo menos uma vez por semana, deitava-se com ela, era um xodó sem complicações, sem mistérios. Um dormir sem surpresas, sem violentos arroubos, sem o ganir das cadelas, sem o tropel das éguas em cio, sem morrer e nascer. Andava com outras também, Mara tinha muitos admiradores, os coronéis gostavam daquela fruta verde do Amazonas, eram poucas suas noites livres. Nacib debulhava ao acaso, nos cabarés, em casa de mulheres, variados encantos. Até mesmo com a nova rapariga de Coriolano dormira uma vez, na casa da praça. Uma cabrocha novinha, trazida da roça. Coriolano já não procurava saber se era enganado. Assim biscateava Nacib aqui e ali, na sua velha vida de sempre. Seu permanente rabicho, porém, continuava a ser a amazonense. Com ela dançava no cabaré, juntos bebiam cerveja, comiam frigideiras. Quando ela estava livre escrevia-lhe um recado com sua letra de escolar, ele, fechado o bar, ia vê-la. Eram dias gostosos esses em que, o bilhete no bolso, antegozava a noite na cama de Mara.

Que lhe faltava para ser completamente feliz? Um dia Mara mandou-lhe um bilhete, esperava-o à noite "para fazer gatinho". Sorriu contente, após fechar o bar tocou-se para a casa de Maria Machadão. Essa figura tradicional de Ilhéus, a mais célebre dona de bordel, maternal e de toda confiança, disse-lhe após abraçá-lo:

— Perdeu a viagem, turquinho. Mara está com o coronel Altino Brandão. Veio do Rio do Braço especialmente, que é que ela podia fazer?

Saiu irritado. Não contra Mara, não podia interferir em sua vida, impedi-la de ganhar o pão. Mas contra a noite frustrada, o desejo como um rato a roer, a chuva caindo a pedir corpo de mulher sob os lençóis. Entrou em casa, tirou a roupa. Dos fundos, da cozinha ou da copa, veio um ruído de louça partida. Foi ver o que era. Um gato fugia para o quintal. A porta do quartinho dos fundos estava aberta, ele espiou. A perna de Gabriela pendia da cama, ela sorria no sono. Um seio crescia no colchão e o cheiro de cravo tonteava. Aproximou-se. Ela abriu os olhos e disse:

— Seu Nacib...

Ele a olhou e, alucinado, viu a terra molhada de chuva, o chão cavado de enxada, de cacau cultivado, chão onde nasciam árvores e medrava o capim. Chão de vales e montes, de gruta profunda, onde ele estava plantado. Ela estendeu os braços, puxou-o para si.

Quando se deitou a seu lado e tocou seu calor, de súbito então tudo sentiu: a humilhação, a raiva, o ódio, a ausência, a dor das noites mortais, o orgulho ferido e a alegria de nela queimar-se. Segurou-a com força, marcando de roxo a pele cor de canela:

— Cachorra!

Ela sorriu com os lábios de beijos e dentada, sorriu com os seios erguidos, palpitantes, com as coxas de labareda, com o ventre de dança e de espera, murmurou:

— Importa não...

Encostou a cabeça em seu peito peludo:

— Moço bonito.

DO NAVIO SUECO
COM SEREIA DE AMOR

AGORA, SIM, ERA COMPLETAMENTE FELIZ. O TEMPO CORRERA, NO PRÓXIMO domingo se realizariam as eleições. Ninguém duvidava dos resultados, nem mesmo o dr. Vitor Melo, aflito em seu consultório no Rio de Janeiro. Altino Brandão e Ribeirinho já haviam encomendado um jantar monumental no Restaurante do Comércio, para daí a uma semana, com champanha e foguetes. Anunciavam-se comemorações grandiosas. Fizera-se uma subscrição, aberta por Mundinho, para comprar e oferecer ao Capitão a casa onde ele nascera e onde habitara Cazuzinha de Oliveira, de saudosa memória. Mas o futuro intendente teve um gesto magnânimo: doou o dinheiro ao dispensário para crianças pobres aberto no morro da Conquista pelo dr. Alfredo Bastos. Nacib pretendia, após as eleições, visitar com Ribeirinho aquelas faladas terras, mais além da serra do Baforé. Adquirir um pedaço, contratar a plantação de uma roça de cacau.

Jogava sua partida de gamão, conversava com os amigos, contava histórias da Síria: "Na terra de meu pai é ainda pior!...". Fazia a sesta, a barriga farta, roncando tranquilo. Ia ao cabaré com Nhô-Galo, dormia com Mara, com outras também. Com Gabriela: todas as vezes que não tinha mulher e chegava em casa sem cansaço e sem sono. Mais com ela, talvez, do que com as outras. Porque nenhuma se lhe comparava, tão fogosa e úmida, tão louca na cama, tão doce no amor, tão nascida para aquilo. Chão onde estava plantado. Adormecia Nacib com a perna passada sobre sua anca redonda. Como antigamente. Com uma diferença, porém: agora não vivia no ciúme dos outros, no medo de perdê-la, na ânsia de mudá-la. Na hora da sesta, antes de adormecer, pensava consigo: agora não era senão para a cama, sentia por ela o mesmo que por todas as outras, Mara, Raquel, a ruiva Natacha, sem mais nada a juntar, sem a ternura de outrora. Assim era bom. Ela ia à casa de Dora, dançava e cantava, combinavam festas para o mês de Maria. Nacib sabia, encolhia os ombros, até projetava assistir. Era sua cozinheira, com quem dormia quando lhe dava vontade... E que cozinheira!, melhor não havia. Boa na cama também, mais do que boa, uma perdição de mulher.

Na casa de Dora, Gabriela ria e folgava, a cantar e a dançar. No terno de reis levaria o estandarte. Pularia fogueira na noite santa de São João. Folgava Gabriela, viver era bom. Batia onze horas voltava para casa a esperar seu Nacib. Talvez fosse noite dele vir a seu quarto, o cosquento bigode no seu cangote, a perna pesada sobre sua anca, o peito macio como um travesseiro. Em casa apertava o gato contra o rosto, ele miava baixinho. Ouvia dona Arminda falar dos espíritos e de meninos nascendo. Esquentava sol nas manhãs sem chuva, mordia goiabas, vermelhas pitangas. Conversava horas perdidas com seu amigo Tuísca, agora estudando para carpina. Corria descalça na praia, os pés na água fria. Dançava roda com as crianças na praça, de tarde. Espiava o luar esperando Nacib. Viver era bom.

Quando faltavam apenas quatro dias para o domingo das eleições, por volta das três horas da tarde, o navio sueco, cargueiro de tamanho jamais visto naquelas paragens, apitou majestoso no mar de Ilhéus. O negrinho Tuísca saiu a correr com a notícia e a distribuía de graça nas ruas do centro. A população juntou-se na avenida da praia.

Nem a chegada do bispo foi assim animada. Os foguetes subiam, estouravam no céu. Apitavam dois baianos no porto, os búzios das barcaças e lanchas saudavam o cargueiro. Saveiros e canoas saíram fora da barra, afrontando o mar alto, para comboiar o barco sueco.

Atravessou lentamente a barra, dos seus mastros pendiam bandeiras de todos os países, numa festa de cores. O povo corria pelas ruas, reunia-se no cais. Formigavam as pontes, repletas de gente. Veio a Euterpe 13 de Maio tocando dobrados, Joaquim no bombo a bater. Fechou o comércio suas portas. Feriaram os colégios particulares, o grupo escolar, o ginásio de Enoch. A meninada aplaudia no porto, as moças do colégio das freiras namoravam nas pontes. Buzinavam automóveis, caminhões, marinetes. Num grupo, rindo alto, Glória, entre Josué e Ribeirinho, afrontando as senhoras. Tonico Bastos, a seriedade em pessoa, de braço com dona Olga. Jerusa, de luto fechado, cumprimentava Mundinho. Nilo com seu apito comandava Terêncio, Traíra, o moço Batista. O padre Basílio com seus afilhados. O perneta do Bate-Fundo olhando com inveja Nacib e Plínio Araçá. Persignavam-se solteironas, sorriam saltitantes as irmãs Dos Reis. No próximo presépio figuraria o cargueiro. Senhoras da alta-roda, moças casadoiras, mulheres da vida, Maria Machadão, generala das ruas de canto e dos cabarés. O Doutor preparando a garganta, as palavras difíceis. Como introduzir Ofenísia em discurso para navio sueco? O negrinho Tuísca trepado no mastro de um veleiro. As pastoras de Dora trouxeram o estandarte do terno de reis, Gabriela o conduzia num passo de dança. Os coronéis do cacau sacavam os revólveres, atiravam para o ar. A cidade de Ilhéus inteira no cais.

Numa cerimônia simbólica, ideia risonha de João Fulgêncio, Mundinho Falcão e Stevenson, exportadores, Amâncio Leal e Ribeirinho, fazendeiros, carregaram um saco de cacau até o extremo da ponte onde o navio ancorara, o primeiro saco de cacau a ser embarcado diretamente de Ilhéus para o estrangeiro. O empolgante discurso do Doutor foi respondido pelo vice-cônsul da Suécia, o comprido agente da companhia de navegação.

À noite, desembarcados os marinheiros, a animação cresceu na cidade. Pagavam-lhes bebidas nos bares, levaram o comandante e os oficiais para os cabarés. O comandante quase carregado em triunfo. Era um bebedor de trago forte, de experimentada aguardente nos portos dos sete mares do mundo. Foi conduzido como morto do Bataclan para o navio, nos braços dos ilheenses.

No dia seguinte, depois do almoço, os marinheiros tiveram novamente folga, espalharam-se pelas ruas. "Como gostavam da cachaça ilheense!", comprovavam com orgulho os grapiúnas. Vendiam cigarros estrangeiros, peças de fazenda, frascos de perfume, bugigangas douradas. Gastavam o dinheiro em cachaça, enfiavam-se nas casas de mulheres-damas, caíam bêbedos na rua.

Foi depois da sesta. Antes da hora do aperitivo da tarde, naquele tempo vazio, entre as três e as quatro e meia. Quando Nacib aproveitava para fazer as contas da caixa, separar o dinheiro, calcular os lucros. Foi quando Gabriela, terminado o serviço, partiu para casa. O marinheiro sueco, um loiro de quase dois metros, entrou no bar, soltou um bafo pesado de álcool na cara de Nacib e apontou com o dedo as garrafas de Cana de Ilhéus. Um olhar suplicante, umas palavras em língua impossível. Já cumprira Nacib, na véspera, seu dever de cidadão, servira cachaça de graça aos marinheiros. Passou o dedo indicador no polegar, a perguntar pelo dinheiro. Vasculhou os bolsos o loiro sueco, nem sinal de dinheiro. Mas descobriu um broche engraçado, uma sereia dourada. No balcão colocou a nórdica mãe-d'água, Iemanjá de Estocolmo. Os olhos do árabe fitavam Gabriela a dobrar a esquina por detrás da igreja. Mirou a sereia, seu rabo de peixe. Assim era a anca de Gabriela. Mulher tão de fogo no mundo não havia, com aquele calor, aquela ternura, aqueles suspiros, aquele langor. Quanto mais dormia com ela, mais tinha vontade. Parecia feita de canto e dança, de sol e luar, era de cravo e canela. Nunca mais lhe dera um presente, uma tolice de feira. Tomou da garrafa de cachaça, encheu um copo de vidro grosso, o marinheiro suspendeu o braço, saudou em sueco, emborcou em dois tragos, cuspiu. Nacib guardou no bolso a sereia dourada, sorrindo. Gabriela riria contente, diria a gemer: "Precisava não, moço bonito...".

E aqui termina a história de Nacib e Gabriela, quando renasce a chama do amor de uma brasa dormida nas cinzas do peito.

DO *POST-SCRIPTUM*

ALGUM TEMPO DEPOIS, O CORONEL JESUÍNO MENDONÇA FOI LEVADO A JÚRI, acusado de haver morto a tiros sua esposa, dona Sinhazinha Guedes Mendonça e o cirurgião-dentista Osmundo Pimentel, por questão de ciúmes. Vinte e oito horas duraram os debates agitados, por vezes sarcásticos e violentos. Houve réplica e tréplica, dr. Maurício Caires citou a Bíblia, recordou escandalosas meias pretas, moral e devassidão. Esteve patético. Dr. Ezequiel Prado, emocionante: já não era Ilhéus terra de bandidos, paraíso de assassinos. Com um gesto e um soluço, apontou o pai e a mãe de Osmundo em luto e em lágrimas. Seu tema foi a civilização e o progresso. Pela primeira vez, na história de Ilhéus, um coronel do cacau viu-se condenado à prisão por haver assassinado esposa adúltera e seu amante.

Petrópolis, Rio, maio de 1958

posfácio

Arte de mestre [1]

José Paulo Paes

Este ensaio foi escrito a convite da Fundação Ayacucho, da Venezuela, para servir de prólogo a uma edição em espanhol de *Cacau/ Gabriela, cravo e canela* da prestigiosa Biblioteca Ayacucho, em cujo catálogo figuram os principais autores da América Latina, antigos e modernos. O convite me deu a oportunidade, ou melhor, o pretexto de voltar a debruçar-me, desta vez analiticamente, sobre duas obras capitais de um romancista por quem tenho velha e fiel admiração. [...]
Com *Gabriela*, pude avaliar o quanto o espontâneo talento de narrador testemunhado em *Cacau* amadurecera em arte de mestre na grandeza de um quadro de tessitura por assim dizer polifônica, dos mais bem logrados de que se pode orgulhar a prosa de ficção do Brasil [...].
Os vínculos de *Gabriela, cravo e canela* (1958) com o clima ideológico da época em que foi escrito e publicado não são, nem de longe, imediatos e declarados como os de *Cacau* com o obreirismo de programa dos anos 30. Trata-se de vínculos antes de omissão que de comissão. Explicando melhor: é na medida em que não faz praça de um compromisso explícito de engajamento que *Gabriela* dá boa conta da circunstância histórica da sua composição, o final dos anos 50, quando o desmonte do mito stalinista aliviara finalmente os escritores de esquerda das coerções mais tirânicas do

399

chamado realismo socialista. Visto desta perspectiva, *Gabriela* parece estar nos antípodas de *Cacau*, tantas são as diferenças que dele o estremam. Duas parecem ser particularmente relevantes.

Primeira, a de sua ação não se ambientar num passado como o do narrador autobiográfico de *Cacau*, que, por muito próximo, em pouco ou nada se distinguia do presente dos seus leitores. A história de Nacib e Gabriela remonta ao ano de 1925, "um tempo curto de meses e longo de acontecimentos", particularmente decisivo na crônica da cidade de Ilhéus, pois foi nesse ano que a dragagem do porto, para abri-lo a navios de grande calado, possibilitou a exportação direta do cacau, com o consequente ascenso político e social dos exportadores e o declínio não menos consequente do poder absoluto dos coronéis. Se por mais não fosse, a visada histórica facultou *in limine* a *Gabriela* desobrigar-se das palavras de ordem da imediatez política, num distanciamento cujos benefícios puderam ser vistos desde *Terras do sem-fim* (1943). [...]

Outra diferença de monta entre *Cacau* e *Gabriela* está na mudança do registro da voz narrativa, que passa da primeira pessoa da autobiografia para a terceira do discurso indireto. [...] A todo passo, soa em *Gabriela* a duplicidade de vozes involucrando "ao mesmo tempo, duas intenções diferentes: a intenção direta do personagem que fala e a intenção refrangida do autor".[2] Com isso, o uníssono ideológico do romance de engajamento, onde o outro só aparece como caricatura, cede lugar à polifonia das vozes sociais, cada qual com a sua inflexão própria e o seu próprio universo de valores. E essas vozes múltiplas se articulam — para levar um pouco mais adiante o símile musical — com duas claves distintas. De um lado, a clave do coletivo, que rege, na história de Ilhéus, o confronto dramático entre o coronel e o exportador, ou, o que dá no mesmo, entre a tradição e a inovação. De outro, a clave do pessoal, em cuja pauta se inscreve o idílio entre Nacib e Gabriela. Ambas as claves confluem no empenho de modular, por nexos progressivos de consonância, a passagem do individual ao grupal, do econômico ao ético, do histórico ao mítico, do sentimental e do dramático ao cômico e ao picaresco, num amplo, variegado tecido sinfônico cujo poder de convencimento dá a medida do grau de mestria a que pôde chegar a arte de ficção de Jorge Amado.

A amplitude sinfônica responde inclusive por uma terceira e óbvia diferença, a da extensão física entre as cento e poucas páginas de *Cacau* e as quinhentas e tantas de *Gabriela*. Foram estas as necessárias para erguer uma complexa polifonia narrativa, com dezenas de personagens e perto de uma centena de figurantes, onde nada é demais ou de menos: cada elemento, por mínimo que seja, tem o seu lugar certo e a sua função específica a cumprir na ordem de uma totalidade social artisticamente representada. E, ao falar nesse tipo de totalidade, está-se implicitamente falando [...] de uma dimensão épica ou heroica, residual, herdada por *Gabriela* de *Terras do sem-fim* para a desenvolver não no mesmo diapasão, mas num diapasão idílico-paródico-pastoral cujas primícias, como vimos, estão em *Cacau*.

Esta perspectiva de uma continuidade, menos fácil de distinguir porque subjacente à ostensiva perspectiva de diferenças, se escalona na série de romances que vão de *Cacau* a *Gabriela*. Podem alguns deles até ser vistos como retomada e ampliação, em separado, de motivos apenas esboçados no primeiro desses dois livros, e que, enriquecidos de todas as conotações adquiridas durante o percurso, voltarão a confluir no segundo deles. [...]

Pode-se dizer que em *Gabriela* ambos os espaços, o rural e o urbano, se interpenetram. Diferentemente de Salvador, tão afastada da zona cacaueira, embora dela recolha os maiores proventos, como exportar pelo seu próprio porto — pelo menos até 1925 — todo o cacau lá produzido, Ilhéus não passa de uma extensão ou apêndice citadino dessa zona, de que tanto depende. Tal dependência e proximidade estão metonimicamente expressas no fato de os forasteiros que lhe andam pelas ruas se entontecerem com "o perfume das amêndoas do cacau seco, tão forte". Esta metonímia de ordem olfativa é particularmente significativa num romance onde o primado do aromático, patente desde as duas especiarias referidas no seu título — cravo e canela —, remete de pronto aos prazeres do paladar, intimamente ligados aos do sexo numa tábua de valores sensuais que ficam tão longe da frugalidade proletária de *Cacau* quanto perto do hedonismo da cultura folclórica, em que a cozinha regional ocupa o mesmo lugar de honra do ritual religioso. Isso numa equiponderância de valores materiais e espirituais tão bem destacada nessa cultura por Mikhail Bakhtin.[3]

[...] Na estrutura de *Gabriela* se justapõem duas linhas narrativas — a do coletivo, centrada na luta política entre o exportador Mundinho Falcão e o coronel Ramiro Bastos, e a do individual, voltada para o idílio amoroso de Nacib com Gabriela. O fato de o nome da protagonista dar título ao romance pareceria indicar um predomínio desta última linha sobre a outra, não fosse o predomínio logo a seguir desmentido pelo subtítulo de *Crônica de uma cidade do interior*. Este aparente conflito de ênfases entre título e subtítulo tem a ver com uma questão menos de hegemonia que de representatividade: entre a heroína e a cidade haveria algum laço de equivalência ou consubstancialidade sob cuja ótica o conflito se resolveria. O laço realmente existe e, em se tratando de um romance plurívoco, tem vigência em vários níveis.

[...] Desde o princípio, confluem na narrativa, em enfrentamento crítico, o tema da sujeição/libertação feminina e o tema do atraso/progresso urbano. O jogo de paralelismos e interações entre os dois temas dialéticos se vai enriquecendo com o avanço da narrativa. Por aí se evidencia a íntima correlação de um com o outro, não obstante situarem-se em esferas diversas, um na da ética, o outro na da economia.

O realce de semelhante tipo de correlação era de esperar num romance histórico de costumes como *Gabriela*, cujo assunto, conforme já se disse, é o declínio do poder dos coronéis e a ascensão dos exportadores de cacau. Esse processo político-econômico tem repercussões na vida social de Ilhéus, sobretudo nas relações entre os sexos. Apressa uma mudança de costumes que começa por libertar a mulher das coerções mais tirânicas de uma moralidade semifeudal. É o que reconhece, a propósito do direito tacitamente reconhecido ao marido de matar a esposa adúltera, o filho do todo-poderoso coronel Ramiro, Tonico Bastos: "Costumes feudais. [...] Aqui vivemos no século passado". Tais costumes eram resquício de um passado guerreiro, quando as lutas pela posse da terra ainda selvática e as dificuldades de povoá-la impunham hábitos de vida a um só tempo frugais e senhoriais. [...]

À altura em que se passa a ação de *Gabriela*, o código moral dos coronéis já era sentido como retrógrado, embora ainda não fosse abertamente desafiado. Para a sua obsolescência concorria a própria transformação do modo de vida, de rural para urbano; a antiga sobriedade no viver [...] ia se perdendo em Ilhéus e Itabuna, onde começavam os coronéis a comprar e a construir boas moradias, bangalôs e até mesmo palacetes. Eram os filhos, estudantes nas faculdades da Bahia, que os obrigavam a abandonar os hábitos frugais. Para exprimir figuradamente a necessidade de mudança de hábitos, o romancista encontra em certo momento uma metonímia saborosa, em que resume a diferença de opiniões entre dois coronéis de prol.

Um é o coronel Altino Brandão, de Itabuna, o mesmo que pontificara sobre as vantagens do casamento a Mundinho Falcão no escritório deste; o outro é o já octogenário coronel Ramiro Bastos, que ele tenta convencer a aliar-se politicamente ao exportador, em vez de hostilizá-lo.
[...] Não por acaso o subcapítulo [...] se intitula "Das cadeiras de alto espaldar". A diferença entre a austeridade das antigas mas incômodas cadeiras de espaldar alto e o conforto das modernas poltronas estofadas serve bem para dar concretude ao contraste de uma noção de mando como direito conquistado pela força e mantido pela tradição com o conceito de poder como emanação da vontade geral e atualização do espírito dos tempos. Ou seja, o contraste de uma moral ascético-conservadora de guerreiros com uma moral hedonístico-progressista de comerciantes, um enfrentamento do velho com o novo corporificados respectivamente no grapiúna Ramiro Bastos e no carioca Mundinho Falcão.

Os variados incidentes da efabulação do romance vão ilustrar, cada qual à sua maneira, as sucessivas vitórias do novo, a despeito da resistência do velho. Castigada pelo pai, o coronel Melk Tavares, por seu namoro com o engenheiro encarregado da dragagem do porto, um homem casado, Malvina foge do colégio interno em Salvador e vai para São Paulo trabalhar e estudar por conta própria. No episódio, entrecruzam-se o coletivo e o individual na medida em que o gesto de independência de Malvina fora precipitado pelo mesmo engenheiro que, trazido a Ilhéus para dragar o porto, por interferência de Mundinho Falcão junto ao governo federal, desfere com isso um golpe mortal na hegemonia dos coronéis, prestigiados pelo governo estadual[4] enquanto este pôde usufruir o privilégio de exportar-lhes todo o cacau pelo porto da capital do estado. O escândalo causado pelo assassinato de Sinhazinha e seu amante, pelo marido enganado, evidencia, por outro lado, que o código moral dos coronéis já não era tão tacitamente aceito como antes, e isso se confirma no final do romance, quando o processo contra o matador, movido pelas famílias das vítimas, tem por desfecho a sua condenação — um fato até então inédito nos fastos jurídicos de Ilhéus. [...]

Tão radical transformação de costumes, ainda que houvesse estado a gestar-se desde antes, se completa nos poucos meses a cuja crônica histórica *Gabriela* se propôs. Nesse processo, o idílio entre Nacib e Gabriela desempenha o papel de foco. De certo modo, pode-se considerar os demais sucessos narrados no livro como uma espécie de panóplia em cujo centro se destaca ele, não como cena estática, mas como elemento da dinâmica do processo. Mesmo porque o idílio tem uma dramática própria desencadeada pelo desastrado casamento que lhe serve de divisor de águas. Antes de se resolver a desposar a sua cozinheira, Nacib desfrutara sem problemas tudo quanto ela lhe dava de si sem nada pedir em troca. Na mesa, "o tempero entre o sublime e o divino" da sua comida; na cama, "o fogo a crepitar inextinguível" da sua carne mulata, cor de canela, com cheiro de cravo. Ela lhe veio aumentar inclusive a prosperidade econômica, pois o sabor dos seus quitutes, tanto quanto a graça da sua presença [...] fizeram aumentar a afluência do Bar Vesúvio. [...] Paradoxalmente, são as próprias virtudes dela que acabam por provocar inquietações e angústias no seu amante-patrão. [...] Começou ele a temer que lhe pudessem roubar a cozinheira, oferecendo-lhe alguém melhor posição e maior paga, ou a amante, montando-lhe casa própria e a enchendo de presentes. Não bastasse isso, entram a atormentá-lo ciúmes dos olhares cobiçosos de que a rodeavam os frequentadores do Vesúvio. Após muito excogitar, Nacib encontra afinal no casamento a solução supostamente ideal para os seus sustos de patrão e os seus zelos de amoroso. Afrontando a opinião pública, à qual escandalizava um comerciante de respeito desposar uma retirante de vida airada, e a falta de entusiasmo da própria Gabriela, o matrimônio se realiza, e de papel passado.

    A partir daí, as coisas começam a desandar na vida até então regalada de Nacib. O sumiço de Gabriela do Bar Vesúvio, aonde não ia mais por imposição do marido, faz cair o movimento da casa. Outrossim, as proibições sociais ligadas à sua nova condição de sra. Saad fazem-na perder a espontaneidade de criança, entristecer, sentir-se prisioneira. [...] Até na cama Nacib a sente agora diferente. Embora ela continuasse a mostrar-se carinhosa, era como se as exigências da nova posição social "refreassem seu ardor, contivessem seu desejo, esfriassem seu peito". Isso até o dia em que ele a surpreende na cama com Tonico Bastos. Depois de surrar-lhe o amante e a expulsar de casa, descobre um jeito de anular legalmente o casamento, com o que voltam ambos ao estado de solteiros. Mas os interesses comerciais o forçam a recontratá-la, meses mais tarde, como cozinheira; mais adiante ainda, volta a frequentar-lhe o leito, se bem ocasionalmente, sem mais nenhum compromisso de exclusividade de uma ou de outra parte.

Pode-se ler este idílio em três movimentos — antes, durante e depois do casamento —, como uma espécie de fábula admonitória contra o instinto burguês de posse empenhado em estender até o domínio do sexo, através do instituto do casamento monogâmico, a santificação em lei da propriedade privada. Em apoio de semelhante leitura, haveria a circunstância de, longe do proletarismo de Cacau e dos romances que a ele se seguiram até Gabriela, este último estar de todo consagrado à representação da luta da burguesia progressista de Ilhéus contra o atraso feudal do coronelato do cacau. Nacib é um condigno representante desse tipo de burguesia, e para se ter uma medida da mudança de ênfase ocorrida de Cacau para Gabriela, na Ilhéus deste passa à categoria de protagonista um daqueles vagos "árabes do comércio local que trocavam língua" na Pirangi daquele, onde não faziam jus senão a essa fugacíssima menção. Mas privilegiar tal leitura fabular seria atribuir a Gabriela um propósito de crítica ideológica que lhe parece ser estranho: nele, a antítese povo × burguesia, quando presente, assume mais o caráter de um confronto de valores éticos e culturais do que de uma oposição política tipo explorados × exploradores tão à flor do texto nos romances engajados seus predecessores.

O malogro do casamento de Nacib está mais bem ligado a uma ética pastoral cujas linhas de força se prolongam de Cacau a Gabriela para aqui assumir uma outra e mais rica configuração. Talvez possa causar espécie falar de pastoralismo no caso de um romance de ação ambientada na cidade e não no campo. Tanto mais que a mais pastoral das suas personagens, vinda embora da ruralidade do agreste, dela abdica de alma leve para se urbanizar em definitivo, sem qualquer nostalgia e nenhum sentimento de culpa. Entretanto, conforme mostrou bem William Empsom ao estudar-lhe versões tão pouco campestres quanto A ópera do mendigo, de John Gay, ou Alice no país das maravilhas, de Lewis Carroll, o princípio pastoral não depende necessariamente, para se atualizar em literatura, da situação campestre onde se originou: basta conservar-lhe, como pedra de toque, os valores essenciais, sobretudo a oposição de base entre vida natural e vida artificial. No caso de Gabriela, ademais, haveria a circunstância atenuante de Ilhéus estar umbilicalmente ligada, como já vimos, à ruralidade da zona cacaueira. O interiorano é um grau intermediário entre o campestre e o metropolitano; por estar mais perto daquele do que deste, ainda o emblematiza em certa medida.[5] [...]

O bom selvagem de Rousseau é um constructo filosófico tipicamente pastoral, e em *Gabriela* ele se corporifica sob a forma do que William Empson, ao estudar o pastoralismo infuso nas duas Alices de Lewis Carroll, chamou de "criança-juiz". Cabe entender por isso uma visão crítica das convenções a partir da perspectiva da ingenuidade. No fundo, é o mesmo recurso de que se valeram os Enciclopedistas no seu desmascaramento, via prosa de ficção, da irracionalidade do Antigo Regime, e que encontrou sua mais bem lograda utilização em *L'ingénu*, de Voltaire, a fábula do iroquês cujos olhos de selvagem, por inocentes, têm o condão de atravessar as máscaras sociais para descobrir por trás delas as hipocrisias que os olhos civilizados, por culpados, evitam ou fingem não ver. Na perspectiva da ingenuidade crítica, o selvagem e a criança, mercê de sua maior proximidade das origens (sociais num caso, biológicas no outro) se equivalem, e *Gabriela* tem algo de uma e outro sempre que, com a espontaneidade dos seus gostos — andar descalça, brincar na rua, dançar no terno de reis, ir ao circo, rir quando quiser, deitar com quem lhe agrade —, acaba pondo em xeque os tabus que a impedem de satisfazê-los. [...]

Salta aos olhos, no caráter de Gabriela, um forte traço de infantilidade que chega por vezes à beira do retardamento mental. Todavia, o fato de estar acompanhado de uma sexualidade amadurecida, segura de si, faz que a verossimilhança ceda, no caso, seus direitos à coerência simbólica. Na sua feliz animalidade, que não conhece outro limite para o desejo que não seja a ânsia de plenitude, própria e alheia, ela é o sexo no grau máximo, pastoral, de naturalidade. Daí que também nesse domínio a sua lógica de bom selvagem seja não menos subversiva do código estabelecido. Ela se entregava de noite ao retirante Clemente "como se nada fora", pois "no outro dia era como se ela nem se recordasse, olhava-o como aos outros, tratava-o como aos demais", paradoxo que o negro Fagundes assim elucida ao companheiro de jornada e de labuta: "Ela não é mulher pra se viver com ela. [...] Tu pode dormir com ela, fazer as coisas. Mas ter ela mesmo, ser dono dela como é de outras, isso ninguém vai nunca ser". [...] João Fulgêncio [...] tam-

bém se recusa a rotular Gabriela, sequer com o epíteto de "alma de criança" proposto por um dos seus interlocutores: "Gabriela é boa, generosa, impulsiva, pura. Dela podem-se enumerar qualidades e defeitos, explicá-la jamais. Faz o que ama, recusa-se ao que não lhe agrada. Não quero explicá-la. Para mim basta vê-la, saber que existe". [...]
A retomada do esquema pastoral em *Gabriela* se faz também sob a forma de um encontro idílico de classes que lembra o de *Cacau*, mas com diferente distribuição de papéis. Do homem de classe "inferior" requestado por mulher de classe "superior",[6] passa-se à situação inversa. Nos dois casos, malogra a superação das diferenças sociais pela força do amor, vitorioso no tipo mais convencional de idílio. [...] Não implica a separação definitiva dos amantes, mas tão só uma mudança ou correção no regime de relação entre eles, que aponta criticamente, de um lado, para o caráter repressivo do casamento como instituição a serviço da vontade burguesa de posse, e, de outro, para uma incompatibilidade de raiz entre a liberdade sexual enquanto valor da natureza e as convenções artificiais que a buscam refrear. A circunstância de Nacib voltar ao leito de Gabriela depois da anulação do casamento, mas já agora sem exigências de exclusividade, comporta por sua vez uma dupla leitura. Rebaixando-a de esposa a amante ocasional, de estatuto equivalente ao das mulheres da vida cuja frequentação retoma, ele alcança resolver, dentro do quadro da moralidade burguesa, a dissonância subversiva ali introduzida por ela. Contudo, ao aceitar de novo os favores de Gabriela, o ex-marido traído está implicitamente reconhecendo vitoriosa a permanente liberdade de escolha de parceiros por ela conquistada, com o que o episódio casamento/descasamento assume inflexão pedagógica. [...]
Gabriela também encarna miticamente a ânsia de independência e liberdade sexual da mulher. Isso num momento histórico propício, em que o atraso feudal dos coronéis tem de ceder às exigências modernizadoras do progresso. [...] A mudança de padrões políticos — a ascensão de Mundinho Falcão e o fim do absolutismo coronelício — é comparada a uma mudança dos padrões sexuais: a derrocada da lei dos coronéis na punição do adultério e a libertação de Gabriela das coerções do matrimônio burguês, alçando-a a símbolo de independência e liberdade do seu sexo. Além disso, a personificação do princípio heroico num "membro importante" da sociedade de Ilhéus, nada menos que o seu venerando cacique

político, e do princípio pastoral num "membro desimportante", nada mais do que uma cozinheira elevada à condição de heroína, aponta diretamente para o duplo registro tragicômico inseparável das atualizações modernas do pastoralismo.

[...] [Convém] realçar uma dinâmica interna, especificamente literária, da arte de ficção de Jorge Amado, em contraposição à ênfase em fatores externos, de ordem sociopolítica ou circunstancial, comumente invocados para explicar as singularidades de sua trajetória, sobretudo a passagem, cujo divisor de águas é exatamente *Gabriela, cravo e canela*, de um engajamento declarado para o que, se não chega a configurar-se como desengajamento (não o pode ser qualquer das formas de populismo), tampouco implica comprometimento com um programa ideológico.

Conforme se viu no curso da análise, a passagem, ainda que condicionada por fatores externos, se fez em termos de uma lei interna, o princípio pastoral, cujas atualizações foram acoroçoadas num ou noutro sentido por eles. Da continuidade de tal princípio irão dar testemunho os livros que se seguem a *Gabriela*. Dois deles, *Tereza Batista cansada de guerra* (1972) e *Tieta do Agreste* (1977), giram em torno de protagonistas femininas que, profissionais do sexo em vez de apenas livre-atiradoras como Gabriela, correspondem ainda mais de perto ao molde da prostituta pastoralizada desentranhado da *Ópera do mendigo* pela pinça analítica de Empson como uma metáfora crítica da hipocrisia das classes dominantes. De igual modo, o Quincas Berro Dágua da novela homônima (1960) ou o Pedro Archanjo de *Tenda dos Milagres* (1970), na sua condição de marginais da sociedade burguesa, dão-nos, enquanto protagonistas, uma visão crítica dela. Um por pertencer ao mundo da boemia popular, outro ao mundo do candomblé, dois mundos eminentemente antiburgueses, são atualizações do "homem do povo" cuja origem idílica ou pastoral, dentro do romance, foi bem acentuada por Mikhail Bakhtin, que assim lhe resume os traços definidores: "O homem do povo surge como portador da atitude sábia para com a vida e a morte, perdida pelas classes dominantes. [...] Sua imagem relaciona-se a uma descrição particular da comida, da bebida, do amor, da procriação. [...] Frequentemente, destaca-se em primeiro plano uma incompreensão sábia (e reveladora) do homem do povo face à mentira e às convenções".[7]

Não é difícil reconhecer, nesses traços, o rosto de vários dos heróis e heroínas amadianos aqui citados de passagem ou considerados mais de perto. Pois mais do que figurações ideológicas, eles são tipos humanos cuja força de convencimento tem muito a ver com a vitalidade da cultura popular afro-brasileira da Bahia. Dessa cultura, que vem resistindo à ação aplastadora dos meios de comunicação de massa, a obra de ficção de Jorge Amado, dela sempre tão próxima, desde os primeiros tempos de engajamento *enragé*, é sem dúvida uma das expressões mais altas e mais fiéis.

❁

José Paulo Paes (1926-98) foi poeta, ensaísta e tradutor de inúmeros idiomas.

NOTAS

1. Texto extraído do livro *De Cacau a Gabriela, um percurso pastoral* (Casa de Palavras, 1991) e editado por Ilana Seltzer Goldstein. As outras notas são de José Paulo Paes. (N. E.)
2. Mikhail Bakhtin. *Questões de literatura e de estética: A teoria do romance* (trad. de A. F. Bernardini e outros). São Paulo, Hucitec/Unesp, 1988, p. 127.
3. Bakhtin (op. cit., pp. 282-316 e 317-32) estuda na obra de Rabelais a fidelidade desta aos valores do que chama de antigo complexo folclórico, onde [...] as convenções falsas e o ideal do além eram desconhecidos. Nesse complexo, as várias séries de "valores" (do corpo humano, da indumentária, da nutrição, da bebida e da embriaguez, da copulação, da morte, dos excrementos) se entrecruzavam sem distinções hierárquicas e com estatuto de equiponderância.
4. Esta íntima ligação entre coronelismo e o poder estadual era característica da "política dos governadores" institucionalizada no governo Campos Sales, como a própria estrutura de poder da República Velha contra a qual se voltou o movimento tenentista. Ver, a propósito, Edgar Carone, *Revoluções do Brasil contemporâneo (1922-1938)*. 3ª ed. rev. São Paulo, Difel, 1977, p. 20.
5. William Empson. *Some versions of pastoral. A study of the pastoral form in literature*. Harmondsworth, Penguin, s. d., p. 2003.
6. Tem certa pertinência, no caso, lembrar que na poesia lírica provençal havia um gênero conhecido como "pastorela" ou "pastoreta" caracterizado pelo debate entre um cavaleiro e uma pastora, debate de que esta saía usualmente vencedora. Cf. Joseph T. Shipley (ed.). *Dictionary of world literary terms: Criticism, forms, technique*. Londres, Georges Allen & Unwin, 1955, p. 301.
7. Mikhail Bakhtin, op. cit., p. 342.

cronologia

O enredo de *Gabriela, cravo e canela* desenrola-se em Ilhéus, Bahia, entre os anos de 1925 e 1926, época em que a exploração do cacau impulsionou transformações econômicas e sociais importantes. Um dos eventos históricos mencionados no livro é a Semana de Arte Moderna, de 1922, quando o personagem Doutor critica as propostas "futuristas" em prol da poesia acadêmica. Mas a referência temporal que perpassa a trama é a obra de dragagem do antigo porto de Ilhéus, que facilitaria a exportação do cacau. Entretanto, a construção do porto da foz do rio Cachoeira ocorreu de fato em 1924.

1912-1919
Jorge Amado nasce em 10 de agosto de 1912, em Itabuna, Bahia. Em 1914, seus pais transferem-se para Ilhéus, onde ele estuda as primeiras letras. Entre 1914 e 1918, trava-se na Europa a Primeira Guerra Mundial. Em 1917, eclode na Rússia a revolução que levaria os comunistas, liderados por Lênin, ao poder.

1920-1925
A Semana de Arte Moderna, em 1922, reúne em São Paulo artistas como Heitor Villa-Lobos, Tarsila do Amaral, Mário e Oswald de Andrade. No mesmo ano, Benito Mussolini é chamado a formar governo na Itália. Na Bahia, em 1923, Jorge Amado escreve uma redação escolar intitulada "O mar"; impressionado, seu professor, o padre Luiz Gonzaga Cabral, passa a lhe emprestar livros de autores portugueses e também de Jonathan Swift, Charles Dickens e Walter Scott. Em 1925, Jorge Amado foge do colégio interno Antônio Vieira, em Salvador, e percorre o sertão baiano rumo à casa do avô paterno, em Sergipe, onde passa "dois meses de maravilhosa vagabundagem".

1926-1930
Em 1926, o Congresso Regionalista, encabeçado por Gilberto Freyre, condena o modernismo paulista por "imitar inovações estrangeiras". Em 1927, ainda aluno do Ginásio Ipiranga, em Salvador, Jorge Amado começa a trabalhar como repórter policial para o *Diário da Bahia* e *O Imparcial* e publica em *A Luva*, revista de Salvador, o texto "Poema ou prosa". Em 1928, José Américo de Almeida lança *A bagaceira*, marco da ficção regionalista do Nordeste, um livro no qual, segundo Jorge Amado, se "falava da realidade rural como ninguém fizera antes". Jorge Amado integra a Academia dos Rebeldes, grupo a favor de "uma arte moderna sem ser modernista". A quebra da bolsa de valores de Nova York, em 1929, catalisa o declínio do ciclo do café no Brasil. Ainda em 1929, Jorge Amado, sob o pseudônimo Y. Karl, publica em *O Jornal* a novela *Lenita*, escrita em parceria com Edson Carneiro e Dias da Costa. O Brasil vê chegar ao fim a política do café com leite,

que alternava na presidência da República políticos de São Paulo e Minas Gerais: a Revolução de 1930 destitui Washington Luís e nomeia Getúlio Vargas presidente.

1931-1935
Em 1932, desata-se em São Paulo a Revolução Constitucionalista. Em 1933, Adolf Hitler assume o poder na Alemanha, e Franklin Delano Roosevelt torna-se presidente dos Estados Unidos da América, cargo para o qual seria reeleito em 1936, 1940 e 1944. Ainda em 1933, Jorge Amado se casa com Matilde Garcia Rosa. Em 1934, Getúlio Vargas é eleito por voto indireto presidente da República. De 1931 a 1935, Jorge Amado frequenta a Faculdade Nacional de Direito, no Rio de Janeiro; formado, nunca exercerá a advocacia. Amado identifica-se com o Movimento de 30, do qual faziam parte José Américo de Almeida, Rachel de Queiroz e Graciliano Ramos, entre outros escritores preocupados com questões sociais e com a valorização de particularidades regionais. Em 1933, Gilberto Freyre publica *Casa-grande & senzala*, que marca profundamente a visão de mundo de Jorge Amado. O romancista baiano publica seus primeiros livros: *O país do Carnaval* (1931), *Cacau* (1933) e *Suor* (1934). Em 1935 nasce sua filha Eulália Dalila.

1936-1940
Em 1936, militares rebelam-se contra o governo republicano espanhol e dão início, sob o comando de Francisco Franco, a uma guerra civil que se alongará até 1939. Jorge Amado enfrenta problemas por sua filiação ao Partido Comunista Brasileiro. São dessa época seus livros *Jubiabá* (1935), *Mar morto* (1936) e *Capitães da Areia* (1937). É preso em 1936, acusado de ter participado, um ano antes, da Intentona Comunista, e novamente em 1937, após a instalação do Estado Novo. Em Salvador, seus livros são queimados em praça pública. Em setembro de 1939, as tropas alemãs invadem a Polônia e tem início a Segunda Guerra Mundial. Em 1940, Paris é ocupada pelo exército alemão. No mesmo ano, Winston Churchill torna-se primeiro-ministro da Grã-Bretanha.

1941-1945
Em 1941, em pleno Estado Novo, Jorge Amado viaja à Argentina e ao Uruguai, onde pesquisa a vida de Luís Carlos Prestes, para escrever a biografia publicada em Buenos Aires, em 1942, sob o título *A vida de Luís Carlos Prestes*, rebatizada mais tarde *O cavaleiro da esperança*. De volta ao Brasil, é preso pela terceira vez e enviado a Salvador, sob vigilância. Em junho de 1941, os alemães invadem a União Soviética. Em dezembro, os japoneses bombardeiam a base norte-americana de Pearl Harbor, e os Estados Unidos declaram guerra aos países do Eixo. Em 1942, o Brasil entra na Segunda Guerra Mundial, ao lado dos alia-

dos. Jorge Amado colabora na *Folha da Manhã*, de São Paulo, torna-se chefe de redação do diário *Hoje*, do PCB, e secretário do Instituto Cultural Brasil-União Soviética. No final desse mesmo ano, volta a colaborar em *O Imparcial*, assinando a coluna "Hora da guerra", e publica, após seis anos de proibição de suas obras, *Terras do sem-fim*. Em 1944, Jorge Amado lança *São Jorge dos Ilhéus*. Separa-se de Matilde Garcia Rosa. Chegam ao fim, em 1945, a Segunda Guerra Mundial e o Estado Novo, com a deposição de Getúlio Vargas. Nesse mesmo ano, Jorge Amado casa-se com a paulistana Zélia Gattai, é eleito deputado federal pelo PCB e publica o guia *Bahia de Todos os Santos*. *Terras do sem-fim* é publicado pela editora de Alfred A. Knopf, em Nova York, selando o início de uma amizade com a família Knopf que projetaria sua obra no mundo todo.

1946-1950

Em 1946, Jorge Amado publica *Seara vermelha*. Como deputado, propõe leis que asseguram a liberdade de culto religioso e fortalecem os direitos autorais. Em 1947, seu mandato de deputado é cassado, pouco depois de o PCB ser posto fora da lei. No mesmo ano, nasce no Rio de Janeiro João Jorge, o primeiro filho com Zélia Gattai. Em 1948, devido à perseguição política, Jorge Amado exila-se, sozinho, voluntariamente em Paris. Sua casa no Rio de Janeiro é invadida pela polícia, que apreende livros, fotos e documentos. Zélia e João Jorge partem para a Europa, a fim de se juntar ao escritor. Em 1950, morre no Rio de Janeiro a filha mais velha de Jorge Amado, Eulália Dalila. No mesmo ano, Amado e sua família são expulsos da França por causa de sua militância política e passam a residir no castelo da União dos Escritores, na Tchecoslováquia. Viajam pela União Soviética e pela Europa Central, estreitando laços com os regimes socialistas.

1951-1955

Em 1951, Getúlio Vargas volta à presidência, desta vez por eleições diretas. No mesmo ano, Jorge Amado recebe o prêmio Stálin, em Moscou. Nasce sua filha Paloma, em Praga. Em 1952, Jorge Amado volta ao Brasil, fixando-se no Rio de Janeiro. O escritor e seus livros são proibidos de entrar nos Estados Unidos durante o período do macarthismo. Em 1954, Getúlio Vargas se suicida. No mesmo ano, Jorge Amado é eleito presidente da Associação Brasileira de Escritores e publica *Os subterrâneos da liberdade*. Afasta-se da militância comunista.

1956-1960

Em 1956, Juscelino Kubitschek assume a presidência da República. Em fevereiro, Nikita Khruchióv denuncia Stálin no 20º Congresso do Partido Comunista da União Soviética. Jorge Amado se desliga do PCB.

Em 1957, a União Soviética lança ao espaço o primeiro satélite artificial, o *Sputnik*. Surge, na música popular, a Bossa Nova, com João Gilberto, Nara Leão, Antonio Carlos Jobim e Vinicius de Moraes. A publicação de *Gabriela, cravo e canela*, em 1958, rende vários prêmios ao escritor. O romance inaugura uma nova fase na obra de Jorge Amado, pautada pela discussão da mestiçagem e do sincretismo. Em 1959, começa a Guerra do Vietnã. Jorge Amado recebe o título de obá Arolu no Axé Opô Afonjá. Embora fosse um "materialista convicto", admirava o candomblé, que considerava uma religião "alegre e sem pecado". Em 1960, inaugura-se a nova capital federal, Brasília.

1961-1965

Em 1961, Jânio Quadros assume a presidência do Brasil, mas renuncia em agosto, sendo sucedido por João Goulart. Yuri Gagarin realiza na nave espacial *Vostok* o primeiro voo orbital tripulado em torno da Terra. Jorge Amado vende os direitos de filmagem de *Gabriela, cravo e canela* para a Metro-Goldwyn-Mayer, o que lhe permite construir a casa do Rio Vermelho, em Salvador, onde residirá com a família de 1963 até sua morte. Ainda em 1961, é eleito para a cadeira 23 da Academia Brasileira de Letras. No mesmo ano, publica *Os velhos marinheiros*, composto pela novela *A morte e a morte de Quincas Berro Dágua* e pelo romance *O capitão-de-longo-curso*. Em 1963, o presidente dos Estados Unidos, John Kennedy, é assassinado. O Cinema Novo retrata a realidade nordestina em filmes como *Vidas secas* (1963), de Nelson Pereira dos Santos, e *Deus e o diabo na terra do sol* (1964), de Glauber Rocha. Em 1964, João Goulart é destituído por um golpe e Humberto Castelo Branco assume a presidência da República, dando início a uma ditadura militar que irá durar duas décadas. No mesmo ano, Jorge Amado publica *Os pastores da noite*.

1966-1970

Em 1968, o Ato Institucional nº 5 restringe as liberdades civis e a vida política. Em Paris, estudantes e jovens operários levantam-se nas ruas sob o lema "É proibido proibir!". Na Bahia, floresce, na música popular, o tropicalismo, encabeçado por Caetano Veloso, Gilberto Gil, Torquato Neto e Tom Zé. Em 1966, Jorge Amado publica *Dona Flor e seus dois maridos* e, em 1969, *Tenda dos Milagres*. Nesse último ano, o astronauta norte-americano Neil Armstrong torna-se o primeiro homem a pisar na Lua.

1971-1975

Em 1971, Jorge Amado é convidado a acompanhar um curso sobre sua obra na Universidade da Pensilvânia, nos Estados Unidos. Em 1972, publica *Tereza Batista cansada de guerra* e é homenageado pela Escola de

413

Samba Lins Imperial, de São Paulo, que desfila com o tema "Bahia de Jorge Amado". Em 1973, a rápida subida do preço do petróleo abala a economia mundial. Em 1975, *Gabriela, cravo e canela* inspira novela da TV Globo, com Sônia Braga no papel principal, e estreia o filme *Os pastores da noite*, dirigido por Marcel Camus.

1976-1980

Em 1977, Jorge Amado recebe o título de sócio benemérito do Afoxé Filhos de Gandhy, em Salvador. Nesse mesmo ano, estreia o filme de Nelson Pereira dos Santos inspirado em *Tenda dos Milagres*. Em 1978, o presidente Ernesto Geisel anula o AI-5 e reinstaura o *habeas corpus*. Em 1979, o presidente João Baptista Figueiredo anistia os presos e exilados políticos e restabelece o pluripartidarismo. Ainda em 1979, estreia o longa-metragem *Dona Flor e seus dois maridos*, dirigido por Bruno Barreto. São dessa época os livros *Tieta do Agreste* (1977), *Farda, fardão, camisola de dormir* (1979) e *O gato malhado e a andorinha Sinhá* (1976), escrito em 1948, em Paris, como um presente para o filho.

1981-1985

A partir de 1983, Jorge Amado e Zélia Gattai passam a morar uma parte do ano em Paris e outra no Brasil — o outono parisiense é a estação do ano preferida por Jorge Amado, e, na Bahia, ele não consegue mais encontrar a tranquilidade de que necessita para escrever. Cresce no Brasil o movimento das Diretas Já. Em 1984, Jorge Amado publica *Tocaia Grande*. Em 1985, Tancredo Neves é eleito presidente do Brasil, por votação indireta, mas morre antes de tomar posse. Assume a presidência José Sarney.

1986-1990

Em 1987, é inaugurada em Salvador a Fundação Casa de Jorge Amado, marcando o início de uma grande reforma do Pelourinho. Em 1988, a Escola de Samba Vai-Vai é campeã do Carnaval, em São Paulo, com o enredo "Amado Jorge: A história de uma raça brasileira". No mesmo ano, é promulgada nova Constituição brasileira. Jorge Amado publica *O sumiço da santa*. Em 1989, cai o Muro de Berlim.

1991-1995

Em 1992, Fernando Collor de Mello, o primeiro presidente eleito por voto direto depois de 1964, renuncia ao cargo durante um processo de *impeachment*. Itamar Franco assume a presidência. No mesmo ano, dissolve-se a União Soviética. Jorge Amado preside o 14º Festival Cultural de Asylah, no Marrocos, intitulado "Mestiçagem, o exemplo do Brasil", e participa do Fórum Mundial das Artes, em Veneza. Em 1992, lança dois livros: *Navegação de cabotagem* e *A descoberta da América pelos turcos*. Em 1994, depois de vencer as Copas de 1958, 1962 e

1970, o Brasil é tetracampeão de futebol. Em 1995, Fernando Henrique Cardoso assume a presidência da República, para a qual seria reeleito em 1998. No mesmo ano, Jorge Amado recebe o prêmio Camões.

1996-2000

Em 1996, alguns anos depois de um enfarte e da perda da visão central, Jorge Amado sofre um edema pulmonar em Paris. Em 1998, é o convidado de honra do 18º Salão do Livro de Paris, cujo tema é o Brasil, e recebe o título de doutor *honoris causa* da Sorbonne Nouvelle e da Universidade Moderna de Lisboa. Em Salvador, termina a fase principal de restauração do Pelourinho, cujas praças e largos recebem nomes de personagens de Jorge Amado.

2001

Após sucessivas internações, Jorge Amado morre em 6 de agosto de 2001.

Jorge Amado na feira de Água de Meninos, Salvador, 1959. Foto de Zélia Gattai Amado

Essa história de amor -- por curiosa coincidência, como diria dona Arminda-- começou no mesmo dia claro, de sol primaveril, em que o fazendeiro Jesuíno Mendonça matou, a tiros de revólver, dona Sinhàzinha Guedes Mendonça, sua espôsa, expoente da sociedade local, morena mais para gorda, muito dada às festas de Igreja, e o dr. Osmundo Pimentel, cirurgião-dentista chegado a Ilhéus há poucos meses, môço elegante, tirado a poeta. Pois naquela manhã, antes da tragédia abalar a cidade, finalmente a velha Filomena cumprira sua antiga ameaça, abandonara a cozinha do árabe Nacib e partira, pelo trem das oito, para Água Preta, onde prosperava seu filho.

Como opinara depois João Fulgêncio, homem de muito saber, dono da Papelaria Modêlo, centro da vida intelectual de Ilhéus, fôra mal escolhido o dia, assim formoso, o primeiro de sol após a longa estação das chuvas, sol como uma carícia sôbre a pele. Não era dia próprio para sangue derramado. Como, porém, o coronel Jesuíno Mendonça era homem de honra e determinação, pouco afeito a leituras e a razões estéticas, tais considerações não lhe passaram sequer pela cabeça dolorida de chifres. Apenas os relógios soavam as duas horas da sesta e êle--surgindo inesperadamente, pois todos o julgavam na fazenda-- despachara a bela Sinhàzinha e o sedutor Osmundo, dois tiros certeiros em cada um. Fazendo com que a cidade esquecesse os demais assuntos a comentar: o encalhe do navio da Costeira pela manhã na entrada da barra, o estabelecimento da primeira linha de ônibus ligando Ilhéus a Itabuna, o grande baile recente do Clube Progresso e, mesmo,

Manuscrito do início de *Gabriela, cravo e canela*

140

--Bem... Até outra. Boa sorte.

Virou as costas, ia saindo, ouviu a voz atrás dêle, arrastada e quente:

--Que moço bonito!

Parou. Não se lembrava de ninguem achá-lo bonito, à exceção da velha Zoraia, sua mãe, nos dias de infância. Foi quase um choque.

--Espere.

Voltou a examiná-la, era forte, porque não experimentá-la?

--Sabe mesmo cozinhar?

--O moço me leva e vai ver...

Se não soubesse cozinhar, serviria ao menos para arrumar a casa, lavar a roupa.

--Quanto quer ganhar?

--O moço é que sabe. O que quiser pagar...

--Vamos ver primeiro o que você sabe fazer. Depois acertamos o ordenado. Lhe serve?

--Pra mim, o que o moço disser, tá bom.

--Então pegue sua trouxa.

Ela riu novamente, mostrando os dentes brancos, limados. Êle estava cansado, já começava a achar que tinha feito uma besteira. Ficara com pena da sertaneja, ia levar um trambôlho para casa. Mas era tarde para arrepender-se. Se pelo menos soubesse lavar...

Voltou com um pequeno atado de pano, pouca coisa possuia. Nacib saiu andando de vagar. A trouxa na mão, ela o acompanhava poucos passos atrás. Quando já iam saindo da Estrada de Ferro, êle voltou a cabeça e perguntou:

--Como é mesmo seu nome?

--Gabriela pra servir o senhor.

Continuaram andando, êle na frente, novamente pensando em Sinhàzinha, no dia agitado, de encalhe de navios e de crime de morte. Sem falar nos segredinhos do Capitão, do Doutor e de Mundinho Falcão. Ali havia coisa, a êle, Nacib, não enganavam. Não tardaria a surgir novidade. A verdade é que, com a noticia do crime, até de daquilo esquecera, o ar conspirativo dos três, a raiva do coronel Ramiro Bastos. O crime a todos empolgara, tudo mais ficara em segundo plano. O pobre dentista, rapaz simpático, pagara caro

O encontro de Nacib e Gabriela

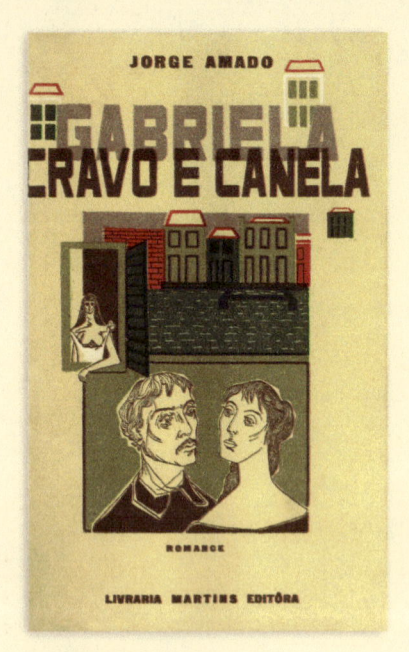

A primeira edição, publicada em 1958, com capa de Clóvis Graciano e ilustrações de Di Cavalcanti

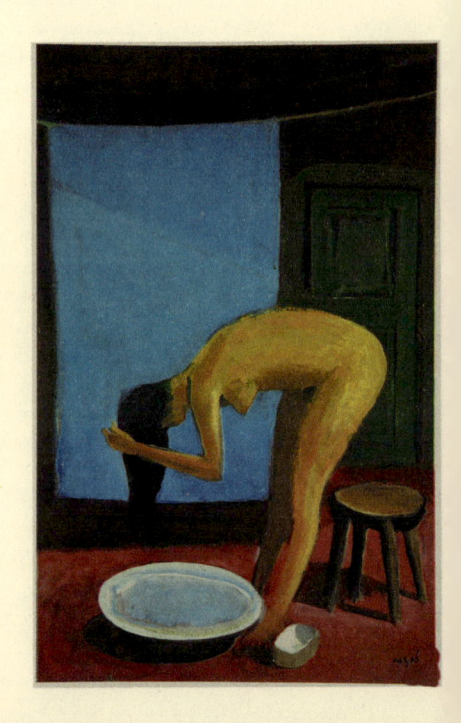

Gabriela por Carybé, óleo sobre tela, 1975

Jorge Amado em noite de autógrafos de *Gabriela, cravo e canela*, 1959. Acervo do Arquivo Público do Estado de São Paulo

Disco lançado em 1958 pela gravadora Festa, com Jorge Amado interpretando poemas seus musicados por Dorival Caymmi

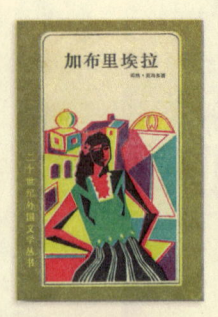

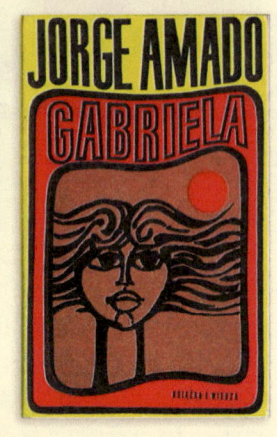

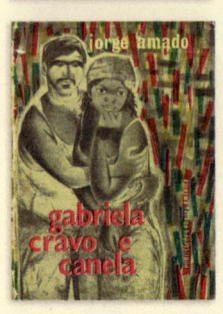

Um dos romances mais conhecidos de Jorge Amado, *Gabriela, cravo e canela* foi traduzido para dezenas de idiomas. Capas alemã, chinesa, persa, israelense, italiana, polonesa, portuguesa, tcheca, cubana, dinamarquesa, estoniana, eslovaca, húngara, sueca, russa e argentina

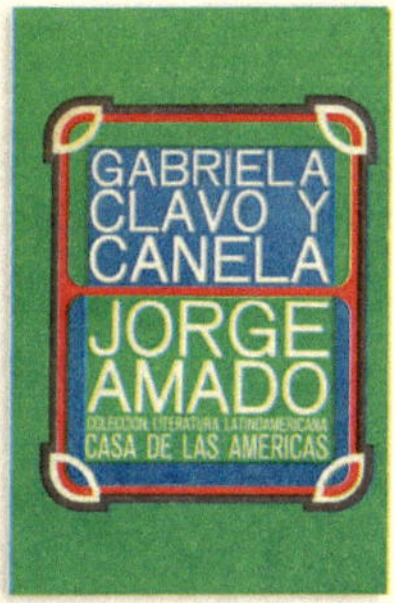
GABRIELA
CLAVO Y
CANELA
JORGE
AMADO
COLECCION LITERATURA LATINOAMERICANA
CASA DE LAS AMERICAS

Gabriela
JORGE AMADO

GABRIELA

Mulatka
Gabriela
JORGE AMADO

JORGE AMADO
GABRIELA

Jorge Amado
Gabriela

ЖОРЖИ АМАДУ
Габриэла

JORGE AMADO
GABRIELA
CLAVO Y CANELA
NOVELA
LOSADA

Jorge Amado escrevendo *Gabriela, cravo e canela* no apartamento do Rio de Janeiro, 1957. Foto de Zélia Gattai Amado

Carteira profissional de Jorge Amado, 1960